増補改訂
第 2 版

いやな気分よ、さようなら

——————自分で学ぶ「抑うつ」克服法

デビッド D. バーンズ　著

翻訳
(第 1 章～第16章)
野村総一郎，夏苅郁子
山岡 功一，小池 梨花

(第17章～第20章)
野村総一郎
佐藤美奈子
林　 建 郎

第17章から第20章までは，内容の関係で
横組みになっておりますので，
裏側からお読みください。

星 和 書 店

FEELING GOOD

The New Mood Therapy

Revised and Updated

By

David D. Burns, M.D.

Translated from English
By
Souichiro Nomura, M.D.
Ikuko Natsukari, M.D.
Kouichi Yamaoka, M.D.
Rika Koike, M.D.
Takeko Hayashi
And
Minako Sato

序章（改訂版 一九九九）

一九八〇年に、本書が最初に出版されて以来、明らかになってきた認知行動療法に対する関心の高まりには、私自身驚いています。当時、認知行動療法について耳にしたことがあるという人は、本当にごくわずかでしかありませんでした。それ以来、認知療法は精神衛生の専門家のみならず、一般の方々の間でも、大々的な支持を得てきました。実際、認知療法は世界で最も広く実践され、最も熱心に研究されている、心理療法の形態の一つにさえなったのです。

他でもない、特にこの種の心理療法が、なぜこれほどまでに人々の関心を博すまでになったのでしょうか。これには、少なくとも三つの理由が考えられます。まず一つ、その基本的概念が非常に実際的で、直感に訴えるものである、ということがあります。そして第二に、認知療法が、うつ病や不安はもちろん、その他の数多くの一般的問題に苦しむ個人にも、非常に有効となり得ることが、多くの研究によって確証されてきた、ということがあります。実際、認知療法は、少なくとも最も有効な抗うつ薬（プロザックなど）に匹敵する効果があることが明らかであるようにさえ思われます。さらに第三の理由として、本書も含め、多くの自助本の隆盛により、アメリカに限らず、世界中で認知療法が、一般に広く求められるようになってきた、ということが挙げられるでしょう。

非常に興味深い発展を幾つかご紹介する前に、まずは、認知療法とは何か、ということについて、端的にご説明したいと思います。認知とは、思考あるいは知覚、すなわち、まさしく今のこの瞬間も含め、あらゆる瞬間における物事に対する考え方、それが認識です。これらの考えは、心のなかをうねるようにして自動的に進み、しばしば、我々の物の考え方に大きな影響を与えます。

たとえば、ちょうど今、おそらくみなさんは、本書について何らかの考えや感情を抱いていらっしゃることでしょう。失望し、挫折感に打ちひしがれていたが故に本書を手にした、という方は、否定的で自己批判的な思いに駆られているかもしれません。「ああ、私は何という失敗をしてしまったんだろう。いったい私のどこがいけなかったんだろうか。もう二度と立ち直れやしない。このような馬鹿げた自助本など、到底役に立つはずがない。そもそも私の考えには、何の問題もなかったのだから。問題は現実なのだ、考えなどではないのだから」。また、怒りや苛立ちを抱えている方は、本書を前に、次のようにお考えかもしれません。「このバーンズという著者は、ただの芸術家気取りのペテン師だ、金儲けを企んでいるだけなんじゃないか。おそらく奴は、自分が何について御託を並べているのかさえ、わかってないいんだろう」。一方、もっと気楽に、ちょっと興味をそそられたから、と本書を手に取られた方ならどうでしょう。「へえ、結構おもしろいじゃないか。ひょっとしたら、本当に何か刺激的なこと、役に立つ情報が得られるかもしれないぞ」。いずれにおいても、思考が感情を生み出していることに変わりはありません。

このような例は、認知療法の核心となる大原則——感情とは、人が自分自身に与えるメッセージから生じるものである——を具体的に示しているといえるでしょう。実際、思考は多くの場合、人生における現実の出来事よりも、遥かに我々の物の感じ方に大きくかかわっているのです。

このような考え方は、新しいものではありません。ほぼ二千年近く前、ギリシャの哲学者、エピクロス（訳注：紀元前３４２ころ―紀元前２７０：エピクロス派の祖）は、こう述べています。人は、「物事によってではなく、それらについての自らの考え方によって」悩み苦しむのである。また、旧約聖書の一書、箴言（23：7）の中に、次のような一節を見つけることができます。「彼はその欲望が示すとおりの人間だ」。さらにあのシェイクスピアでさえ、次のように述べ、同様の考えを表現しています。「良いものとか、悪いものとかは存在しないので、考え方次第なのだ」（『ハムレット』第2幕場面2）。

このように、この考え方自体は、随分前から存在しているのですが、深刻なうつ状態に陥った人が、はたしてこれを実際どれほど理解しているかというと、疑わしいものがあります。人は、気分が憂うつになると、その原因を、自分に生じたよくない出来事に求めがちです。仕事に失敗したり、愛する人に拒絶されると、それを理由に、自分は劣っている、不幸となるべき運命にあるんだ、と考えはしないでしょうか。自分を不甲斐なく感じ、無能な思いに駆られるのは、自分に何か欠陥があるからだと考え――幸せになれないのも、満足できないのも、すべて自分は頭がよくないから、まだまだ成功していないから、魅力的ではないから、さもなければ才能がないから、と妙に納得した気持ちになってしまうのかもしれません。自分がこのように否定的に感じるのは、愛情に欠けていた、もしくはトラウマ的だった子供時代の結果ではないだろうか、何か悪い遺伝子を受け継いでしまったからではないか、化学的、ホルモン的にバランスの悪いタイプだからではないだろうか、と考えるかもしれません。また、気が動転しようものなら、それを他人のせいにすることもあるかもしれません。「車で仕事に向かうとき、私が苛々するのも、こいつら、他のドライバーのせいだ、まったく何て奴らだ、間抜けなドライバーたちめ、こいつらがいけないんだ！

奴らさえいなければ、私の一日は完璧なものになるのに！」こうしてうつ病の人々ほぼ全員が、自分は今、自分自身や世界についての、何か特別な恐ろしい真実に直面しているのであり、自分がこのように酷い感情に襲われるのも、至極現実的で必然的なことなのだ、と納得するのです。

これらの考えのいずれにも、真実の重要な根源が窺えることは確かです――悪い事は起こるものであり、我々のほとんどが、時として、人生によって散々に打ちのめされることがあります。実際、多くの人々が、悲惨な喪失を経験し、痛烈な個人的問題に直面しています。遺伝子やホルモン、及び子供時代の経験が、私たちの物の考え方や感じ方に何らかの影響を及ぼすことも確かでしょう。煩わしい人、残忍な人、もしくは軽率な人、そのような人が周りにいる、ということもおそらくあり得ます。しかし、自分のいやな気分の原因をめぐっての、これらの見解のいずれにも、自分を犠牲者ととらえようとする傾向が窺えないでしょうか――それは、私たちが、その原因を自分自身の手ではコントロールできないことから結果的に生じたもの、と考えているからです。結局、ラッシュアワーにおける他人の運転の仕方、幼少時の自分の扱われ方、もしくは自らの遺伝子や身体の化学的性質を変える（薬の服用を省く）ために、私たち自身にできることなどほとんどない、ということです。対照的に、物事についての自分の考え方を変えることができるようになることなら可能ですし、自分の基本的価値観や信念を変えることも不可能ではありません。そして実際、そうしてみると、たいていの場合、気分、外観、生産性という点において、深遠で永続的な変化を経験することになります。以上、かいつまんだ説明ではありますが、認知療法についてはこれですべてです。

理論は、実に明解です。むしろ、単純すぎる嫌いさえあるかもしれません――とはいえ、通俗的心理学、と決めつけることはできません。たとえ、認知療法について初めて耳にした時点では、(私自身もそうでしたが) かなり不審に感じられたとしても、学んでいくにつれ、その驚くべきほどの有効性にお気づきになることと思います。私は、これまで個人的に何百人ものうつ病や不安状態の患者さんに対し、認知療法面談を二〇〇回以上行なってきました。そして、常々この手法の有効性、威力に驚かされてきたのです。

認知療法の有効性については、この二〇年あまりの間に、世界中の研究者らによる結果研究によって確証されてきました。「うつ病に対する、心理療法と薬物療法の対比：伝統的知識に対する、データによる挑戦　Psychotherapy vs. Medication for Depression：Challenging the Conventional Wisdom with Data」と、銘打たれた最近の画期的論文で、ネバダ大学のデビッド・O・アントヌチオ博士、ウイリアム・G・ダントン博士、及びクリーブランドクリニックのガーランド・Y・デネルスキー博士は、世界中の科学誌に発表されてきた、うつ病に関する極めて慎重に行なわれた研究の多くを再調査しました[1]。再調査では、うつ病と不安の治療における、抗うつ薬による薬物療法と心理療法を比較しました。長期的追認調査はもちろんのこと、短期の調査もこの再調査の対象とされました。その結果、伝統的知識に対抗する、次のような数多くの、目を見張るような結論に至ったのです。

- うつ病は、伝統的には、医学的病気と考えられていますが、調査研究により、遺伝的影響によってその原因を説明されることが明らかなものは、そのうちのわずか一六パーセントにすぎないことが示されています。多くの個人にとって、生活の影響が最も重要な原因であることが明らかです。
- アメリカでは、うつ病に対しては、薬による治療が最も一般的であり、メディアにより、薬こそが最も効果的な治療である、とする考えが、広く一般化され、信じられています。しかしながら、この意見は、ここ二〇年間に、慎重に実施された多くの研究の結果と一致しません。これらの研究は、より最新の心理療法形態、特に認知療法が、少なく見積もっても、薬と同等、多くの患者さんにとっては、明らかにそれを上回る効果を発揮し得ることを示しています。これは、個人的趣向や健康への懸念から——薬物を用いない治療をより好む個人にとって朗報です。また、長年に亙る治療にもかかわらず、抗うつ薬に対して満足な成果が得られなかった人、いまだうつ病や不安に苦しんでいる人など、何百万もの個人にとっても、嬉しい知らせでしょう。いったんうつ病から回復した後は、心理療法による治療を受けた患者さんのほうが、再びうつ病に陥ることなく、そのままの状態を維持できる傾向が高く、抗うつ薬のみによる治療を受けた患者さんと比べ、再発の可能性が顕著に低いことがわかります。これは、うつ病から回復した後も、再発を繰り返す人が多いということ、とりわけ何の対話的治療も交えず、抗うつ薬だけで単独の治療を受けた人に、特にその傾向が強く見られることが自覚されてきているだけに、特に重要な問題といえるでしょう。

これらの発見に基づき、アントヌチオ博士と彼の同僚たちは、心理療法は二流の治療方法とみなされるべきではなく、たいていの場合、うつ病の最初の治療として用いられるべきものである、という結論をくだしました。さらに加え、認知療法は、うつ病の最も効果的な心理療法である、とまではいえないとしても、その一つであることは明らかである、とも述べています。

もちろん、個人によっては、薬物療法が効果的である可能性もあります——生命維持のためにもです。最大限の効果を得るために、薬物療法を心理療法と組み合わせて行なうことも、当然可能ですし、うつ病が深刻な場合には特にそういえるでしょう。我々は今、うつ病と闘うための強力な新兵器を手にしているということ、そして認知療法をはじめ、薬を用いない治療方法も、非常に大きな効果を発揮し得るということをよく理解すること、そのことが極めて重要なことなのです。

最近の研究から、心理療法が、軽いうつ症状だけでなく、深刻なうつ症状にも効果を発揮し得ることが明らかにされています。これらの発見は、「対話的治療」が有効なのは、障害が軽い人だけであり、深刻なうつの場合は、薬による治療が必要である、とする一般的考えとは相容れないものです。

うつ病とはおそらく、脳の化学的構造のバランスが崩れた結果生じるものであろうといわれていますが、最近の研究からは、認知療法によって、実際に脳の化学的構造が変化することもあり得ることが明らかになっています。これらの研究で、ルイス・R・バクスター・ジュニア博士、ジェフリー・M・シュワルツ博士、ケネス・S・バーグマン博士、およびUCLA医学部の彼らの同僚たちは、PET（ポジトロン断層撮影）を用いて、二つの患者さんグループの、治療の前後における、脳の新陳代謝の変化を評価しました[2]。

予想されるように、薬物療法グループの、回復した患者さんの脳化学構造には変化が見られました。これらの変化は、彼らの脳の新陳代謝が低下したこと——言い換えると、脳のある一定領域の神経が、明らかに、より「リラックス」したように見えるということ——を示していました。そして極めて驚きだったことに、認知行動療法による治療が成功した患者さんの脳にも、同様の変化が見られたのです。しかも、これらの患者さんは薬物療法を一切受けていませんでした。しかも、薬物療法グループと心理療法グループの脳の変化にも、これら二つの治療方法の効果にも、まったく何の重要な違いも見られなかったのです。これら、及びその他の同様の研究から、研究者らは、初めて、認知行動療法——本書でご説明している手法——が、人間の脳の化学的構造と構成に変化をもたらすことにより、実際、有効となり得るかもしれない、と考えるようになったのです！

いずれにしても、単独で、本当に万能といえるような方法は、どこを探しても見つからないでしょうが、認知療法が、うつ病に加え、さまざまな障害に対しても有効となり得ることは、調査研究により示されています。たとえば、幾つかの研究において、パニック発作が見られる患者さんが、認知療法に対して非常によい反応を示したことから、現在では多くの専門家が、認知療法を単独でこの障害に対する最善の治療である、ととらえるようになりました。また、認知療法は、その他の多くの不安形態（慢性的心配、病的恐怖症、強迫性障害及びＰＴＳＤ）においても、有効となり得ます、境界性人格障害などの人格障害においても用いられて、一定の成功を収めています。

認知療法は、その他多くの障害の治療においても、現在評判となりつつあります。一九九八年スタンフォード大で精神薬理学会が開かれ、私は、スタンフォードの同僚のスチュアート・アグラス博士によるプレゼンテーションに興味をそそられました。アグラス博士は、めちゃ食い、拒食症、過食症など、摂食障害の著名な専門家です。彼は、抗うつ薬と心理療法を対比した、数多くの摂食障害の治療に関する研究の結果を発表しました。これらの研究は、摂食障害に対しては認知行動療法が最も有効な治療法であり、現在知られているいずれの薬、及び心理療法のその他のいずれの形態と比較しても、優れた効果を示すことを明らかにしています*。

認知療法については、現在、その作用の仕組みについても解明され始めています。たとえば、治療を受ける、受けないにかかわらず、自助が回復の鍵となりそうだ、ということは、ひとつの重要な発見といえるでしょう。かの有名な「ジャーナル・オブ・コンサルティング・アンド・クリニカル・サイコロジー Journal of Consulting and Clinical Psychology」及び「ジェロントロジスト The Gerontologist」に、五回シリーズで連載された優れた研究で、フォレスト・スコジン博士と、アラバマ大学の彼の同僚たちは、本書のような、優れた自助本を単に読むだけ――他の治療は一切行なわない――の効果を調査しました。この新しいタイプの治療は、「読書療法」（読書治療）と呼ばれます。スコジン博士らは、本書による読書療法には、心理療法の全課程を修了、もしくはどれほど優れた抗うつ薬による治療にも匹敵する効果がある可能性を発見しました[3)-7)]。医療費削減が強く求められている現状において、これは、一考に値します。なぜなら、本書一冊の値段は、プロザック二錠分にも満たないですし――煩わしい副作用も、おそらく一切ないでしょうからね！

最近の研究で、スコジン博士と彼の同僚であるクリスティン・ジェイミソン博士は、うつ病の主要な症状に対して治療を求めている個人八〇人を対象に、無作為に二つのグループに分けました。第一グループ

＊ 認知療法も含め、現在行なわれている治療で、万能なものなど、どこにもありません。もうひとつの新しい短期療法は、対人関係療法と呼ばれますが、この治療法も、摂食障害の患者さんにかなり有望であることが明らかです。アグラス博士やその同僚たちによって行なわれたような研究から、将来、摂食障害に対する、より有力で特効的な治療法が生まれることは間違いないでしょう。

の患者さんに対しては、本書が一冊与えられ、それを四週間以内に読むよう勧められました。このグループは、即時読書療法グループと呼ばれました。また、これらの患者さんには、本書で勧められる演習を彼らがする気になった場合を考え、本の自助に関する書き込みページを白紙のままコピーしたものを含めた冊子も一緒に渡されました。

一方、第二グループの患者さんに対しては、治療開始まで四週間、待機リストに名前を掲載する旨が言い渡されました。これらの患者さんには、四週間を一サイクルとした研究の第二サイクルの初めまで、本書が与えられなかったため、このグループは、遅延読書療法グループと呼ばれました。遅延読書療法グループの患者さんの役割は、即時読書療法グループにおける改善が、単なる時間の経過によるものではないことを確認するための対照グループとしてありました。

最初の評価では、患者さん全員に二つのうつ病検査が実施されました。まず一つはベックうつ病調査表（The Beck Depression Inventory　ＢＤＩ）という、患者さんがご自身で回答を記入する時間遵守の自己評価テスト。二つ目は、ハミルトンうつ病評価尺度（The Hamilton Rating Scale for Depression　ＨＲＳＤ）で、これは訓練を受けた、うつ病研究者によって実施されるものです。図1からわかるように、最初の評価の時点では、二つのグループのうつレベルに何ら違いはありません。また、最初の評価における、即時読書療法グループと遅延読書療法グループの患者さん方の平均スコアは、両グループとも、ＢＤＩ、ＨＲＳＤ両テストで、二〇付近またはそれ以上であることがわかります。これらのスコアは、両グループのうつレベルが、抗うつ薬もしくは心理療法についての多くの研究発表におけるうつレベルと、同等であることを示しています。実際、彼らのＢＤＩスコアは、一九八〇年代後半に、フィラデルフィアの私のクリニックで治療を求めた、およそ五〇〇人の患者さんの平均的ＢＤＩスコアとほぼ等しかったのです。

両グループの患者さんには、毎週、研究助手が電話をし、電話によってＢＤＩを行ないました。研究助

＜グラフ１＞　即時読書療法グループ

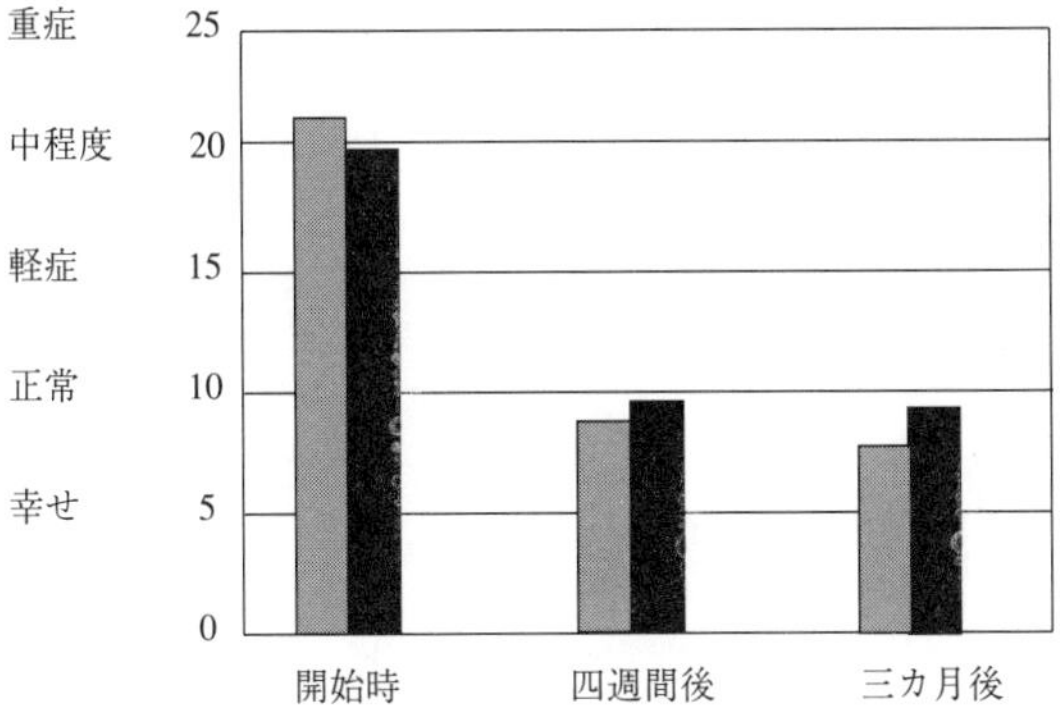

＜グラフ２＞　遅延読書療法グループ

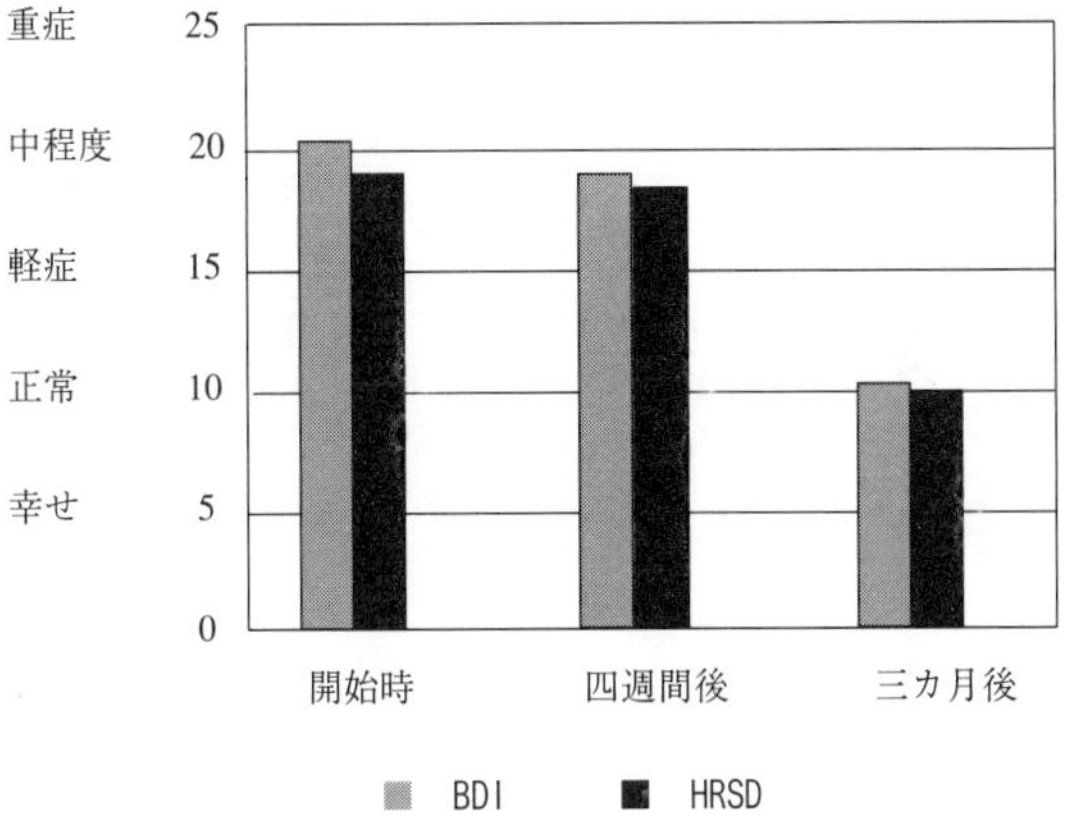

図１　即時読書療法グループの患者さん（上のグラフ１）は，最初の評価時に本書を与えられました。遅延読書療法グループの患者（下のグラフ２）は，四週間後の評価時に本書が与えらました。

BDI = Beck Depression Inventory

HRSD = Hamilton Rating Scale for Depression

手は、同時に、当研究についての患者さんの質問に答え、即時読書療法グループの患者さんには、四週間以内に本をすべて読み終えるよう、促しました。これらの電話は、一〇分に制限され、カウンセリングは一切、行なわれませんでした。

四週間の最後の時点で二つのグループは比較されました。図1から、即時読書療法グループ（グラフ1）の患者さんが著しく改善したことがわかります。実際、BDIとHRSD両テストにおける平均スコアは、一〇付近ないしそれ以下であり、正常とみなされる域にあります。これらのうつの変化は、非常に意義あるものだったといえるでしょう。同様に、図1からは、三カ月の時点での評価で、患者さんが依然、その効果を維持しており、再発を起こしていないこともわかります。実際、読書療法の完了後も、引き続き改善し続ける傾向があり、両方のうつ病テストのスコアは、三カ月の時点の評価で、現実には、これよりもさらに下回っていたのです。

対照的に、図1から、遅延読書療法グループ（グラフ2）の患者さんには、ほとんど変化は見られず、四週間後の時点における評価でも、依然、スコアは二〇付近のままであることがわかります。このことは、単に時間の経過により改善したのではなく、本書を読むことにより改善したことを示しています。その後、ジェイミソン博士とスコジン博士の両氏は、遅延読書法グループの患者さんに、本書を与え、研究第二期の四週間の間に、それを読んでもらいました。すると、それから四週間の間にこれらの患者さんは、即時読書療法グループが研究最初の四週間に示したのと同様の改善ぶりを示したのです。図1からは、両グループの患者さんが三カ月の時点での評価において、いずれも再発を繰り返すことなく、効果を維持していることがわかります。

この研究結果は、本書に、実質的な抗うつ効果があると思われることを示しています。アメリカ精神医学会の公式の診断統計マニュアル（Diagnostic and Statistical Manual　ＤＳＭ）で、概説されている主要なうつ症状についての診断基準によれば、最初の四週間の読書療法期間が終わった時点で、即時読書療法グループの患者さんの七〇パーセントが、もはやその基準に達していませんでした。実際、その効果は実に目覚しく、これらの患者さんのほとんどが、もはやこれ以上、当メディカルセンターで治療を受ける必要がなくなったほどでした。私の知る限り、自助本が、実際に主要なうつ症状に苦しむ患者さんに、重要な効果をもたらし得ることを示した研究は、発表されたものの中では、これが最初だったように思います。

対照的に、遅延読書療法グループの中で、最初の四週間に症状が改善したのは、そのうちのわずか三パーセントにすぎませんでした。言い換えると、本書を読まなかった患者さんは症状が改善しなかった、ということになります。ところが、その後、両グループとも本書を読んだ三カ月の時点での評価では、即時読書療法グループの患者さんの七五パーセント、遅延読書療法グループの患者さんの七三パーセントが、ＤＳＭ基準による、主要なうつ症状に関する診断にもはや該当しなくなっていたのです。

研究者らは、これらのグループにおける改善度を、抗うつ薬か心理療法のどちらか一方、もしくは両方を用いた研究の公表結果における改善の総計と比較しました。大規模なＮＩＭＨの共同うつ病調査によれば、高度な訓練を受けたセラピストから、一二週間の認知療法を受けた患者さんのＨＲＳＤテスト結果に、平均して一一・六ポイントの低下が見られました。これは、数値的には、本書の読後ちょうど四週間の時点で、患者さんから得られた、一〇・六ポイントのＨＲＳＤ変化と非常に近い値を示している、といえます。しかし、その速度を比較した場合、読書療法による治療の方が、遥かに即効性があるように思われました。私自身の臨床経験も、この結果を裏づけています。私が個人的に診療を行なってきた中で、治療の最初の四週間で病状が改善してしまった、という患者さんは、ごくわずかしかいらっしゃいませんでした。

また、読書療法による治療を途中で断念した患者さんの割合は非常に小さく、一〇パーセント程度にすぎませんでした。一方、薬剤、もしくは心理療法を用いた幾つかの治療研究の公表結果を見ると、標準して一五パーセントから五〇パーセント以上の落伍率を示していますから、この一〇パーセント程度、という割合は、これらの研究の大半よりも低いことがわかります。しかも、最終的に見て、本書を読んだ場合の方が、後に患者さんが前向きな態度や思考が示す傾向が大きかったのです。これは、本書の推論の大前提でもある、うつ病の原因となっている否定的な思考パターンを変えることにより、うつ病を克服することは可能である、とも一致していました。

結局、研究者らがくだした結論は、読書療法が、うつ病に苦しむ患者さんに有効であり、公的教育とうつ病防止プログラムにおいて、重要な役割を担う可能性がある、というものでした。そして、本書を用いた読書療法が、否定的な思考傾向をもつ個人が、互いに協力し合い、うつの深刻な症状を防止するうえで役立つのではないか、と彼らは推論しています。

最後に、研究者らは、もう一つ重要な関心に取り掛かりました。それは、本書の抗うつ効果は、はたして持続するのだろうか、という懸念でした。聞き手の心を巧みに掴む術を心得ている話し手なら、たちまち聴衆を沸かせ、楽観的な気持ちにさせることができるでしょう――しかし、このような即興的な気分の高揚は、しばしば効果が長続きしないものです。同じ問題は、うつ病の治療にもいえます。薬、もしくは心理療法を用い、治療が効を奏すと、多くの患者さんは、その直後は、とてつもなく症状が改善した気分になるのですが――結局、しばらくすると、再びうつ状態に陥ってしまうのです。このような再発に、患者さんの士気はずたずたに砕かれ、破壊的な爪痕さえ残しかねません。

その後、一九九七年に、私が今ご紹介した研究の患者さんについて、三年後の追跡調査の結果が報告されました[7]。執筆者は、アラバマ大学のナンシー・スミス博士、マーク・フロイド博士、フォレスト・スコジン博士の三氏、及びタスケギー・ヴェテランズ・アフェアズ・メディカル・センターのクリスティン・ジェイミソン博士です。調査では、前回本書を読んでから、三年後に、当患者さんに再び連絡を取り、再度、うつ病検査を行ないました。また、前回の研究終結から、今回の調査時点に至るまでの状態についても、幾つか質問が行われました。その結果、これらの患者さんは、この三年間の間に再発を起こすこともなく、先の研究の効果を、各自維持していることがわかったのです。それどころか実際には、三年後の評価の時点での、二つのうつ病検査のスコアは、読書療法による治療終結時のスコアよりも、さらに若干、よくなっていたのです。患者さんの半分以上が、最初の研究終結後も引き続き、気分が改善し続けた、と述べました。

これは、三年後の評価時おける診断所見によっても裏づけられました。患者さんの七二パーセントが、依然、主要なうつ症状の診断基準に達していませんでしたし、七〇パーセントは、追跡期間中に、薬、もしくは心理療法を用いた、さらなる治療を求めることも、また、実際に受けることも一切ありませんでした。私たちの誰もが、時折感じる程度の、正常な気分の浮き沈みは、彼らも経験していましたが、ほぼ半数が、気分が動転した際には本書を開き、特に有効な章を幾つか読み直したことを窺がわせていました。このことから研究者らは、このような患者さん自らが催す「効果促進講習」こそが、症状の回復後も前向きな姿勢を維持して行くうえで、重要な役割を担ってきたのかもしれない、と考えました。また、患者さんの四〇パーセントは、本書の中で最もためになった部分として、あまり完璧であろうとせず、全か無か思考をやめることができるようにする、など否定的な思考パターンを変えるのに有効な個所を筆頭に挙げていました。

もちろん、この研究にも限界はありますし、それはいかなる研究についてもいえることでしょう。第一に、本書を読んだ患者さんのすべてが「治った」わけではない、ということです。万能の治療方法など存在しない、ということでしょう。本書を読むことが、多くの患者さんによい効果をもたらしたように思われることは、励みになる一方で、より症状が重い、もしくは慢性的なうつ病患者さんの中には、セラピストの助けと、おそらく抗うつ薬の助けも必要な人がいることは明らかです。これは決して恥ずべきことではありません。それぞれどの治療方法がより大きな効果をもたらすかは、個人によって異なります。したがって、現在、我々は、うつ病に対して有効な治療方法を三つ——抗うつ薬、個人・集団心理療法、そして読書療法を——手にしているということは、実にすばらしいことなのです。

もちろん、現在、既に何らかの治療を受けているとしても、回復の速度を速めるために、治療の面談と面談の間に、認知読書療法を活用することは可能です。これは、心に留めて置いていただきたいことです。実際、私は、最初に本書を執筆したとき、この本はおそらくそのような使われ方をされるだろう、と思っていました。そもそも本書は、私の患者さん方が、治療をより迅速に進めることができるよう、面談と面談の合間に用いる、ひとつの手立てとするつもりで書いたものです。したがって、まさか、いつの日か、うつ病の独立した治療法として、単独で使われる日が訪れようとは、微塵も考えていなかったのです。

現在、面談と面談の合間に、いわば、心理療法の「宿題」として、患者さんに読書療法を課すセラピストが増えてきていることは明らかなようです。一九九四年に、精神衛生の専門家による読書療法の活用に関する、全国調査の結果が Authoritative Guide to Self-Help Books（New York,Guilford Press刊）に発表されました。この調査は、ダラスにあるテキサス大学のジョン・W・サントロック博士、アン・M・ミネット博士、及び当大学の研究準学士バーバラ・キャンベル氏によって行なわれたものです。これら三人の研究者らは、全米五〇州すべての五〇〇人に及ぶ、アメリカの精神衛生専門家を対象に調査を行い、回復の速度を速めるために面談と面談の合間に読むよう、患者さんに本を「処方」したかどうかについてたずねました。調査を受けたセラピストの七〇パーセントが、その前年の一年間に、自分の患者さんに少なくとも三冊の本を推薦したと述べ、さらに八六パーセントが、これらの本が患者さんに好ましい効果をもたらしたことを報告しています。また、セラピストには、一〇〇冊のリストの中から、どの自助本を最も頻繁に患者さんに推薦したかについても質問しました。その結果、本書が、うつ病の患者さんに推薦する書の第一位に評価され、やはり私の著である、Feeling Good Hand Book（星和書店より二〇〇四年十二月に翻訳出版の予定）が、第二位にランクされました。

私は、このような調査が行われているとは知りませんでしたから、その結果について知ったときには、胸が踊りました。本書を執筆した際、私の中には、私自身の患者さん方のために、何か、面談と面談の合間に彼らの学習と回復が速やかに進むよう、後押しする読み物を提供できれば、という思いがあったことは確かです。しかし、まさかこの試みが、このように大々的に取り上げられることになろうとは、まさしく夢にも思っていませんでした！

本書を読んだ後に、まさか症状が改善もしくは回復しようとは、いったい誰が期待したでしょうか？　そのようなことは、到底、理に適っていないように思えるのではないでしょうか。当研究からも、本書を読んだ多くの人々が、症状が改善した一方で、やはり精神衛生の専門家の補助的助けが必要な人々もいたことは明らかです。私はこれまでに、本書を読んでくださったという方々から、非常にたくさんの（おそらく一万通以上の）手紙をいただきました。ありがたいことに、これらの方々の多くが、それまで何年も薬物療法や電気刺激治療までも受けて、うまくいかなかったにもかかわらず、本書がどれほど役に立ったか、と熱烈な言葉で書き記してくださっていたのです。また、本書の考えに魅力を感じ、それを自分自身にとって有効に活かすために、誰か地元の優秀なセラピストを紹介してもらえないか、と記している方もいらっしゃいました。これは、至極当然のことでしょう。私たちはみなそれぞれ異なっています。たとえどのような本、または治療形態であれ、どれかひとつをもってして、すべての人々の求めに応じることができる、と考えること自体が、非現実的ではないでしょうか。

苦しみには実にさまざまな形態がある中で、うつ病が最悪なもののひとつであるのは、それが、計り知れないほど屈辱的で、自分は価値も希望もなく、士気を打ち砕かれたような気持ちへと人々を陥れるからです。うつ病は、末期がんにもまして、性質《たち》が悪い、と感じられることもあるかもしれません。がんの患者さんであれば、自分が愛されていることを感じ、希望と自尊を失わずにいられますからね。実際私は、多くのうつ病の患者さんから、切実なまでに死を求め、いっそのことがんにでもなって、自殺を図らずとも尊厳を持って死ぬことができればと夜毎祈らずにはいられない、という話を耳にしてきました。

しかし、みなさんのうつ病や不安がどれほどひどく感じられようとも、回復の見通しは大いにあります。

みなさんは、自分だけは特別、自分の苦しみはあまりにもひどく、圧倒せんばかりで、希望などかけらもない、と納得してしまっているかもしれません。自分に限っては、たとえ何をもってしても、決して良くなることはないんだ、と思い込んでしまっているかもしれません。でも、遅かれ早かれ、晴れ間が見えてきます、雲が切れ、突如明るい空が顔を覗かせるでしょう、太陽が再び光り輝き始めるのです。そして、そのときこそ、溢れんばかりの安心と喜びがみなさんを包むことでしょう。現在、うつ病と低い自己評価に苦しんでいる方々にも、間違いなくこの変化は訪れます。どれほど打ちひしがれ、どれほど滅入った気分に陥っていたとしても、きっと変わることができる、私はそう信じています。

さあ、いよいよです。まずは第一章からですよ、一緒に進んでいきましょう。本書をお読みのみなさんに成功が訪れることを。そして、本書の考え方と方法の効果を、みなさんが実感してくださることを心より願ってやみません！

David D. Burns, M.D.
Clinical Associate Professor of Psychiatry and Behavioral Sciences,
Stanford University School of Medicine

〈序章　文献〉

1. Antonuccio, D. O., Danton, W. G., & DeNelsky, G. Y. (1995). Psychotherapy versus medication for depression: Challenging the conventional wisdom with data. *Professional Psychology: Reseach and Practice,* 26(6), 574-585

2. Baxter, L. R., Schwartz, J. M., & Bergman, K. S., et al. (1992). Caudate glucose metabolic rate changes with both drug and behavioral therapy for obsessive-compulsive disorders. *Archives of General Psychiatry*, 49, 681-689

3. Scogin, F., Jamison, C., & Gochneaut, K. (1989). The comparative efficacy of cognitive and behavioral bibliotherapy for mildly and moderately depressed older adults. *Journal of Consulting and Clinical Psychology*, 57, 403-407

4. Scogin, F., Hamblin, D., & Beutler, L. (1987). Bibliothrapy for depressed older adults: A self-help alternative. *The Gerontologist*, 27, 383-387

5. Scogin, F., Jamison, C., & Davis, N. (1990). A two-year follow-up of the effects of bibliotherapy for depressed older adults. *Journal of Consulting and Clinical Psychology*, 58, 665-667

6. Jamison, C., & Scogin, F. (1995). Outcome of cognitive bibliotherapy with depressed adults. *Journal of Consulting and Clinical Psychology*, 63, 644-650

7. Smith, N. M., Floyd, M. R., Jamison, C., & Scogin, F. (1997). Three-year follow-up of bibliotherapy for depression. *Journal of Consulting and Clinical Psychology,* 65(2), 324-327

序文

最近専門家の間で注目されている感情調整法についての一般向きの本を、デビッド・バーンズが書いたのは誠に喜ばしいことです。バーンズ博士はペンシルバニア大学で長年うつ病の原因と治療についての研究を進め、それに基づいて患者さんが自分で行なえる特別の治療法を明解に示したのです。この本は自分の感情を理解し、マスターしようとする人にとても役立つと思います。

読者のために認知療法の歴史を簡単に記してみます。私が伝統的精神分析の修練を始めてまもなく、フロイトの理論とうつ病治療の実験的背景の研究を行なおうとしました。その試みはうまくいかなかったのですが、感情障害の原因についての新たな検証可能なデータを得ることができました。つまりうつ病者は、葛藤し剝奪され侮辱され失敗するべく運命づけられた「失敗者」だと自らを規定していることがわかったのです。さらに、うつ病者の自己評価、期待と実際の業績（たいていはすばらしいものです）との間には、大きなギャップがあることも明らかになりました。私の結論は、うつ病者には思考の障害があるに違いないというものでした。うつ病者は自分、世界、将来についての独特の否定的観念をもっています。そしてそれが、気分、気力、人間関係に大きく影響し、うつ病の症状につながるのです。

いまやわれわれは、比較的簡単な技術を適応することによって、うつ病の自己破壊的行動と気分の揺れをコントロールすることができるとの十分な証拠を得ました。われわれの研究結果は、精神科医、心理学者や他の専門家の間に認知療法についての関心を大いに高めました。多くの人が、認知療法を精神療法上の重要な進展であると認めています。認知療法の背景にある感情障害の理論は、世界中の研究機関の主要テーマになっています。

バーンズ博士はこの理論の進歩を簡明な言葉で著し、憂うつな気分と不安を和らげる革新的な方法を提示しました。われわれの発展させたこの技術と原理を、本書の読者も自分に適応してみることが可能であるよう期待します。もちろん重症のうつ病者は専門家の治療が必要ですが、自己コントロールの可能なレベルの場合にはここでバーンズ博士が示した新しい「常識的」対処技法が役立つことでしょう。本書はその意味で、自分で治そうとする人にとっての、有用な段階的なガイドブックとなることでしょう。

この本は著者の高い見識の賜物であり、その熱意と創造的なエネルギーは患者と同僚にとってのかけがえのないギフトとなることを確信しています。

アーロン・T・ベック
ペンシルバニア大学医学部
精神医学教授

『改訂版』謝辞

本書の執筆にあたり、私の編集を助け忍耐強く励ましてくれたわが妻メラニーに感謝したいと思います。どれほどの長きにわたり、夜な夜な、のみならず週末にまでおよぶ多大な時間が、本書の出版に消えていったことでしょう。その間、彼女はずっと私を支えてきてくれたのです。また、原稿のタイプなど技術的な面で熱心に助けてくださったメリー・ロベルにも感謝申し上げたいと思います。

認知療法は、多くの有能な人びとが一丸となって取り組み、発展してきました。一九三〇年代に内科医アブラハム・ロウが、感情障害の人びとのために無償の自助運動をスタートさせました。この運動は「Recovery Incorporated」と呼ばれ、今も健在です。ロウは、考えや物事に対する姿勢が感情や行動におよぼす重要な役割を強調した最初の健康専門家のひとりです。彼の功績を認めている人はさほど多くはありません。しかし、現在も広く受け入れられている多くの考えと道を拓いたパイオニアとして、ロウは多大な名誉に値するといっても過言ではありません。

その後一九五〇年代に、ニューヨークの著名な心理学者アルバート・エリスが、これらの概念をさらに洗練したものにしました。「Rational Emotive Therapy」と呼ばれる、新しい形式の心理療法を作り上げたのです。エリスは、五十冊を超える本を出版し、感情障害に広く認められる否定的なセルフトーク（「すべきである」「するのが当然だ」など）や不合理な確信（「完璧でなければならない」など）に着目したのです。ロウ同様、彼の輝かしい貢献も、学界の研究者や学者たちから充分には認められないことがときどきありました。実際のところ、私自身、『いやな気分よ　さようなら』の第一版を執筆した時点では、エリスの功績についてはあまりよくわかっていませんでした。彼がどれほど重要で大きな貢献をしたか、本当には評価していなかったのです。だからこそ本書で、正しく訂正してお話したいと願っています。

一九六〇年代になり、とうとう、ペンシルバニア大学医学部の私の同僚であるアーロン・ベックが、これらの考えと治療テクニックを臨床的うつ問題に応用しました。彼は、うつ病の患者の自己、世界、および未来に対する否定的な見方について説明し、うつ病に対する新しい形式の「思考療法 thinking therapy」を提案しました。そしてこれを「認知療法」と呼んだのです。認知療法の焦点は、うつ病の患者さんがこのような否定的思考パターンを変えられるよう助けていくことにあります。ロウおよびエリス同様、ベックの貢献も現在に至るまで重要な影響をおよぼしてきました。ベックのうつ病調査表が一九六四年に発表されたことにより、臨床家や研究者は初めてうつ病を評価することができるようになったのです。患者さんのうつ病がどれほど深刻であるか、知ることができ、しかも治療効果の変化をたどることもできるという考えは、まさしく画期的なものでした。またベックは、計画的かつ量的な調査の重要性をも強調しました。それにより、さまざまに異なる心理療法が実際にどれほど有効で、抗うつ薬による薬物療法と比較してどれほど効果的かに関する情報が得られる、と主張したのです。

これら三人の早期パイオニアたちの時代以来、世界中の何百人もの才能豊かな研究者や臨床家が、この新しい治療法に貢献してきました。行動療法は例外かもしれませんが、それを除けば実際、認知療法に関する研究は、他のどの形式の心理療法にもまして多く発表されています。残念ながら、認知療法の発展に重要な貢献をされてきた方々を全員、ここでご紹介することは不可能です。認知療法の草分け時代ともいえる一九七〇年代、私は、ペンシルバニア大学医学部の数人の同僚と共に現在でも用いられている多くの治療テクニックの開発に取り組みました。ジョン・ラッシュ、マリア・コバックス、ブライアン・ショー、ゲーリー・エメリー、スティーブ・ホロン、リック・ベドロシアン、ルス・グリーンバーグ、イラ・ハーマン、ジェフ・ヤング、アート・フリーマン、ロン・コールマン、ジャッキー・パーソンズ、そしてロバート・リーヒーなどが、私の同僚たちです。

レーモンド・ノバコ、アーレン・ワイスマン、およびマーク・ゴールドシュタイン先生からは、本書のなかで詳細に彼らの研究をご紹介させていただくことをお許しいただきました。

本書の編集者、マリア・ガリナスチェリには無限の活力とエネルギーをいただきました。この場を借り、特に感謝申し上げたいと思います。彼女のおかげで私はすばらしいインスピレーションを得ることができたのです。

本書の誕生へと至ったトレーニングと研究は、私が精神医学研究基金の奨学生時代に取り組んだものです。本書は基金の支援の賜物である、と心から感謝しています。

また、NIMHの前会長フレデリック・グッドウィン博士にも感謝申し上げます。博士からは感情障害の治療における生物学的要因と抗うつ薬の役割について、貴重なアドバイスをいただきました。さらに、スタンフォード大学のふたりの同僚、グレッグ・タラソフとジョー・ベレノフからは、新薬に関する章について有効なフィードバックをいただきました。感謝の意を述べさせていただきたいと思います。

アーサー・シュワルツ氏には、忍耐強く励ましていただき、感謝しています。エイボンブックスの編集者アン・マッケイイ・ソロマン氏には、新しい精神薬理学に関する章でいろいろ助言をいただき感謝しています。
最後になりましたが、この一九九九年版の新しい原稿に並々ならぬ有益な提案を寄せ、細心の配慮をもって編集にあたってくれたわが娘サイン・バーンズ、彼女に感謝の言葉を捧げたいと思います。

（『いやな気分よ　さようなら』改訂版　　謝辞…終わり）

★第七部からは横組みになっておりますので裏側からお読みください。

〈表のリスト〉

■自己評価テスト

■自己トレーニングのためのチャート

はじめに

この本で私は、人生を明るく生き、憂うつな気分をなくすための最新の科学的方法をお示ししようと思います。その技術は、「認知療法*cognitive therapy*」として知られる新しい治療技法に基づいています。この治療では、ものごとの見方を変え、たとえうちひしがれている時でも、気分を改善し、生産的に振る舞えるように訓練を行います。

その気分改善技術の効果は、驚くべきものです。実際、認知療法はうつ病に対して、抗うつ薬と同等か、あるいはそれ以上の治療効果があることが証明された最初の精神療法なのです。もちろん薬もよく効きますが、認知療法によって、薬に頼ることなく治療が可能になります。また薬をのんでいたとすれば、この治療によってその効果がさらに高まります。認知療法はまた、他の多くの精神療法、たとえば行動療法、集団療法、洞察療法などよりも効果が優れていることを示唆する研究があります。このことに触発されて、多くの精神科医、心理療法家が基礎的、臨床的な研究を始めています。エール大学のミルナ・ワイスマン博士は、ある一流の精神医学雑誌紙上で、一般的に言って、認知療法は他の治療技法より優れている、との結論を出しています。他の医学的治療法と同様に、最終的な結論を得るのにはまだ研究が必要ですが、少なくともこれまでのところ希望のもてる結果が出ていると言えそうです。

認知療法では常識的な考え方を強調します。その効果が出るのがあまりに早いので、伝統的な精神分析医の中には、それに疑いを持つ者もいます。しかし古典的な方法では、うつ病に効果がないばかりか、それをかえって悪くしてしまうこともあるのです。それに対して、この本に述べたような方法によっては、重症のうつ病の多くが三カ月後にはかなりの改善を示します。

憂うつを治し自己評価を高めて、幸せな生活が送れるような方法が学べるようにと、この本を書きました。自分の気分のコントロール法を学ぶにつれ、日々の経験を楽しみながら個人的成長ができるようになります。その過程で自分の価値を伸ばし、意味のある生活哲学を身につけて、希望を実現させ、能率を上げ、喜びを増していきます。

私の認知療法への道のりは、ストレートなものではありませんでした。一九七三年の夏、私は家族とともにフォルクスワーゲンに乗って、サンフランシスコからフィラデルフィアへの長い旅に出発しました。ペンシルバニア大学の感情病研究班にレジデントとしてのポストを得たからです。私は最初はフィラデルフィア退役軍人病院で、うつ病の新しい化学的仮説のデータを集める仕事に従事し、私の研究結果から、脳が感情をコントロールする際にある種の化学物質がどのように働くのかについてのヒントが得られました。この成果により、一九七五年、生物学的精神医学会からベネット賞を授けられました。

私は賞を受けることは仕事上の最高の名誉と常に考えてきましたから、それはまさに夢の実現でした。しかし大切なことを見逃していました。私の発見は、私が毎日格闘しているうつ病の患者、この病ゆえに苦しみ、時には死んでいくうつ病の患者さんの実際的問題点とは隔け離れたものでした。その時点での治療には全く反応しない患者が、たくさんいたのです。

ここで思い出すのは、年老いた退役軍人のフレッドのことです。フレッドは十年以上もひどいうつ病に苦しんできました。病棟の壁に向かって、ただじーっと座っている姿がよく見かけられました。何か話しかけても、「死にたいですよ。先生」と答えるだけでした。ずっと長いこと入院していましたので、私もこのまま死を待つだけだろうと考えるようになりました。そして、ある日フレッドは心臓発作を起こし、ほとんど死にかかりました。しかし結局、何週間か心臓病治療病棟に入院した後、助かってまた私達の病棟に帰ってきました。フレッドは助かったことにがっかりした様子でした。

その後病棟のスタッフは、いろいろの抗うつ薬を試しましたが、ちっとも良くなりませんでした。ついに主治医は、すべての治療が効果がなかったときに行う治療法である、電気ショック療法をやることに決めました。私自身は電気ショック療法を行ったことはありませんでしたが、フレッドの療法には参加させてくれるよう頼みました。私はまだフレッドの最後の、十八回目の電気ショック療法が終わった時のことを覚えています。フレッドは麻酔から覚めて、周りを見回し、ここはどこか尋ねました。われわれは病院であることを言い、少しでも改善の兆候がないかと大いに期待しました。しかし彼は言ったのです。

「死にたいですよ。先生」

そのとき私は、もっと効果のある治療法が必要なことを悟りました。しかし、それが何であるかはわかりませんでした。この頃、ペンシルバニア大学の精神科主任教授であるポール・ブラディ先生が、アーロン・T・ベック先生の所で勉強してはどうかと勧めてくれました。ベック先生はうつ病の世界的権威で、認知療法という革命的な、話し合いによる治療法の研究を進めているところでした。

認知という言葉は、ある瞬間にどう考え、どう感じるかを意味するにすぎません。ベック先生の理論はとても簡単です。(1)憂うつであったり不安なときには、合理的な考えができず、悲観的に考えすぎ、自分を傷つけるように振る舞ってしまう。(2)簡単な努力により、歪んだ考え方を正すことができるようになる。(3)症状が治れば、再び生産的で、幸せになれ、自信が回復する。(4)以上のことは、単純明快な方法で、比較的短期間に成し遂げられる。

ことは単純で、明快に思えました。確かに私のうつ病患者は、必要以上にものごとを悲観的に歪んで考えているように見えます。それでも、根深い心理的、感情的な習慣が、ベック先生の言うような単純な方法で良くなるとはとても信じられませんでした。

しかしそこで私は、偉大な科学の業績はどれも単純なものであり、最初は疑いの目で見られたことを思い起こしました。認知療法がうつ病の治療上の革命である可能性にかけ、私は難しい症例にこの治療法を実験的に試みてみることにしたのです。正直言って、私は悲観的でしたが、もし認知療法がまやかしであったとしても、自分でそれがわかるわけで、それはそれで良いと私は思いました。

結果は驚くべきものでした。多くの患者は、ここ何年かで初めて良くなりました。なかには、生涯で初めて幸福を感じた人もいました。この経験をきっかけにして、私はベック先生の感情病外来にさらに深く関与するようになりました。ベック先生のグループは、認知療法の効果の評価を科学的に行ってきましたが、その結果は第一章で述べるように、全米や海外の精神保健の分野に大きな衝撃を与えてきました。

この療法の恩恵を受けるのに、わざわざ憂うつになるには及びません。だれにでもその時に応じてメリットがあります。この本では、憂うつな時にいったいどうすればいいかを示します。なぜあなたが、そんなに憂うつなのかを指摘して、できるだけ早くそれを治すのにはどうすればいいのかについて述べます。

ちょうどスポーツ選手が日々の訓練により筋力を鍛えるように、ちょっと時間がありさえすれば、自分の感情をもっとうまくコントロールする方法が身につけられます。訓練はわかりやすく、明快な方法で行われます。それは実際的で、あなたの混乱とその原因を理解するとともに、気分的にも楽になり、成長できる個人的プログラムを組み立てられます。この方法は有効で、その効果は深いものです。

訳者代表のことば

私がこの本と出会ったのは、まだ滞米中だった一九八五年のことです。それは小さな書店で、正直なところ半ば何の気なしに買い求めたようなものでした。しかし少し読んでみて、ここにはまったく新しい視点からのうつの克服法が力強く展開されていることに目を見開かれるような思いでした。やがてこの本が、アメリカで長年にわたりベストセラーを続け、ニューヨークタイムスをはじめ各紙で絶賛を受けていることを知りました。これは自分でうつを克服していくためのトレーニングブックですが、治療の現場でも精神科医により用いられ、治療者と患者双方の高い評価を受けていることもききました。

この本の考え方は認知療法の原理に基づいています。最近うつ病の薬物療法の進歩は著しく、多くのうつ病が治せるものになっていますが、その一方で薬だけの治療では不十分なことも気づかれてきました。つまり背景にある心の歪みを治療しないと、本当の意味でのうつ病の治療にはならないというのです。認知療法はこのような流れを受けて、うつ病の心理療法の切り札として登場してきました。その歴史や発展の流れについては本文に触れられていますが、最近になってアメリカでは一種のブームと呼びたくなるくらい注目を集めた時期を経て、その後その驚くべき効果は繰り返し確かめられ、一時のブームには決して留まらず精神医学の治療技術として定着しつつあるといってよいでしょう。この治療の特色はいくつも指摘できますが、私には従来の心理療法よりもさらに明確に、悩んでいる患者本人の主体性が強調される点にあるように思えます。つまり、従来の心理療法はともすれば単に話をきくだけだったり、ある考え方の一方的押し付けのように思えたり、その治療の場が一体何を目標としているのか曖昧に感じられたりする場合がありましたが、認知療法では「ここで何が問題となっているのか」「そのためにはどうすればよいのか」を常に明確化し、あくまでその人に応じた戦略に基づいて取り組んでいく、非常に前向きな歯切れの良さにその真骨頂があるといえましょう。患者の主体性が重んじられるとは言え、認知療法はあくまで心理療法室や病院で専門家が行なう治療であることには変わりはありませんでしたが、本書はそれをさらに一歩進めて、悩める人のサイドにこの治療の真髄を投げかけました。この本の登場が認知療法の発展にいささかの貢献をしたことは間違いないところです。

さて私は一九八七年に帰国して、本書の邦訳がまだないことを知りました。アメリカのベストセラーはただちに翻訳されるわが国の状況を考えれば、このことはいささか奇妙にも思われましたが、もう一歩踏み込んで考えると、一般に日本では心理療法の専門家のための学術書やテキストはあっても、心の問題で悩む人が自分で学び、自分で問題に立ち向かうための方法を示した本はほとんどないか、あっても治療法の本質が大幅に薄められて、レベルダウンしたとしかいいようのないものが多い現状にも気づかざるをえませんでした。逆に言えば、本書はあくまで悩める人が自分で読んで技術を身につけるための平易な書物でありながら、この療法の真髄がいささかも希釈されていない点、これこそわが国でも多くの人に読んでほしい本であるとの思いがつのるようになったのです。ただ認知療法的な考え方が日本人にフィットするだろうか、との心配はありました。事実、わが国では認知療法はほとんどと言っていいくらい知られていなかったのです。この点、共訳者の一人、浜松医大の夏苅郁子氏と話すなかで、この療法の考え方は国を越えて人類一般に普遍的なものである、知られていなければ専門家にも知らせる意味もあるし、本書はそれに答えるだけの内容をもっている、うつ病の心理療法の根付いていない日本の現状にこそ欲しい本ではないか、などの結論がえられ、幸い星和書店の石澤雄司氏のご理解を得て、翻訳に踏み切ったのです。

著者のデビッド・バーンズ氏に連絡をとったところ、もちろん翻訳を快諾してくださり、私のもとに長い手紙が届きました。そのなかで、氏は邦語出版への期待を込めて、認知療法と東洋、西洋文化についての興味深い考えを書かれています。そのうちのいくつかを紹介しましょう。「本書はドイツ語、フランス語、ポルトガル語など世界十カ国語に翻訳されており、アジアではインドネシア語に訳されている。認知療法の考えには、東洋的なものがかなり含まれている。たとえば『人間として自分は価値があるかどうか』などと抽象的に考えることよりも、今、ここでの自分の弱さと強さを受け入れていく、との姿勢が認知療法の基本にあるが、こういう考えは東洋的な哲学ではないか。うつに陥るのは抽象的な考え方においてであり、現実や真実を知り、自己を受け入れるところに、自由と平和、そして喜びがある」「認知療法はまた、罪を許すことを強調し、一生懸命働くことからは神の王国への道は開けない、とする西欧的、つまりキリスト教的哲学とも矛盾しない」「日本人は労働、業績を非常に重んじる国民だと思うが、第十三章『仕事だけがあなたの価値を決めるのではない』が日本でどのように受けとめられるか、興味がある」「ハラキリに象徴されるように、日本人には周囲への期待にそえないときに強い罪の意識を感じる傾向があるときいている。認知療法的な考えが、自分を破壊するよりも自分を許す方向に役立つかもしれない。」

最後に日本語訳上の若干の注釈と、認知療法の日本での一九九〇年時点での現状について簡単に触れておきます。翻訳は四人で分担し、野村が全体を通じて訳語統一を行ないました。当然ながらできるだけ日本語としてこなれているように心がけたつもりです。ただ頻繁にでてくるdepressionという言葉の翻訳には、やや苦労しました。つまり、この言葉には「うつ病」という意味と、単なる「憂うつな気分」という意味あいと両方があり、必ずしも明確に区別して使っていないように思えたからです。これをすべて「病気」としての「うつ病」と訳すと、多少ニュアンスが違ってくる場合もあり、監訳者の判断で使いわけをさせてもらいました。また認知療法には独特の用語（とくに認知の歪みの定義で）がたくさんありますが、これらの定訳はまだないものと考え、これも訳者の間で相談し、できるだけ日本語として自然で、わかりやすい翻訳をつけました。したがって、場合によっては原文とかなりかけはなれたこともありますし、他の研究者の用語の使用法と異なることもありうると思います。この点、大方のご批判をお願いします。

認知療法はわが国でほとんど知られていない、と書きましたが、ここ一～二年、状況はかなり違ってきつつあります。一九八九年には、ペンシルバニア大学のアーサー・フリーマンが来日し、東京と大阪でワークショップを開き、多数の参加者がありました。東京では慶応義塾大学医学部精神科教室内に認知療法研究会ができ、ベック教授の直弟子である大野裕氏を中心に研究が進められつつあります。京都でも、ペンシルバニア大学の認知療法センターに留学した井上和臣氏を中心とした研究会が開かれているとききました。すでに専門家向けの学術書もいくつか出版されました(フリーマン著：認知療法入門、星和書店。ベック著：認知療法、岩崎学術出版。マイケンバウム著：ストレス免疫訓練、岩崎学術出版)。このように、専門家の間で認知療法が注目され、臨床の現在で用いられるようになってきたのは間違いありません。しかし、一般の人を対象にした出版は、本書が初めてです。認知療法は、決して狭い意味での病気の治療法に留まるものではありません。われわれ皆が日々を安らかに暮らし、同時に人間的に成長していくためのガイドラインを提供してくれるのです。本書がそのようなパワーをもっていることを信じます。

一九九〇年初夏

野村 総一郎

第一部　理論と研究

第一章　うつ病治療の画期的進歩

うつ病は世界の公衆衛生上の最大の問題と言われるようになりました。実際のところ、うつ病はあまりにありふれた病気なので、精神疾患の中ではいわば風邪のようなものと考えられることもあるくらいです。しかし、うつ病と風邪とではひとつ決定的な違いがあります。それは風邪で死ぬことはまずありませんが、うつ病はあなたを殺すかもしれない、ということです。うつ病による自殺は最近、驚くべき勢いで増えています。ここ数十年、数多くの抗うつ薬や精神安定剤が用いられるようになったにもかかわらず、このように自殺が増えているという事実には注目せねばなりません。

このように言うと、あなたはもっと憂うつになってしまうかもしれませんね。でもちょっと待ってください。いいニュースもあります。うつ病は「病気」、それも気分を持ち上げるような簡単な方法を学ぶことにより克服できる病気なのです。ペンシルバニア大学医学部の精神科医と心理学者のチームは、うつ病の治療と予防に画期的な方法を発表してきました。これまでの治療法がどうもものの足らないのに業を煮やして、全く新しい、系統的なうつ病（および他の感情の病気）の治療法を開発したのです。最近の研究によれば、この方法はこれまでの精神療法や薬物療法よりもずっと早く、うつ病の症状を和らげてくれることが確かめられています。この革命的な治療、それが「認知療法」なのです。

私はこの認知療法の主なメンバーとしてずっとかかわって来ましたが、初めての一般向きの認知療法の入門書としてこの本を書きました。うつ病治療のための認知療法の系統的研究の源は、アーロン・ベック（Aaron T. Beck）の一九五〇年代中頃に始まる革新的な仕事にさかのぼることができます。（注1）しかしベックの開拓者としての努力が花開いたのは、ペンシルバニア大学や他の施設で認知療法の研究が盛んに行われるようになった、最近のことです。特にここ五年間はペンシルバニア大学医療センターの感情クリニックや、（注2）ほかの多くの研究所で数多くの専門家が認知療法を研究し、それを洗練してきました。

認知療法はあなたが学んであなた自身に当てはめることのできる、即効的な技術です。それにより、症状を軽くし、人間的成長を遂げることができ、この先のうつ状態と闘う力を与えてくれます。

認知療法の簡単で、しかも有効な感情調整技術は次のようなものをあなたにもたらします。

①速やかな症状の改善：軽いうつ病の場合、一～二週ぐらいの短期間で症状が良くなります。

②症状の理解：なぜあなたが憂うつなのか、どうしたらその気分を変えられるか、はっきりとした説明を

（注1）考え方が気分に深く影響するということは二千五百年も前からいろいろな哲学者によって指摘されています。最近でもアルフレッド・アドラー、アルバート・エリス、カレン・ホーナイ、アーノルド・アザルスなどは感情の病気はものごとの捉え方によって起こることを著しています。このような考え方の歴史については、エリスの著書『精神療法における感情とその原因』（Reason and Emotion in Psychotherapy. New York : Lyle Stuart, 1962.）を参照にしてください。

（注2）最近認知療法センターの中に感情クリニックができ、外来治療や精神療法家のトレーニングを行なっています。

与えてくれます。そして「正常」と「異常」な気分の区別をします。また、あなたの混乱がどの程度重症なのか、診断ができます。

③自己コントロール：あなたが混乱した時の安全で有効な対処法を学べます。実際的な自己コントロールの手段を段階的に本書でお示しします。この方法を学ぶと、あなたの感情はあなたの意思のコントロール下に置かれるようになります。

④予防、そして成長：うつに傾きがちな、あなたの性格をもう一度見直してみることにより、感情の動揺を予防できます。人間の価値基準を基本から再評価してみます。

あなたの学ぶ問題解決技法は、ちょっとしたイライラから、破滅的な感情の混乱にいたるまで、人生のあらゆる危機に対処します。離婚、死、失敗などの現実的問題や、無気力、自信欠如、葛藤、罪の意識のような悩みの解消にも役立ちます。

ここまできて、「またおさだまりの『ノイローゼなんか怖くない』式の自己変革心理学か」と思われる方もあるかもしれません。しかし認知療法は厳しい学会の科学的研究により、その有効性が証明された最初の精神療法なのです。つまり高度の学問的、専門的な評価を受けているという点で、近代精神医学の研究と臨床の一角で重要な地位を占めているのです。認知療法は学会に衝撃を与え続けてきましたし、これからも与えていくでしょう。認知療法はこのように学問的なものではありますが、他の多くの伝統的精神療法と違って、漠然としたものでも、抑圧的なものでもありません。それはあくまで実際的で、常識に基づいており、自分自身で自分に役立てるものです。

認知療法の第一の原理は、あなたの感情はすべてあなたの「認知」(ものごとの受けとめ方)あるいは考えにより作られる、ということです。認知はあなたが物をどう見るか、どのように受けとめるか、それに対してどのような態度をとるか、そしてどのように信じるかを規定します。それはまた、あなたがものごとや人を自分に対してどう言いきかせるか、つまりどう解釈するかも決定します。あなたはこの瞬間、「そのように考えたのでまさにそのように感じる」のです。

このことをもっと具体的に示してみましょう。今この本を読んで、どのように感じていますか？　ひょっとして「認知療法なんてインチキくさい。自分に効くわけがない」と思っているかもしれませんね？　この考えでいくと、あなたは疑い、またがっかりしていることでしょう。なぜそのような気分になるのでしょう？　あなたの考えがそうさせるのではないでしょうか？　つまりこの本についてのあなたの認知がそのような気分を作るというわけです。

逆にもし、「なかなかこの本は役に立ちそうだぞ」と考えれば、あなたの気分は急に明るくなるかもしれません。あなたの気分は今読んでいる文章それ自体で決まるのでなく、あなたがそれをどう考えるかによって決まるのです。あなたがある考えを抱いたその瞬間に心の中にある種の感情反応が起こります。考えが感情を規定するのです。

認知療法の第二の原理は、「憂うつな時には悪い方向ばかりでものごとを考える」ということです。自分自身のことを悪く考えるだけでなく、世の中全体を暗く考えてしまいます。始末の悪いことに、自分の思っているように事態は「実際に」ひどく悪いのだ、と確信してしまうのです。

もしかなり重症のうつ状態だと、事態はずっと悪かったし、これからもずっと悪いのだと思いこんでしまいます。過去をみれば悪いことしか思い出せませんし、未来にも暗いことしか見えてきません。このような考えは絶望感をかもしだします。これは明らかに不合理な考え方ですが、これが事実で、しかも永久に続くと確信しています。

認知療法の第三の原理は、哲学的で治療的にも重要なものです。われわれの研究によれば、感情の混乱を引きおこすマイナスの考え方は、ほとんど常に認知の歪みを含んでいます。認知療法を学ぶにつれ、このような考え方は不合理で間違っており、あなたの憂うつの主な原因であることがわかるはずです。あなたのうつ病は現実の正確な把握によるものではなく、歪んだ理解によるものです。つまり、うつ病とは貴重な人生の体験などでなく、空回りの産物、ニセモノの体験にすぎません。

私のこれまで言ったことをあなたが信じたとすると、今やわれわれの臨床研究の最も重要な結果に到達したことになります。精神的な混乱を引き起こす心の歪みを治す方法をマスターしたなら、自分自身の感情をコントロールすることができます。客観的に自分の心を考えることができれば、気分も改善してきます。

これまでの方法に比べて認知療法はどのくらい有効なのでしょうか？　認知療法によって、薬なしでうつ病がよくなるでしょうか？　効果はどのくらい早く現れ、どのくらい続くでしょうか？

何年か前、ペンシルバニア大学医学部のジョン・ラッシュらが最も一般的な抗うつ薬のイミプラミンと認知療法の効果とを比較しました。四十例以上の重症うつ病を二群に分け、一方を認知療法のみ、他方をイミプラミンのみで治療しました。このときまで、イミプラミンを上回る効果をあげた精神療法はなかったのです。だから重症うつ病の治療法としてここ二〇年間は抗うつ薬が広く用いられてきたわけです。

表1-1　重症うつ病者44人の治療開始12週後の状態

	認知療法のみにより治療された患者	抗うつ薬のみにより治療された患者
患者数	19	25
完全に治った者*	15	5
かなり良くなったが，軽度のうつ状態にある者	2	7
十分に改善していない者	1	5
治療を中断した者	1	8

*認知療法の方が有意に勝っていた

この研究では両群の患者とも十二週間の治療を受け、治療前および終了後一年にわたって毎月、系統的に精密な心理テストを受けました。効果の客観性を高めるため、治療者とテスト評価者は別の医師が当りました。

患者の大半は、この治験を受ける前に他の二人以上の治療者の治療を受け、改善していません。四分の三の患者は治験開始時に自殺念慮をもっており、平均して八年くらい慢性的にうつ状態に苦しんでいます。多くは自分は治らないと思っており、人生には希望はないと考えています。そして自分の問題は誰のより深刻だと感じています。このように最も難しい患者群で両方の治療が比較されたのです。

予想に反して、われわれには嬉しい結果がでました。認知療法はあらゆる点で、抗うつ薬に勝っていました。表1-1に示すように、十九人中十五人の患者が十二週間の認知療法により改善しました。(注)まだ軽いうつ状態が残っていた者は二人で、治療から脱落したのは一人だけでした。また全く良くならなかったのはわずか

(注)　表はA・J・ラッシュ、A・T・ベックらの論文からの引用。

一人でした。これに対して、抗うつ薬で十二週間の治療を受けた患者では、二十五人中五人だけが完全に回復し、八人が副作用のため脱落し、残りは改善が十分でありませんでした。

特に重要なのは、認知療法により良くなった患者の多くは抗うつ薬による改善例より治療効果の出現が早かったということです。一〜二週間以内の認知療法により自殺したいという気持ちが明らかに軽くなりました。認知療法は自分の気持ちを持ち上げるのに薬を用いるより、いったい何が問題で、それと闘うのにどうすればいいのかを知りたいと思っている人に希望を与えました。

十二週間の認知療法でも良くならなかった患者はどう考えればよいのでしょう？　どんな治療もそうであるように認知療法も万能薬ではありません。臨床的な経験によれば、すべての患者がすぐに良くなるわけではなく、ある種のケースには改善のために長い期間が必要です。時にその治療は困難なものになる場合があります。しかしここに一つ、難治性のうつ病の治療について希望を与える報告があります。スコットランドのエジンバラ大学のブラックバーン博士の報告によれば、認知療法と抗うつ薬を一緒に用いると単独の場合より有効だといいます。私の経験では、回復するための鍵は自分自身で良くなろうと努力する意思を持ち続けることだと思います。この態度を続けるかぎり、必ず良くなります。

認知療法によりどの程度の改善が期待できるでしょうか？　患者の多くは治療の終結までにその症状の大半は良くなり、これまでの人生で最も幸せを感じると言います。認知療法のトレーニングにより自信がわいてくると言います。あなたが今どんなに悲しく、憂うつで悲観的だったとしても、この本に書いてある方法を根気よく試せば、必ずや良い効果が得られると私は確信します。

認知療法の効果はどのくらい続くでしょうか？　興味深いことは両群の患者とも、治療が終わって一年間の経過の中で多少の気分の揺れはあるものの、基本的には終結時の調子を維持していました。心理テストや患者自身の陳述によると、認知療法によるグループの方が抗うつ薬による場合よりも気分の改善は勝っていました。一年以内の再発率は認知療法の方が抗うつ薬の半分以下でした。このような結果は認知療法が抗うつ薬より勝ることを示しています。

このことはいったん認知療法によりうつ病がよくなれば、二度と再発しないということを保証するものでしょうか？　もちろんそうではありません。喩えてみれば、いくらジョギングで健康になったとしても、二度と息切れしないというわけではないようなものです。人生のいろいろな局面で、また憂うつになってしまうこともあるでしょう。そのような時に再び認知療法の技術を試みればよいわけです。自然に気分良く感じるのと、必要に応じてある方法を駆使して気分が良くなるのとでは意味が違います。

最近アメリカ精神保健研究所の発表したデータによれば、有効な治療を受けなければ、うつ病の八〇％は再発する、といいます。したがって、この研究で示された良好な結果は決して偶然のものではなく、認知療法はうつ病を治すばかりか、予防する力もあることを示しているのです。

認知療法は学問的にはどのように受けとめられているでしょうか。その効果は精神科医や心理学者に衝撃を与えています。われわれの研究や出版、講演、セミナーなどにより、初めにあった疑問も大きな関心へと変わりつつあります。認知療法についての研究が米国やヨーロッパの研究機関で行われようとしています。また最近、合衆国政府は国立精神保健研究所の援助で、多施設共同うつ病研究プロジェクトに数年間で何百万ドルかを予算化することを決定しました。これにより認知療法と抗うつ薬のいずれが勝っているかが、さらに検討される予定です。また人間関係に焦点を当てた第三の精神療法も評価されることになっています。サイエンスの最近号(注)にあるように、このプロジェクトは歴史上最大の系統だった精神療法の研究です。

つまり認知療法は近代精神医学、心理学の新しい展開、説得力ある治療法に基づき人間の感情を理解するための方法たりうると思われます。精神保健の専門家がこの方法に興味を示し始めており、大きなうねりが始まりつつあります。

認知療法の研究が始まって以来、何百といううつ病患者が良くなっています。ある人はもう自分は治らないし、何の希望もない、自殺するしかない、と考えていましたし、ある人は単に日常のいろいろのストレスに疲れ、もっと幸せになりたいと考え、われわれの所に来ました。この本は認知療法を実際にどのようにあなたに当てはめるかについて書かれています。それでは認知療法の練習を始めましょう。

(注) Marshall, E. "Psychotherapy Works, but for Whom?" *Science*, Vol. 207, February 1, 1980, pp. 506–508.

第二章　どうやって気分を診断するか：治療の第一歩

自分がうつ病なのかどうか知りたいだろうと思います。表2-1を見てください。ここに示したベックのうつ病調査表（*Beck Depression Inventory* BDI）は、うつ病を診断し、その重症度も正確に判定する信頼性の高い感情評価法です。全部の質問に答えるのに二～三分しかかかりません。BDIの総得点から、その結果は簡単に解釈され、あなたは本当にうつ病なのか、もしそうだとすると、どのくらい重いのか知ることができます。さらにBDIの結果に基づき、あなたのうつ状態はこの本に示す認知療法の訓練だけで良くなるものか、あるいはそれに加えて専門家の治療を必要とするような重症の感情病が隠れているのかを示すつもりです。

ではBDIの具体的方法を説明します。各項目をよく読んで、最近二～三日のあなたの気分に一番よく当てはまる答えの番号に○をつけてください。二十一の質問のすべてに必ず答えてください（イライラとか不眠が「いつもより強い」というふうに書いてある場合、「いつも」とはどの時点をいうのか戸惑われることがあるかもしれません。もし長いことうつ病に苦しんでいれば、うつ病にかかる前、最後に気分の良かった時を基準に現在の気分を判定してください。もしあなたが生まれてこのかた一度も気分が良かったことはないと思われれば、正常の、憂うつでない人の気分を想像して、現在の気分を評価してください）。

表2-1　ベックうつ病調査表（BDI）

1.0　憂うつではない
　1　憂うつである
　2　いつも憂うつから逃れることができない
　3　耐えがたいほど，憂うつで不幸である

2.0　将来について悲観してはいない
　1　将来について悲観している
　2　将来に希望がない
　3　将来に何の希望もなく，良くなる可能性もない

3.0　それほど失敗するようには感じない
　1　普通より，よく失敗するように思う
　2　過去のことをふりかえれば，失敗のことばかり思い出す
　3　人間として全く失敗だと思う

4.0　以前と同じように満足している
　1　以前のようにものごとが楽しめなくなった
　2　もう本当の意味で満足することなどできない
　3　何もかもうんざりする

5.0　罪の意識など感じない
　1　ときどき罪の意識を感じる
　2　ほとんどいつも罪の意識を感じる
　3　いつも罪の意識を感じる

6.0　罰を受けるとは思わない
　1　罰を受けるかもしれない
　2　罰を受けると思う
　3　今，罰を受けていると思う

7.0　自分自身に失望してはいない
　1　自分自身に失望している
　2　自分自身にうんざりする
　3　自分自身を憎む

8.0　他の人より自分が劣っているとは思わない
1　自分の欠点やあやまちに対し批判的である
2　自分の失敗に対していつも自らを責める
3　何か悪いことが起こると，自分のせいだと自らを責める

9.0　自殺しようと全く思わない
1　死にたいと思うことはあるが，自殺を実行しようとは思わない
2　自殺したいと思う
3　チャンスがあれば自殺するつもりである

10.0　いつも以上に泣くことはない
1　以前よりも泣く
2　いつも泣いてばかりいる
3　以前は泣くことができたが，今はそうしたくても泣くこともできない

11.0　イライラしていない
1　いつもより少しイライラしている
2　しょっちゅうイライラしている
3　現在はたえずイライラしている

12.0　他の人に対する関心を失っていない
1　以前より他の人に対する関心がなくなった
2　他の人に対する関心をほとんど失った
3　他の人に対する関心を全く失った

13.0　いつもと同じように決断することができる
1　以前より決断をのばす
2　以前より決断がはるかに難かしい
3　もはや全く決断することができない

14.0　以前より醜いとは思わない
1　老けて見えるのでないか，魅力がないのではないかと心配である
2　もう自分には魅力がなくなったように感じる
3　自分は醜いにちがいないと思う

15.0　いつもどおりに働ける
　1　何かやり始めるのにいつもより努力が必要である
　2　何をやるのにも大変な努力がいる
　3　何をすることもできない

16.0　いつもどおりよく眠れる
　1　いつもよりも眠れない
　2　いつもより1-2時間早く目が覚め，再び寝つくことが難しい
　3　いつもより数時間も早く目が覚め，再び寝つくことができない

17.0　いつもより疲れた感じはしない
　1　以前より疲れやすい
　2　ほとんど何をやるのにも疲れる
　3　疲れて何もできない

18.0　いつもどおり食欲はある
　1　いつもより食欲がない
　2　ほとんど食欲がない
　3　全く食欲がない

19.0　最近それほどやせたということはない
　1　最近2kg以上やせた
　2　最近4kg以上やせた
　3　最近6kg以上やせた

20.0　自分の健康のことをいつも以上に心配することはない
　1　どこかが痛いとか，胃が悪いとか，便秘など自分の身体の調子を気遣う
　2　自分の身体の具合のことばかり心配し，他のことがあまり考えられない
　3　自分の身体の具合のことばかり心配し，他のことを全く考えられない

21.0　性欲はいつもとかわりない
　1　以前と比べて性欲がない
　2　性欲がほとんどない
　3　性欲が全くない

表2-2　ベックうつ病調査表判定表

総得点	うつ状態のレベル*
1—10	この程度の落ち込みは正常範囲
11—16	軽いうつ状態
17—20	臨床的な意味でのうつ状態との境界
21—30	中程度のうつ状態
31—40	重いうつ状態
40以上	極度のうつ状態

＊17点以上は専門家の治療が必要

もしどちらに当てはまるかはっきりしなければ、一番可能性の高いものを選んでください。結果がひどく悪くても、がっかりすることはありません。いずれにしろ、ＢＤＩは憂うつを良くするための第一歩ですから。

ＢＤＩの結果の解釈

すべての質問に答えてから、二十一項目の得点を合計してください。各項目で一番高い点数は三ですから、最高得点は六三、各項目で一番低い点数は〇《ゼロ》ですから、最低得点は〇《ゼロ》になります。次に表2-2にしたがって、あなたのうつの程度を評価してください。得点が高いほどうつ状態は重症で、低いほど気分のいい状態ということになります。

ＢＤＩは単純そうに見えますが、うつ病診断のためには強力な手段です。過去十年、いろいろの研究に実際にＢＤＩは用いられています。ある研究によれば、ＢＤＩのような自己評価テストを用いた場合の方が、経験ある精神科医のテストを使わない面接よりもうつ病の症状を多く拾いあげた、といいます。したがってＢＤＩはうつ病を診断し、治療の進み具合を知るためには信頼できる方法と言ってよいでしょう。

この本にしたがって訓練を進めながら、定期的にＢＤＩを用いて進歩の度合いを評価するようにしてください。少なくとも一週間に一回はやってみることを勧めます。ちょうどダイエットをしている時に、定期的に体重を計るようなものです。この本の各章ではうつ病のいろいろの症状が取り扱われています。あなたが各々の症状を和らげることができるようになるにつれ、ＢＤＩの総得点も減ってきます。つまりうつ状態が良くなっていくというわけです。十点以下になれば、ほぼ正常になったと思っていいでしょう。五点以下なら特に気分がいいことになります。ほとんどいつも五点以下になるべきですし、それが認知療法の目的と言えましょう。

ここに示してある原則に従って自分で治していこうとすることは、うつ病者にとって本当に安全なのでしょうか？　答えはもちろんイエスです。うつ病がどんなに重症であるにしても、自分自身でそれを克服しようと決断することこそ大切なのです。

それではどんな時に専門家の助けが必要でしょうか？　もしＢＤＩの点数が一六点以下なら、うつ状態は軽症ですからその必要はなさそうです。この場合、この本にしたがって訓練し、親しい友達とよく話し合うことで十分でしょう。もし一七点以上なら、少し重いうつ状態です。その状態が二週間以上続くようなら専門医にかかるべきです。もちろんその場合でも、この本で教える方法を続けることには意味がありますが、信頼のおける専門医の治療も合わせて受けた方がよいということです。

ＢＤＩの総得点とともに、第九番目の質問にも注目してください。そこでは自殺についてきいてあります。もしここで二点以上つけたなら、自殺の危険性があることになりますから、ただちに専門医にかかるようにしてください。のちにこの本でも自殺について詳しくふれますが、まず専門医の診察が必要です。絶望を感じたとしても、その状態を治そうとするべきであって、死ぬことによって逃れようとすべきではありません。自殺したいという気持ちは、病気の結果による破壊的な妄想であって、事実ではないのです。絶望感はけっして真実ではありえないのです。

二十番目の質問項目も大切です。そこではあなたの最近の健康状態についてきいています。最近、原因のはっきりしない痛み、発熱、体重減少などの何らかの病気を思わせる症状はありませんか？　もしそうなら、医者にかかり診察を受けることを勧めます。たぶん何でもないというお墨付きをもらうと思います。つまりそういう症状は、感情面からきているということです。うつ病により、便秘、下痢、痛み、しびれ、ふるえ、性欲低下などの何かの身体の病気であるかのような症状がくることがあるのです。こういう症状はうつ病が治ると良くなります。しかしもちろん、逆にうつ病のようにみえる身体病もあるわけですから、初期の医学的診察は重要です。

うつ病のようにみえて、ほかのもっと重症の精神病が隠れている場合もあります。その場合、この本の方法に加えて専門医の診察が必要です。たとえば次のような症状がある場合です。誰かがあなたの命をねらって陰謀をめぐらしているという確信、他人があなたの心を読み取る、誰もいないのに声が聞こえる、誰かに自分の行動をあやつられる、ラジオやテレビが自分のことを放送する、などといった普通の人には理解できない奇妙な体験などです。

このような症状はうつ病のためではなく、他の精神病によるもので、精神医学的治療が絶対に必要です。このような場合、自分が精神的な病気だという意識がなく、治療を拒否することが多いのです。もしあなたが、発狂して自分がわからなくなるかもしれないという恐怖心をもっているとすると、それは典型的な不安症状であり、精神病ではありません。

躁病はうつ病とちょうど反対の感情の病気です。躁病にはリチウムの投与がなされます。リチウムによって感情は安定し、正常な生活が送れるようになります。治療しなければ、この病気も破滅的です。感情は異常に昂揚し、興奮状態は最低二週間は続きます。その間誇大的な自信過剰に基づく無責任な浪費や性的問題などの衝動行為が起こり、夜も寝ないでやたらに動き回ったり、多弁でひどく怒りっぽくなったりします。自分は天才で、大発見をしたとか、大金もうけの方法をみつけた、などという誇大妄想をもっています。自分自身の気分としてはとても良いので、治療を受けようなどとは考えませんし、このような感情の高揚が病気のせいとは全く考えません。

このような躁状態は、やがて意識のひどい乱れや、全く逆のうつ状態に転じる可能性があります。うつ病のうちのあるものは、後に躁状態を示す場合があることを知っておいてください。躁状態に対しても精神療法や認知療法が役立ちますが、精神科医によるリチウムの投与が絶対必要です。リチウムを用いれば、躁病の予後もそれほど心配したことはありません。

あなたのＢＤＩの点数が一七点以下で、強い自殺衝動や幻覚、躁病の症状もなければ、心配にはおよびません。この本でお示しする認知療法の方法を試みれば、必ず良い方向に向かいます。さあ、憂うつの方に費やしていたエネルギーを生産的方向に向けて、仕事と生活を楽しみましょう。

第三章　自分の感情を理解する：考え方で気分は変わる

これまで読んで、うつ病がどんなものかわかっていただけたことと思います。うつ病になると気分は沈みこみ、自信をなくし、体調も崩れます。意欲もなくし、すっかり意気消沈してしまいます。これをどのように考えればよいでしょうか？

これまでの精神医学ではうつ病は感情の病気と考えられてきましたから、精神科医はうつ病になった人の「気分」にアプローチすることをこころがけるのが普通でした。われわれの研究結果はこれとは違います。うつ病は感情の病気ではないというものです。あなたの感情の変化は、風邪をひいたから鼻水が出る、というようなものではありません。あなたの気分の悪さはすべて、歪んだマイナスの考え方から来ているのです。不合理な悲観的態度が症状を発展させ、固定しているのです。

悲観的な考え方は常に憂うつな気分を産みます。混乱していないときには、暗い考え方もまた違ってきます。博士号をまさにとろうとしているある若い女性は次のように言います。

「うつ状態になるたびに、突然地球全体が揺れるように感じて、全然物の見方が違ってきてしまいます。一時間以内に変化が起こります。これまで私がやってきたことはすべて無意味に思えてきます。幸せはすべて錯覚だったように感じます。自分のやり遂げたことなんて、まるで映画のセットのようにインチキにみえます。そして結局、自分なんて全然価値がないと確信するに至ります。すべてが疑わしくて、仕事が手につきません。この惨めさはとても耐え難いもので、じっとしていることもできません」

この女性の言葉でもわかるように、頭の中にいっぱいになっているマイナスの考えこそ、自己破壊的感情の元凶なのです。この考えゆえに、ぐったりもし、気分が沈みこんでいるのです。このような誤った認知がうつ病の症状であることはしばしば見逃されています。この認知の歪み *cognitive distortion* を知ることこそ、うつ病を治す鍵です。またそれゆえに、認知障害はうつ病の最も重要な症状といえるのです。

あなたがうつ状態に陥るたびに、その直前かその最中に何かマイナスの考え方をしなかったか思い出してください。というのは、その考えこそあなたの憂うつの原因ですし、それを考え直すことにより、気分を変えることができるからです。

このように言っても、すぐに納得できるというわけにはいかないでしょう。というのは、マイナスの考え方はあなたの生き方の一部になって根づいており、もはや自動的なものになっているからです。そういうわけで、マイナスの考え方のことを自動思考と呼ぶことにします。このような考え方は、全然努力しなくても、ちょうど無意識にフォークが使えるように、心の中に自動的に浮かんでくるようになっているのです。

図3-1に「考え方」と「感情」との関係を示しました。これはあなたの感情を理解するための重要な鍵

図3-1　現実世界と感情の関係。感情を決めるものは，現実ではなく，それをどう受けとめるかである。あなたが単に悲しんでいるときは，悲しいできごとのことをそのまま現実に考えたことを意味する。あなたがうつ状態に陥ってしまえば，あなたの考えは常に不合理で，歪んでおり，非現実的，あるいは単に間違っている。

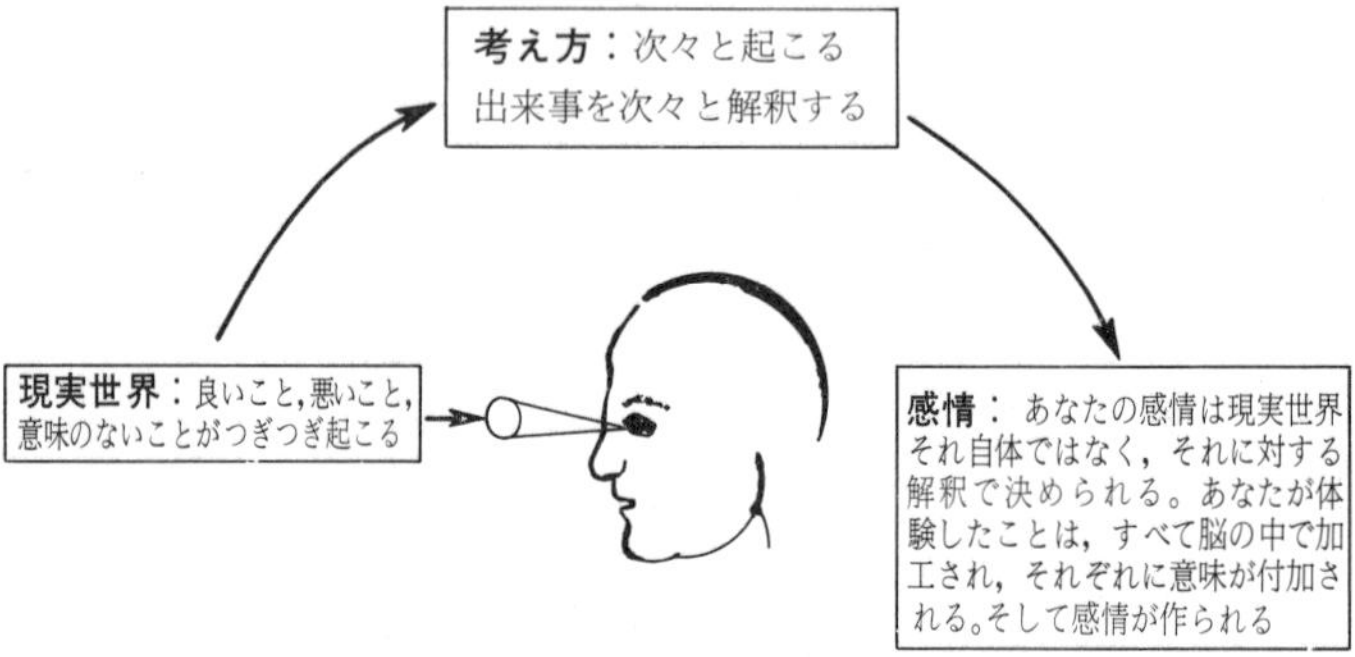
考え方：次々と起こる出来事を次々と解釈する
現実世界：良いこと，悪いこと，意味のないことがつぎつぎ起こる
感情：あなたの感情は現実世界それ自体ではなく，それに対する解釈で決められる。あなたが体験したことは，すべて脳の中で加工され，それぞれに意味が付加される。そして感情が作られる

です。感情というのは、あなたがどのように物を見るかによって全く変わってきます。あなたが何かを「経験」する前に、心の中で見たものを処理し、それに意味を与えるというのは全くの「神経学的」な事実です。人間はある出来事を感じる前に、とにかくそれを理解せねばなりません。

　もし現実に起こったことを正確に理解していれば、感情も正常になるはずです。しかし、もし現実に対する認知が歪んでいれば、感情反応も異常となります。うつ病というのは要するに、このようなものです。それは常に心の「静的」な歪みの結果なのです。あなたの暗い気分は、ちょうどチューニングの合ってないラジオから聞こえてくる雑音のようなものです。この場合、問題はトランジスターが壊れているのではなくて、天気が悪いか何かのために雑音がはいっているのです。こういうときはちょっとダイヤルを合わせればよいのです。うつ病も心のチューニングを合わせる方法を学べば治ります。

ここまで読んで、かえって絶望的になった方がいるかもしれません。つまり「ほかの人はちょっとチューニングすればよいくらいのことかもしれないが、私の場合ラジオは直せないくらい完全に壊れている。何千人のうつ病が治ろうと、私が絶望的なのには変わりはない。」私は患者から一週間に五十回はこのような言葉を聞きます。うつ病にかかった人の大半は、自分のうつ病は他の人のと違う特殊なもので、治すことなどできないと思っています。しかし実際はこのような考え方こそ、うつ病症状の中心にある心理的加工の産物なのです。

私は時にある人々の想像力は奇術よりも魔術的だと思うことがあります。私は子供のとき、よく魔術の本を読んで図書館で何時間も時を過ごしたものです。土曜日には手品ショップに行って、常識ではとても考えられないような巧みなトランプやボールの技を飽きもせず何時間も見ていました。子供時代の最も幸せな思い出の一つは、八歳のときデンバーで「世界一のマジシャン、ブラックストーン」を観たときのことです。私はほかの子供と一緒に舞台にあげられました。そして白い鳩の入った小さな鳥かごを両手で囲むように言われました。マジシャンは私のすぐそばに立って、「じっとケージを見て」と言いました。私がまたたきもせずにそうしていると、彼が手をたたくや、鳥は一瞬のうちに消えてしまい、私はただ空しく空をつかんでいました。全く信じられないようなことでした。

しかしうつ病者の想像力たるや、このような奇術を上まわっています。うつ状態の時は現実とは全くかけ離れたことを自分でも信じようとし、周囲にも信じさせようとするエネルギーには大変なものがあります。治療者とすれば、このような幻想を打ち砕き、正確にものが見えるようにするのが勤めです。

次に、うつ病を引きおこす十種類の認知の歪みを示します。これをよく読んでください。これは長年にわたる研究と臨床経験の結果産まれてきた、いわばエッセンスで、私が最も力を入れて書いた部分です。本書をさらに読み進んだ時にも、この部分に返っていつでも参照にしてください。混乱したときにも、あなたがどう間違っているか自分で気づくためにこのリストは役立ちます。

認知の歪みの定義

(1) 全か無か思考 *all-or-nothing thinking*

これはつまり、ものごとを極端に、白か黒かどちらかに分けて考えようとする傾向のことです。たとえば、ある有名な政治家が私に言った次のような言葉は典型的です。「知事選挙に負けたので私はゼロです。」また、いつもAを取っているのに、たまたまBを取ってしまったある学生の「もう『完全に』ダメです」という言葉もこの全か無か思考の一例です。このような考え方の基盤には完全主義があります。取るに足らない小さな失敗をしても、完全な失敗者で価値のない人間だと思ってしまうので、ちょっとしたミスも恐れるのです。

このような考え方は非現実的です。なぜなら、人生において『完全に』××である、などということはほとんどないからです。たとえば、ある人が完璧に優れている、とか全面的にダメである、などということはまずありえないことです。同様に完全無欠に魅力的な人というのもありませんし、逆にどうしようもなく醜い人などいません。今あなたがいる部屋の床を見てください。完璧にきれいですか？　あるいは部屋中すきまもなく、ほこりが何センチも積もっていますか？　おそらく一部はある程度きれいで、一部はそうでもないでしょう。この世の中に『完全』ということは存在し難いことなのです。もしあなたが経験したことをすべて完全主義のカテゴリーに当てはめようとすれば、いつも憂うつにならざるをえないでしょう。なぜなら、その主義は現実と折り合わないからです。あなたの誇張された過大な要求水準に合わせることなどできませんから、永久に自信のない状態に自分を置くことになってしまいます。このような認知障害を専門用語では「二分法思考 *dichotomous thinking*」と呼びます。つまりものごとを白か黒で考え、中間色がない考え方です。

(2) 一般化のしすぎ *overgeneralization*

十一歳の時、私はアリゾナのお祭りで「スベンガリ」という手品トランプを買いました。それは単純ですが、印象的な手品です。トランプの中から一枚だけカードを選んでください。たとえばそれがスペードのジャックだったとします。私にそれが何であるかは言わないで、それをカードの山の中に戻してください。私が「スベンガリ！」と言います。そしてカードを表にすると、カードはすべてスペードのジャックになっているのです。

「一般化のしすぎ」というのは、精神的にこのスベンガリをやるようなものです。つまりすべてのカードがスペードのジャックに変わったように、あることが一度あなたに起こったとすると、それが何度も何度も繰り返し起こるように感じてしまうということです。それもとても不愉快なことが起こるように感じますから、すっかり憂うつになってしまうのです。

あるうつ病のセールスマンが車を運転中に、鳥がフロントガラスにぶつかりました。「これこそ私の運命だ。運転するたびに鳥がぶつかってくるんだ」と彼は考えました。これこそ典型的な「一般化のしすぎ」です。実際には二十年間も車を運転していて、鳥がぶつかったことなどこのとき以外ないのです。

拒絶を恐れる心理も、この一般化のしすぎから生じます。一般化のしすぎさえなかったら、拒絶されたとしても、もちろん一時的にはがっかりはしても、それほど致命的に傷つくことはないはずです。ある内気な男性が勇気を奮って、女の子をデートに誘いました。彼女はたまたま都合が悪くて、それを断りました。彼は「デートに誘ってうまくいったためしがない。誰も僕なんかとデートしたくないんだ。もう生涯孤独で、寂しい人生を送らなきゃならないんだ」と考えました。彼の歪んだ認知によると、一人の女性が一度だけ断ったということは、その人はこれからもずっと自分を拒否し続けるに違いないし、女性というのはすべて、同じように自分を常に拒否する、だから自分はこれから先も地球上のどこでも女性に愛されることはないのだ、という結論になってしまうのです。これこそまさに「スベンガリ！」です。

(3)　心のフィルター *mental filter*

何でもいいですから何かよくないことを思い出して、そればかり考えてみてください。そうすると何もかも暗く思えてくるはずです。たとえばあるうつ病にかかった女子大生は一番の親友が他の学生にからかわれたのを聞いて、次のように考えました。「人間なんてこんなものだ。残酷で人の気持ちなんてわからないんだわ。」しかしこのとき、彼女はここ数カ月間で、自分に対して残酷だった人などほとんどいなかったという事実を全く見過ごしています。また中間テストで百問中十七問を間違えましたが、彼女はこの十七問のことばかり考えて、もう落第してしまうに違いないと思うに至りました。しかし事実は百問中八十三問正解だったわけで、落第どころかAをとったのです。

うつ状態の時には特別製のレンズのついたメガネをかけて、世の中のポジティブなこと、明るいことを見えなくしてしまうものなのです。意識に上ってくることは、何もかもネガティブなことばかりになります。そして、このようなフィルターがかかっていることに気づきませんから、世の中真っ暗に感じられるのです。専門用語でこれを「選択的抽象化 *selective abstraction*」と言います。これは無用の苦痛を引き起こす悪い習慣です。

(4) マイナス化思考 *disqualifying the positive*

うつ病でもっと始末の悪い錯覚は、何でもないことや良い出来事を悪い出来事にすり替えてしまうことです。単に良いことを無視するだけではなく、正反対の悪いことに替えてしまうのです。私はこれを「さかさま錬金術」と呼んでいます。中世の錬金術師はただの鉄を金に変えることを夢見ていましたが、うつ病者はこれのちょうど反対をやろうとしています。つまり黄金の喜びも、鉛の気分に変えてしまうのです。しかもそれを意識することなしに。

このことは、誰かにお世辞を言われたときにあなたのとる態度のことを考えると理解しやすいでしょう。たとえば仕事とか服装とかについて、誰かにお世辞を言われたとします。おそらくあなたは「あの人はいい人だから、お世辞を言ってくれてるんだ」と考えて、その人の言ったことをあまり大きくとりあげなくて、「いや、たいしたことありませんよ」と謙遜するでしょう。この場合お世辞に対する反応ですから、これで良いのですが、もし万事この調子で、人から言われた誉め言葉や他の良いことを無視していては、さぞ暗い人生になってしまうでしょう。

マイナス化思考は認知障害の中でも、最もたちの悪いものです。たとえば、いつも自分のことを二流だと思っている科学者は、実験がうまくいかないと「やっぱりそうなんだ」と考えますし、もしうまくいっても「これはまぐれだ」と考えます。このような考え方は悲惨です。

そして時にひどいうつ病を引き起こします。重症のうつ病で入院したある若い女性は私に言いました。「私はどうしようもない人間だから、世の中で誰一人、私のことなんてかまってくれません。私って完全に孤独なんです。」彼女が退院したとき、たくさんの患者や病院のスタッフが見送りました。しかし彼女は言いました。「これは本当のことでない。病院の外の世界の人なんて、誰も私のことはかまってくれないんです。」そこで私は聞きました。「病院の外だって、家族や友達がたくさんあなたのことを心配しているじゃないですか。それをいったいどう考えるんですか？」彼女の答えはこうです。「それも本当のことじゃないんです。みんな私のことを知らないいんです。いいですか、バーンズ先生。私は完全に腐った人間なんです。この世で一番悪い人間です。一瞬でも誰かが好いてくれるなんてありえないことです。」このようにマイナス化思考によって、明らかに現実と異なる歪んだマイナスの信念をもってしまうのです。

もちろんたいていはここにあげた例のように極端ではないにしても、良い出来事を無視してしまうことはありませんか？　そのようなやり方は、人生の豊かさを奪い、必要以上に寂しいものにしてしまいます。

(5)　結論の飛躍　*jumping to conclusions*

事実と違った悲観的な結論を一足飛びに出してしまうことです。「心の読みすぎ」と「先読みの誤り」の二種類があります。

①心の読みすぎ *mind reading*

他人があなたを見下していると思いこんでしまうと、はたして本当にそうなのかを確かめようともしなくなります。たとえばあなたが大学の先生で、とてもすばらしい講義をしたとします。しかしあなたは一番前の席で居眠りをしている学生を見つけました。実際にはこの学生は、前の晩に遅くまでばか騒ぎをしていたために居眠りをしていたのですが、もちろんあなたはそんなことは知るよしもありません。あなたはこう考えました。「どの学生も私の講義を退屈がっているんだ。」またあなたが道で友達に会いましたが、その友達はたまたま考えごとをしていたためにあなたにあいさつをしませんでした。あなたはこう考えました。「奴は俺を無視した。もう嫌われてしまったに違いない。」またある晩、あなたのご主人がちっとも口をきいてくれません。その日、職場で嫌なことがあったからです。でもあなたは「主人はきっと私のことを何か怒っているんだわ」と考えて、すっかり憂うつになってしまいました。そしてあげくのはては、このような考え方ゆえに相手に気まずい反応をしたり、逃げ出したりすることになります。つまり、一人相撲をとって関係を結局悪化させることになります。心の読みすぎとは、このようなものです。

②先読みの誤り *the fortune teller error*

これは言ってみれば、不幸しか映らない水晶の玉の前に座った占い師のようなものです。あなたはそこに映っているものを見て、たとえそれが非現実的であったにしても、実際に起こってくるものと信じこんでしまいます。ある図書館司書は不安発作の間中、「気絶するか、さもなくば発狂してしまうに違いない」と思い続けていました。この予測は現実的ではありません。なぜなら、彼女は生涯で一度も気絶したり、まして発狂したことなどないからです。またうつ病にかかったある医師は、なぜ診療をやめたのか説明してくれました。「もう一生うつ病にかかりっぱなしだということがわかったからです。どんな治療も成功しないに決まっていますし、私の憂うつは永遠に続くのです。」このように予測すると、当然全く望みがなくなってしまいます。治療が始まってまもなく、うつ病の症状が改善し、この予測の誤りが明らかになったことは言うまでもありません。

このように悲観的な結論に一足飛びにジャンプしてしまったことはありませんか？　たとえばあなたが友達に電話をかけたとき、たまたま相手が席をはずしていたとします。あなたはすぐに電話を向こうからかけてくれるようお願いしましたが、ついに電話はきませんでした。このときあなたは、彼はきっと自分を嫌っていて電話で話したくないに違いない、と考えて、憂うつになったとします。このときの認知障害は何でしょうか？　心の読みすぎです。またもう一度こちらから電話したりしては、ますます嫌われるだけだと早合点して、二度と向こうに電話したりはしません。これは「先読みの誤り」です。つまり、これにより友達を自分で遠ざけ、自らも憂うつになったわけです。しかし実際はあなたの伝言が向こうに伝わらなかったというだけにすぎないのです。このような考え方は自分自身に押しつけたデタラメです。これも心の魔法の産物です。

(6)　拡大解釈と過小評価　*magnification and minimization*

これもよく陥りやすい罠です。私はこれを「双眼鏡のトリック」とも呼んでいます。つまり対象物を拡大して見たり、縮小したりするという意味でです。「拡大解釈」の方はミス、恐れや何か不完全なことに必要以上に注目することによって起こります。「何てことだ！　またミスをやってしまった。これでまた評判がガタ落ちだ。」この場合、双眼鏡の片方からのぞいて、失敗を巨大なものに拡大して見ているのです。ちょっとした日常的な失敗を悪夢のように感じているわけですから、これを「破滅化 *catastrophizing*」とも言います。

これとは逆に自分の長所を見る時には、双眼鏡の反対側からのぞいてしまい、それを取るに足らないものとして見てしまいます。もし短所を大げさに感じ、長所を過小に評価するとしたら、惨めになること受けあいです。悪いのは何もかも狂った双眼鏡のレンズなのです。

(7) 感情的決めつけ *emotional reasoning*

これは自分の感情をあたかも真実を証明する証拠のように考えてしまうことです。たとえば、「私はダメ人間のように感じる。それが何よりもダメ人間の証拠だ」といった具合の考え方です。このような思考法は間違っています。なぜなら感情というのは、そもそも単に考えの反映にすぎないからです。したがって、もし考えの方が歪んでいれば、感情には妥当性がなくなります。感情的決めつけの例をもう少しあげてみましょう。「私は罪の意識を感じる。だから何か悪いことをしたに違いない」「もう何の希望もないように感じる。だから私の今の問題は全く解決不能だ」「自分がずれてるように感じる。だから全然価値のない人間だ」「何もやる気がしない。だからベッドに横たわっているしかない」「私はあなたに対して腹を立てている。そのことはあなたが私を嫌っていて、弱みにつけこもうとしている何よりの証拠だ。」

感情的決めつけはうつ病のほとんどすべての症状に関係してきます。マイナス面ばかりを感じるので、事態はすべてマイナスだと思ってしまうのです。感情を作り出す認知が正しいかどうか常に検証していれば、感情的決めつけが生じることはありません。

感情的決めつけの副産物は、決断の引き延ばしです。たとえば「とてもこんな汚ない机の上をかたづける気分になれない。だから机を整理することはもう不可能なんだ」と考えて、かたづけを何カ月も引き延ばしている場合などです。この場合でも、たとえば六カ月後にちょっとやる気を出してかたづけてしまえば、何でもないことがわかります。マイナスの感情に自分を追い込むことにより、ずいぶん損をしているのです。

(8) すべき思考 *should statements*

何かやるとき、「これを『すべきだ』」「これを『しなければならぬ』」と考えてしまうことです。こういう考え方は必要以上のプレッシャーを与え、自分自身を追い詰めてしまいます。皮肉なことに、かえってやる気をなくしてしまうという結果に終わりがちです。「せねばならぬ（must）」と考えすぎるという意味でマスターベーション（musturbation）とも言えます。

この「すべき思考」を他人に向けると、自分がフラストレーションを感じることになるのが普通です。あるとき急用ができて、ある患者との診察の約束の時間に五分遅れたことがあります。その人は言いました。「こんなに遅れるなんて勝手すぎます。心配りがなさすぎます。時間ちょうどに来ないといけません。」この考え方は結局、怒りを引き起こし、自分を気まずくしてしまいます。

「すべき思考」は日常に無用の感情的混乱をもたらします。もし実際の行動が「すべき」「すべきでない」

の基準に合わないと、自己嫌悪、恥や罪の意識を感じることになります。世の中の人の行動も、たいていこの基準に合いませんから、にがにがしく感じることが多く、独善的になりがちです。この結果、現実に裏切られたように感じたり、人の行動にがっかりさせられることが多くなります。あなたがもしこの悪い習慣に気づき、それを治そうとするなら、後の章で良い方法をお知らせします。

(9) レッテル貼り *labeling and mislabeling*

間違った認知に基づいて完全にネガティブな自己イメージを創作してしまうことです。極端な形の一般化のしすぎとも言えます。この背景にあるのは「人の価値はその人の犯す間違いによって決まる」という考え方です。レッテル貼りは間違いをしでかしたときに「全く私ってやつは……」という表現で始まる言葉を吐くのが特徴です。たとえば十八番ホールでのパッティングをはずしたとき、単に「あっ！ 失敗した」と言うかわりに「私ってやつは全くダメ人間だ！」と考えるようなものです。また株が下がったとき、「失敗した」と思えばすむところを、「自分は敗北者だ」と考える思考法です。

レッテル貼りは自己破壊的であるばかりでなく、不合理な考え方です。あなたの自己はあなたの行為と決して同一ではありません。人間の考え、感情、行動は常に変わっていきます。言いかえれば、あなたは銅像ではなく、川の流れなのです。ネガティブなレッテルを自分に貼るのはやめるべきです。それはあまりに単純で、間違っています。あなたが食べたり、呼吸したりするからと言って、「食べ人間」「呼吸人間」などというレッテルを自分に貼りますか？ ナンセンスです！ 同様に失敗したり、負けたからといって、「失敗者」「敗北者」というレッテルを貼るのも不合理なことです。

他の人にレッテルを貼った場合、たいていは敵意を巻き起こすことになります。たとえばある課長が秘書に「役立たず」というレッテルを貼った場合、その秘書のいろんな機会をとらえて罵るのには都合がいいでしょうが、秘書の方もお返しに「わからず屋の石頭」とかなんとかレッテルを貼ることになり、結局はお互いの欠点をつつき合う結果になります。

間違ったレッテルを貼ることは、重大な逆効果を生むこともあります。ダイエットをしている女性がつい皿一杯のアイスクリームを食べました。彼女は考えました。「なんて私はダメなんだ。私はブタだ!!」そして彼女はやけになって、一カートンのアイスクリームをみんな食べてしまいました。

⑽　個人化　*personalization*

罪の意識のもとになる考え方です。良くない出来事を理由もなく自分のせいにして考えてしまうことです。たとえば私がやってくるように言った課題を患者がやってこなかったとします。そのとき「これは私のせいだ。なんてダメな治療者だ！」と考えて、罪の意識を感じるのが個人化です。子供の通信簿の成績が悪かったのを見た母親が、「これは私の責任だ。ダメな母親だ」と思うのもそうです。

個人化が引き起こす罪の意識は、あなたの両肩にずっしりと重い責任をかぶせることになり、当然それゆえに苦しむことになります。個人化においては、他人に対する「影響」と「操作」がゴッチャにされています。教師、親、医師、セールスマン、重役としての、なんであれあなたの役割は確かに他の人に「影響」を与えていることは確かですが、決してあなたが他の人を「操作」しているのではありません。ある人の行為の結果は、結局はあなたではなく、その人の責任なのです。他の人のことまで自分の責任に個人

表3-1　認知の歪みの定義

1.**全か無か思考**：ものごとを白か黒のどちらかで考える思考法。少しでもミスがあれば，完全な失敗と考えてしまう

2.**一般化のしすぎ**：たった1つの良くない出来事があると，世の中すべてこれだ，と考える

3.**心のフィルター**：たった1つの良くないことにこだわって，そればかりくよくよ考え，現実を見る目が暗くなってしまう。ちょうどたった1滴のインクがコップ全体の水を黒くしてしまうように

4.**マイナス化思考**：なぜか良い出来事を無視してしまうので，日々の生活がすべてマイナスのものになってしまう

5.**結論の飛躍**：根拠もないのに悲観的な結論を出してしまう
　a．心の読みすぎ：ある人があなたに悪く反応したと早合点してしまう
　b．先読みの誤り：事態は確実に悪くなる，と決めつける

6.**拡大解釈（破滅化）と過小評価**：自分の失敗を過大に考え，長所を過小評価する。逆に他人の成功を過大に評価し，他人の欠点を見逃す。双眼鏡のトリックとも言う

7.**感情的決めつけ**：自分の憂うつな感情は現実をリアルに反映している，と考える。「こう感じるんだから，それは本当のことだ」

8.**すべき思考**：何かやろうとする時に「〜すべき」「〜すべきでない」と考える。あたかもそうしないと罰でも受けるかのように感じ，罪の意識をもちやすい。他人にこれを向けると，怒りや葛藤を感じる

9.**レッテル貼り**：極端な形の「一般化のしすぎ」である。ミスを犯した時に，どうミスを犯したかを考える代わりに自分にレッテルを貼ってしまう。「自分は落伍者だ」他人が自分の神経を逆なでした時には「あのろくでなし！」というふうに相手にレッテルを貼ってしまう。そのレッテルは感情的で偏見に満ちている

10.**個人化**：何か良くないことが起こった時，自分に責任がないような場合にも自分のせいにしてしまう

化してしまう傾向を、いかに克服するかは後に述べます。

これまで示してきたような十種類の認知の歪みが、全部ではないにしろ、うつ病の多くの症状を引き起こすもとになっているのです。これを表3-1にまとめておきました。この表を繰り返し見て、各々をマスターし、ちょうど自分の家の電話番号のようになじむようにしてください。これからうつ病の治療法を学んでいく時にも、何回もこの表に帰って、それを参照してください。この十の認知の歪みに精通すれば、きっとあなたの人生に役立つことと信じます。

十の認知の歪みに対する理解を深めるため、簡単なクイズをします。各文に書いてある人の認知の歪みの種類は何か選んでください。第一問の答えは先に解説しますが、二問以降の答えは最後に書きます。まず第一問から始めましょう。

(1)「ステーキの肉が焼きすぎだ」と夫に不機嫌に言われて、すっかり意気消沈した主婦。「自分は完全に失敗者だ。もう耐えられない。ものごとがちゃんとできたためしがない。まるで奴隷のように働いて、その結果がこの言葉なんて！」こういう考えのため、憂うつで、腹立たしくなってくる。この場合の認知の歪みは

a　全か無か思考
b　一般化のしすぎ
c　拡大解釈
d　レッテル貼り

e　以上のすべて

正解を示します。a～dのどれに○をしても正しい、つまりeが正解です。少し解説しましょう。「完全に失敗者だ」などと考えるときは、全か無か思考にとらわれています。確かに肉は少しは焼きすぎたかもしれませんが、だからといって人生が完全に失敗だということにはなりません。「ものごとがちゃんとできたためしがない」というのは一般化のしすぎです。いったい、できたためしがない、などということがあるでしょうか？「耐えられない」というのは自分の感情を拡大解釈しています。不愉快な気分を忘れ去ることができるはずです。夫の苦情は聞きたくないことではありますが、この主婦の価値全体を反映したものではありません。

自分のことを奴隷と言うのはレッテル貼りです。夫はイライラしていて、少しばかり思いやりが足らなかっただけです。そしてそのために不愉快な夕食になってしまった、というだけのことです。

さてそれではクイズを続けましょう。

(2)　ここまで読んできて、あなたは「またテストをしなけりゃいけないのか！　テストなんてうまくできたためしがない。ここのところはとばし読みをしよう。気分が悪くなってきた。だからもうこの本は役に立たない」と考えました。この場合、認知の歪みは、

a　結論の飛躍（先読みの誤り）

b　一般化のしすぎ

c　全か無か思考

d　個人化
e　感情的決めつけ

(3)　大学病院の精神科医。うつ病についての本の改訂のために編集者と会い、編集者は乗り気だったのに、なぜか気分がすぐれない。「そもそも編集部で私を選んだのが間違いじゃなかっただろうか？　とてもうまくできそうにない。生き生きとした文章を書くことなんてできない。自分の文は単調すぎるし、アイデアも良くない。」この場合、認知障害は、

a　全か無か思考
b　結論の飛躍（悲観的な予測）
c　心のフィルター
d　マイナス化思考
e　拡大解釈

(4)　孤独な独身者。独身者のためのパーティに出たが、不安で自己防衛的になって、すぐに退席してしまった。「いい人がここにいるわけがない。なぜ自分を苦しめなきゃいけないんだ。要するにこれは敗北者の集まりじゃないか。こんなに退屈なのが何よりの証拠だ。このパーティはかえって重荷だ。」この場合、認知の誤りは、

a　レッテル貼り

b　拡大解釈
c　結論の飛躍（先読みの誤りと心の読みすぎ）
d　感情的決めつけ
e　個人化

(5)　会社から解雇の通知を受け、仕事を失ったサラリーマン。怒りとフラストレーションを感じている。「世の中にいいことなんて何もない。心が安らぐなんてことはありっこない。」この場合の歪みは、
a　全か無か思考
b　マイナス化思考
c　心のフィルター
d　個人化
e　すべき思考

(6)　講演をするように頼まれた人。その時間が近づくにつれ、心臓がどきどきしてくるのを感じた。「言うことを忘れそうだ。うまく話せないに違いない。われを失ってしまうかもしれない。ばかなことをやってしまうかもしれない。」この場合、考え方の誤りは、
a　全か無か思考
b　マイナス化思考

c　結論の飛躍（先読みの誤り）
d　過小評価
e　レッテル貼り

(7)　直前になって、急病ということでデートの約束をキャンセルされてしまった。「ふられてしまった。いったい何がいけなかったんだろう。」こう考えて、失望と怒りを感じてきた。考えの誤りは、

a　全か無か思考
b　すべき思考
c　結論の飛躍（心の読みすぎ）
d　個人化
e　一般化のしすぎ

(8)　レポートを書くのをどうしても先に延ばしてしまう学生。毎晩とりかかろうとするのだが、そのたびにそれがとても難しく思えて、ついテレビの方を見てしまう。だんだん押し潰されそうな感じがしてきて、罪の意識を感じるようになってきた。「自分はなまけ者だから、もう書けないんじゃないか。こんな難しいことは、自分には無理なんだ。永遠にできっこない。ずっとこのままにしておくしかないんだ。」この場合の誤りは、

a　結論の飛躍（先読みの誤り）

b　一般化のしすぎ
c　レッテル貼り
d　拡大解釈
e　感情的決めつけ

(9)　この本を全部読み、何週間も認知療法を試みて、あなたの気分はかなり良くなり始めた。ＢＤＩの点数も二十六点から十一点へと減った。しかしそれから、突然にまた気分が悪くなり始め、点数も三日間で二十八点にまいもどってしまった。あなたは次のように考えて、がっかりし希望をなくして、追いつめられた気持ちになってしまった。「どうやってもだめだ。結局、この方法も私には役立たないんだ。まさにこの瞬間の気分が良くないといけない。二〜三日前まで良かったのは本物ではなかったんだ。自分をごまかしてただけのことだ。もう良くなりはしないんだ。」この認知の歪みは、

a　マイナス化思考
b　すべき思考
c　感情的決めつけ
d　全か無か思考
e　結論の飛躍（悲観的な予測）

(10)　ダイエットをしている人。今週末は気分が特に悪かった。何もすることがなかったので、ついたく

さん食べてしまった。キャンディ四個食べた後で、こう考えた。「自分をコントロールすることができない。今週のジョギングとダイエットが無駄になってしまった。これではまるで風船みたいだ。こんなに食べるべきでなかったけど、がまんができない。週末ごとに豚みたいになってしまう。」そして罪の意識を感じて、気持ちを紛らわせるために、またキャンディを食べてしまった。この場合、認知の歪みは、

a　全か無か思考
b　レッテル貼り
c　悲観的な予測
d　すべき思考
e　マイナス化思考

〈解　答〉

1　a b c d e
2　a b c e
3　a b d e
4　a b c d
5　a c
6　a c d e
7　c d
8　a b c d e
9　a b c d e
10　a b c d e

気分や感情は事実ではない

ここまできて、あなたは次のように考えるかもしれません。「気分が良いときと悪いときとで人生に対する考え方が全く違うことからみても、確かにうつ病は私の悲観的な考え方の産物なのかもしれない。でも私の考えがそんなに歪んでいるとすると、なぜその歪みにずっと気づかずにいるんだろう？　私が不合理な考え方をしているとしても、なぜ普通の人と全く同じように現実的な考え方ができると自分で思っているんだろう。」

憂うつな考え方がねじれているにしても、それゆえにこそ大きな錯覚を引き起こしてしまうのです。言いかえれば、感情は事実とは異なるのです。実際のところ、感情それ自体はあなたの考え方を写す鏡のようなものにすぎません。もし認知が歪んでいたら、そこに生じる感情も遊園地のトリックミラーのようにナンセンスなものになってしまいます。しかしこの誤った感情も正常の考え方から生まれる現実的な感情と同じように認識されてしまうので、自動的にそれがあたかも真実であるかのように感じられるのです。これこそまさに、うつ病の魔術的なトリックなのです。

認知的な歪みによっていったんうつ病に陥ったら、悪循環により気分と行動がますます落ち込んでいくのです。憂うつな脳が感じることをそれが何であれ信じてしまうので、何もかもが悲観的に思えてきます。このことは十分の一秒の単位で起こり、自分でも全く気づけません。憂うつ気分は現実のように感じられ、その結果その気分を作り出した歪んだ考え方が真実のように受けとめられるに至るのです。この悪循環はどんどん進み、ついに完全に捕らわれてしまいます。この心の監獄とも言える状態は錯覚であり、自分で作り出したまやかしにすぎませんが、真実のように「感じ」られるからこそ、まるで真実のようにみえるのです。

心の監獄から脱出するのにはどうすればいいのでしょうか？　とても簡単なことです。今の気分というのは、あなたの考え方の産物なのですから、気分がそうであるからといってあなたの考え方が正しいことにはならないのです。不愉快な気分は、単にあなたがものごとを不愉快に考えているという事実を示すにすぎません。ちょうど産まれたばかりのアヒルのひよこが母アヒルのあとをついて歩くように、気分は考え方の後をついてくるものです。ひよこが後をついてくるからといって、母アヒルの行く方向が絶対正しいとは限らないのです。

あなたは「自分はそう感じるからこそ、自分なのだ」と言うかもしれません。このような、感情が明白な真実であるという考えは、何もうつ病の患者だけの専売特許ではありません。今日、精神療法家の多くが「感情に自ら気づいて、それを素直に表現できることが成熟するということだ」と考えています。この考え方でいくと、感情こそ高度な自我の統合性と現実を反映するもので、したがって絶対の真実である、ということになります。

私の立場は全く違います。感情それ自体は全く特殊なものではなく、むしろ歪んだ考え方がマイナスの気分を作ると考えるわけです。

だからと言って、ロボットのように感情をなくせ、と言いたいのではありません。心の歪みから来る不愉快な気分をなくす方法を伝えたいのです。人生をもっと現実的に受けとめる方法を身につければ、喜びばかりでなく悲しみさえも、歪みなく純粋なものとして経験し、価値の高い感情生活を送ることができるようになります。

次の章から、心の歪みをどのように正していくか、破滅的な感情の揺らぎをもたらす基本的価値観をどのように見直していくかを順を追って示します。不合理な考え方を正すことにより、生産的に人生を送る能力が高まることと信じます。それでは次に進みましょう。

第二部　応用

第四章　自己評価を確立することから始めよう

落ち込んでいるときは、自分は価値のない人間だと思い込んでいるものです。落ち込みの度合いがひどければひどいほど、この考え方は強くなります。でも、これはあなただけに限ったことではありません。アーロン・ベック博士の報告によると、うつ病患者の八〇％以上が自己嫌悪を訴えるそうです。さらに博士は、うつ病患者は彼らが非常に評価しているもの——知性、業績、人気、魅力、健康、たくましさなどを、自分は持っていないんだと思い込みやすいと述べています。博士は、うつ病者の自己イメージを次の四つのDで特長づけています。Deprived（剥脱された）Defeated（打ち負かされた）、Defective（欠陥がある）、Deserted（見捨てられた）、の四つです。

憂うつな心の動きというのは、自己評価が低いところから起こるものです。貧困な自己イメージは、些細なミスや欠陥を、人格そのものの否定にまで拡げてしまう拡大鏡のようなものです。たとえば、ここにエリックという法学部の一年生がいます。彼は、授業中に恐怖を感じています。「教授に指されたとき、僕はきっとヘマをするにちがいない。」つまりヘマをしたらどうしようという恐れが彼の心の中いっぱいを占めているのですが、以下の私と彼とのやりとりを読めば、問題の本質は自分はダメだというエリックの思い込みにあることがよくわかるでしょう。

デビッド（著者）「仮に君が、授業中にヘマをしたとしよう。だからといって、君が特別にペシャンコになる必要があるかね？　なんだってそんなに惨めになるんだね？」
エリック「自分がバカに見えるんです」
デビッド「君が自分のことをバカだと思ったとしよう。なぜ、そんなにペシャンコになるんだね？」
エリック「皆が僕を軽蔑するだろうから」
デビッド「それがどうだって言うんだね？」
エリック「とても惨めです」
デビッド「どうして皆が君を軽蔑すると、惨めになるんだね？」
エリック「自分には価値がないように思えるから。今まで積み上げてきたものさえ、ダメになるような気がします。自分はレベルの低い人間で、弁護士なんか絶対になれっこないと思うんです」
デビッド「君が弁護士になれなかったとしよう。もっとわかりやすくするために、仮に落第したとしよう。なんで、君のすべてがダメになるのかね？」
エリック「人生で望んでいたものは、一つも手に入らないような気がするんです」
デビッド「それがなんだって言うんだね？」
エリック「人生が虚しく見えます。自分が負け犬みたいで、何の価値もないように思えるんです」

この短いやりとりのなかで、彼が人から非難されたり、ミスを犯したり失敗したりするのを極度に恐れていることが、よくわかります。一人に軽蔑されることは皆に軽蔑されることだと信じこんでいるのです。まるで「拒絶」というレッテルが、誰の目にも見えるように、突然、額の上に貼られたようなものです。彼は、称賛や成功がなければ自尊心など持てないようにみえます。自分自身を他人がどう見ているか、何を獲得できたかを目安にして、計っているわけです。称賛や成功への渇望が満たされないと、内から支える真実が何もないので、自分は無価値だと感じてしまうのです。

エリックの完全主義を不合理だと思ったでしょう。しかしエリックにとってはまさに真実で合理的なのです。今憂うつだったり過去に落ち込んだことのある人は、自分を見下すような考え方をしていることに気づけないことがあります。そしてどんなにそんなことはないと他の人から言われても、それがばかげて聞こえたり、嘘っぱちに思えるのです。

間の悪いことに、落ち込んでいるときほど、それに追い打ちをかける人が出てくるものなんですね。友達や家族、さらには精神科医でさえも、巻き込まれてしまうことがあるのです。たとえばジークムンド・フロイトが、今日の分析的アプローチの基礎となった論文「悲哀と抑うつ」のなかで、患者は事実つまらなくて、愛敬がなく自己中心的で不正直であるということを認めねばならないと述べています。このような資質は、フロイトによると人間本来の自己像を表しているにすぎないのであり、「病気になる」ということでその真の自己像がよりいっそう明確にされるというわけです。

患者はわれわれに、自身のエゴがいかに価値がなく何の能力もなく見下げはてたものであるかを述べ立てる。彼は自分を責め、自分は今に追われ罰せられると想像する。自身のエゴをこのように告発する患者に対して反論するのは、科学的にも治療的にも利益のないことである。彼は正しいのに違いなく、自分に感じたように物事を表現しているのに違いない。われわれは、無条件で彼の状況を受け入れるべきである。彼は本当に自分で言っているように、何にも興味が持てず、人を愛する力も何かを成し遂げる能力もない。……彼はまたわれわれから見ると、他人の自己批判も正当化してしまうように思える。彼は単に、他のメランコリーでない人よりも真実に対する鋭い目を持っているだけなのだ。誇張した自己批判をもとに、自分を情けなくて自己中心的で、不誠実で独立心に欠けると述べたなら、患者のたった一つの目的は自分の本質の内から弱さを隠してしまうことだったのだ。われわれの知る限りでは、彼は自分をかなり理解しているのであった。人はこのように真実を理解できるようになる前になぜ病気になるのか、われわれの不思議に思うところである。

――ジークムンド・フロイト「悲哀と抑うつ」、一九一七年

治療者が不適切な感情をどう扱うかは治癒への決定的な鍵となります。あなたの無価値だと思う感情がうつにとっての鍵であるように。また、人間は本質的に欠陥があるのかというかなり哲学的な問題も提起されます。うつ病患者は実際に根本的な真実に直面しているのでしょうか？　また最終的な分析では、本当の自尊心の源はなんであるのか、ということも問題です。私の意見では、これはあなたが直面する最も重要な問題だと思います。

第一に、自分の業績だけが人生に価値を与えるわけではないのです。業績はあなたに満足はもたらすことができても、幸福をもたらすことはできません。他人の称賛を基盤にした自己評価は、見せかけであっ

て本物ではないのです。私は社会的に成功しているにもかかわらず落ち込んでいる患者をたくさん知っていますが、この人達はこのような意見に同意すると思います。あなたは容姿、才能、名誉、未来といったものを土台にして、自己の正当な価値観を持つことはできません。マリリン・モンロー、マーク・ロスコ、フレディー・プリンツなど多くの有名な自殺者が、この厳然たる事実を証明しています。愛情、承認、友情、あるいは人間関係を円滑に運ぶ能力などは、あなたの本来の価値に何も付け加えることはできないのです。うつ病患者の大部分は事実非常に愛されているのですが、そのことはなんの救いにもなりません。なぜなら、自己愛と自己評価が間違っているからです。ぎりぎり最低限のところで、あなた自身の自己価値観があなたの感情を決定しているのです。

「それで」、きっとあなたは「じゃあ、どうしたら自己の価値感を得られるんだ」と、イライラしながら尋ねるでしょうね。「事実、自分はヘマで他の人のように良くはないんだと思う。私はそれが自分の基本的なものと思っているから、この感情を変えることができるとはとても信じられない。」

認知療法の基本の一つは、自分は価値がないという感情に巻き込まれるのを、阻止することです。臨床では、私は患者のマイナスの自己イメージを系統的に再評価することを目標とし、同じ質問を何度も何度も繰り返します、「自分はどう取り繕ってもやっぱり失敗者だと言い張るが、それは本当に正しいのですか？」と。

自分は良くないんだと主張するとき、自分自身について言っていることにもっと深い目を持つことが第一歩です。自分は価値がないという防衛のなかに隠れるのは、無意味なことが多いのです。

このような意見は、うつ病患者には一般的に思考障害があるということを指摘したアーロン・ベック博士とデービッド・ブラッフ博士の、次のような研究からも裏付けられます。「今ひと針縫えばあとで九針の手数が省ける」という諺の意味の解釈が、うつ病者、分裂病者、正常者でどう違うかが調べられました。分裂病患者とうつ病患者は、たくさんの部分的な間違いを犯し、また諺から意味を引き出すのが下手でした。両者は過剰な具象化をしてしまい、適切に一般化することができなかったのです。障害の重症度から見ればうつ病患者は分裂病患者よりも、その深刻さや奇妙さははるかに軽いのですが、うつ病患者個々を見ると、正常群に比べて明らかに異常でした。

また、一般的に落ち込んでいるときには、明確に物を考えるという能力の一部分が失われていると言われます。ものごとを適切な位置関係で見るのが難しくなっているのです。マイナスの出来事は、それらがあなたのすべての現実性を支配してしまうまでどんどん大きくなり、そして最後には、あなたは今起こっていることが曲解されているということが本当にわからなくなってきます。マイナスの出来事のすべてが、あなたにとっては現実的に思えるのです。自身で作りあげた地獄の幻想が、非常に説得力を持ってしまうわけです。

落ち込めば落ち込むほど、惨めに感じれば感じるほど、ますますあなたの考え方は曲がってきてしまいます。逆を言えば、精神的な歪みがなければ、自己評価の低さやうつ状態を経験することもなくなるのです。

自分に自信がないとき、一般にどんなタイプの精神的な誤りを犯しやすいのでしょうか？　一番良いのは、第三章で学んだ歪みに当てはまるかどうかをチェックしてみることです。自分には何の価値もないと思いこんでしまうとき最も多いのは、全か無か思考です。人生をそのように極端なカテゴリーで眺めると、自分のすることは非常に立派か全く悲惨かのどちらかになってしまい、それ以外は存在しないと信じこんでしまいます。あるセールスマンが私に言いました。「月の売り上げが目標の九五％かそれ以上なら容認できる。九四％かそれ以下は全くの敗北だ。」

この全か無か思考は、極めて不合理で自己破滅的であるばかりでなく、打ち消しがたい不安と度重なる失望をもたらします。私は精神科医のうつ状態を治療した経験がありますが、その人は全くのインポテンツになってしまいました。彼の完全主義的な傾向は、専門家としての優秀な業績のみならず性生活をも支配していたのです。その結果、彼は妻との夫婦生活を結婚以来二十年にわたって、正確に一日おきに行っていたのでした。性欲の減退にもかかわらず——うつ病の一般的な症状なのですが——彼は、「予定通りにしなくては」と、自分にいいきかせていたのです。こういった考え方は、満足な勃起ができないのではという不安を作りだします。彼の完璧な夫婦生活の実績が崩れてしまったので、彼は今や全か無かのシステムの無の側に立って自分を責め、「私は結婚生活のパートナーとして完全ではない。私は夫として失格だ。男としてもダメだ」と、思いこんでしまうのです。彼は優秀な精神科医であるとはいえ、私に悲しげに言うのです。「バーンズ先生、私がもはや夫婦生活を維持できないことが、おわかりでしょう。」彼の長年にわたる臨床トレーニングにもかかわらず、彼はこのような考えを完全に自分で信じこんでしまったのです。

無価値だという気持ちを克服する

さて、あなたはこう言うかもしれませんね。「なるほど、価値がないという気持ちの裏に、ある種の不合理が潜んでいるのがわかってきたぞ。でもそれは一部の人の話なんじゃないんですか？　彼らは、本来は勝利者なんだ。彼らと私とは違うんだ。その人達は有名な精神科医で、ビジネスマンとしても成功しているんでしょう。でも私は、本当に平凡でなんにもない人間なんです。実際他の人達は、私よりも外見も良く、人気もあって成功しているんです。そんな私に何ができるんですか？　何にもできやしない！　価値がないという私の気持ちは、確かなんです。それは現実に根ざしているんです、だから合理的に考えるように言われても、ちっとも慰めにならないんです。自分で自分をバカにでもしない限り、この恐ろしい感情を追い払う方法があろうとは考えられません。あなたも私もどうにもならないということを知っているんですよ。」まず、このようなあなたの気持ちを治すために多くの治療者が用いている一般的なアプローチを示します。しかしこのような方法で満足のゆく回答が得られるとは思っていません。そこで次に、あなたを助けてくれるだろうほかのアプローチを示しましょう。

自分は無価値だという確信の中に深い真理があるという考えに基づいて、精神療法家の中には、治療中はこの不適切な感情を口に出すことを勧める人もいます。これは疑いもなく、胸の内にあるそんな感情を追い払うのに効果的です。カタルシスの発散はときには、常にではありませんが、一時的な気分の高揚をもたらします。しかし治療者があなたの考えは間違っていると指摘してくれなければ、あなたは自分の考えに、治療者が同意したと判断してしまうでしょう。あなたの判断は合っているかもしれません。事実、あなたは治療者が自分をバカにしたように感じたかもしれません！　その結果あなたは、前よりもっと不適切な感情をもつでしょう。

治療中に治療者がむやみに沈黙すると、あなたは心の中の自己批判的な声にますます混乱させられてしまいます。治療者が受動的役割をとるこの種の非指示的な治療は、しばしば患者の不安や憂うつを高めることになりかねません。たとえ治療者の介入により気分が良くなったとしても、自身や人生に対する評価を大きく変えなければ、良くなったという感じも一時的なものにすぎないでしょう。あなたの自己破滅的な考え方や行動パターンを実質上変えなければ、あなたはまたすぐに憂うつへ戻ってしまうでしょう。

自分の感情を表に出すだけでは、価値がないという気持ちを克服するのに十分ではありません。洞察療法や心理学的解釈も、あまり役に立ちません。たとえば、ジェニファーという女流作家が本の出版前にパニック治療のために私の所に来ました。一回目の治療で彼女は私に言いました。「私は今まで多くの治療者に会ってきました。彼らは私に、問題は私の完全主義と不可能な予想と自分自身への強要だと言いました。また私は、この性格を強迫的で完全主義である母親から受け継いだことを理解しました。母は信じられないほどきれいな部屋から、十九もの汚れた所を見つけてしまうのです。私はいつも母を喜ばせようと努めましたが、めったに成功せずどんなに一生懸命やっても同じことでした。治療者は言いました。『お母さんのようにすべてを見ようとするのをやめなさい！　完全主義になるのをやめなさい』でも私はどうしたらいいんでしょう？　私だってやめたいですよ。でも誰もどんな方法があるのか教えてはくれませんでした。」

ジェニファーの不平は、私が診療でほとんど毎日聞いているものの一つです。問題の本質を正しく指摘することは、反省は促すでしょうが行動パターンまで変えることはできません。これは驚くにはあたりません。あなたは何年も何年も、低い自尊心を産み出すもとである精神的な悪い習慣を変えようとしてきました。問題を方向転換させるには、系統だった前向きの努力が必要です。どもりの人がどもるのをやめよ

う と努めれば努めるほど、正確に発音できなくなるのではありませんか？　テニスの試合は、コーチが選手へボールをネットにあてすぎると小言を言ったがために良くなるものでしょうか？

感情のカタルシスと洞察――標準的な精神療法の二要素――は、助けにはならないのです。一人の認知療法家として、私はあなたの価値がないという気持ちを扱うのに三つの意図を持っています。つまりあなたの考え方、感じ方、やり方に、すみやかで決定的な変化をもたらすことです。日常で応用できる単純かつ具体的な方法を用いた系統だったトレーニング・プログラムを用います。あなたがこのプログラムに時間と労力を惜しまず割くならば、努力に見合った成功を期待できるはずです。

私は、あなたの価値感覚を高めるのに役立つような簡単で応用の効くテクニックをたくさん開発しました。以下の項を読むときには、単に読んだだけで自尊心の強化を保証することはできないということを頭に入れておいてください。あなたは、いろいろな練習をしなければなりません。実際に私は、自己イメージを良くするための作業を毎日一定時間行なうことを勧めます。唯一この方法においてのみ、最も早くそして長続きする自己成長が得られるのです。

自己評価を確立するための特別な方法

1　内面の批判的な声に反発すること！

価値がないという気持ちは、あなたの内面の自己批判的な声から作られます。その声とは、「自分はダメだ」「自分なんてくだらない」「自分は他の人より劣っている」などといった自己を卑下するものです。それは、絶望的な感情を作りだしたり、自尊心を傷つけてしまいます。これを克服するには、次の三つの段階が必要です。

a　胸の内に自己批判的な考えが浮かぶとき、それをはっきり見て記録するように訓練する
b　このような考えが、なぜ歪んでいるかを学ぶこと
c　もっと合理的な自己評価システムができるように、このような声に実際に反発すること

これを達成する効果的な方法の一つは、〈トリプルカラム法〉です。一枚の紙を三つにわけるように、真ん中に線を二本引いてください（図4-1参照）。左の欄には、「自動思考（自己批判的）」、真ん中の欄には「認知の歪み」、右の欄には「合理的な反応（自己擁護的）」と書きます。左の欄に、自分が価値がないと思えたりくだらないと思ってしまうとき、心をよぎる自己批判的な考えをすべて書きなさい。

たとえば、あなたは突然、重要な会議に遅れてしまったことに気づいたとしましょう。心臓は高鳴り、パニックに苦しみます。さて自問してください。「たった今、胸の内を通りすぎたのは、どんな考えだろう？　何を自問しているのだろう？　どうして、この考えが私を打ちのめすんだろう？」それから、これらの考えを左の欄に書き入れなさい。

あなたは、「自分は一つも正しいことをしていない」そして「いつもいつも遅れてばかりいる」と、考えていたかもしれませんね。左の欄にこういった考えを書きつらね、番号を打ってごらんなさい（図4-1参照）。あなたはまた、こうも考えたかもしれません。「皆が私を軽蔑するだろう。私は全くのとんまに見えるだろう。」こういった考えが心をよぎったらすぐに、書き留めておきなさい。どうして？　なぜなら、まさにこの考えがあなたの感情的な混乱の原因だからです。それは、まるでナイフのようにあなたの心を切り

図4-1　「トリプルカラム法」は，自分を卑下してしまいがちなときに，自分についての考え方を建て直す意味で利用できる。目的は，悪い出来事が起きると知らず知らずに心に浮かぶ非論理的で厳しい自己批判を，もっと客観的で合理的な考えに置き換えることにある。

自動思考（自己批判的）	認知の歪み	合理的な反応（自己擁護的）
1. 正しいことなんて，何もやっていない	1. 一般化のしすぎ	1. ナンセンス！正しい事を，いっぱいやってるさ
2. 自分は，いつも遅刻している	2. 一般化のしすぎ	2. いつも遅刻しているわけじゃない。それはおかしい。時間通りに行った時のことを考えてみよう。もし実際によく遅刻するようなら，時間を守れるような方法を考えよう
3. 皆が自分を軽蔑している	3. 心の読みすぎ 一般化のしすぎ 全か無かの考え 先読みの誤り	3. 自分が遅刻すると，機嫌が悪い人もいるかもしれないが，世の終わりというわけじゃない。会議なんて，時間通りには始まらないもんだ
4. 自分はまるっきりばかに見えるだろう	4. レッテル貼り	4. なんてことを。自分はばかじゃない
5. 自分で自分がばかに思える	5. レッテル貼り 先読みの誤り	5. ばかじゃないさ。遅刻したら，ばかに見えるかもしれないが。誰だってときには遅刻するさ

刻みます。実際にこの気持ちを味わっているなら、私の言っていることがきっとわかると思います。

さて、次のステップはなんでしょう？　実は第三章を読んだときに、もうその準備は始まっているのです。十個の認知の歪みの定義表を使って（三五頁参照）、ネガティブな自動思考の一つ一つの中に誤りを見つけられるかどうかやってごらんなさい。たとえば、「一度だって正しいことなんかしてやしないんだ」というのは、一般化のしすぎです。これを真ん中の欄に書き込みなさい。図4-1のように、他の自動思考の中の歪みも続けて書き込みなさい。

さあ、いよいよ気分を変える一番重要なステップ――右の欄にもっと合理的で落ち込まない考えを書き入れる――にきました。無理に元気になろうと努力する必要はありません。そのかわり、真実を認めるよう努力しなさい。もし右側の欄に書いたことが説得力がなく合理的でないならば、少しもあなたの役にたちません。自己の批判的な声に反発しようとする信念をしっかり持つことです。右側の合理的な反応は、あなたの自動思考がいかに誤っているかを示してくれます。

たとえば、「自分は正しいことは何もしていない」に対する答えとしては、「そんなことは忘れるんだ。僕は皆と同じように、正しいことも間違ったことも両方してきた。確かに約束はすっぽかしたけれど、それ以上のことで叱られることはないさ」と書き込むのです。

ネガティブな思考に対して、合理的な反応ができない場合を仮定しましょう。そのときにはしばらく忘れて、数日後にもう一度考えてみるのです。また違った角度から見られるはずです。毎日十五分、一カ月か二カ月、このトリプルカラム法を練習すれば、かなりうまくなるはずです。いい答えが見つからないときには、他の人に聞く勇気も必要ですね。

注意事項

自動思考の欄に、感情をもろに出す言葉を使わないこと。感情を産み出す元になった考えだけ書きなさい。たとえば、タイヤがパンクしているのに気づいたとしましょう。「なんてばかなんだ」と書いてしまっては、合理的な反応へ進みません。ばかだと思うのは事実ですから、かわりに、タイヤを見た瞬間に心をよぎる考えを書きなさい。「ばかだなあ、月末に新しいのと取り換えておけばよかった。」あるいは「何て運が悪いんだ！」という具合に書くのです。そうすると、「確かに新しいのと取り換えておけばよかったな、でも自分はばかじゃないし、誰だって先のことはわからないもんさ」と、合理的な反応へ進めます。このような手順でもタイヤに空気は入りませんが、自我が傷ついてパンクすることは防げるわけです。

トリプルカラム法を使う前後で、気分がどれくらい良くなったかを比べるのは役に立ちます。自動思考に答える前に、落ち込み度を〇～一〇〇％の範囲で記録すると、比較は容易にできます。先の例で言うと、パンクしたタイヤを見つけた瞬間は、八〇％の不快感があるとします。トリプルカラム法を練習した後で、それがどのくらい減ったか、四〇％以下などと記録するのです。それを見て、この方法が自分に役立ったとわかるのです。

アーロン・ベック博士が作った、より精巧な「歪んだ考えの日常記録 *Daily Record of Dysfunctional Thoughts*」を用いれば、落ち込む考えだけでなくそのような感情や、きっかけとなった事件も記録できます(図4-2参照)。

たとえば、あなたが保険を売っていたとして、顧客が理由もなくあなたを侮辱し契約が延期されたとします。実際の出来事を、自動思考の欄にではなく状況の欄に書きなさい。その後で、あなたの感情や歪ん

図4-2　歪んだ考えの日常記録

状　況	感　情	自動思考	認知の歪み	合理的な反応	結　果
不快な感情のもとになった出来事を簡単に記載する	1.悲哀/不安/怒り，など 2.度合い 1-100%	感情に伴う自動思考	自動思考における認知の誤りの分類	自動思考に対して，合理的な反応を書くこと	その後の気分 1-100%
新しく発売する保険について電話したところ，お得意さんは電話を切ってしまった。「ほっといてくれ！」と，怒鳴られた	怒り，99% 悲哀，50%	1.自分は，保険など決して売れないだろう 2.あんなやつ，しめ殺してやる！ 3.きっと，何か悪いことを言ったに違いない	1.一般化のしすぎ 2.拡大解釈 レッテル貼り 3.結論の飛躍，個人化	1.自分はたくさんの保険を今までに売ってきた 2.彼は，ちょうど私にやつあたりしたんだ。誰だって，そんなこともある。どうして，それが私のせいだろうか？ 3.いつも新しい保険を勧めるのと同じやり方をしたんだ。どうして，そんなに自分の行為を悩む必要があるのか？	怒り，50% 悲哀，10%

〔**説明**〕不快な気分になったときには，その気分が引き起こされる原因と思われる出来事を記録しなさい。それから，気分に自動的に伴っている考え方も記録する。気分の度合いは，1がごくわずか，100が極度とする。

引用　アーロン・T.ベック，1979

だ考え方をそれぞれの欄に書き込みます。最後に振り返って、自分の感情を見積もるのです。「歪んだ考えの日常記録」の方を、好んで用いる人もけっこういます。ネガティブな考えや感情、事件を系統立てて分析することが可能だからです。快適な気分を得るために、この方法を確信をもって使ってみてください。

ネガティブな考え方や合理的な反応を書き出すことが、単純で無力で見かけ倒しのように思えるかもしれません。「何が言いたいんです？　私には本当に希望もないし価値もないから、こんなことしても意味がないんです」と、はじめは考える人が多いのです。

しかし、この方法によって、自己充実感が生まれてくるのです。まず道具を取り出して使おうとしなければ、仕事にならないでしょう？　二週間、毎日十五分でいいから自動思考と合理的な反応を書き出して、気分の変化をベックのスケールを用いて測ってごらんなさい。ひと区切りする頃には、内面の成長と自己イメージの健康的な変化に驚くでしょう。

ゲイルという、一人の若い秘書の話しをしましょう。彼女は自分に自信がなく、友人に批判されはしまいかと絶えず怯えていました。ゲイルは、パーティの後でちゃんと部屋を片付けてはどうかとルームメイトに言われただけで、ひどく落ちこんでしまったのです。彼女はどうせ何をやったってこの気分は良くなりっこないと言いはって、トリプルカラム法もなかなかやろうとしませんでした。とうとういやいやながら試してみて、彼女は自尊心と気分が急速に変わりはじめたのに驚きました。その日に思い浮かんだネガティブな考えを書き留めることは、自分にとって客観性を身につけるのに非常に役立ったと彼女は述べています。彼女は、ものごとをそれほど深刻に受け取らなくなりました。毎日の練習のおかげで、ゲイルは少しずつ気分が良くなりはじめ、人間関係も飛躍的に改善しました。彼女の自宅での練習の抜粋を、図4

-3に掲げます。

ゲイルの体験は、珍しいことではありません。日常のネガティブな思考を合理的な反応に置き換えていく練習こそが、認知療法の核なのです。これは、あなたの考え方を変えてゆくための有効なアプローチのうちの一つです。頭の中だけで練習しようとせずに、実際に自動思考とそれに対する合理的な反応を書き留めることが、たいへん重要なのです。書き留めることは、胸の中にしまっておくよりも客観性を育てる作用があります。また、落ち込みの原因である精神的な歪みを気づかせてくれる作用もあります。トリプルカラム法は性格上の欠点ばかりでなく、情緒面へも幅広く適応できます。破産、離婚、重い精神疾患など普通なら全く圧倒されてしまうような問題も、かなり楽に対処できるようになります。やがては、予防や内的成長の段階においてもこの方法が深い意味を持つことがわかるでしょう。うつ状態に陥りやすい状況でも、ポイントを見極め、変えてゆくことができるようになるでしょう。

2　精神のバイオフィードバック

腕につけるカウンターを利用して、ネガティブな考えをチェックする方法です。それはスポーツ用品売場やゴルフ店で手に入ります。一見、腕時計のように見えますがそんなに高くはなく、ボタンを押すたびにカウンターの数字が変わるようになっています。ネガティブな考えが心に浮かぶと、一定の警告として数字が変わります。その日の終わりにスコアを見て、日誌に書き込むようにしなさい。

始めは、数字が増えてゆくかもしれません。内面の批判的な考えを自分のものにできるようになるまでの数日間は、増えてゆくでしょう。しかし一週間か十日もすると、数字が頭打ちとなりやがて減ってゆく

図4-3　「トリプルカラム法」を使って，課題の日誌を付けたゲイルの記録からの抜粋。左の欄には，ゲイルがルームメイトから部屋の掃除を頼まれたとき，自動的に心に浮かぶマイナスの考えを記録した。真ん中の欄に，認知の歪みの分類を，右の欄にもっと現実的な判断を記載した。この日誌による練習は彼女の個人的な成長に多いに寄与し，結果として本当の精神的な安らぎをもたらした。

自動思考 （自己批判的）	認知の歪み	合理的な反応 （自己擁護的）
1.皆，私がどんなにだらしがなくて，我儘かを知っている	結論の飛躍 （心の読みすぎ） 一般化のしすぎ	1.私は，ときにはきれい好きのこともあるし，またださしがないときもある。皆が，同じように私をみているわけではない
2.私は本当に自己中心的で，軽率だ。何もいいところがない	全か無か思考	2.私は，軽率なときもあるし思慮深いときもある。ときには，過度に自己中心的に振る舞うこともあるだろう。私は完全無欠ではないが，いいところが一つもないというわけでもない
3.ルームメイトは，たぶん私を嫌っている。私には本当の友達が一人もいない	結論の飛躍 （心の読みすぎ） 全か無か思考	3.私の友情は，他の人のと同じように本物だ。ときには，ゲイルという人間そのものを拒絶するような批判を受けるかもしれない。しかしそれは私のやったことや言ったことへの嫌悪であって，私という人間自体は受け入れられている

ようになるでしょう。こうして、あなたが良くなってきたことがわかるのです。ここまでに、だいたい三週間かかります。

なぜそんなに単純な技法が効果をあげるのか、はっきりとは知られていません。しかし、系統だったセルフ・モニタリングはしばしばセルフ・コントロールに役立つと言われています。自分自身にムキになることをやめる方法を覚えさえしたら、気分は非常に良くなってきますよ。

カウンターを使う場合には、ネガティブな考えやそれに対する答えを書くことの代りにはならないことに注意してください。書くことにより、考えの非論理的な部分がはっきりするのですから、書くのを省略することはできません。しかし、規則的にこの方法を練習すれば、認知の歪みがまだ小さいうちにカウンターを使って治すことができるようになります。

3　しょげないで、乗り越えること——自分は悪い母親だと思い込んでいる女性の例

前のセクションを読んで、次のような不満を持つかもしれません。「確かに私はここに書かれているように考える。でももしそれが本当のことだったらどうしよう。この本のアドヴァイスも通用しないのでは？私は本当にダメなのだから。」

ナンシィは、このように感じている三十四歳の二児の母です。六年前、最初の夫と離婚し、つい最近再婚しました。空いた時間を活用して大学の単位を取ったりもする一方で、いつも元気で熱心であり、本当に家族のために一心でした。しかし、数年前よりナンシィにはうつ病のエピソードがあったのです。うつ状態の時期には、自分にも他の人にも極端に批判的になり、自己不信感や不安定さを訴えました。こんな

時期に、ナンシィは私のところへ相談に来たのです。

自分を責める激しさに私は驚きました。息子の学校の先生から成績が芳しくないと書かれたノートを受けとった時の最初の反応は、しょげかえり自分を責めることでした。以下は、われわれの治療からの抜粋です。

ナンシィ　「ボビイの宿題を、一緒にやってやれば良かった。ボビイはあんなに混乱していて、まだ何もできてやしないもの。担任の先生と話したら、ボビイは自信をなくしていて、うまく指導についていけないと言っておられた。その結果、成績が下がっていったんだわ。呼び出しの後、何度も反省したけれども突然落ち込んでしまったんです。良い母親は、毎晩子どもと一緒に時間を過ごすべきなんだわ。私はボビイのやることには、学校以外にも全部責任を負わなくてはいけないんだ。もう、ボビイをどうしつけていいかわからなくなった。本当にダメな母親だ。ボビイはばかで、きっと落第してしまってそれが全部自分の責任のような気がしてしまう」

私の最初の作戦は、ナンシィに「自分はダメな母親だ」という言葉をどうやってうち破るかを教えることでした。このような自己批判は、ボビイを助けようとする彼女にとって益にならず、苦しみを増すばかりだからです。

デビッド（著者）「さて、『ダメな母親だ』という言葉のどこがおかしいんでしょうか？」

ナンシィ「ええと……」
デビッド「『ダメな母親』なところが、何かありますか？」
ナンシィ「もちろん」
デビッド「あなたの『ダメな母親』とは、どんな母親ですか？」
ナンシィ「子供をほったらかして仕事をする人です。そんな人はほかの母親ほども有能じゃなく、それで子供は悪くなってしまうのです」
デビッド「母親業の技術がヘタな人が、あなたの言う『ダメな母親』なんですね？」
ナンシィ「お母さん達のなかには、技術の拙い人がいます」
デビッド「たいていのお母さんは、多かれ少なかれ拙いもんですよ」
ナンシィ「そうでしょうか？」
デビッド「母親業のすべてに完璧な人なんて、世の中にいやしませんよ。あなたの定義通りだとすると、皆ダメな母親になってしまいます」
ナンシィ「私はダメな母親だと思うけれど、皆がそうだとは思いません」
デビッド「いいですか、もう一度定義しなおしましょう。『ダメな母親』とは、何ですか？」
ナンシィ「子供をよく理解していなかったり、いつも失敗ばかりしている人です。失敗はためになりません」
デビッド「その定義に従うと、あなたは『ダメな母親』じゃないですね。だれも、いつもいつも失敗しているわけじゃないから、『ダメな母親』なんて、いないことになりますね」

ナンシィ　「誰も？」

デビッド　「ダメな母親は、いつもいつも間違いをしているといいましたね。二十四時間間違っている人なんていませんよ。何か合っていることをするもんですよ」

ナンシィ　「いつも怒ったり、殴ったりするひどい親がいますよね。そういった子供達は、やつれきっています。あれは、きっとダメな母親です」

デビッド　「ひどい行動に訴える親は確かにいますね。でも、彼らがいつもひどいことをしていると考えるのは合理的ではないし、『ダメ』とレッテルを貼ってしまうのも良くありません。そういった人達は攻撃性に問題があって、自己コントロールを訓練する必要はありますが、ダメと決めつけてしまうのは間違いです。こういった人はたいてい、自分は劣悪な人間だとすでに思い込んでいて、そのことこそが問題なのです。『ダメな母親』とレッテルを貼るのは間違いであり、また無責任でもあるんですよ。そんなことをするのは、まるで火に油をそそぐようなものですよ」

ここで私は彼女に、自分で自分を「ダメな母親」と決めつけてしまって、それでしょげていることに気づいてもらおうとしました。また「ダメな母親」をどう定義しようと、そんなことは問題ではないこともわかってもらおうとしました。そして彼女がしょげたり、自分を卑下することをやめると、今度は学校の問題を抱えている彼女の息子の話しに進みました。

ナンシィ　「でも、私はまだ自分は『ダメな母親』という気がするんですが」

デビッド「そうですか。それじゃ、もう一度あなたの定義を言ってください」

ナンシィ「子供に十分な、いい意味での関心を払わない人。私は大学でとても忙しいし、いつも悪い意味での関心しか払っていないんじゃないかと心配です」

デビッド「『ダメな母親』とは、子供に十分な関心を払わない人と言いましたね。十分とは、どういうふうに？」

ナンシィ「子供がうまく生活していくために、十分であるということ」

デビッド「すべての面でうまくですか？　それともある一部で？」

ナンシィ「ある一部です。すべてにうまくやることは、誰もできませんから」

デビッド「ボビイはある部分はうまくやってますか？　ほかの、何か替わりになる長所がありますか？」

ナンシィ「ええ、もちろん。あの子が楽しんでうまくやれることは、たくさんありますわ」

デビッド「それじゃ、あなたは自分の定義からすると『ダメな母親』じゃないじゃないですか」

ナンシィ「でもどうしてダメな母親のような気がするんでしょう？」

デビッド「もっとボビイに時間を割きたい、と思っていたところにボビイとのコミュニケーションを改善しなくてはならない差し迫った問題がでてきたものだから、自分で『ダメな母親』と、レッテルを貼ってしまったんですよ。でも、そんなことは何の解決にもなりません。あなたにとって、そのレッテルに何か意味がありますか？」

ナンシィ「もし、もっとボビイに関心を払っていてあの子を助けてやっていたなら、成績もよくてハッピーだったろうに。責任を感じてしまう」
デビッド「それじゃ、ボビイの失敗に責任をとりたいんですか？」
ナンシィ「はい、私の失敗ですから。私は、やはりダメな母親です」
デビッド「言い換えると、ボビイの成績を自分の手柄にしたいわけでもあるんですね？」
ナンシィ「いいえ――それはボビイが認められるべきです、私じゃなく」
デビッド「それが道理にかなっていますか？　手柄にではなく、失敗にだけ責任を持つというのが」
ナンシィ「いいえ」
デビッド「私が言おうとしている意味がわかりますか？」
ナンシィ「はい」
デビッド「『ダメな母親』というのは一つの概念であって、世の中にそんなものは存在しません」
ナンシィ「なるほど。でも、悪いことをする母親はいます」
デビッド「そういう母親もただの人間です。人間は悪いことも良いことも含めてさまざまなことをします。『ダメな母親』は、だから単なる抽象化した概念にすぎないんですよ、わかりますか？」
ナンシィ「よくわかりました。でも、母親の中には抜きんでて経験豊富で能力のある人がいます」
デビッド「そうですね、親の技術にはいろんな段階がありますが、誰でも良くなる余地を持っています。大切なのは、良いか悪いかではなくて、直していけるかどうかなのです」
ナンシィ「わかりました。その考え方には意味がありますね。自分で『ダメな母親』とレッテル貼りをしてしまうときには、間違った感情を持ってしまい、その結果落ち込んでしまうんですね。それで、何一つ前向きのことをできないんですね。今やっと、あなたの意図するところが見えてきました。自分を責めるのをやめれば、気分はもっと良くなって、きっとボビイの手助けもできるでしょう」

デビッド「その通り！　そういうやり方でものごとを見ると、作戦はうまくいくんです。たとえば、あなたの親の役目は何ですか？　その役目を、どうやって進歩させていきますか？　私が示唆するのはそこなんです。自分を『ダメな母親』とみなしてしまうと、感情に飲み込まれ親の役割を磨くこともできません。それは、合理的とは言えませんね」

ナンシィ「はい。自分をダメな母親と言わなくなったときから、気分が良くなり始めるということですね」

デビッド「そうです。『ダメな母親』と言いたくなったら、どう対処しますか？」

ナンシィ「ボビイに良くないことがあっても、学校の成績が悪くても、自分のすべてを忌み嫌う必要はないんだと考えます。問題をきちんと定義して向きあい、解決する方向へ進もうと努力します」

デビッド「そうです。それがポジティブなアプローチなんです。ネガティブな考えを捨ててポジティブな考えに置き換えるんです」

ナンシィがボビイの先生から呼び出しを受けた後で書いた「自動思考」の欄について、われわれは話し合いました（図4-4参照）。ナンシィは自己批判的な考えを打ち消すことを学び、感情的に楽になりました。さらには、ボビイの悩みを解決する方法を考えるまでに成長したのです。

ナンシィが考えた最初の方法は、問題の真実についてボビイと話し合うことでした。先生が示唆したよ

図4-4　ナンシーがボビイの学校での不振について書いた宿題。これは，「トリプルカラム法」に似ているが，ナンシーが認知の歪みについて分類する必要を認めなかったのでそれは省略してある。

自動思考（自己批判的）	合理的な反応（自己擁護的）
1.私はボビイに注意していなかった	1.私はボビイに十分時間をかけた。過保護すぎるくらいに
2.私はボビイと一緒に宿題をやるんだった。それで今彼は不精になって，授業についていけないんだ	2.宿題は彼の責任であって，私の責任ではない。私は彼に方向づけはしてやれる。私の責任は，なんだろう？ a.宿題のチェック b.一定時間にやるように注意する c.難問にあたっていないかを問う d.復習させる
3.良い母親とは毎晩子供達と一緒に過ごすものだ	3.そんなことはない。私は時間があってそうしたい時だけ，一緒に過ごせばいいのだ。また，ボビイにだって彼の予定がある
4.私は学校での彼の不品行や成績不振に責任を持つべきだ	4.私はボビイの手引きをすることはできるが，後は彼の責任だ
5.もし私が彼の手伝いをしていたら，彼は学校で問題を起こさなかっただろう。もっと早く宿題を見てやっていたら，こんなことにはならなかっただろう	5.そうではない。私が監督していたとしても，問題は起きただろう
6.私は悪い母親だ。問題の原因は私だ	6.私は悪い母親ではない。努力している。彼の生活全部をうまくコントロールすることなどできはしないのだ。ボビイと担任の先生と話し合って，どうしたら彼の助けになるか見出せるだろう。なんで，いつも自分ばかりを責めるのか？
7.他の母親は皆，子供たちと遊んでいるのに，私はボビイとどう過ごしていいかわからない	7.一般化のしすぎだ！クヨクヨするのは止めて，動きだそう

うに、はたしてボビイは悩んでいるのでしょうか？　問題を、ボビイはどう理解しているのでしょうか？　自信をなくしているというのは、ほんとうでしょうか？　このように情報を集め問題の本質を見極めると、ナンシィは解決へ向かう方向がわかってきました。たとえば、授業の中でボビイにとって特に難しいものがあれば、自宅での宿題をボビイを励ますような形でやらせ、一種の報酬システムを作るのです。彼女はまた、親の役割についての本も読もうと決心しました。こうして彼女とボビイとの関係は改善し、学校の成績や行動も急速に回復しました。

ナンシィの間違いは、自分はダメな母親だという絶対的な視野で自分を見てしまった点です。こういう批判の仕方は、彼女を無能力にしてしまいます。彼女の性格上の問題があまりに大きく、誰も手助けできないような印象を与えてしまうからです。問題の本質を見極め分析し、適切な解決の方向を見出す作業を邪魔してしまうのです。彼女がふさぎこんでいるとボビイも元気がなくなり、だんだんと彼女は文字どおりの無力になっていったでしょう。

ナンシィが学んだことを、あなたは自分の立場にどう応用しますか？　「ばか」、「まぬけ」といったネガティブなレッテル貼りを自己にしてしまうとき、その本当に意味するところを考え尋ねるのは、落ち込みを治すという点で非常に役に立つということがおわかりのことと思います。一度そういったレッテルを取り去ってしまうと、それらがいかに勝手な解釈で無意味かがわかります。それらはただ混乱と絶望を作り出すのみで、事態の真実を覆ってしまうのです。いったんそれらを追い払ってさえしまえば、今後のどんな問題にもあなたは対処できるようになります。

要　約

憂うつな気分のときには、自分には何一つ良いところなんてないんだと思い込んでしまうことが多いものです。自分は根っからの悪人で価値なんてないと信じ込んでしまうんです。そんな考えを持ち続けると、ひどい絶望感や自責の念にさらされることになります。耐えられないほど辛いため、ひょっとすると死んだほうがましだとさえ思うかもしれません。だんだん行動力がなくなり、日常の出来事にさえ加わるのが嫌になっていきます。

これはあまりにも苛酷な考え方をした結果の、感情および行動上のネガティブな反応なのですから、まず、自分で自分に価値がないなどと言うのをやめるべきです。しかし、あなたが本当にこのような考えは誤りで合理的ではないとわかるまでは、やめることはできないでしょう。

さて、ではどうしましょうか？　第一に人の生活は、肉体も感情も思考も行動と同じように絶えず変化している、いわば現在進行形なのだという考え方を持つことです。あなたの生活も、もちろん絶えず進歩し流れていっているのです。「価値がない」とか「劣っている」といった絶対的なレッテルは、論外であり無意味なのです。

あなたはまだ、自分は二流だと思っていますね。その根拠はなんですか？　きっとあなたはこう答えるでしょう、「自分は良くないんだと感じるからです。だから良くないに違いないんです。じゃなければ、どうしてこんな耐えられないような感情を持ちますか？」とね。あなたの間違いは、感情的な理由づけにあります。あなたの気分があなたの価値を決定するのではないのです。気分はただ相対的なものにすぎません。劣悪で悲惨な肉体状況だからといって、人格までそうだということにはなりません。落ち込んだ気分のときは、論理的でない考え方をしてしまうので、こんな考え違いになるのです。

高揚した気分や幸せな気分が、あなたの価値の目安になるのでしょうか？　それとも、それらは単にあなたが今良い気分であるという意味だけなのでしょうか？

気分はあなたの価値を決定するものではないし、また考えや行動を決めるものでもありません。気分にはポジティブで創造的なもの、勇気づけるものもあります。大部分は中立的なものですが、なかには非合理的なもの、自責的なものもあります。こういった気分は、努力しさえすれば変わるものですが、どんな場合でもあなたを否定することはありえません。価値のない人間なんて、この世の中には存在しないのです。

「それでは、どうやったら自己評価を高めることができるのでしょうか？」きっとあなたは尋ねますね。答えは——絶対にやらなければならないなどというものは存在しないということです。あなたがすべきなのは、批判的な内なる声を消し去ることだけです。どうして？　批判的な内なる声は、悪だからです。内面の自虐性は、非合理的で破壊的な考え方に由来するのです。価値がないという思いは真実に基づいているのではなく、うつ病の核である膿のようなものです。

落ち込んだとき、次の重要な三つのステップを覚えておきなさい。

1　自動的なネガティブ思考に照準を合わせて、それらを書き出しなさい。ただし、頭の中でいじらないで必ず紙の上にすること！

2　十の認知の歪みの表に目を通すこと。バランスを失っているものごとをどう扱うかを正確に学ぶこと。

3　もっと客観的な考えに置き換えること。そうすれば、自分を卑下するような考えが誤りであることがわかり、だんだんと気分が良くなるでしょう。自己評価も高まり、自分は価値がないという思いも消えてゆくでしょう。

第五章　虚無主義：いかにして克服するか

先の章で、考え方を変えれば気分も変わるということを学びましたね。気分を高めるための良い方法をここでもう一つ示しましょう。人は思想家ではなく行動家なのです。だから、行動を変えることにより容易に気分も変わるというのは驚くべきことではありません。単につまずいているだけなんです——落ち込んだときは、何もしたくないものです。

うつ病の最も怖い要素の一つは、意志力を麻痺させてしまう点です。軽症のときは、嫌な仕事をいくつか先に延ばそうとします。動機づけを欠いているため、何をするにも難しく見えてしまい、何もしたくないという衝動に打ち負かされてしまうのです。ほとんど何もできないため、気分はますます悪くなります。自分から刺激や楽しみから遠ざかってしまうばかりでなく、生産性の低下はあなたの自己嫌悪をさらに悪化させ孤立化や無能力化を招きます。

もしあなたが自分を拘束している感情の檻に気づかなければ、このような状況は数週間、数カ月、あるいは数年も続くかもしれません。また以前のエネルギーと比較すると現在の活動力の乏しさがさらに挫折感を増すことになります。虚無主義*do-nothingism*は、あなたの行動を理解できないでいる家族や友人にも影響を及ぼします。そういった人達は、あなたが好きで落ち込んでいると思ったり責任逃れをしていると言うかもしれません。そんな言葉は、あなたの苦悩や無気力をさらに悪化させてしまいます。

虚無主義は、人間性の最も大きなパラドックスの一つです。ある人は、大きな喜びを持ってごく自然に人生に身を置けるのに、一方では、まるで陰謀にでも巻き込まれたかのごとくいつも打ち負かされている人もいます。なぜだか不思議だと思いませんか？

いっさいの正常な活動や人間関係から遮断されて数カ月過ごすことを強いられたなら、その人はおそらくうつ病になるでしょう。子猿でさえ仲間から離され小さな檻の中に閉じ込められると、知能が遅れたり自閉的になったりします。なぜ自分から同じ罰を受けようとするのですか？　苦しみを求めるのですか？認知療法を用いれば、こうした誤りを正確に見つけることができます。

今までかかわってきたうつ病の患者さんの大部分は、もし自分から助かろうという気持ちさえ持てば実質上治ってしまうことを、経験から知りました。自己救済という気持ちで何かをしている限り、そのしていることに意味を見出せないかもしれません。私は、一枚の紙に線を引くだけで劇的に絶望状態が良くなった例を二例知っています。一人は画家で、もう何年もの間真っすぐに線が引けないと思い込んでいました。その結果、試しに描いてみることさえしなくなりました。治療者が、実際に線を描いてみることで彼の思い込みをテストしたいと提案し、実に真っすぐな線を描いたとたん彼の症状は消失しました！　多くのうつ病患者は、自分を助けるために何かをすることを頑固に拒絶する時期があるものです。動機づけしていた問題が解決されるやいなや、うつ状態は急速に消失します。それゆえ、われわれの研究がなぜ意志力の低下を重視してアプローチしているかが理解してもらえると思います。こういった知識を利用して、われわれはぐずぐず延ばしで悩んでいる人を助ける特異な方法を考えだしました。

私が最近治療した、二例のかなりややこしいケースを紹介しましょう。その極端な虚無主義はまるで狂人のようでした。しかし私は彼らの問題はあなたの抱えるのと同じ原因だと信じ、諦めませんでした。

患者Aは二十八歳の女性で、いろいろの活動によって気分がどのように変化するかを実験してみました。すると、少しでも何かをしたときには気分がいくらか良くなることがわかりました。気分を高めることがらを表にすると、家の掃除やテニスをすること、仕事に行くこと、ギターをひくこと、夕食の買物をすることなどが挙げられました。ただ一つ、彼女の気分を確実に悪くするものがあります。このたった一つが、常に彼女を惨めにしてしまいます。それが何かわかりますか？　虚無主義なのです――一日中ベッドに横になり、天井を見つめてネガティブな考えを探しもとめるのです。彼女が週末に何をしているかわかりますか？　その通り！　土曜の朝からベッドを這い回り、落ち込みはどん底に達します。彼女は本当に苦しみたいのだと思いますか？

患者Bは、自分の治療について非常にはっきりしたメッセージを伝える傾向のある内科医でした。彼女は、治るスピードは働こうとする自らの意志次第だということはよく理解していると述べ、また十六年間もうつ病で苦しんだのだから、なんとしても良くなりたいと言いました。彼女は治療に来てよかったと言いましたが、私は指一本上げることさえ指示できませんでした。彼女はもし五分間でも宿題をやるように私が命令したら自殺すると言いました。病院の手術室で綿密に計画した、致命的でぞっとするような自殺の方法を詳細に語り、おそろしく本気であったことがわかります。どうして彼女は、自分を助けることに対してそんなにも拒絶的だったのでしょう？

もちろんあなたの無気力ややるべきことの引きのばしはこんなに極端なものではないでしょう。仕事をちょっと先のばしにしたり、歯医者に行かなかったりという程度のことですよね。でも問題は、なぜ自分の利益にならないとわかっていてそれをするかということです。

ぐずぐず引きのばしたり自己を追い詰めるような行動は、見方によっては滑稽で徒労で不思議であり、時には腹が立ったり哀れにも見えます。このような行動は非常に人間らしい習性で広範囲に見られるので、われわれは毎日思いあたることがあるはずです。歴史を通して人間性について研究する作家、哲学者、学者らはこのような行動の説明を、公式化しようと試みました。その最も一般的な仮説は以下のようなものです。

1　基本的になまけ者ということです、これはまさに人間の本質なのです。
2　あなたは自分を傷つけたり、苦しめたいのです。落ち込む気分が好ましいか、あるいは「死への願望」があるのです。
3　あなたは消極的な攻撃性を持ち、何もしないことにより周囲の人をいらいらさせたいと思っているのです。
4　あなたは、虚無主義から何らかの報酬を得るに違いありません。たとえば、落ちこんだ時皆の関心を一手に集めてしまうなどのように。

どの項目も、それぞれ異なった精神医学の理論を代表するものですが、どれも正しくないのです。一番めは「気質」モデルです。あなたの非活動性は、固定した人格特徴の一部と見なされています。この理論の問題点は、あいまいな点を明瞭に説明せずにレッテル貼りしていることです。自分で「なまけ者」というレッテルを貼ることは、意味がないばかりか有害ですらあります。動機づけに欠けることは非可逆性で、生れつきの性質の一部だという間違った印象を植え付けてしまうからです。この種の考え方は正確な科学的理論を示すものではなく、認知の歪みの一例（レッテル貼り）です。

二番めは、ぐずぐずすることに何らかの快感があるので、自分を傷つけることをあなたは望んでいると述べています。この理論はあまりにばかばかしいので、精神療法家の相当な支持を受けているのでなければ、ここに含めるのを私は躊躇したほどです。もしあなたが、落ち込むことを好む人がいるのではと思うなら、うつ病は人間の苦しみの最も辛いものだということを思いだしなさい。私はいまだかつて、本当に惨めさを楽しんでいる患者に会ったことがありません。

あなたが痛みや苦しみを楽しめると思うなら、ペーパークリップ・テストを試してごらんなさい。ペーパークリップをまっすぐにして、爪の下に押し付けるのです。強く押せば押すほど、痛みは堪え難くなるのがわかるでしょう。さあ、自問してごらんなさい――これが楽しみになるのか？　自分は本当に、苦しむのが好きなのか？　と。

三番めは、うつ病者の行動は「内向した怒り」によって説明される、という説を主張する治療者の考えを代表しています。ぐずぐず引きのばすという行為は、封をされた敵意と見なされます。あなたの怠惰は、周りの人をいらいらさせるからです。この理論の欠点の一つは、最も落ち込んでいる患者は怒りなど感じていないということです。動機づけの欠如の原因として時には怒りも考えられますが、いつも問題の中心というわけではありません。家族があなたのうつ病のためにいらいらしたとしても、あなたは別にそうなることを期待したわけではなく、むしろ人を不愉快にさせるのを恐れてさえいるのです。人を不愉快にしたいがためにあえて何もしないでいるという推論は、侮辱であり真実ではありません。そんな推論は、あなたをますます悪くするばかりです。

四番めの「報酬」を得るという説は、近年の行動科学的な精神医学の考え方を代表しています。つまり、あなたの感情と行動は周囲からの見返りと罰の結果であるという考え方です。

この考えには、確かに一片の真理があります。落ち込んだ人は、助けようとする周囲の人々から実質上の支えと保証を受けられます。しかし、うつ病者はそういった注意を不当に感じる傾向が強く、それを喜んで受け取ることはまれです。もしあなたがうつ病で、誰か他の人があなたを好きだと言ったとすると、あなたはこう考えるに違いありません、「あの人は私がどんなにくだらないかを知らないんだ。私は称賛に値しない」と。うつ病と無気力は、真の報酬など受けえないのです。四番めの説も、他の説と同様に採用できません。

動機をなくしてしまう本当の原因が、わかりますか？　われわれは感情障害の研究を通して、ごく短時間のうちに動機が変化することを観察する機会に恵まれました。人並みに生産的エネルギーに満ち楽観的であったその同じ人物が、うつ病により悲哀に満ちた全くの寝たきりに変わってしまうのです。劇的に気分が変わる様を追ってゆくうちに、われわれは人間の動機の不思議さを解く貴重な糸口を集めることができました。たとえば、こう自問してごらんなさい。「やり残した仕事があったら、どんな考えがすぐ頭に浮かぶだろうか？」そして、浮かんだ考えを紙に書いてみるのです。書いたものは、多くの思い違いや見込み違いを表していることでしょう。そして、無気力や不安、打ち負かされた思いなど動機を邪魔する感情は、思考の歪みによるのだということを学習するでしょう。

図5-1は、典型的な無気力サイクルを示しています。患者の心に浮かぶのは「私は生まれながらの敗残者で、失敗するに決まっているのだから何もする目的がない」といったネガティブな考えばかりです。落ち込んでいるときには、そんな考えは非常に説得力がありあなたの気分を絶望的にしてしまいます。自分の悲観的な姿勢が正当である証拠としてこのような考えをとりあげ、その後の人生へのアプローチ法も変えてしまいます。自分はダメだと信じこんでいるので、試すことさえせずベッドにもぐりこんでしまいます。あおむけに横たわって天井を見つめ知らぬ間に眠りにおちることを望みながら、一方では破産に追い込まれるほど人生を浪費するのでは、と恐れ怯えているのです。悪いニュースではないかと恐れて電話に出るのも嫌になり、人生は退屈と不安と惨めさの繰り返しとなってしまいます。この悪循環は、打ち破る方法を知らなければ無限に続きます。

図5-1に示すように、思考と感情、行動は相互関係にあり、あなたの感情と行動はすべて考えや態度の結果なのです。同様に感情と行動パターンは、広範囲にわたってあなたの認知に影響を及ぼします。感情は、最終的には認知によって変化するということがこのモデルを通してわかります。つまり、考え方にポジティブな影響を与えるような行動変化は、結果として気分を良くする効果もあるのです。動機づけの問題となっている自己否定感を一斉に打ち破るような行動変化を起こせば、あなたを悩ましている気分も変えることが可能です。このようにして、無気力なサイクルを生産的なサイクルに変えることができるのです。

以下に述べるのは、ぐずぐず主義*procrastination*と虚無主義に最も見られやすい心理状態です。きっと一

図5-1　無気力サイクル。自己破壊的なマイナスの考え方は，気分を惨めにさせる。惨めになった気分は，歪んだ悲観的な考えを実際そうなんだとますます確信させてしまうことになる。自己破壊的な考え方や行動も，同様にこのサイクルを強化する。虚無主義は，こういった問題をさらに悪化させるのである。

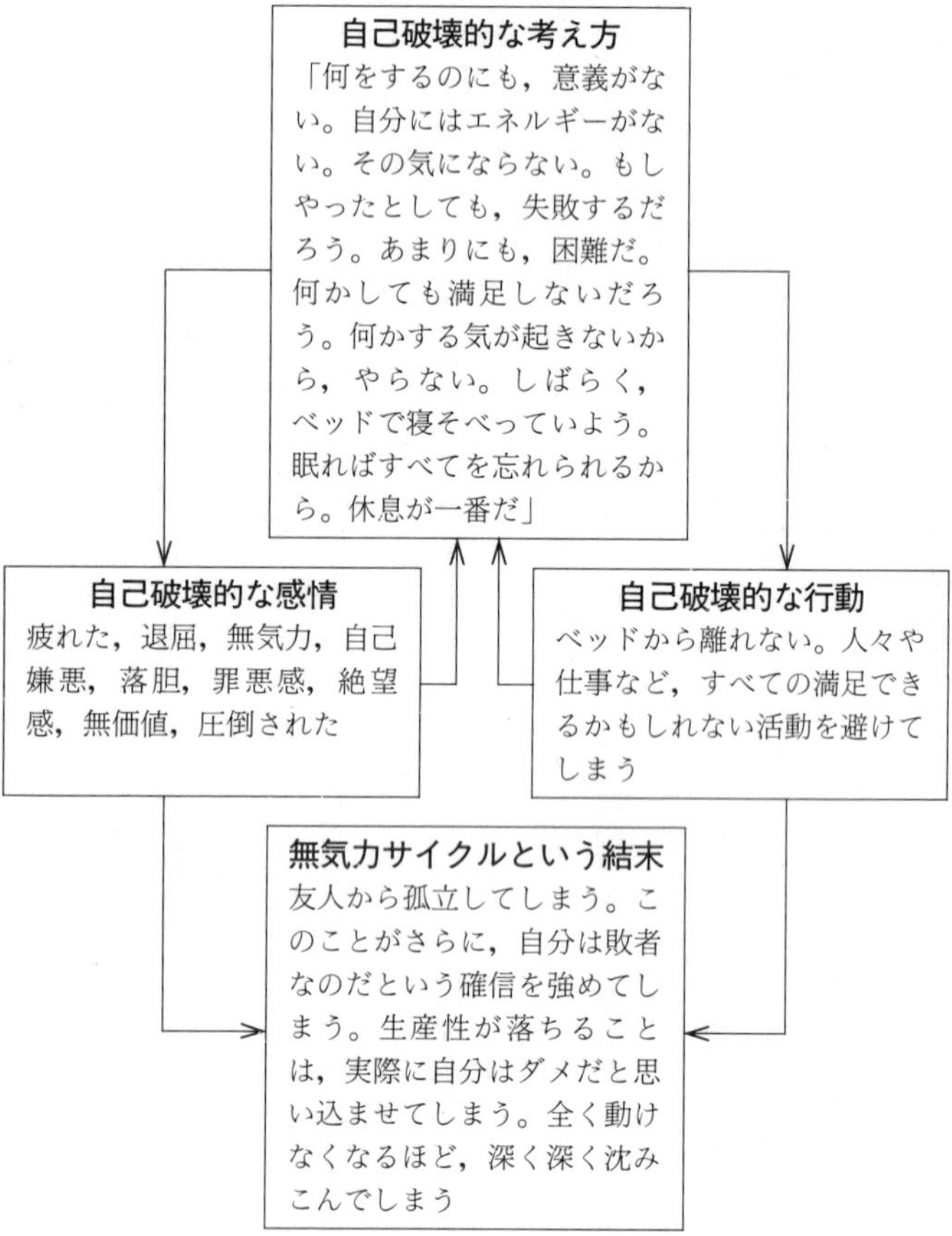
自己破壊的な考え方
「何をするのにも，意義がない。自分にはエネルギーがない。その気にならない。もしやったとしても，失敗するだろう。あまりにも，困難だ。何かしても満足しないだろう。何かする気が起きないから，やらない。しばらく，ベッドで寝そべっていよう。眠ればすべてを忘れられるから。休息が一番だ」
自己破壊的な感情
疲れた，退屈，無気力，自己嫌悪，落胆，罪悪感，絶望感，無価値，圧倒された
自己破壊的な行動
ベッドから離れない。人々や仕事など，すべての満足できるかもしれない活動を避けてしまう
無気力サイクルという結末
友人から孤立してしまう。このことがさらに，自分は敗者なのだという確信を強めてしまう。生産性が落ちることは，実際に自分はダメだと思い込ませてしまう。全く動けなくなるほど，深く深く沈みこんでしまう

つか二つは思いあたることがあるでしょう。

1　絶　望

落ち込んでいるときには、まさにその瞬間の苦しみに囚われているので、過去に気分が良かったことやこの先気分が良くなる可能性があることなど、すっかり忘れてしまっているのです。動機づけに欠け、終わりのない元にもどらない憂うつ感にさらされているので、どんな活動も無意味に思えるのです。「自分を救うために」何か行動するように勧められることは、まるで死んでゆく人間に元気を出せと励ますように滑稽に聞こえるかもしれません。

2　無力感

気分は自分のコントロールを越えたもの――運命、ホルモン・サイクル、幸運、他者の評価などによって決定されると信じているので、気分を変えるようなことが何もできないのです。

3　圧倒されること

虚無主義に陥ってしまう状況はいくつかあります。やり遂げることが不可能と思えるほど仕事を広げてしまったり、一度に何もかも一人でやってしまわなくてはいけないと考えたりするのです。また、まだやったこともないほかのことをいつまでも悩んで、目の前の仕事から注意をそらしてしまうのです。これがいかに非合理的かを理解するには、たとえば食卓につくたびに生涯にわたって食べなければならない食物のすべてを考えるようなものだと想像してごらんなさい。目の前に何トンもの肉や野菜が積み重ねられて、死ぬまで食べなくてはいけないんだと想像してごらんなさい。食事のたびに、「これは、ほんの一部なんだ。どうやって今までたくさんの食物を食べてこられたんだろう？　今夜、山ほどハンバーガーを食べたって何の意味もないんだ」と言ったとしましょう。きっと吐き気がして圧倒されて、食欲はなくなり胃は凋んでしまうでしょう。する前からすべてを考えてしまうのは、これと同じことなんですよ。

4　早合点

いつも「できない」とか「でも……」と言う癖がついているので、自分には満足のゆく結果が出せるような行動は、何一つできないと思い込んでいます。あるうつ病の女性にアップル・パイを作ってみるように勧めたところ、「私は何も作れません」という答えが返ってきました。彼女が本当に言いたかったのは、「作るのが少しも楽しいと思えないし、おそろしく難しいように感じてしまう」ということだったのです。パイを実際に焼いてみたところ、驚くほどうまくでき少しも難しくはなかったのでした。

5　レッテル貼り

ぐずぐず先に延ばせば延ばすほど、ますます自分を責めてしまい、さらに自信がなくなってしまいます。自分に「なまけ者」というレッテルを貼ることで、こういった問題が起きるのです。原因は、「本物の自分」がすべき行動を何もできないと自分で思い込むことにあります。結果として、何一つ自分に期待しなくなるのです。

6　報酬を安く見積もってしまうこと

落ち込んだときには、どんなに意味のある行動も第一歩が出にくいものです。というのはその仕事がひどく難しく思えるばかりでなく、報酬が払った努力に値しないように感じるからです。

「アンヘドニア *anhedonia*」は、満足や快感を味わう能力が減じた状態を意味する専門用語です。よくある考え違い――「良い点を無視する」傾向――が、この問題の根なのです。この考え違いが何によるか、思い出してみませんか？

あるビジネスマンは私に、今日一日やったことは何一つ満足できなかったとこぼしました。午前中、彼は依頼人からの電話を受けましたが混線してしまいました。電話を切り、「時間を無駄にしてしまった」とつぶやきました。その後で彼は幸運にも重要な商談に成功しました。その時、彼はこう言ったのです。「この業界の人間なら、誰だって同じくらいかもっとうまくやれたに違いない。やさしい商談だっただけで、私の役割なんてたいしたことはないんだ」と。満足感が得られないのは、いつも自分の努力の成果を疑うことによるのです。彼の口癖「何の価値もありゃしない」は、どんな充実感も確実に無効にしてしまいます。

7　完全主義

間違ったゴールと基準を設けて、自分を苦しめています。何をやっても意味のある完成が得られないと、満足しません。それで結局何もしなくなってしまうのです。

8　失敗への恐れ

あなたを麻痺させているほかの心理状態は、失敗への恐怖です。努力してうまくいかないと、人格そのものまで否定されると思い込んでいるので、トライするのが嫌になってしまうのです。間違った考え方は、この恐怖をあおります。よくある間違いの一つは、一般化のしすぎです。「これに失敗したら、きっとすべてに失敗するだろう」という考えです。もちろん、こんなことはありえないのです。誰もすべてにことごとく失敗するなんて、しようと思ってもできやしません。私達は皆、勝利と失敗の分け前をどちらも持っているのです。勝利は甘く失敗は苦いのは当然ですが、失敗は必ずしも致命的とは限らないし苦さもいつまでも続くわけではありません。

努力にもかかわらずその成果を独断的に評価してしまうと、やはり打ち負かされることへの恐怖感が生じます。これは非合理的であり、プロセス指向より結果指向を示すものです。例を引いて説明してみましょう。精神療法家として、私は自分が何を言いどのように個々の患者と関わるかをコントロールできます。しかし、セッションの間私の努力に患者がどのように反応するかをコントロールすることはできないのです。私が何を言いどのように関わるかはプロセスです。患者がどのように反応するかは、結果なのです。どんな日でも、セッションによって大いに得るものがあったという患者もいれば、全く役に立たなかったという患者もいるのです。私が仕事を結果だけで評価したら、患者がいいときには陽気になりネガティブに反応すると打ち負かされた気分になってしまいます。感情はジェットコースターのようになり、自己評価は上がったり下がったりして一日中くたくたになるでしょう。しかし、自分がコントロールできるのは治療経過だけなのだということを認められれば、セッションの成果にかかわらず常に仕事に誇りを持つことができます。患者がネガティブな反応をしたらそこから学び、間違っていたら直そうと思います。けっして、窓から飛び下りる必要はないのです。

9　成功への恐れ

自信がないと、成功は失敗よりももっと危険かもしれません。偶然成功しただけなんだ、と思っているからです。だからこの成功をとても保てないと思い、他の人々の期待をいたずらにあおるだけだと感じてしまうのです。そして自分は基本的には「失敗者」なんだという恐るべき事実がいよいよ現実となった時には、失望や拒絶、痛みは前よりいっそう苦く感じるのです。最後にはきっと断崖から落ちるに違いないと信じ込んでいるので、いっそはじめから山に登らないほうが安全のように見えるのです。

あるいは、成功したらもっと大きな要求が来るかもしれないと恐れているかもしれません。そんな期待にはとても応じられないと思い込んでいるからです。成功はあなたを、危険で抜き差しならない状況に追い込むように見えます。だからあなたは、いかなる巻き添えも拒否することで安定を維持しようとするのです。

10　非難や批判への恐れ

何か新しいことをすると、どんな小さな間違いも失敗も強く非難されるに違いないと思いがちです。完全でなければまわりの人は受け入れてくれないだろうと想像してしまうからです。拒絶の危険があまりに大きく思われると、できるだけ動かないようにするのです。何も努力しなければ、失敗することもないというわけです！

11　プレッシャーと反発

「やる気」の最大の敵はプレッシャーです。内からも外からも、やり遂げねばならないという強力なプレッシャーを感じるときがあります。「～しなければならない」「～するべきだ」といった道徳性を自らに課すような場合です。「これをしなくては」「あれをするべきだったんだ」と、自分に言い続けているのです。そのあげく、強制や重荷、緊張、反発を感じ続けてしまうのです。まるで、暴君的な保護監察官の管理下にいる非行少年のようです。すべての仕事が、とても耐えられないようなおもしろくないものに変わってしまいます。それでぐずぐず先に延ばしてしまうと、自分がとんでもない「なまけ者」に思えて良心が咎めるのです。結果的には、あなたのエネルギーを失うことになってしまいます。

12　フラストレーション許容力の低下

問題が解決でき容易にゴールに到達できると思っていて途中で障害物があると、怒り心頭に達します。ものごとがうまくいかないとあらゆる不公平に対して恨みを抱いてしまい、結局何でも諦めてしまうのです。成功、愛情、称賛、健康、幸福などを持つ資格が当然あるかのように感じて振る舞うので、私はこれを「資格症候群 *entitlement syndrome*」と称しています。

現実を頭の中の理想と比較してしまうあなたの癖がフラストレーションの原因なのです。二つが一致しないと、現実を非難してしまいます。現実を曲げるよりも自分の予想を変える方がはるかにやさしいという考えが、浮かばないのです。

このフラストレーションは、しばしば「すべき思考」によって一般化されます。ジョギングしても、「今よりスマートになるには、これを全部走らなければならないんだ」と、思い込んでいるのです。本当にそうでしょうか？　あなたはおそらく、もっと激しくもっと苦労するよう駆り立てるこんな言葉が、自分の役に立つという幻想を持っているのです。しかし、めったに役には立ちません。フラストレーションにより取るに足らぬ気分が加わるだけで、諦めたくなったり何もしないでいようという誘惑にかられるばかりです。

13　罪と自責の念

自分は悪で他の人々からも軽蔑されているという思いに囚われてしまっていると、自然と日々の生活を続けてゆく気がなくなってしまいます。最近、一人の老婦人を治療しましたが、彼女は買物へ行ったり料理をしたり友人を訪ねたりした方がずっと気分が良いにもかかわらず、一日中ベッドに横たわっていました。なぜ？ この愛すべき婦人は、五年前の娘の離婚の責任に自分を縛り付けていたのです。彼女は言いました、「娘らを訪ねたとき、私は婿と話しをすべきだったんです。どんな具合か聞いてやるべきだったんです。たぶん助けることができたでしょうに。そうしたかった、でももうその機会はやってこないんです。今は、私は娘らの役には立ちません。」考え方の非論理性を指摘すると、彼女の気分はすぐに良くなりました。彼女は人間であって神ではないのだから、将来を予想したりどう介入すべきかを正確に知ることなど不可能なのです。

それでもなお、あなたは思っているでしょうね、「それで？ 私は、自分の考えが非論理的だということはわかっています。これまで挙げられた心理状態のいくつかは、私にあてはまるものです。でも私はのろまで自分を動かすことさえできはしません。あなたは、障害はすべて自分自身の態度によると言いましたが、それはひどく非難めいて聞こえます。私に、何ができると言うのでしょう？」と。

なぜ活動すると、気分をたかめる一定の変化が起こるかわかりますか？ もし何もしないでいると、ネガティブで破壊的な考えに先取りされてしまうのです。何かやれば、自己批判的な内なる声から一時的にせよ気をそらすことができます。さらに大事なのは、活動によりわきおこる感情が歪んだ考えを論破してくれるのです。

次に自己活性法をお示しします。興味をひく項目を選んで、一、二週間やってごらんなさい。全部をマスターする必要はないのですよ！ ある人にとっては救いとなっても、他の人にとっては苦痛になることもあるからです。あなたのぐずぐず主義に、一番あった方法を使いなさい。

日常活動スケジュール *Daily Activity Schedule*

日常活動スケジュール（図5-2）は、簡単ですが効果的で、無気力を打ち破るための系統立った方法で二つの部分より成っています。左の予定欄には、一時間おきにその日にやろうとする計画を書き込みなさい。たとえ計画の一部しか実際にはできなかったとしても、毎日何をやるかを考えるという行為は非常に役に立つはずです。詳しく計画する必要はありません。何をしたいかがわかるようにほんの一語か二語、たとえば「ドレス」「食事」「仕事の準備」などと書けばよいのです。時間は五分とかからないはずです。

その日の終わりに、振り返り欄を埋めなさい。実際に何をしたかを各時間ごとに記録しなさい。計画と同じこともあれば違っていることもあるでしょう、たとえただ壁を見つめていただけだったとしても、それを書きなさい。歯を磨く、夕食を作る、仕事に行くといった義務的な（Mastery）活動にはM、本を読む、映画に行くといった楽しみ（Pleasure）の活動にはPの文字をつけてください。各活動につけ終わったら、楽しみの量や仕事の難しさの度合いを0から5のスケールで見積もってごらんなさい。たとえば、服を着るといったごく簡単なことならM-1、職を依頼するといった難しいことや挑戦的なことにはM-4やM-5と見積もるのです。楽しみとなる活動も、同じようにやってごらんなさい。落ち込んでいなかったときには楽しめたことが今はそう感じられないなら、P-½とかP-0と置きなさい。夕食を作るといった活動は、MでもPでも使えます。

こんな簡単な表が、どうして役に立つのでしょうか？　それは第一に、活動の価値についてくよくよ悩む癖を断ち切るからであり、また実行しようかどうしようか逆効果になるような熟考をも断ち切るからです。スケジュールの活動の一部分でもやり遂げることは、何らかの満足をもたらしてくれうつ状態とも闘

図5-2　日常活動スケジュール

時間	**予　定** 1日の始まりに，時間ごとの活動を計画する	**振り返り** 1日の終わりに，実際に何をやったか，また各活動について義務的な活動にはMを，楽しみの活動にはPと評価する
日付け＿＿＿＿		
8—9		
9—10		
10—11		
11—12		
12—1		
1—2		
2—3		
3—4		
4—5		
5—6		
6—7		
7—8		
8—9		
9—12		

＊義務的および楽しみの活動には0点から5点まで点数をつける。点数が高いほど満足の度合が強い。

ってくれます。

一日を計画する時、仕事と同様に遊びも取り入れたバランスのとれたプログラムを作りなさい。気分が憂うつだと、いつも通り楽しめるかどうか危ぶみながらも余計におもしろいことを書きたくなるかもしれません。不均衡をもたらすような余分な自問自答は、少なくなるでしょう。そうなったら数日休みをとって、したいと思うことだけを計画してごらんなさい。

スケジュール通りできたら、動機づけが増えてくるのがわかるでしょう。やり始めると、自分は効果的に機能できないという思い込みに反論するようになります。あるぐずぐず主義者はこう言いました、「一日を計画して結果を比べることで、自分の時間の使い方がよくわかった。自分の人生に、もう一度責任を持とうという気になった。望めば自分がコントロールできるんだということが理解できた」と。

少なくとも一週間は、この日常活動スケジュールを続けなさい。一週間やったことを振り返ると、思ったよりもMやPの感情が大きいことがわかるでしょう。続けるならば、低い満足で終わるようなスケジュールは避けるべきです。

日常活動スケジュールは、われわれが「週末うつ病または休日うつ病」と称している状況に特に効果的です。これは、独身で一人になると感情的に苦痛をきたしやすい人々によく見られるうつ病のパターンです。もしあなたがこの記載にあてはまるとしたら、週末や休日はきっと耐えられないと思い込み、自分のためにに生産的なことは何一つしないでしょう。土、日と一日中壁を見つめてしょげかえっているかベッドに寝転んでいるかなのです。さもなくば、退屈なテレビ番組を見ながらサンドイッチとインスタントコーヒーの粗末な夕食をとるかです。週末が耐えられないのは、ちっとも驚くにあたりません！　あなたは落ち込んでいて孤独であるばかりか、苦痛を増すようなやり方で自分を扱うのです。そんなサディスティックな方法で、あなたはほかの人に接しますか？

この週末の憂うつは、日常活動スケジュールを用いて克服できます。金曜の晩に、一時間ごとの土曜の計画を立てなさい。あなたはこれに反論して、「何の意味があるんですか？　私はいつも一人なんですよ」と言うでしょう。あなたがいつも一人という事実は、スケジュールを立てるには都合が良いのですよ。なぜ自分を惨めだと思い込むのですか？　この予想は、自動的に実現する予言として機能できるのです。生産的なアプローチを取り入れて、試しにやってごらんなさい。計画は、べつに念入りに作る必要はありません。美容院、買物、美術館めぐり、読書、公園の散歩というようにスケジュールを立てられます。一日の簡単な計画を立てそれを守ることは、気分を高めるのに大いに役に立つことに気づくでしょう。また自分に進んで責任を持とうとすると、ほかの人々があなたに対して関心を持って振る舞うようになるということにも突如として気づくはずです！

一日の終わりにベッドに入る前に、実際にやったことを書き留めてMとPの割合を見てみなさい。それから、次の日の新しいスケジュールを作るのです。この簡単な手順は、自尊心と真の自力本願への第一歩となるのです。

ぐずぐず主義を克服する方法　*Antiprocrastination Sheet*

図5-3は、ぐずぐず先に延ばしてしまう癖を効果的に治す方法です。あなたは、あることをするのをしぶっています。とても困難が多く報われないと予想しているからです。この方法を使って、ネガティブな

図5-3　ある教授は，手紙を書くのを何カ月も引き延ばしていた。ひどく難しそうで報いがないと思えたからである。彼はその仕事をいくつかに分けて，難易度とその報酬を0～100％で示してみようとした。区分した仕事をやり終えた後で，彼はどのくらい難しかったか，また実際にどのくらい満足したかを記録した。彼は，自分のマイナスの予想がいかに間違っていたかを知ってびっくりした。

ぐずぐず主義克服シート

（仕事にとりかかる前に，予想した難易度と満足度を書くこと。そして区分した各仕事が終わったら，実際の難易度と満足度を書くこと）

日付	活動（仕事を細かく分ける）	予想した難易度（0～100％）	予想した満足度（0～100％）	実際の難易度（0～100％）	実際の満足度（0～100％）
6月10日	1.手紙の概要	90	10	10	60
	2.ざっと書く	90	10	10	75
	3.正規にタイプする	75	10	5	80
	4.宛名を書いて投函する	50	5	0	95

予想をテストする訓練ができます。その日の適切な欄に，ずっと先に延ばしていた仕事を書き込みなさい。この作業に膨大な時間と労力がいるようならば，いくつかに分けると良いです。そうすれば十五分かそこらしかかからなくなります。さてつぎは，隣の欄に予想される困難がどの程度かを〇から一〇〇％の割合で書きなさい。その仕事がやさしいと思えば一〇か二〇％，手強いと予想したら八〇から九〇％と書き込めばよいのです。その次の欄には，仕事の各段階を仕上げるとその満足感や報酬はどれくらいが予想されるかを％で書きなさい。予想を全部書き終えたら，まず仕事の第一段階に手をつけてやり終えなさい。各段階をやり終えた後で，実際にはその困難や楽しさがどれくらいであったかを最後の二つの

欄に％で記録しなさい。

図5-3に、ある大学教授が他の大学の講義に参加する旨の返事を出すのを数カ月延ばしていたことを、この方法を用いてどのように克服したか示しています。見ればわかるように、彼は手紙を書くのはひどく難しくまた見返りがないと予想していました。悲観的な予想を記録した後に、彼は手紙のアウトラインを作ってみたくなり、また本当に手紙を書くのがつまらない報われないことかを確かめてみたくなりました。驚いたことにやさしくて満足できるものだということがわかり、最後まで書き上げようという気持ちが十分出てきました。彼は、最後の二つの欄にこれを記録しました。この経験はひどく彼をびっくりさせ、その後の人生でもいろいろな面でこの方法を使うようになりました。結果的に彼の生産性と自尊心は著しく高まり、うつ病は消失しました。

歪んだ考えの日常記録

第四章で紹介したこの記録は、虚無主義にとりつかれたとき多いに役に立つものです。あるできごとに対して心に浮かんだ考えを単純に書き留めなさい。今の問題は何であるかがすぐわかります。その次に、現在の考えが現実的でないことを示すような適切な合理的な反応を書き込みなさい。これは、第一歩を踏みだすのに必要な十分なエネルギーを動員するのに役立ちます。いったんやり遂げるときっかけができ、どんどん進んでいけます。

図5-4に、例を示します。アネットはブティックを持っている若い、魅力的な独身女性です(八一頁に記載した、患者Aと同一です)。店でワイワイしている間は、彼女の具合は良いのですが、週末になると、

図5-4　歪んだ考えの日常記録

日　付	状　況	感　情	自動思考	合理的な反応	結　果
7月15日	日曜日，一日ベッドで，寝たり起きたりしていた。何をしたいとも思わず，何をするエネルギーもない	抑うつ 疲労感 罪悪感 自己嫌悪 孤独感	私は何もする気がしない	それは，今現在何もしていないからだ。動機は行動に続くことを思い出そう	少し楽になって，とりあえずシャワーを浴びようと決めた
			ベッドから出るエネルギーがない	縛り付けられているわけじゃないのだから，ベッドから出られるはずだ	
			自分は人間として，敗者だ	望めば，成功もできる。何もしないことは私を落ち込ませ退屈にさせるが，だからといって敗者という意味ではない	
			私は，本当の関心が持てない	関心は持っているが何もしていない時には，関心がないだけだ。何かやり始めたら，きっともっと関心が持てるだろう	
			自分は自己中心的だ。自分の周りで起きる事柄に何の配慮もしないから	気分がいい時は，ほかのことにも配慮する。落ち込んでいるときに他へ注意が払えないのは当然だ	
			たいていの人は，楽しみなんてもっていない	私もそうである必要があろうか？　私は，自分が望むことをする自由がある	

			私は何も楽しめない	気分がいい時は楽しめる。ベッドにもぐりこんでいる時にはそう思えなくても、いったん何かをやり始めたら、きっと楽しむようになるだろう
			私には通常のエネルギーがない	そんな証拠はどこにもない。実際私は仕事をこなしているし、その成果もあがっている。何かに取り組めば、もっとエネルギッシュになるだろう
			私は誰とも話したくないし、誰とも会いたくない	そんなことはない！　誰も私に話すことを強制しないのだから、自分の意志で決めればいい。ともかく、ベッドから出て何かを始めることはできる

社会的な活動から遠ざかってベッドにもぐりこんでしまいます。ベッドに入ったとたん意気消沈してしまい、ベッドから出るのさえ自分のコントロールを越えたものになってしまいます。図にあるように、日曜日の夜、アネットは自動思考を記録しましたがそれは彼女の問題をはっきり示しています。彼女は、何かしたいという欲求やエネルギーが出てくるまでじりじり待っていたのです。一人なんだから何をしても意味がない、と思い込んでいたのです。そして何もしないことのために、自分自身を責めていました。

日常記録にしたがって自分の考えに反論していると、徐々に覆っていた雲が晴れてきて、起き上がってシャワーを浴び、着替えをすることができるようになってきました。気分が良くなり、食事と映画を見る段取りを友人とするまでになりました。合理的な反応の欄に記載したように行動すればするほど、気分はどんどん良くなっていきました。

あなたがこの方法を使おうと決めたら、必ず実際に考えを書き込むようにしてください。そのような考えと闘おうとすれば、あらゆる可能性が手に入るでしょう。あなたを挫折させているその考えは、根拠のないものだからです。あるいはまた反論しようとすると、そのような考えは一段と厳しさを増してあなたを取り巻くかもしれません。しかし書くことによって、そんな考えは論理の灯にさらされます。そして考えの歪みを正確に見極め、助けとなる答えを引き出すことができるのです。

満足―予想表 *Pleasure-Predicting Sheet*

アネットの落ち込みの一つは、一人だから何をやっても意味がないという思い込みでした。この思い込みのために何もしなくなりますます惨めになり、一人は悲惨だという思い込みはいっそう確固となってしまうのです。

〈解決法〉図5-5にある満足―予想表を使って、何をしても意味がないというあなたの思い込みをテストしてごらんなさい。一週間以上の期間、個人的成長や満足の可能性を含むような行動を計画しなさい。それを自分一人で、あるいは他の人々と一緒に実行するのです。あてはまる欄に誰と一緒にやったか記録し、また満足への期待はどれくらいかを〇から一〇〇%の範囲で示しなさい。そしてやってみるのです。実際の満足度の欄に、各行動が現実にどのくらい楽しめたかを書きなさい。自分一人で行なったことは考えていたよりももっと喜ばしいものだということを知って、びっくりするでしょう。

図5-5　満足-予想表

日付	満足を求める行動(やりとげた感じ,あるいは楽しんだ感じ)	誰と一緒に行動したか(一人なら一人と書く)	予想される満足度%(行動前に書くこと)	実際の満足度%(行動した後に記録すること)
8月2日	読書（1時間)	一人	50	60
3日	ベンとバーで夕食	ベン	80	90
4日	スーザンのパーティ	一人	80	85
5日	ニューヨーク・クラブとヘレン伯母	両親と伯母	40	30
5日	ナンシー宅	ナンシーとジュエル	75	65
	ナンシー宅の夕食	12人の客	60	80
6日	ルーシーのパーティ	ルーシー他5人	70	70
7日	ジョギング	一人	60	90
	観劇	ルーシー	80	70
9日	ハリーズ（レストラン)	ハリー，ジャックベン，ジム	60	85
10日	ゲーム	デッド	50	70
11日	晩餐	スーザンとベン	70	70
12日	美術館	一人	60	70
12日	ピーボディー(レストラン)	フレッド	80	85
13日	ジョギング	一人	70	80

ただし、ここでは一人でやったことと誰かと一緒にやったことの比較が公正になるように同じような質のことがらを比べるようにして示してください。たとえば、一人でテレビを見ながら夕食をすることと、友人と行った一流のフランス料理店と比較してはいけません。

図5-5は若い男性で、二〇〇マイル離れた所にいるガールフレンドが新しい恋人を作り、もう会いたがらなくなったというケースの行動を示しています。しょげかえるかわりに、彼は人生にもう一度取り組みました。最後の欄を見ると、彼の予想した満足度が一人の場合は六〇%から九〇%、誰かと一緒の場合は三〇%から九〇%になっているのに気づくと思います。ガールフレンドをなくしたからといって惨めになる必要はないこと、自分自身で楽しむのに他の人に依存する必要はないということがわかり、自信がついたのでした。

ぐずぐず主義の原因となる多くの思い違いをテストするのに、満足—予想表は有効です。この思い違いには以下のようなものがあります。

1　一人の時は、何も楽しめない。
2　自分にとって大切なことをしくじったので、これから先何をやっても意味がないんだ。
3　自分は金持ちでも成功者でも有名でもないから、本当に楽しむことなんかできはしない。
4　皆の関心の中心でなくては、楽しめない。
5　完璧にやり遂げないと、満足は得られない。
6　仕事の一部だけをやったんでは満たされない。今日中に全部やってしまわなければ、満足できない。

こういった姿勢はテストにより自覚しなければ、自分の予言どおりの悪循環を引き起こします。しかし、満足—予想表を使ってこれらをチェックしたならば、人生は多くの夢を実現させてくれるのだということがわかって、びっくりするでしょう。自分自身を救いなさい！

満足—予想表について、たいていこんな質問が来ます。「たくさんやることを計画して、予想した通りにただ不愉快なだけだったら、どうなるんですか？」こういうことも、起こるかもしれませんね。もしそうだとして、そのネガティブな考えを書き留めて、歪んだ考えの日常記録に添って答えを出してみるよう努めてごらんなさい。たとえば、一人でレストランへ行きひどく緊張してしまったとします。あなたは、こう考えるかもしれませんね。「ここの人々はきっと、私のことを落後者と思っているに違いない。こんな所に一人で来る人なんていないから。」

さて、これにどう答えますか？　他の人々の考えが、あなたの気分に影響を与えることなんてほとんどないのですよ。たとえば、ほんの十五秒の間にジャックについて私の頭に浮かんだ二つの考えを例に、このことを説明してみましょう。一つは非常にポジティブな考えであり、もう一つは極端にネガティブで屈辱的な考えです。この二つの考えのどちらが、ジャックに影響を与えたかを聞きます。私は目を閉じて思います。「ジャックはいい人で私は好きだ。」また、思います。「ジャックはペンシルバニア中で、一番悪い人間だ。」ジャックはもちろん、人がどう考えているかを知るよしもないので、どちらの考えも彼に何の影響も与えないんです！

あなた自身の考えだけが、あなたに影響を与えることができるのです。たとえば、自分は一人だからと惨めな気持ちを抱えてレストランにいたとして、ほかの客が何を考えているかなんて本当にはわからないんです。あなたを惨めな気分にさせているのは、ほかでもないあなた自身なのです。あなたを本当に悩ますことができる唯一の人間は、世界中であなただけなのです。レストランに一人でいたからといって、なぜ自分に「落後者」というレッテルを貼るんですか？　他人に対してだったら、そんなに厳しく接しますか？　もう自分を侮辱するのはやめて、論理的な考えを始めましょう。「一人でレストランへ行くのは、落後者という意味にはならない。他の人と同じように、行く権利を持っているのだから。自分を尊重するかぎり、他人の意見は私の知ったことではない。」

「しかし」を、どう打ち破るか

「しかし」は、効果的な行動にとって最も大きな障害となります。何か生産的なことをしようとするたびに、しかしという形でいいわけをしてしまうのです。たとえば、「今日はちょっと出掛けて、軽い運動がしたいな。しかし…」

1　とても疲れているから。
2　自分はなまけ者だから。
3　特にしたいという気分ではないから、など。

他の例では、「タバコをやめられたらいいのだが。しかし……」

図5-6　しかし―反論法。心の中で問題を検討するのと同じように，考えに添って矢印を引きなさい。

「しかし」の欄	「しかし―反論」欄
私は芝を刈らなくてはいけないんだが，その気にならない	いったん始めてしまえば，気分がのってくる。やり終えたら，きっとすばらしい気分になれるだろう
しかし，たいそう時間がかかりそうだ	芝刈り機を使えば，そんなに時間はかからないさ。いつだって，今も一部分ならやれる
しかし，私はひどく疲れている	それなら，少しだけやって後は休もう
今は休むか，テレビを見たい気分だ	もちろんそうしてもいいが，この件が頭にある間はすっきりした気分にはならないと思う
しかし，今日は何もしたくないくらい怠惰なんだ	そうじゃない。――私は前に，何回となくやってきたんだから

1　私には、そんな自制力はないから。

2　いきなりより、徐々にやめていきたいから。

3　最近、イライラしているから。

本当に自分に動機を与えたいなら、どうやって「しかし」を打ち破るかを学ぶ必要があります。これには、図5-6に示す「しかし―反論法 *But-Rebuttal Method*」を使うのも一つの手です。土曜日に、芝刈りを計画していたとしましょう。もう三週間も、ぐずぐず延ばしています。あなたは自分に、こう言うでしょうね。「本当はやらなきゃいけなかったんだ。でも、そんな気分になれなかっただけなんだ。」これを左側の「しかし」の欄に書きなさい。次に、「いったん始めたら、喜んでやるだろう。やり終えたら、きっとすばらしい気分になるだろう」と、「しかし―反論」欄に書くのです。たぶん新たな反論が起こるでしょう。「しかし、ものすごく時間がかかるだろう。」そうしたら、また次の反論を書くのです。そうやって図5-6のように続けてゆき、練習を終えるまでやってみるのです。

自分を認める方法

自分なんて価値がないと思い込んでいませんか？　こんな悪い癖があれば、自分はろくなことはできやしないと思うのも当然です。あなたの不機嫌な態度があなたの周囲の喜びを奪いとってしまうので、人生が全く虚しく見えてノーベル賞をもらおうが一介の庭師であろうが大差なく感じてしまうのです。何もする動機がなくなるのは、当たり前ですよ！

こういった破壊的な見方を変えるためにまず必要なのは、自分を卑下する考えを正確に見極めることです。こういった考えに答えて、それをもっと目的にかなった自分を認めるような考えに置き換えるのです。例を、いくつか図5-7に示します。いったんそのこつを摑んだら、どんなにつまらないことでも自分を認めるよう意識してやってごらんなさい。やりはじめは楽しい気分ではないかもしれませんが、たとえ機械的でもいいから練習を続けなさい。数日もすると気分が変わってくるのがわかるでしょう、そして徐々に自分のしていることに誇りを持つようになります。

あなたは、こう不満を持つかもしれませんね。「どうして自分がやったことを、自分で誉めなきゃならないんですか？　家族や友人、仕事仲間がもっと誉めてくれるべきなんだ。」ここに、問題があるんです。第一に、あなたの努力を他の人が見落としたとしても、あなた自身が自分を認めてやらなければ同じ罪を犯

図5-7

自分を卑下する内容	自分を尊重する内容
誰だって，皿洗いくらいできるんだ	皿洗いがお決まりの退屈な仕事なら，それをすることで私は相当の信頼を受けるに値するということになる
皿をいくら洗っても，何の意味もない。また，汚くなるのだから	意味は十分ある。使いたい時に，きれいになっていることだ
私はもっとましな仕事も，できたはずだ	この世に完全など存在しない。しかし私はひどい有様の部屋を，少しはましにしたんだ
私のスピーチがああなったのは，運命だ	運の問題ではない。私は十分準備し，効率良く話した。いい仕事をしたんだ
車の洗車をしたけれど，隣の家の新車ほどには，とてもきれいにならない	前よりよほど見やすくなった。これを乗り回して，楽しもう

しているのですよ。

誰かがあなたを誉めたとしても、あなた自身が言われたことを信じなければ何にもなりません。どれだけたくさんの本物の賛辞に、耳を塞いできたのでしょう。こういう態度は、周囲の人々をイライラさせてしまいます。彼らの言うことを素直に受けないからです。自然と、人々はあなたの悪い癖と闘うのをあきらめてしまいます。結局、自分のすることをあなたがどう考えるかだけが、あなたの気分を左右することになるのです。

毎日やることをリストアップして書き込むことは、役に立ちます。そしてどんなに小さなことでもよいから、その一つ一つを自分で認めてあげるのです。これは、やるべきことを忘れないようにと考えこむ代わりに、何をやったかに意識を集中するのに効果があります。単純に思えるでしょうが、やってみることです。

チック-タック法 *TIC-TOC Technique*

特定の仕事になかなか落ち着いてとりかかれない場合は、考え方に注目してごらんなさい。チック（「仕事を妨害する認知」Task-Interfering Cognitionsの頭文字）は、それらを単純に記載しかわりにタック（「仕事を方向づける認知」Task-Oriented Cognitionsの頭文字）に置き換えることができれば、あなたからエネルギーを奪ってしまうこんな認知の誤りも減っていきます。図5-8に、例を示します。チック-タックを記録する際は、あなたを落ち込ませている認知の歪みを必ず指摘するようにしなさい。こうすることにより、自分の最大の敵は全か無か思考であるということや、勝手にマイナスの予想を立ててしまう癖があるということに気づくでしょう。いつも目の前に横たわっている認知の歪みにいったん気づいてしまえば、直すことができるようになるのです。ぐずぐずしたり時間を無駄にすることが、行動や生産性へと変るでしょう。

この原理は、考え方ばかりでなく精神的イメージや空想にも応用できます。仕事を避けるときには、たぶんその中に自動的にネガティブなイメージを作っているはずです。このイメージは不必要な緊張や不安を生み出し、恐れていたことが現実になるのではという予感を高めます。

たとえば、仕事仲間にスピーチをしなくてはならないとします。言うことを忘れてしまったり質問されて立往生する場面を想像するので、何週間も前から悩んでしまうのです。スピーチの直前までこんなふうに行動しようと自分を規制しているのでそんなに神経質になって、結局想像した通りの結果になってしまうのですよ！

図5-8　チック-タック法。左の欄には，ある特定の仕事に対してその動機を抑制してしまうような考えを書き込む。右の欄には，それに対する認知の歪みを示してもっと客観的で生産的な方向づけに置き換えること。

TIC (仕事を妨害する認知)	TOC (仕事を方向づける認知)
主婦の場合 車庫を片づけるなんて，無理だ。がらくたが，もう何年も山積みになっているのだから	〔一般化のしすぎ・全か無か思考〕 とりあえず,少しやってみよう。何も，今日１日で全部やってしまう理由はないのだから
銀行員の場合 僕の仕事なんて，少しも重要じゃないんだ	〔マイナス化思考〕 自分にとってはなんでもないことでも，銀行を利用する人にとっては大切なことだ。私だって落ち込んでいない時には，楽しく仕事ができる。たいていの人は決まり切った仕事をしているが，それがその人が重要じゃないという意味にはならない。たぶん，自由時間には私はもっとワクワクする何かができるだろう
学生の場合 期末レポートを書くことなんて無意味だ。課題には，うんざりしてしまう	〔全か無か思考〕 とりあえずは決められた課題をやってみよう。何もそれが傑作である必要はないのだから。私は今学ぶものがあり，それをやることはきっと気分を良くしてくれるだろう
秘書の場合 私はこれをタイプするのに大失敗をして，誤植の山を作ってしまうに違いない。そうすれば，きっと上司は雷を落とすだろう	〔先読みの誤り〕 最初から完璧にタイプする必要はないんだ。間違ったら直せばいいのだし。上司が怒ったら彼の気持ちを和らげてあげよう，上司があまり要求せず支持的だったら，もっと良くやりたいと言えばいいのだ

TIC (仕事を妨害する認知)	TOC (仕事を方向づける認知)
政治家の場合 もし私が今度の選挙で敗けたら，皆の笑い者になるだろう	〔先読みの誤り・レッテル貼り〕 選挙に敗けることは何も恥ずべきことではない。多くの人が，いくつかの大事な問題について私が取り組むことや，私のとる立場を支持している。不幸にも最良の人間がいつも勝利を得るとは限らないのだ。しかし私はトップになってもならなくても，自分の信念を持ち続けることはできる
保険のセールスマン この野郎にもう一度電話して，何になるんだ？彼は少しも興味を示さなかったじゃないか	〔心の読みすぎ〕 私は人の心など知らないのだ。もう一度，あたってみよう。少なくとも，彼はあとで電話してほしいと私に言ったのだから。なかには興味を持つ人もいるだろうし，やはり努力してあたってみなきゃ。客から断られた時でさえ，やりがいを感じられるんだ。私を拒絶する５人の客に平均して１人に１つの保険を売ってやろう，そうすれば，断られるだけ私の業績が上がることになる。断られれば断られるほど，売ってやろう！
内気な独身男性 もし素敵な女の子に声をかけたとしても，振られるだけさ。女の子が僕のことを好きだということがはっきりわかるまでは待っていよう。危険を冒す必要はないんだ	〔先読みの誤り・一般化のしすぎ〕 女の子全部が自分を振るなんてことはありえないし，またあたってみるのは恥じゃない。振られることからだって学べるんだ。まず自分のやり方を変えることから始めて，勇気を出そう。最初は高い所からジャンプするのに勇気がいったけれど，今までやってきたのだもの。今度もやってみよう

TIC (仕事を妨害する認知)	TOC (仕事を方向づける認知)
作家の場合 この章は膨大だ。でも私には何の創作意欲も湧かない	〔全か無か思考〕 適当な部分だけ，とりあえず手をつけてみよう。後になったら，きっといい考えも浮かんでくるだろう
運動選手の場合 自分を鍛えられない。自制心がないんだ。調子を良い方に持っていくなんてとてもできない	〔マイナス化思考・全か無か思考〕 今までよくやってきたんだから，自制心はあるはずだ。少しだけ練習してみて，疲労がひどければやめればいいんだ

もしやってみる気があるなら、ここに解決法があります。毎日寝る前の十分間、流暢にスピーチをしている場面を空想してごらんなさい。自信を持って本質を話し、質問にもうまく答えていると想像するのです。この簡単な練習が、これからやろうとすることについて前向きに感じる効果があることが、わかると思います。いつも想像した通りにゆくという保証は全くないのは当然ですが、また予感や気分が現実に起こることへ深く影響するのは疑いありません。

一歩ずつ成長へ

簡単かつ確実な自己成長法として、どんな仕事も小さな部分に分解してみることを学ぶという方法があります。これは、やらなくてはならないことを躊躇して自分自身を打ちのめしてしまう癖を予防します。

たくさんの会議を控えているが、不安や落ち込みのために集中できずにいる状況だとしましょう。あなたは、こんなふうに考えて集中できないんですよ。「こんなことやったってしょうがない。ああ、全く嫌になる。いっそ、釣りにでも行ったほうがましだ。」

さあ、どうやってこの退屈さに打ち勝ち、集中力を高めましょうか。

その仕事を、一番小さい部分に分解してしまいなさい！　たとえば、三分間だけ会議を聞こうと決めて、一分間は居眠りにとっておくのです。居眠りの後、また三分間は会議に集中して、気を散らしてはいけません。その後、一分間また居眠り用に当てるのです。

この方法は、効果的で総合的な集中力を維持することを可能ならしめます。短時間、心悩ます問題に立ち止まってみるのも役に立つものです。そうすると、その問題がいかに小さいことかがわかるでしょう。

一つの仕事を部分に分ける最も有効な方法は、時間制限をすることです。その仕事にどのくらいの時間を分配するかをまず決めなさい、そして割り当ての時間がきたら終わっていなくても止めて、他の楽しいことをするのです。簡単なことですが、驚くべき効果があります。たとえば、ある政府高官の妻は夫の成功に満ちた人生にもかかわらず、何年も夫に対して恨みを抱いてきました。彼女は、自分の人生は子育てと家事だけであったと感じています。淋しく退屈な仕事を全うするために、ほかには余分な時間はなかったと彼女は思いこんでいるのです。人生は、単調な繰り返しでした。彼女はうつ病に居座られ、有名な治療者に十年来ついても治療に失敗して、いたずらに時が過ぎてゆくばかりでした。

彼女は私の同僚の一人（アーロン・ベック博士）に二回カウンセリングを受けましたが、長年のうつ状態が揺り動かされるような気分の変化を経験しました。どんな魔法を、彼は使ったのでしょう？　簡単です。ベック先生は、自分自身を信用していないから、自分にとって意味のあるゴールをめざしていないのがうつ状態の原因だと指摘したまでです。危険を冒して自分のゴールを自覚し、問題に立ちむかうかわりに、夫を責め、まだやり終えていない家事の不平を言っているだけだったのです。

第一段階は、彼女が毎日の家事にどのくらいの時間を費やしたいと思っているかを決めることでした。

決めた以上は、たとえ家事が完全でなくてもそれ以上時間を使わないこと、残りの時間は彼女にとって興味のあることをするために分配するように決めました。彼女は家事のうちの一時間を工面して、自分自身の人生を高める助けとなるように大学の修士課程に入学することを決心しました。このことは、彼女に解放感を与え、魔法のように夫への恨みとともに彼女のうつ状態は消えてしまいました。

私は、うつ病がいつもそんなに簡単に治るという考えをあなたがたに植えつける気はありません。この例でも、患者は今後何回かうつ病の再発と闘わねばならないでしょう。彼女は一時的に、やりすぎたり他人を責めたり打ち負かされる思いをしたりで、何度か同じ段階に戻るでしょう。その時その時で、同じ解決法を採用するでしょう。大切なことは、彼女が自分で自分にとって役に立つ方法を見つけたということなのです。

同じアプローチが、あなたにも役立つはずです。それとも力以上のことをしようとして苦労しますか？しようとすることに一番かなった時間を割きなさい。未完成の仕事から離れる勇気を持ちなさい。自己の生産力と気分がかなり高まることを知って、きっと驚くでしょう。そうなったとき、あなたを悩ましたぐずぐず主義は過去のものとなるのです。

強制を伴わない動機づけ

ぐずぐず主義の元は、不適切な自己動機づけにあります。やる気をすっかり奪ってしまうような「～ねばならない」「～すべきだ」という言葉で自分を追い詰め、本当にすべきことを知らず知らずのうちに蝕んでいるのです。やる気を起こそうとして自分を殺してしまい、結果として打ち負かされてしまうのです。

アルバート・エリス博士は、この精神的落し穴を「マスターベーション」(注)と呼んでいます。

あなたのボキャブラリーから強制的な言葉を除去することで、ものごとをやりとげる方法を立てなおしてごらんなさい。朝起きるように自分に強制する代わりに、次のように言ってごらんなさい。「最初は辛くても、ベッドから出るときっと気分が良くなるだろう。無理にしなくても、喜んでやり終えることもあるんだ。また、本当に休息とリラクゼーションにより利益を得ていれば、そのうえ続けてそれを楽しむことができるはずなんだ！」と。「〜すべきだ」を「〜したい」に置き換えれば、自尊心を持って自分を治療してゆくことができるでしょう。このことは、選択の自由と個人の威厳をもたらします。褒美は叱咤よりも有効で、長続きすることに気づくでしょう。自問してごらんなさい。「私は、何がしたいのか？　どんな活動が、自分にとって一番の利益になるのだろうか？」と。このような物の見方が、あなたの動機づけを高めるであろうと私は考えます。

まだベッドにもぐりこんでぼんやりしていたい、でも本当にしたいのは起き上がることだと感じているなら、ベッドにいることの利益と不利益を表にしてごらんなさい。たとえば、ある会計士は税金の期限に大幅に遅れてしまい、朝起きるのがひどく辛くなっていました。彼の顧客は仕事の遅れについて不平を洩らすようになり、彼はこの厄介な局面から逃げるために電話にでることさえ避けて、終日ベッドにもぐりこんでいたのです。得意先の多くが彼から去っていき、彼のビジネスは崩壊しはじめました。

＊(注)　musterbation：いつもmust(しなければならない)をつけないと気のすまない主義のこと。masturbationとのかけことば。

図5-9

寝ていることの利点	寝ていることのマイナス点
1.楽である	1.楽である一方，ひどく退屈でそのあとが辛い。何時間も何もせず，ふさぎこんで自分を責めることは，本当は楽ではないのだ
2.何もしなくていいし，自分の問題から目を背けていられる	2.ベッドから出たからといって何かをするように強要されるわけではない。気分が良ければしたらいいのだ。問題を避けていてもそれらが消えるわけではないし，事態はそのままだ。解決しようとする努力がなければ，満足感も得られない。問題に直面することによる一時的な不快感は，ベッドでゴロゴロしていつまでも悩んでいるよりよほど楽かもしれない。
3.眠れるし，逃げていられる	3.１日中寝ていられるわけでもないし，一度16時間も寝て以来もう十分だ。起き上がって手足を動かした方が，ベッドにくくり付けられているよりも疲れないに違いない！

彼の間違いは、次の言葉にあります。「僕は仕事に行かなきゃならないことは、よく知っている。でも行きたくないんだ。他の何もしたくないんだ！」とりわけ、「〜しなければ」という言葉は、彼にとってベッドから抜け出す唯一の理由が、怒って詰め寄ってくる得意先の一団の機嫌をとることだけという錯覚を作りあげてしまいます。これは非常に不愉快なことなので、彼は抵抗したのです。ベッドにもぐりこんでいることの利益と不利益を表にすると（図5-9参照）、彼が現在している
ことの非合理性がはっきりとしてきます。表を作ってみて、彼はベッドから出ることが自分の利益になるということを理解しました。結果としてもっと仕事に取り組むようになり、彼の気分は休業中多くの損失があったにもかかわらず急速に改善しました。

武装解除法 *disarming technique*

家族や友人にいつもせき立てられたり、逆におだてられてばかりいると、あなたの無気力感はますますひどくなります。周囲からの口喧しい言葉は、もともとあった屈辱的な考えを、さらに増強するばかりです。なぜガミガミ言うことはうまくいかないのでしょうか？ それは、すべての活動には正と負の反応があるという自然科学の基本原理によります。無理強いされたと感じれば、自分のプライドを保つためにそれをかえって拒絶してしまうものです。そして皮肉なことに結局は自分自身を傷つけてしまうことになります。

実際はあなたの利益になることを、誰かが鼻持ちならない押し付け方でするように強要したときは、事態は複雑になります。あなたを「勝ち目のない」状況に追い込んでしまうのです。というのは、もしその言い付けを拒否すればその人を裏切ったことになると思い込んで、最後は自分を責めてしまうからです。反対に言われた通りにしたとすると、別の感情が出てきます。こういった押し付けがましい要求を呑むと、他人が自分を支配しているように感じて、自尊心をなくしてしまうのです。誰だって強制されるのは好きではありません。

例をあげましょう。メアリーは、十代後半にうつ病となり両親に私の所へ連れられてきました。メアリーは、本当に「引きこもり屋さん」で、何カ月でも一人で部屋に引きこもってテレビを見ていられるのです。これは多分に、自分は奇妙な外見で一歩外へ出たら人々は自分をじろじろ見るだろうという彼女の思い込みや、強い母親にずっと強要されるのではという恐れによるのです。メアリーは、何かやるのは気分を良くするのに役に立つであろうということは認めましたが、これは一方では母親から絶えず何かしろと言われ続けることも意味したのです。母親が強要すればするほど、メアリーは頑固に抵抗するのです。

強要されて何かするのが非常に難しいというのは、人間の本質の不幸な事実です。しかし、がみがみとせき立てる人々をどう扱うかを学ぶのは簡単なのです。あなたがメアリーだとしましょう。いろいろ考えたあげく、何かやった方がより良い状態になると気づいたとします。この気づきを実行しようとした時に母親が寝室にやってきて、「いいかげんに、ゴロゴロするのはやめなさい！　同じ年ごろの女の子みたいにいろいろやってみたらどうなの！」と叫んだとします。その瞬間、すでにやろうと決心していたにもかかわらず、そうすることに途方もない反感を覚えてしまうのです。

武装解除法は、あなたのこのような問題を解決してくれる技法です。この方法のエッセンスは、母親に同意することです。しかし、彼女の言うなりになるのではなく、あくまであなたの決心に基づいて彼女に同意するのだということを母親に認めさせるのです。このように母親に答えるのです、「お母さん。ちょうど私もそうしようと考えていたの。何かやることが必要だと思ったの。自分の決心で動こうと思います。」今やあなたは、窮屈な気分をせずに行動を起こすことができるのです。もう少しきつい言い方をしたいなら、こう言ったらいいでしょう。「お母さん。私はお母さんが言おうと言うまいと、ずっとベッドから出ようと思っていたんですよ！」

成功をありありと思いうかべる

やると良いことがわかっているのに、大変な労力がいるために先のばしにしていたようなことがありますよね。そういう場合には、その行動のメリットを表にしてみてはどうでしょうか？　そのような表は、物事のポジティブななりゆきを見る訓練になるのです。それに欲しいものを追い回すのが人間ですが、いつもうまくいくとはかぎらないんですから。たとえば、タバコをやめたいと思ったとしましょう。がんやそのほかの喫煙の害を思い出すことによりやめようとします。つまり恐怖戦略です。しかしこの方法はイライラさせるだけで、すぐに次のタバコが欲しくなります。

では、三つのステップで禁煙してみましょう。

第一のステップは、タバコをやめたときのポジティブな結果を表にすることです。思いつく限り、たくさん表にしてください。たとえば、

1　健康の回復。
2　自重するようになる。
3　より大きな自己鍛練を目指すようになる。新たな自信を得て、今まで避けていたこともできるようになってくる。
4　スタミナやエネルギーが出て、走ったりダンスができるようになり、体の状態が良いと感じるだろう。
5　肺や心臓が強くなり、血圧も下がるだろう。
6　息がきれいになる。
7　お金の節約になる。
8　長生きできる。

9　周囲の空気がきれいになる。
10　タバコを吸いませんと、人に言えるようになる。

表を作ってしまったら、もう第二ステップです。寝る前に毎晩、一番お気に入りの状況を想像なさい。秋晴れの日に山の木立を散歩しているとか、あるいは暖かい太陽に肌を焼きながら青い海辺に寝そべっているなど。どんな想像であれ、できるだけ生き生きと目に思い浮べて、体をリラックスさせるのです。すべての筋肉の緊張を和らげてください。筋肉が、だんだん柔らかくなり弛緩してきます。平和な気分になっていきます。さあ、第三ステップの準備ができました。

その光景にあなたがまだいて、ノン・スモーカーになっていると想像してください。表を調べて、一つ一つを次のように繰り返してみてください。「今、私は健康を取り戻してそれが嬉しい。望んでいたように、海辺を走ることもできる。周りの空気もきれいだし、自分を気分よく感じる。自分が尊敬できるし、もっと大きな自己鍛練も今ならやれる。望みさえすれば、他の挑戦もできるんだ。お金の節約にもなるし」などです。

ポジティブな示唆の力によって慣習を変えようとする方法は、非常に効果があります。このおかげで、私と私の患者の多くはタバコをやめることができました。あなただって簡単にできるし、その効果に驚かれるでしょう。これは、体重を減らすこと、芝刈りをすること、朝時間通りに起きること、ジョギングをきちんとやること、その他あなたが変えたいと思うどんな習慣にも応用できます。

やったことを数える

ステイビーという三歳の男の子が、子供用プールの淵に立って、ジャンプするのを恐がっています。母親は水の中に立って、飛び込むように催促します。彼は後退りし、母親は甘い言葉を繰り返します。こんなことが、三十分も続きました。ついに彼は飛び込みました。そんなに難しいことではなくて、また怖がることもなかったのです。しかし、母親の努力は予期に反した結果をもたらしました。ステイビーの心には、こんな言葉が刻みこまれたのです。「何か危険なことをするには、僕は後押ししてもらわなくちゃいけないんだ。他の子みたいに、自分で飛び込む力がないんだ。」母親も、また同じことを考えました。「思うようにやらせていたら、ステイビーは決して水の中に入れなかっただろう。あの子をずっと後押ししてやらないと、自分一人では何もできないに違いない。あの子を育てるのには、長い時間と苦労がいりそうだ。」

ステイビーが成長するに従い、この光景は何回も何回も繰り返されました。学校へ行くのも、野球チームに入るのもパーティへ行くのさえ説得され後押しされました。彼は、自分ではどんな行動も始められませんでした。二十一歳で私の所に来たときには、彼は慢性のうつ状態になっていました。彼は、周囲の人が何をどうやったらいいか彼に教えてくれるのを未だに待っていたのです。しかし、今や彼の両親は彼を動機づけるのにうんざりしてしまったのです。

毎回のセッションごとに、ステイビーには治療の宿題を割り当て、とにかくそれをやるように言いました。たとえばある週には、自分の孤立を破るため知らない人三人に笑顔を向けるか挨拶するように宿題を出しました。しかし次の週には、彼はうなだれて私の所へやってきて、誰かに挨拶することなどすっかり「忘れさった」ようなおどおどした態度でした。他の週の宿題は、私がある雑誌に書いた独身男性の孤独の乗り越え方についての三ページの記事を読んでくることでした。次の週ステイビーはやってきて、それを読む前に原稿をなくしてしまったと言いました。毎週彼は自分を救いたいという波のような情熱を感じて帰るのですが、エレベーターに乗った瞬間、その週の宿題がどんなに簡単なことであってもするのは難しいと考えてしまうのです！

ステイビーの問題は、何だったのでしょうか？　その答えは、あのプールの日にさかのぼります。彼の心の中には、いまだに「自分は、一人では何もできない」というあの強烈な刻印が刻みこまれているのです。この信念に挑戦する機会が全くなかったために、これは一種の予言のように機能し続けました。そして、彼が「本当にそうであったのか」と振り返るようになるまで、実に十五年以上も経過したのです。

解決法は？　第一にステイビーは、問題の鍵となる二つの誤りに気づかねばなりません。心のフィルターと、レッテル貼りです。彼の心は、延ばし延ばしにしていたことや、誰かに勧められない限りやろうとしなかった事柄への思いでいっぱいだったのです。

「全くその通りですね」われわれのセッションの後で、彼は言いました。「先生の説明は、みんな合っています。でも、どうやったらこの状況を変えられるんですか？」

解決は、彼が予想したよりも簡単でした。私は彼に腕につけるカウンターを手に入れるよう指示しました。それで彼は毎日、他から促されたり強要されずに彼自身でやった事柄を、カウントすることができるのです。一日の終わりに数字の合計を出して、記録するようにしました。

数週間たつと、彼は数字がだんだん増えていくことに気づきました。カウンターを動かすたびに、彼は自分の人生を自分で操作しているという自信が持て、何をすべきかを自分で見つける訓練もできたのです。

ステイビーは、だんだんと自信がつき自分をもっと能力のある人間と考えるようになりました。

簡単に思えますか？　まさに、その通りです。あなたにも効果があるでしょうか？　たぶん、そうは思えないかもしれませんね。でも、どうして試してみないのです？　カウンターなど、自分には役に立たないと思い込むなら、なぜその悲観的な予想を実際の体験で評価しないのです？　重要なことは数えるということを身につけなさい。きっとその効果に驚かれるでしょう。

本当に不可能なのかテストしてみる

自己活性化の重要な鍵は、自分の行動や能力についての否定的な見方に科学的な態度を導入することです。悲観的な考え方をテストしていけば、何が真実かわかってくるでしょう。

落ち込んだりぐずぐず主義になったりしたときに共通するのが自己否定的な考えです。それは、あなたが何かやろうとする際にいつも「不可能だ」と、足をひっぱってしまいます。たぶんこれは、自分の虚無主義を非難されるのではという恐れに由来しています。ごく簡単なことをするにも自分には能力がないからダメだという錯覚を作り出すことで、やっと面目を保っているのです。こういう方法で自分の無気力を防衛してしまうと、本当に言ったように自分で信じ込んでしまうようになります。「私には、できない」を繰り返していると一種の暗示のようになり、やがて本当に何もできない片端の人間だと信じ込んでしまうようになります。「料理ができない」「働けない」「集中できない」「ベッドから出られない」などが、典型的な「できない」思考です。

この考え方はあなたを打ち負かしてしまうばかりか、あなたの大切な人々との関係をも気まずくしてしまいます。まわりの人は、あなたが本当に何もする能力がないなどとは受け入れないからです。あなたにがみがみと小言を言い、あなたと格闘しようとするのです。

認知療法では、ネガティブな見通しを現実的な試みで試してみます。たとえば、こう思ったとします。「気分が落ち込んで、とても集中して本など読めやしない。」この仮説を試す方法として、腰を降ろして今日の新聞を一行読んでみなさい。それから、その文章を要約できるかどうか試みてみるのです。「自分は、一節だって読んだり理解したりできない」と、あなたは予想するかもしれません。もう一度、やってみるのです。一節読んで、要約してみてください。多くの重症で慢性のうつ病が、この方法により突破口を開いたのですから。

「失敗を忘れる」方法　*"Can't Lose" System*

失敗という危険を冒したくないため、できるかどうか試してみるのを躊躇していることもあります。全く危険を冒さなければ、「自分は失敗しない」という隠れた信念を保持できます。その無関心さや信頼感の欠如の背景には、自分は不適切であるという思いや失敗への恐怖が潜んでいるのです。

「失敗を忘れる」方法は、この恐怖と戦う手助けになるでしょう。実際に危険を冒して失敗したとして、あなたが直面しなければならないネガティブな結末を表にしてごらんなさい。そして恐怖の中にある歪みをはっきりさせて、たとえ失意の状態になってもうまく乗り切ってゆけることを示すのです。

あなたがずっと避けてきた冒険には、経済的なもの、個人的なもの、学術的なものが含まれると思います。たとえ失敗したとしても、何らかの良いものがそこから得られるのだということを覚えておいてくだささい。歩くことをどうやって覚えたか思い出してください。ある日ベッドから飛び下りて急に部屋の中を踊りだしたわけではないでしょう。つまずいては起き上がりして、何度も失敗して歩けるようになったのです。いったいいくつの時に、何でも知っていること、決して間違いを犯さないことを期待されるようになったのですか？　失敗の中でも自分を愛し尊重することができれば、冒険と新しい経験の世界はあなたの前に広がって、恐怖は姿を消すでしょう。図5-10に、この方法の例を示します。

本末を転倒しないこと！

気力がどうやって起こるのか、あなたはまだ正確には知りませんね。あなたの意見では、気力が先だと思いますか、それとも行動でしょうか？

もし気力だと答えれば、非常に論理的な選択をしたことになりますが、残念ながら間違っています。気力が先なのではなく、行動が先なんですよ。まずポンプに呼び水をやらねばなりません。そうして気力が得られて、水が自然と流れるようになるんです。

しばしばぐずぐず主義に陥る人は、気力と行動を混同しているのです。何かやる気分になるまで、バカみたいに待っているんです。やる気分でないと、自然と先に引き延ばしてしまいます。

気力が先にあって、行動や成功を導くという考えが誤りなのです。そうではなくて、行動が先に来て気力は後からやってくるのです。

たとえば、この章をとりあげてみましょう。この章の始めの部分は、くどくて退屈です。とても長いの

図5-10　「失敗を忘れる」方法。ある主婦はパートタイマーの仕事に応募するのを躊躇していたが，この方法で乗り越えた。

ある仕事を回避しようとするマイナスの概念	建設的な考え方と対処法
1.私は，決して仕事にはつけないだろう	1.一般化のしすぎ。そんなことはない。いくつかの仕事に応募し，できるだけいい印象を与えるように努めてみることで試してみることができる
2.夫は私のことを軽蔑するだろう	2.先読みの誤り。彼に聞いてごらん。きっとわかってくれるだろう
3.でも，もしわかってくれなかったら？夫は私は台所にいるしか能がないと言うだろう	3.彼に自分はベストをつくしたこと，そして彼の拒絶的な態度は意味がないと言いなさい。がっかりはしたけれども，トライすることで自分に自信がついたと言うのです
4.でも私達は，破産同然だ。お金が必要なんだ	4.私達はいち早く立ち直ったのだから，一食だって不自由しない
5.もし職が得られなければ，子供たちに新しい制服をあつらえてやれない。子供たちは,貧弱に見えるだろう。	5.後で洋服は手に入れることができる。私達は，しばらくは今あるもので間に合わせることを覚えなくてはいけない。幸せは洋服から生まれるのではなくて，自尊心からやってくるんだ
6.友人の多くが職を持っている。彼らは，私がビジネスの世界では期待どおりにはやっていけないと思うだろう	6.友人全部が職を持っているわけではないし，持っている友人も職がなかった時のことは覚えているものだ。彼らは私を軽蔑するほどにテキパキと仕事をこなしているとは限らない

で、本物のぐずぐず主義者ならとても読もうとする忍耐すらないはずです。原稿を改訂するのは、私にはコンクリートの靴を履いて泳ぐような気がします。改訂するとなると、腰を降ろして始めようと思っていますが、正直なところ気力は一％で、この仕事を避けたいという気持ちが九九％なのです。何という恐ろしい仕事でしょう！

ところがいったんこの仕事にとりかかってしまうと、気力がだんだん高くなり今より楽に見えてきました。しまいには、書くことがおもしろくなりました。ここには、次の作用があるのです。

第一、　行　動
↓
第二、　気　力
↓
第三、　次の行動（→ 気力へ戻る）

あなたがぐずぐず主義者だとすると、たぶんこのことに気づいていないのです。それで、前へ進ませてくれる刺激を寝転んで待っているのです。何かするように促されても、あなたは泣くような声で「そんな気分になれない」と言ってしまいます。誰が、あなたの気分を見越して言ったりしますか？　気分が熟すまで待っていたら、永久に待つことになりますよ。

次の表は、これまで述べたいろいろな活性法を復習するのに便利です。その中で、一番あなたの役に立つものを選んでください。

表5-1　自己活性法の概要

対象となる症状	自己活性法	目　　的
1. 混乱してしまい，何も手につかない。孤独になり週末が嫌になる	1. 日常活動スケジュール	1. 1時間単位でやることを計画し，やった後の成果と満足度を書き込む。実際どんな活動であっても，何もせずベッドに横になっているよりは気分がいいはずだし，自分はダメだという思い込みもなくなっていく
2. やることがあまりに難しく甲斐がないように思えて，つい先へのばしてしまう	2. ぐずぐず主義克服シート	2. 自分のネガティブな予想を，シートで試してみる
3. 何もしていないという焦りに圧倒される	3. 歪んだ考えの日常記録	3. あなたを麻痺させている非合理的な考え方をはっきり見極める。動機はまず行動から，ということを学ぶ
4. 一人では何もする意味がないと感じてしまう	4. 満足-予想表	4. 予定を立てることは人間の成長や満足へ正の働きをする。またどんな見返りがその行動からあるかを想像する。一人でやった時と他の人々とやった時とではどう違うだろうかと比較する
5. ものごとを回避する。弁解をしようとする	5. しかし-反論法	5. 合理的な抗弁により「しかし」と戦い「しかし」から離れる
6. 自分のすることなんて，どんなこともたいした意味などないと考えてしまう	6. 自分を認める方法	6. 自分を卑下するような考えを書き出して，それに口答えしてみる。「全か無か思考」のような歪んだ思考を探しだす。毎日あなたがやっている仕事をリストアップしてみる

対象となる症状	自己活性法	目　　的
7. 自滅的な方法で仕事について考えてしまう	7. チック-タック法	7. 仕事を妨害するような認知を，仕事を方向づける認知へ置き換える
8. やらなくてはいけないことの大きさに圧倒されてしまう	8. 一歩ずつ成長へ	8. 仕事を小さく分けて，一度に一つずつやっていく
9. 罪悪感，圧迫感，義務感に縛り付けられてしまう	9. 強制を伴わない動機づけ	9. a. 自分に課している「～すべきだ」「～しなくてはならない」を，排除する b. しなければならないことよりもしたいことの見地からものごとを考えられるように，行動の利益と不利益とを挙げてみる
10. 他の誰かがあなたに小言を言ったりお説教したりすると，圧倒されたり憤慨したりして，何もやる気がなくなる	10. 武装解除法	10. 自分は自分の考えでやっていく能力があるということに気づく
11. 喫煙のような習慣を変えられない	11. 成功をありありと思いうかべる	11. 習慣を変えたことで得られる利益についてリストアップしてみる。深いリラックスが得られた後で，こういった利益を思い浮かべてみる
12. 自分はぐずぐずしているから，自分の主導では何もできないと思ってしまう	12. カウント法（やったことを数える）	12. 毎日，自分の主導でやったと思われることを腕時計式のカウンターでカウントしてみる

対象となる症状	自己活性法	目　　的
13.「自分にはできない」と言ってしまうために，無能力で不完全な人間だと感じてしまう	13.本当に不可能なのかをテストする	13.挑戦してみるという実験を始めて，あなたのマイナスの予想が見込み違いであることを証明する
14.失敗を恐れて，危険を冒そうとしない	14.「失敗を忘れる」方法	14.失敗に終わった結果を書き出して，時間の流れと共に対処する方法を考えだす

第六章　言葉の柔道：批判を言い返すことを学ぶ

これまでのところで、いきすぎた自己批判が「自分には価値がない」という考え方の原因になっていることがおわかりのことと思います。自己批判は常に不愉快で、非現実的な「心の中の会話」の形をとります。他人の意見が自己批判を引き起こすこともあります。単にどう対処したらいいかがわからないためだけに、批判を恐れていることもあります。批判に対してどう対処するのか、またどうすれば自己評価を下げずに済むかをマスターしましょう。これはそれほど難しいことではありません。

うつ病の症状の発現は外界からの批判に影響を受けます。専門的に患者の話を聴く立場にある精神科医でさえそうなのです。アートという精神科の研修医は、ある患者が治療面接中にアートのアドバイスでかえって気分が悪くなったと訴えたために、スーパーバイザーから批判されました。研修医はパニックに陥り、うつ状態に陥ってしまいました。そこで「なんてことだ！　患者でさえ私が価値なく鈍感な人物だということがわかるのだから、たぶん私は研修プログラムからはずされ、州からも追放されてしまうだろう」と考えました。

ひどく侮辱的な批判に直面しても平静を保てる人もいる一方で、なぜある種の人にとっては批判がそんなに有害なのでしょうか。この章では、批判による傷つきやすさを克服し、除いてゆく具体的なステップを学びましょう。批判を恐れることを克服するためにはある程度の実習を必要とすること、この技術を身につけ自分のものにすることは難しくはなく、自己評価に良い効果をもたらすことを念頭においてください。

批判されたとき、心を痛めることから抜け出す方法をお教えする前に、なぜ批判による心の動揺が人によって違うのか考えてみましょう。最初にまず、心を動揺させるものは、他人でも他人の批判的な意見でもないということを理解してください。繰り返すと、生まれて以来、他人の批判的な意見それ自体でわずかでも動揺させられたことはこれっぽちもなかったのです。どれだけ悪質で心ない、無慈悲な意見であろうとも、それ自体が人の心を乱したり不快感をつくることは決してできないのです。

これを読んで、私が言っていることはおかしいのではないかという印象を持つかもしれません。しかし、あなたを無力にするのは世界中に唯一人、ほかの誰でもなく、あなた自身がなのだということを保証します！

もう少し説明しましょう。他人に批判された時、ある否定的な考えが自動的に頭に浮かんできます。感情はこれらの考えに反応するわけで、他人の言ったことにではないのです。そして心を動揺させる考えには必ず第三章で記述したような一般化のしすぎ、全か無か思考、心のフィルター、レッテル貼り等のような認知の歪みがあります。

例えば、アートの考えを例にとってみましょう。彼のパニックは「自分がいかに無価値かが患者の批判によってわかってしまった」という破局的な解釈のためです。どんな心の読み違いをしていますか？まずアートは勝手に患者の批判が妥当で正当だと決めつけて結論に飛躍してしまいました。この結論はあたっているかもしれませんし、あたっていないかもしれません。さらに彼はもともと社会性のない患者の言ったことを大げさに受けとめ（拡大解釈）、その患者を治すことなど絶対にできない、と考えました（先読みの誤り）。一人の患者に拒絶されたことはもう取り返しがつかないし、これからも同じことを繰り返してしまうだろう（一般化のしすぎ）から、専門的にももう駄目だという現実にそぐわない予測をたて、もっぱら過ちに焦点を当てすぎて（心のフィルター）治療成功例もたくさんあることを見逃しています（過小評価と拡大解釈）。そして、「無価値で感受性のない人間」と結果づけてしまいました（レッテル貼り）。

批判される恐怖を克服する最初のステップは自分自身の心のプロセスにもかかってきます。批判された時に起こってくる否定的な考えを同定することを学びましょう。一番役に立つのはそれらを第四章にあったダブルカラム法を用いて書き留めることです。これで考えを分析すれば、考えていることが非論理的で誤っていることがわかり、最後にはもっと合理的で道理にかなった意見を書き留められるようになります。

アートのダブルカラム法を用いて書いた宿題の抜粋を示します（図6-1）。これによって状況をもっと現実的な方法で考えることを学び、無駄な労力を空費せず、そのエネルギーを創造的で目標のある問題解決に向けることができるようになりました。アートは自分が言ったことのどこが相手を傷つけたかを正確に評価し、それによって将来同じような間違いを繰り返さないように患者との臨床スタイルを変えることができるようになりました。結果として、状況から学ぶことによって臨床的な技術と成熟度が向上したのです。これによってアートは自分をとりもどしました。

簡潔に言うと次のようになります。批判された場合、その意見は正しいかもしれませんし、間違っているかもしれないということです。意見が間違っていれば全く動揺することはありません。ちょっと考えて

図6-1　アートがダブルカラム法を用いて書いた宿題の抜粋。スーパーバイザーから自分の難しい患者についての批判を受けてはじめはパニックになってしまったが，否定的な考えを書き留めて，それらが本当は非現実的なことだったということに気づき，これにより安心することができた。

自動思考（自己批判的）	合理的な考え（自己擁護的）
1. なんてことだ。患者でさえ私がどれだけ価値がなく鈍感かがわかるのだ	1. 一人の患者が不満を言ったとしても，私が「無価値で鈍感な人間」ということにはならない。実際は私の患者の大多数は私を好いてくれる。間違いを犯すことが私の「本質」ではない。誰もが間違いを犯す可能性をもっている
2. たぶん私は研修医のプログラムから追い出されるだろう	2. 誤った前提に基づくばかげた考えだ。(a)私のすることは全部悪いことだ。(b)私には成長する能力がないのだという。しかし，(a)と(b)は不合理なことで，こんなことがあったからといって私がくびになるはずがない。現に今まで私は，何回もスーパーバイザーから称賛されている

みてください。たくさんの患者が私のところへ、愛する人に思いやりのない間違った批判的な意見をされたと涙を流し、怒り、動揺して訪ねて来ます。しかし本当はこのような反応は必要ないのです。なぜ他人が正しくない批判という間違いを犯したからといって、あなたが動揺しなければいけないのですか。それはその人の誤りであっても、あなたのものではありません。なぜ混乱するのですか？　他人は完璧だと思っていたのですか？批判が正確な場合でも圧倒される理由はやはりないわけです。あなたは完璧でなければいけないわけではないのですから。た

だ、誤りを認めてそれを訂正するステップをとればいいのです。この洞察を感情的にも現実のものにするには努力が必要ですが、それは決して難しいものではありません。

自分が満足するために他人の愛情や賞賛が必要ならば、批判されるのは怖いことかもしれません。しかしこうなると問題はあなたの全エネルギーを人を喜ばせることに向けねばならず、自分の創造的で生産的な暮らしのために余力がなくなります。皮肉なことに、多くの人には自尊心をもった友人としてではなく、面白みがなく、好ましくない人と思われるかもしれません。

ここまでは、前の章で紹介した認知療法の技術について復習してきました。このポイントは自分の考えのみが自分を動揺させるわけですから、もっと現実的に考えることを学んでいけば動揺することも少なくなるということです。批判されたときに頭に浮かぶ否定的な考えを書き留めてみましょう。そうすれば歪みを見つけることができ、もっと客観的で合理的な見方に変えることができます。これで怒りもおびえも今までより弱く感じられるようになります。

ここでいくつかの重要で実践的な、それでいて簡易な技術をお教えしましょう。誰かに批判されたときにどう言い返し、難しい状況で優越感や自信を高めていくためにはどうしたらいいかを示します。

第一段階—共感

批判や攻撃をされても、それがあなたの役にも立ち、傷つけたりもするのです。批判する人が言うことは、正しいのか間違っているのか、またはその中間のどこかにあるのです。しかしこのことにすぐ注目するのは賢明ではありません。かわりに、その人がまさに言わんとしていることがわかるような一連の明確な質問をしてごらんなさい。質問するときに決めつけたり、防衛的になったりすることは避けるようにしてください。絶えず明確な情報を求めて質問してください。批判家の目になって世界を見てください。もしはっきりしない失礼な言い方をされたら、その人にもっと明確な言い方で気に入らないのは自分のどういうことなのかを言ってもらってください。この最初の段階は攻撃と防御のやりとりを協調と相互尊敬に変えていくためのプロセスです。

この技術を身につけるために、状況を仮定してロールプレイを行なうことがあります。どのようにロールプレイするのかお見せしましょう。これは力をつけるのに良い方法です。次の対話で怒って批判する人になってください。そして思いつく限りの一番無茶な点から私を動揺させることを言ってください。あなたの言うことは正しいことにも間違っていることにも、または部分的にはその両方になることもありえます。その非難のひとつひとつに共感の技法でお答えしてみましょう。

あなた（怒った批判者の役を演じて）「バーンズ先生は何の役にも立たないくだらない人ですね」

デビッド（著者）「私のどこがくだらないのですか」

あなた「言うことなすこと全部です。先生は鈍感で、自己中心的で、無能な人です」

デビッド「そのひとつひとつをとって考えてみましょうか。はっきり言ってほしいのです。確かに私はあなたの腹を立たせるようなことをやってきました。しかし鈍感と思われるようなどんなことを言ったのですか？　自己中心的という印象を私の何が与えたのですか？　無能に見えるようなどんなことをしたのですか？」

あなた　「先日私が約束を変えてほしいと電話した時に、あなたは落ち着かずにイライラしてとても急いでいて私のことなどまるで少しも気にしていないようでした」

デビッド　「そうですか。あのときは出かける途中で、電話に気を遣っていられなかったのです。ほかには何にイライラしたのですか」

あなた　「いつも面接の終わりになると急がせているように見えます。まるで面接がお金もうけの流れ作業みたいにね」

デビッド　「わかりました。私が面接を早くかたずけようとしていたように感じていたのですね。それがあなたのことよりお金に関心があったような印象を与えていたのですね。ほかに何をしましたか？ばかにしたり気に触るようなことがほかにありますか？」

私のしていることは単純なことです。正確な質問をすることにより、全面的に拒絶される可能性を小さくしているのです。実際の具体的な問題に双方が気がつくように心がけ、相手が感じる通りに状況が理解できるように質問します。そうすることにより怒りや敵意を和らげ、非難や討論の場を問題解決の場に変えていきます。最初の規則を忘れないでください。相手の批判が完全に不当であっても明快な質問をして、相手に共感的に受け答えしてください。その批判が正確に何を意味するのか見つけてください。気が動転していたら、相手に侮辱的なレッテルを貼りつけられるかもしれません。それでもさらに情報を得るために尋ねていきなさい。その言葉はどういう意味なのか？　なぜその人は「なんの役にも立たないくだらない人」と言うのか？　どのように不快にされたか？　何をどのくらいしたのか？　その人は何を嫌っているのか？　あなたの行動がその人にとってどんな意味があるのか、などを明らかにしましょう。批判家の目で世界を見るようにしてみましょう。このアプローチはしばしば咆哮する獅子のような批判をも鎮めて、綿密な話し合いの基礎をつくります。

第二段階―批判の武装解除

批判された時には三つの選択があります。そこに踏みとどまって言い返すこと――これはたいてい言い争いになり、お互いに傷つくことになります。またはそこから逃げるか、攻撃の矢をかわそうとすること――これは恥をかくことになりますし、面目も失います。もしくはその場にとどまってうまく相手を無力にしてしまうことです。この三つめの解決が断然満足できるものと思います。相手の先手を打てば、むこうも自分が勝ったとは思わなくなるでしょう。

では、それにはどのようにすればよいのでしょうか？　簡単です。批判が正しいか間違っているかにかかわらず、まずそれになんとか同調する方法を見つけることです。最初に一番簡単な状況を説明しましょう。その批判が正しいと仮定します。前の例で私が患者に無関心だと怒られ、批判されたときに次のように答えました。「全くあなたの言うとおりです。電話をもらった時に私は急いでいたので、おそらく事務的に聞こえたのでしょう。ほかの人にも時々この点は指摘されるんですよ。あなたの気持ちを傷つけるつもりは決してなかったのです。面接を急いでやりすぎると言われるのももっともなことです。面接の長さは適当にあわせられるようにあらかじめ決めておけば、好きなだけの長さにできます。十五分か三十分、面接を長くとってみて、その方が心地良いかどうかみてみましょう。」

ここで、見当違いの批判をしている人がいるとします。その批判をちょっと変えられそうもないとしたらどうでしょうか。しゃべっている内容が全くナンセンスと思われることにどうやって同調することができるのでしょうか。それは簡単です。その批判に「原則的に」共感できるものがあるはずなのです。話の中にけし粒ほどの真実を見つけてそれに同意するか、もしくはどのようにその人が状況を見ているか解かれば、取り乱しているのも理解できるものだと気がつくでしょう。ロールプレイを続ければ一番良くそのことを説明できます。今度は主に誤ったことで私を批判してみてください。このゲームの規則で、私がしなければならないのは、(1)言われることにはなんであれ共感するなんらかの方法を見つけること、(2)嫌味や弁護は避けること、(3)常に真実を話すこと、の三点です。状況はあなたの望むようにセッティングができます。これらの規則をあくまで守ることをお約束します。さあ、やりましょう。

あなた　(怒った批判者の役割を演じ続け)「バーンズ先生。先生は本当にどうしようもない人ですね」

デビッド　「私もときどきそう感じます。よくものごとを台無しにしてしまいますから」

あなた　「この認知療法だって何の役にも立ちませんよ」

デビッド　「確かに改善の余地はたくさんありますね」

あなた　「第一、先生は頭が悪いです」

デビッド　「私より頭のいい人はたくさんいますよ。私が世界で一番賢いわけではないですからね」

あなた　「患者に冷たすぎるし、先生の治療法は上っ面だけのいかさまだ」

デビッド　「自分では暖かくオープンになろうとしてるんですけど、いつもそういうふうにはいかないんです。たしかに私の治療法のあるものは、最初いかさまのようにみえるかもしれませんね」

あなた　「先生はそれでも精神科医ですか！　この本も全くくだらない。あなたのことはどうも信用できない」

デビッド　「私がいたらないのはほんとうに申し訳なく思います。さぞあなたを煩わせてしまっていることでしょう。私が信頼されるのは難しいようですし、このままでは私たちが一緒に治療ができるかどうかもあやしいようですね。あなたのいうことは全く正しいですよ。つまり相互に信頼してチームワークを組まない限り、一緒に成功する仕事はできないでしょうからね」

この時点で、(あるいはもっと早く)燃えていた批判はたいてい熱を失います。なぜならば、私が攻撃をかわす代わりに批判した人に同調するので、相手は急に攻撃の矢が尽きてしまい、無力になるのです。これは「戦わずしての勝利」といえるでしょう。批判が鎮静するにつれて相手も対話しやすいよい気分になるでしょう。

以前私はオフィスで患者にこれらの最初の二つの段階をやってみせて、だいたいの患者にこの方法をマスターできるように役割を交代するようにいったことがあります。これをやってみましょう。私はあなたを批判攻撃しますから、あなたはこれに同調して自分の解答を組み立てる練習をしてください。そしてそれが正確か、あるいは無意味なことかをチェックします。さらに練習するために、「あなた」のところに自分自身の解答を入れてみてください。そしてその答えが私の書いてきたこととどれだけ一致しているかみてください。共感の技術を用いて質問をし、武装解除の技法を用いて批判に共感する方法をマスターしてください。

デビッド　（怒れる治療者の役を演じて）「あなたはここにいてもよくなりません。単に同情を求めているだけですから」

あなた　（批判されている患者の役を演じて）「なぜ私がただ同情を求めているように思えるのですか」

デビッド　「面接までの間に自分を治そうとすることを何もしていないですからね。あなたのしたいことはここへ来て不平を言うことだけです」

あなた　「宿題をいくつかやってこなかったのは本当です。けれど、私が面接の間は不平を言うべきではないとお考えですか」

デビッド　「何を言うのもあなたの自由ですよ。まあ、全部が全部ナンセンスな言葉と言うわけではないですから」

あなた　「私が良くなりたくないと思っているとでもお思いですか」

デビッド　「あなたは役に立たないただのぼろくずにすぎないんです」

あなた　「私も長い間そう思っていました。何かほかの考え方がありますか?」

デビッド　「根負けしました。あなたの勝ちですよ」

あなた　「そうです。私の勝ちですね」

私はこれを友達とやってみることを強くお勧めします。このロールプレイの形式は現実の問題に直面したときに求められる、必要な技術をマスターする役に立ちます。もし効果的にロールプレイをするのに適当な相手が誰もいなかったら、良い変法があります。自分と相手との対話を想像して、今読んできた対話のように書いてみればいいのです。議論が終わるごとに、共感と武装解除の技術を用いてどのように答えたかを書き出してごらんなさい。最初は難しく思えるかもしれませんが、すぐに簡単に理解できるようになるでしょう。そしていったんその要点を得てしまえば本当にとてもやさしいことなのです。

不当に責められたときに、自分自身を心底から守らずにはとてもいられない傾向が自分にあることに気がつくでしょう。これが誤りの根源です。もしこの傾向にのめり込んでしまったら敵対者の批判は強さを増してくるでしょう。皮肉なことに、自分を守るごとにその人の兵器庫に自分で弾を補充することになるのです。今度はあなたが再び批判する側に立って、私があなたの不合理な批判からわが身を守ってみましょう。いかに短い間に私たちの関係が全面戦争にまでエスカレートするかわかるでしょう。

あなた　（再度批判する役割で）「バーンズ先生、先生は自分の患者のことなんてどうでもいいみたいだ」

デビッド　（防衛的な態度で受け答える）「何を言うんです。ご自分で何を言っているのかわかってますか。ほかの患者さんは例外なく私の仕事に敬意を払っていますよ」

あなた　「そうですか。ここに例外が一人いますよ。さようなら！」

（あなたは私をお払い箱にすると決めて出て行き、私の自己防衛は完敗に終わる。）

反対にもし私が共感をもって接して敵意を解くような対応をしていたら、おそらく耳を傾け、敬意を払っているようにみえたでしょう。その結果あなたは戦う意気込みを失い、落ち着いたでしょう。これが第三段階（フィードバックと交渉）への道を固めることになるのです。

もちろんこの技法を行なっても、実際に批判を受ければ感情的になったり、もとの悪いくせが出ることでしょう。けんかしたら、言い訳したり、憂うつになったりするでしょう。これももっともなことです。この技術は一晩で身につけられませんし、一〇〇％成功もしないでしょう。大切なのは、たとえ失敗しても、なぜ失敗したのかを分析して、これまで述べたような方向で事態を取り扱うように心がけることです。その場合、ロールプレイを一緒にできるような友達がいればすばらしいことです。

第三段階―フィードバックと交渉

批判者の言うことに共感の技法を用いて耳を傾け、そのなかに何かしら共感できるものを見つけることによってその人の武装を解いたら、そこであなたの立場と感情を手際良くはっきりと説明できる立場に立てます。

批判がただ単に間違ったものだとしましょう。そのときあなたはこれを攻撃的でない方法でどのように伝えますか。簡単です。ひょっとして自分は間違っているかもしれないという自覚をもって、客観的に自分の立場を表現するのです。葛藤を人格的なものやプライドにではなく、事実に基づくものにしてください。ぶちこわしになるようなレッテルを相手の批判に対して貼るのは避けてください。誤りを犯しても、それが愚かで価値がなく、劣っていることになるのではないということを忘れないでください。

たとえば、最近ある患者がすでに支払ってある治療の請求書が送られてきたと苦情を言ってきました。

私は「どうして先生は自分の帳簿をしっかり見なかったのですか！」と批判されました。批判が誤っているのを知りつつ、私は「会計は実際間違っていたものかもしれません。あの日小切手をもって来られなかったのではと記憶しているのですが、この点がはっきりしませんね。ときどきは、あなたも私も誤りを犯すものだということを承知してくだされぱと思います。そうすればもっとお互いに気分良く話し合いができます。キャンセルした小切手があるか調べてみたらいかがでしょうか。本当のことがわかれば、適当な処置をとることができますよ」と答えました。

この場合私がどちらにもよらずに受け答えすることによって、相手の顔をつぶさずに、自尊心を失いかねなかった対立も避けることができました。批判者の間違いが明らかになったにもかかわらず、私も自分が間違いを犯すことがあるということを自覚していたのが安心になりましたと、後で言われました。これが私に対するイメージを良いものにしました。なぜなら、自分と同じように、私も「絶対間違いなど犯さない」と主張するのではないかと心配していたからです。

時にあなたと批判する人の間に、事実でなく好みについての違いがでることがあります。そういうときでももう一度、例の外交術をもって意見を示せば、負けることはないでしょう。たとえば、私がどんな服を着ても、何人かの患者は好意的に、また何人かの患者は否定的な反応を示すことに気がつきました。私はスーツとネクタイか、スーツコートにネクタイ姿が一番快適なのですが、ある患者にその服はフォーマルすぎるうえに「支配階級」の証に見えるため、いらいらすると批判されたと考えてください。私が嫌われているであろう他の理由についてさらに明確な情報をききだした後、私は、「確かにスーツが少しフォーマルだというのもごもっともですね。私がもっとカジュアルな格好の方があなたは気が落ち着くようですね。実はいろいろ試しに着てみて、スーツが一番一般的な服装だから、このスタイルに決めているんですよ。こんなことで私たちの一緒にしている治療が妨げられないことを望みます」と返答しました。

批判者とやりあっている時にはたくさん意見が出るでしょう。激しい議論が続き、同じ点を何回も何回も指摘されても、ただ断固とした返答を礼儀正しく、しかし頑固としてただ繰り返せばいいのです。たとえば、スーツを着るのをやめるように言い続けられたら、私はその都度こう言い続けなければなりません。「指摘は全部わかります。それには確かに本当のこともあります。しかし、私はフォーマルな服装をあくまで着続けると決めたのです」と。

時に結論は中間にあります。この場合には相手との交渉と妥協が必要になります。望むものの一部分で満足しなければいけないかもしれません。しかし、意識的に最初に共感と武装解除の技術を応用すれば、おそらく自分の望むものをもっと得ることができるでしょう。

あなたが本当に間違っていて批判が正しい場合が多いこともあります。このような状況で、その批判に同意し、正しい情報を教えてもらったと感謝し、むしろ自分が傷つけてしまったかもしれないと謝ったら、相手はかえってあなたを尊敬するようになります。批判した人のあなたに対する敬意は増すことでしょう。古臭い常識のように聞えるかもしれませんが、（実際そうですが）これは驚くほど効果的なのです。

今になって「しかし私には批判されることから自分自身を守る権利があるのではないでしょうか。なぜいつも他人に同調しなければならないのですか。結局ばかなのはその人であって、私じゃないのに。腹を立てたり、癇癪を起こしたりするのが人間ってものじゃないですか。なぜ私がいつもことをなだめなければならないのですか」と言われるかもしれません。

なるほど、このなかには考慮に入れるべき真実があります。自分を批判から積極的に守り、思う時にはいつでも、誰に対しても腹を立てる権利は確かにあります。間違っているのはあなたでなく、相手の方なのに、あなたの方が標的になっているのですから。そして、「悲しむより、怒るほうがましだ」という言葉のなかにも真実があります。結局、誰かを「ろくでなし」と結論づけるつもりなら、その人をそのままにしておいて、そのうえで怒った方がはるかに良いと感じることももっともなことです。

多くの精神療法家がこの点に同意するでしょう。フロイトはうつ病は「内向した怒り」だと言いました。言いかえれば、フロイトはうつ病の人は怒りを直接自分自身に向けると考えていました。この考えに基づいて治療者の多くは患者たちの怒りについて触れ、それを外に向けてもっと表わすよう促します。このような立場に立つ治療者は、この章で書いたような方法のいくつかは、抑圧されたごまかしに等しいと言っています。

しかしこれは間違ったことです。極めて重要な点は、あなたが自分の感情を表現するかどうかではなく、それをするやり方なのです。もしあなたのメッセージが「批判されて、その批判した人が価値のない人なので腹がたちます」というものならば、あなたはその人との関係を悪化させてしまうでしょう。批判的な意見に対し防衛的、報復的なやり方で自分を守っていたら、将来の建設的な関係はもちにくくなるでしょう。だから、怒りが爆発して一瞬気持ちよく感じるかもしれませんが、長い目でみれば良い結果は生まれません。それにどんな批判を相手が言いたいのかを学ぶ機会を失ってしまいます。そしてさらに悪いことには、あなたに抑うつのフラッシュバックが起こり、自分の感情を爆発させ自分を罰してしまう結果になります。

やじ対策

この章で議論されている技術は講義や教育に従事している人に特に役に立つと思います。私は「やじ対策」を大学と現在のうつ病研究の専門グループで講義を始めた時から作ってきました。私の講義はだいたい評判が良かったのですが、ときおり聴衆の中に一人、まるでやじのように講義の揚げ足をとる者があるのに気がつきました。そのコメントには特徴がいくつかありました。(1)激しく批判的であるが、筋違いのことが多い。(2)同僚の中で受け入れられず、認められていない人間である。(3)激しく口論したり、口汚いしゃべりかたをする。

残りの学生に質問する機会を平等に与えるためにも、このような人を自己防衛的でない態度で静かにさせる技術を発展させてきたのです。次に示す方法は非常に効果的なことがわかりました。(1)即座に質問に対して礼を述べる。(2)反論された点は実際に重要であるということを認める。(3)指摘した点についてもっと知識をもつ必要性があることを強調する。そしてその課題についての勉強を続けるよう励まします。さらに話し合うため、その人たちを講義が終ってから私のところに呼びます。

一般的に言って、言語的な技術はいい結果がでるとは保証できないのですが、このアプローチはめったに失敗しませんでした。実際、こういう人たちは講義の後に、意見を述べたり私の親切なコメントに感謝してくれました。私の講義に一番論証的で、感謝を示してくれたのは、実にこの人達だったりします。

要　約

批判に対するさまざまな認知的、言語的な原理を、図にまとめました。

（図6-2、一五〇頁参照）一般的な規則として、攻撃された時には即座に次の三つの道の一つを選びます。憂うつ（SAD）の道、怒り（MAD）の道、または喜び（GLAD）の道、です。選んだのがどの選択であれ、経験になり、あなたの考え、感情、それに身体的な面もそこに反映されます。

抑うつ的になる傾向のある人は、たいてい憂うつの道を選びます。自動的にその批判が正しいと結論づけてしまいます。全体を調べてみることなしに自分が間違っており、過ちを犯したという結論へ飛躍してしまいます。そこで考え違いをして、その批判の重要性を拡大解釈しているのです。人生すべてが無であり、数珠つなぎになった過ちからなっているのだと拡大解釈し、過って結論づけてしまいます。さもなければ、自分に「全く役に立たない人間」とレッテルを貼ってしまいます。そして、自分が完全であるはずだという完璧志向のために、間違えるということは自分には価値がないのだと納得してしまいます。こういう考え違いの結果、抑うつになり、自分の評価を失います。言語的な反応は効果を発揮せず、引きこもった状態になります。

反対に怒りの道を選ぶかもしれません。つまり批判している相手を怪物だと信じることによって自分を守ろうとする道です。そうすることはほとんど自分が無価値な虫けらであることを認めることと同じことになると考え、頑固に決して過ちを認めようとしないのです。そこで、最大の防御は最上の攻撃であるという仮定に基づいて、批判を投げかえすことになります。そのとき心臓の拍動は速くなり、戦いの準備をするためにホルモンが血流に注がれます。すべての筋肉が引き締まり、顎に力が入ります。自分こそ正しいとの怒りを表わせば、一時的にはスッキリするかもしれません。相手をちっぽけな奴だと思い知らせよ

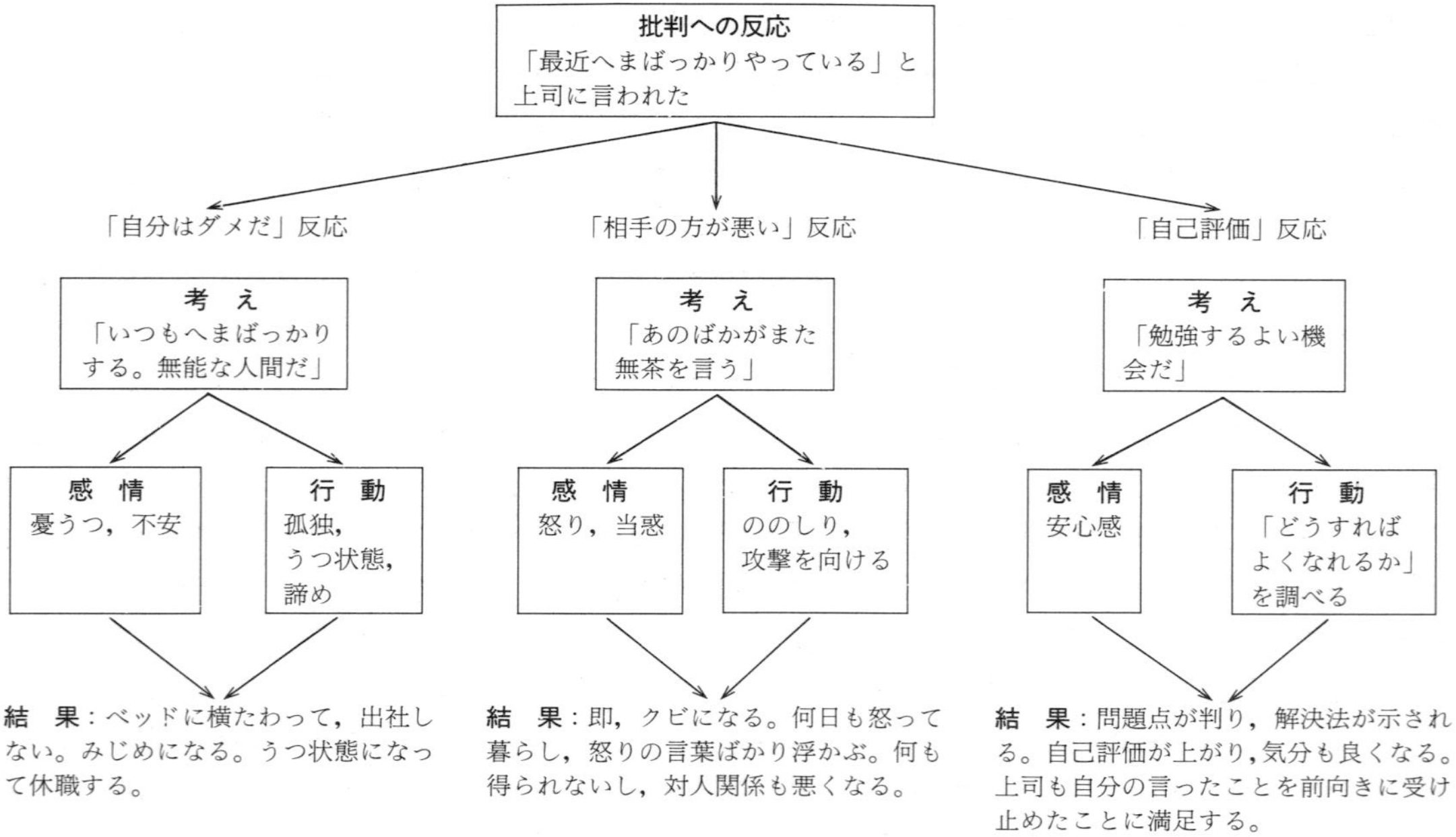
批判への反応
「最近へまばっかりやっている」と上司に言われた
「自分はダメだ」反応
「相手の方が悪い」反応
「自己評価」反応
考　え
「いつもへまばっかりする。無能な人間だ」
感　情
憂うつ，不安
行　動
孤独，うつ状態，諦め
結　果：ベッドに横たわって，出社しない。みじめになる。うつ状態になって休職する。
考　え
「あのばかがまた無茶を言う」
感　情
怒り，当惑
行　動
ののしり，攻撃を向ける
結　果：即，クビになる。何日も怒って暮らし，怒りの言葉ばかり浮かぶ。何も得られないし，対人関係も悪くなる。
考　え
「勉強するよい機会だ」
感　情
安心感
行　動
「どうすればよくなれるか」を調べる
結　果：問題点が判り，解決法が示される。自己評価が上がり，気分も良くなる。上司も自分の言ったことを前向きに受け止めたことに満足する。

図6-2　批判に対する3種類の反応パターン。あなたが状況をどう考えるかによって憂うつ，怒り，喜びのいずれかを感じる。行動やその結果も考え方によっておおいに変わってくる。

うとしてますが、残念ながら相手はそれを認めません。長い目でみれば人間関係を壊してしまいますので感情の爆発は結局自分に損です。

三番目の方法では、自分への信頼をもっているのか、少なくてももっているかのように行動できるかどうかがポイントです。これはあなたが価値のある人間であり、完全である必要はないという前提に基づきます。批判されたときに最初に浮かぶ意見は洞察的です。「この批判にはほんの少しでも事実があるだろうか。批判されるようなどんなことをしたのだろうか。自分は実際に役立たずなのだろうか」という具合に。

価値判断をはさまない質問をすることにより、結論を下します。もし妥協が必要ならば、交渉してください。もしあなたが完全に間違っていたら、それを認めてください。もし批判が間違っていたら、これを手際良く指摘してください。しかしあなたの行動が正しかろうが間違っていようが、人間として正しいのだということはわかるでしょう。なぜならあなたは自己の価値が問題になっているのではないということを理解しているはずですから。

第七章　あなたの怒り指数はいくつか：怒りのコントロール法

あなたのＩＱはいくつでしょう？　と言っても別に知能指数が知りたいというんではないんです。それはあなたが幸せになるためになんの関係もありません。私が知りたいのはあなたがどの程度短気か（怒り指数 *Irritability Quotient*）なのです。これが、日常生活で消したり隠したりしたい怒りや困惑の大きさを左右するのです。もしあなたの怒り指数が非常に高ければ、それはむしろ不利なこととなります。なぜならば怒り指数の高いあなたは、自分の処理能力を壊し、生活をつまらなくさせる〈憤慨〉を感じやすいのでフラストレーションや失望が大きくなってしまうのです。

怒り指数の評価法を示します。後に挙げる二十五の場面を想像してみてください。その中で、あなたがどの程度怒ったり、憤慨したりするか、次の尺度でチェックしてみてください。

〇点：ほとんど何も感じない
一点：多少いらいらする
二点：ある程度気が動転する
三点：怒りを意識する

四点：非常に腹が立つ

次の例のように各々の場面をチェックしてみてください。

例：車で友人を空港へ迎えに行く途中で長い貨物列車の通過を待たされるとき……………………二点

この場面での二点とは、「ある程度いらいらして気が動転するが、それは汽車が通り過ぎれば消え去ってしまう」という程度のものです。あなたが以下の場面でどのように感じるか、重要でも細かな点（たとえばその日がどんな日かその場面にどんな人がいるかなど）は無視して、あなたがもっとも普通に感じられる点数をチェックしてください。

NOVACO怒りの評価尺度 *NOVACO Anger Scale*

1　買ったばかりの機械を箱から出し、プラグをコンセントに差し込んだのに動かないとき
2　自分の思う通りにしてくれない修理工に高値をふっかけられたとき
3　他人がどうするかわからず、一人だけで正しく振る舞わなくてはいけないとき
4　ぬかるみや雪で車が動かなくなったとき
5　人に話しかけても何の返事もないとき
6　ある人が善い人であるかのように明らかにみせかけているとき
7　喫茶店で何杯かのコーヒーを苦労して運んでいると、誰かがぶつかりコーヒーをこぼしてしまった

とき
8 洋服をハンガーに掛けておいたのに誰かに落とされ取ることができないとき
9 店に入った途端に店員につきまとわれたとき
10 どこかへ人と行く計画を立てたのに相手の人が直前に中止し、計画が宙ぶらりんになったとき
11 笑われたりからかわれたとき
12 あなたの車が交通信号の所でエンストし、後の車にホーンを鳴らされたとき
13 駐車場でたまたま間違った曲り方をして、車を降りると「いったいどこで運転を習ったんだ」と怒鳴られたとき
14 人の間違いを自分の責任にされたとき
15 意識を集中しようとしているのに、となりの人が貧乏ゆすりを始めたとき
16 人に貸した大切な本や物が返ってこないとき
17 忙しい時に、自分が忘れてしまったことについて同居人が文句を言い始めたとき
18 重要なことを他人やパートナーと議論しているのに自分の気持を言い表せないとき
19 話題にしている分野についてほとんど知らない人達同志の議論に巻きこまれたとき
20 自分たちの議論に他人が口をはさんできたとき
21 急いでいるのに、前の車が制限速度以下で走り、追い越すことができないとき
22 ガムを踏みつけたとき
23 すれちがいざま数人組にばかにされたとき

24　急いでいるときに自慢のズボンを引掛けて破ってしまったとき
25　最後の一枚の硬貨で電話中、途中できれてしまいもう硬貨がないとき

＊このスケールはカリフォルニア大学のレーモンド・ノバコ博士により作られたもので、その一部を氏の許可のもとに掲載しました。原文では八十項目から成り立っています。

さあ、チェックできましたね。短気さ加減を計算してみましょう。どこにもチェックもれはありませんか？　なければ二十五場面すべての点数を合計してください。もっとも少なければ〇点のはずです。こんなあなたは嘘つきか教祖のような人です。もっとも多ければ一〇〇点になります。これではいつでも激昂しているようなものです。

では、あなたの得点を判定してみましょう。

・〇～四五点：あなたは普段ほとんど怒らない人です。このような人はきわめて少なく、いわば選ばれた人なのです。
・四六～五五点：あなたは平均よりも幸福な人です。
・五六～七五点：あなたはよくある嫌な状況で、ごく普通に腹を立てる人です。
・七六～八五点：あなたは普通より腹の立ちやすい人です。普段からイライラしやすいですね。
・八六～一〇〇点：あなたは誰にもまして腹の立ちやすい人です。いつでも荒れ狂う怒りを感じなかなかおさまりません。怒りの原因がなくなってもいつまでも悪感情だけが残るでし

ょう。周りの人からは非常に怒りっぽい人だと恐れられているかもしれません。よく頭痛がしたり血圧が高くなっていることはないですか？　怒りを押えることができなくなって爆発しトラブルの種になるかもしれません。これほど怒りっぽい人も珍しいものです。

さあ、自分がどれくらい腹が立ちやすいかわかりましたね。ではそれをどうすればよいのでしょう。古典的な精神療法家（そして一般の人）は怒りについて、内に向う怒りと外に向う怒りの二つの基本概念をもっています。以前には、怒りは〈病気〉と考えられていました。つまり、攻撃性を内包し、憤りを吸収するものであるとして。最終的にはあなたを蝕み、罰へ、抑うつへと陥れます。フロイトに代表される初期の精神分析家は内向する怒りがうつ病の原因であると考えていました。しかし残念ながらこれは証明されませんでした。

二つめの解釈は怒りが〈健康的〉なものである、怒りを表現することで気分転換し、気持ちを和らげるというものです。しかし、この解釈の問題点は、それが思わぬ論議を生むことです。もし、むやみと怒りまくっていれば、他人には気が狂ったと思われかねません。また人と接するときには必ず怒っているといったあんばいです。

認知療法はこの二つを超えるものです。あなたは第三の解釈、怒らないことを身につけるのです。あなたは怒りをこらえる必要もなければ、怒る必要すらないのです。

この章ではあなたがいろいろな場面で腹を立てることの意義を考えてみましょう。怒りが自己中心的であるかどうか考えてみるのです。そうすれば、自分の感情をコントロールできるようになり自分の生活を味気ないものにするイライラやフラストレーションに悩むことも次第になくなってくるのです。

なぜ腹が立つのか

まったくもう！

うんざりした！

もう誰とも会いたくない！

深夜二時になってこんなことを思えば眠れなくなってしまいます。周りの人達や環境が悪いのでしょうか。あなたは周りの人達が愚かだから自分が腹を立てていると思っているのではないでしょうか。

周りのことが気になるのは当たり前のことです。人に怒り始めると嫌なことをすべてその人のせいにしてしまいます。思わず「あなたが悪い。イライラさせないで」と怒ってしまいます。こう思うと自分が嫌になってきます。そうでしょう？　映画館で若い子が長い列になってごった返していたり、古道具屋でインチキ商人が偽物の古銭を売りつけることもあるかもしれません。「友人」があなたの稼いだ分け前をしぼりとるかもしれません。あなたが早く会いたがっていることを知っているのにボーイフレンドはデートにはいつも遅れて来るかも知れません。こんなにひどいことが起こってもそんなに気にすることはありません。大切なことは憤慨を体験する度に少しずつ新しいものに作り上げて行くことです。

これは変わったおかしなことだと思いますか？　おかしいと思うなら、この本を焼き捨てたいと思うで

図7-1　あなたの感情を決めるのは，出来事ではなく，あなたがそれをどう受け止めるかである。

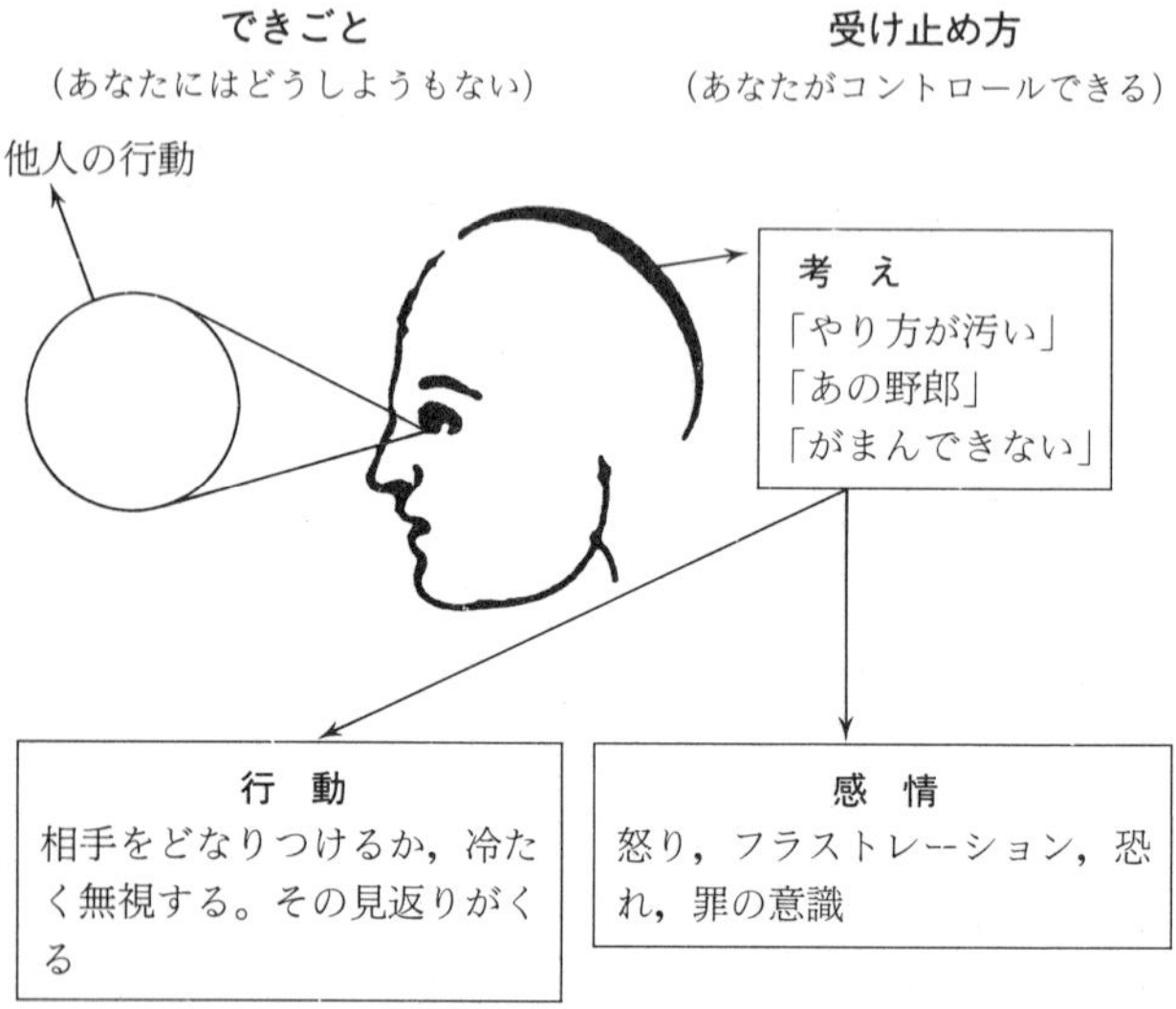
できごと
（あなたにはどうしようもない）
受け止め方
（あなたがコントロールできる）
他人の行動
考　え
「やり方が汚い」
「あの野郎」
「がまんできない」
行　動
相手をどなりつけるか，冷たく無視する。その見返りがくる
感　情
怒り，フラストレーション，恐れ，罪の意識

しょう。それならばこれ以上読めとは言いません。

他の感情と同じように怒りも認知から湧き出るものです。思考と怒りの関係を図7-1に示します。これでわかるように感情が高ぶる前に何が起こっているのかを認識して、それを判断するはずです。感情はできごとそのものでなく、それを意味づけることによって湧いてくるのです。

たとえば疲れきった日に二歳の子供を寝かしつけたと仮定してください。子供部屋を出て、くつろいでテレビを観るとします。二十分後子供が笑いながら歩いてきました。それをどう考えるかによってさまざまの感じ方をするでしょう。もしイライラするならば、おそらく「まったく、いつも厄介な奴だ。どうして良い子で寝ていないんだ。もう少し休ませてくれ」と考えているでしょう。一方「やった、初めて自分でベビーベットから出ることができた。大きくなったものだ」と考えれば子供が部屋を出てきたことを喜ぶことができます。このように、その場面をどう考えるかで感情の湧き方は決まるのです。

ここまで読んであなたがどう思ったか当ててみましょうか。「そんな子供のこととは違う。自分はもっとはっきりした理由で腹が立つんだ。世の中はおかしなことだらけだ。こんな嫌なことを気にせずにはいられない。ロボトミー手術を受けて廃人になれとでもいうのか」と思ったでしょう。

確かに嫌なことはいっぱいあります。でもそのことに対する感情はそれをどう解釈するかによって違うのです。怒りは両刃の刀ですからその解釈をよく吟味する必要があります。怒りは爆発すると長引きます。たとえ自分が悪くなくとも怒りの感情に変わりありません。腹が立つことによる苦痛は、もともとの不快感以上のものです。レストランの女性オーナーがこう言っていました。「もういやになっちゃった。念を押したのにシェフったらハムを注文するのを忘れたのよ。カッと来て思わず熱いスープを床にまき散らしたの。二分後にばかなことをしたと思ったわ。でも許せなかったの。おかげでその後は四十八時間も全従業員の前で取り繕うのに疲れ果ててしまったのよ。ばかだったわ。」

ほとんどの場合怒りは微妙な認知の違いで起こってきます。抑うつ感情は知覚がずれていたり、一方的であったり、単純に間違っていたりするものです。このずれた感じをもっと現実的で機能的なものにする方法を身に付ければイライラをなくし自分をコントロールすることができるようになります。

怒ったときにはどのような〈ずれ〉が起こるのでしょうか？　最も犯しやすい間違いは「レッテル貼り」です。ある人のことをばか扱い、無能扱いすれば、その人を否定的に見ていることになります。この一般化のしすぎを「拡大化*globalizing*」「巨大化*monsterizing*」と呼びます。人に裏切られたとき、その人の裏切に憤慨するのは当然です。その反対にその人をこういう人だと決めつけてしまえば、その人を悪い人だと色眼鏡で見ていることです。怒りを「その人となり」に向けているのです。

人をこのように思うときは心の中では嫌いな点ばかりを見ていたり(心のフィルター)、無視したり、良い点を値引き（マイナス化思考）したりしているのです。これが怒りを間違った方向へ向けさせる原因です。実際、人間は良い点も悪い点も複雑に合わせ持っているものなのです。

人を決めつけてしまうことは好ましい考え方でなく必要以上の憤慨を引き起こします。以下のようにして自分のイメージを壊します。人を決めつけるとどうしても他人に小言が多くなります。仕返しを我慢しなくてはならず、その相手と同じような態度をとってしまいます。人を決めつけても自己満足にしかならないのです。そして相手と対立して戦争状態になってしまいます。

どんな戦争になるでしょうか？　たぶん自尊心を守ろうとする戦いでしょう。相手はあなたを批評したり、好まなかったり、あるいはあなたの考えには賛成しないかもしれません。ここで名誉かしからずんば死かという決闘に臨むわけです。しかし問題はあなたがどれだけ声高に叫ぼうが、相手の人格が全面的にはダメでないということです。人を落としめることで自己満足はできるかもしれませんが、自己評価は高くならないのです。結局、第四章で指摘したように、否定的で歪んだ考え方では自分が軽んじられてしまうのです。この世の中でたった一人自尊心を脅かす人――それは自分自身なのです。自己評価を下げたときだけが、価値観が低くなるのです。本当の解決はあなたの心のなかにあるのです。

二つめの怒りの原因は「心の読みすぎ」です。相手がなぜそうしたのか自分が満足する説明を考えてしまうのです。しかし、相手は実際にそう考えているわけではありません。感情に走るあまり、自分がどう考えているのかわからなくなることがありがちです。他人を見て「筋が通っている」「インチキだ」「まったくその通り」「ばかだ」「あいつらは子供だ」などと考えることがあるでしょう。こんな説明は正しい情報に基づいていないことが多く、実際たいてい間違っています。こんな例があります。ジョーンは夫が自分と一緒にコンサートに行くよりもテレビでフットボールを見たいと言うので真っ赤になって怒りました。むっとして「夫は自分を信じていない。自分勝手すぎて不公平だ」と考えました。問題はジェーンの解釈が間違っていたということです。夫は彼女を愛していたし、自分勝手でもないし、もちろん不公平でもインチキでもありません。たまたま、この日曜日には、ダラスカウボーイとピッツバーグスティラーズの試合に夢中で、夫も例外でなかったのです。決して着飾ってコンサートに行くことが嫌だったわけではないのです。

ジェーンが夫の気持ちをこのように不合理に考えていると二つの問題が生じます。夫に愛されていないと誤解し、そのうえ夫とコンサートに行けなくなってしまいます。

怒りを生ずる三つめの歪みは「拡大解釈」です。もし嫌なことを悪い方にばかり考えれば悪感情はより強く、より肥大していきます。たとえば大切な約束に間に合わせるよう遅れているバスを待っているとします。そんなとき「もう待てない」と思うでしょう。でもそれはいささかオーバーではありませんか？　実際バスを待っているのだし、待てないと思うことはないのです。バスを待つことは不都合ですが、そんなに不快に考えなくともよいのです。そんな気がしませんか？

「すべき思考」が四つめの怒りの原因です。他人が思うように動いてくれないとき「そんなことをすべきでない」とか「すべきである」などと思うでしょう。たとえばホテルのフロントで予約したはずの部屋がとれていなかったと考えてください。思わず「そんなばかなことがあってたまるか」と考えてしまうでしょう。

この場合何かを失うことで怒りが起こったのでしょうか？　否、この体験は敗北感や失望、不自由感を生じさせるものです。腹が立つ前にこの状況をなんらかの形で解釈したはずです。結局自分を正当化し、それによって腹が立ってくるのです。

どこが間違っているのでしょうか？　係員がミスを犯すべきでないと思っていると余分なフラストレーションがたまります。予約がとれていなかったのは不幸です。しかし、あなたを陥れようとしたとか、その係員が特別に無能だったとも考えにくいでしょう。でも係員は間違えたのです。もし完全さを求めれば、イライラし、動きがとれなくなってしまいます。怒ることで部屋がとれるわけではないでしょう。怒るよりも、ほかのホテルに行くほうが楽なのではないでしょうか？

「すべき思考」は、あなたがいつでも満足できるという仮定に基づいていて、自分の気にいらない場面でパニックに陥ったり怒ったりします。それはあなたがあるものを手に入れることができないからです。(あるものとは恋愛であったり、愛情、地位、尊敬、迅速さ、完全さ、心地好さであったりします)いつも自分が満足するような主張ばかりしていると、怒りの原因になり、結局自分の損になります。怒りっぽい人は自分の希望をこんなふうに言います「もし自分を評価する人がいれば眼の肥えた人だ。」

人は自由な意志を持ち、あなたの気にいらないような考えや行動をとります。人をあなたの希望に従わせようと思っても思うようになりません。むしろ、その反対のことの方が多いでしょう。怒って人を自分に従わせようとすると人は遠ざかることが多く、あなたの思うようになることは少ないでしょう。他人に支配されたい人はいませんから、怒ることで問題解決にはなりません。

不正だと考えることこそ怒りの原因です。実際、怒りは自分が不正に扱われたという認識と一対一に対応する感情です。

さあ、一つの真実に達しました。それは、嫌なものかもしれないし、啓示かもしれません。公正さとか正義についての普遍的な概念はありません。アインシュタインが時間と空間の相対性を証明したように、公正さも相対的なものなのです。アインシュタインの「絶対的な時間は存在しない」という考えは実験的に証明され一般に受入れられています。時間は「速くなる」か「遅くなる」ように見え、観察者との相対的なものなのです。同じように「絶対的な公正さ」などありません。「公正さ」は観察者にとって相対的なものなのです。ある人にとって公正に思えることもほかの人には全く正しくないことなのです。ひとつの文化の中の社会規範や道徳ですらも他の文化では受け入れられません。自分の道徳観こそが普遍的だと主張することはできます。でも受け入れられないでしょう。

証明しましょう。ライオンが羊を襲います。これは不公平でしょうか？　羊にしてみれば不公平でしょう。理由もなく無残に殺されるのですから。しかし、ライオンにしてみれば正しいことです。空腹ですしライオンの食事なのです。いったい誰が正しいのでしょうか。「絶対的な公正さ」などありませんから絶対的、一般的な答えはありません。実際、公正さとは単に自分で作り上げた概念にすぎないのです。いったい誰がハンバーガーを食べる時に不公平だと思うでしょうか。牛にしてみれば確かに不公平かもしれません。絶対的な正しい答えなどないのです。

「絶対的な公正さ」が存在しないかわりに道徳概念は重要で有効なものです。アナーキズムは勧めません。公正さの判断は客観的な事実ではなくある種の契約であると思います。モーゼの十戒をはじめ社会道徳は自分たちが従うと決めたルールです。この基礎はおのおのの私利私欲が啓発されることにあります。もし、他人の感情や関心を思いやらないと、遅かれ早かれ相手が利用されたことに気づいて、しっぺがえしを受けることになるでしょう。

公正さの基準はどれだけの人が認めるかということです。ある人にとってユニークな行動も、他の人にはエキセントリックなことがあります。たとえば、私の患者さんに「きちんとするために」、罪や不安の意識を避けるために何十回となく手を洗う人がいます。もし規則が一般的に受入れられているなら、道徳の一部や法律の基幹になるでしょう。殺人の禁止はほんの一例なのです。それにもかかわらず、どんな状況でも受入れられるような「絶対的」「究極的」なシステムは存在しないのです。

日々の怒りの原因の多くは、自分の「希望」と「道徳基準」の混同にあります。人に腹を立てて「正しくない」と言います。そんなときその人はあなたと違う価置基準のなかで「正しく」行動しているのです。「正しくない」というあなたの物の見方は人に通用するものでなければなりません。皆が同じように考えると都合が良いのですが、実際にはそうはいかないのです。それぞれが違っています。このことを見過ごして人を「不正だ」となじれば、その人は侮辱されたと感じ防衛的になるためあなたに偏見をもつでしょう。こうして誰が「正しい」かという議論は実を結びません。「絶対的な正しさ」など錯覚なのです。

公正さとはあくまで相対的なものですから、怒り自体にも誤りがあるわけです。相手が間違っていると説得しても、相手はあなたの価値感とは違う価値観で行動しているにすぎないのです。彼にしてみれば、自分の価値基準では自分の行動は「公正」なのです。他人に公正であってほしいですか？　ならば、自分の好みでない行動でも認めなくてはいけません。なぜならそれは彼の価値観で行動しているのですから。人を説き伏せることも、人の態度を変えることも、人の価置基準を変えることも、人のすることを自分の好みのように変えることもできます。しかし、自分に「あいつは間違っている」と言うのは、時に錯覚にすぎない場合もあります。

怒りは不適切で相対的なものという理由で「公正」とか「道徳的」とかいう概念は無意味なのでしょうか？　高名なウェイン・ダイアーがこのように述べています。

> われわれは公正を求めるようにできている。それが見つからないと怒ったり、不安になる。実際、永遠の若さなどの神話の探求と同じようなものだ。公正などいまだかつて、そして永遠に存在しない。コマドリは虫を食べる。虫にとっても不公平ではない。自然界に公正さが存在していないことを示しているのだ。嵐や、洪水、大津波、かんばつなどすべて不公平だ。(注)

この立場は極端なものであり、全か無か思考の一例です。アインシュタインが絶対的な時間など存在しないといったのだから時計など投げ捨てようと言っているようなものです。この時間、公正さの概念はたとえ絶対的なものでなくとも、社会的には有用なものなのです。

(注)　ウェイン・ダイアー「誤りの地帯」、ニューヨーク、エーボンブック、一九七七。

公正さが錯覚であるという論点に加えて、ダイアー先生は怒りは無意味であると言っているようです。

怒りを生活の一部と受け入れなければいけない、そして有効な目的もないことを悟らなければいけない。怒る必要はない。幸せになり、満ち足りるための何の意味もない。怒りのもつアイロニーは人を変えることはないということだ。

この議論は認知の歪みに基づいているようです。怒りには何の目的もないということは全か無か思考そのものです。何の役にもたたないということは一般化のしすぎです。実際には、怒りは特定の場面では有効なことがあります。本当の問題は「怒りを感じるべきか、感じないべきか」なのではなく「どこに線を引くか」なのです。

次の二つのガイドラインは怒りが生産的かどうか考え、それから何かを学び、どう考えればより役に立つかを示します。

1　この怒りは、必要もないのに、わざと悪意を示した人間に向けられているか？

2　この怒りは有用か？　自分の目的の役に立つのか、単に有害なのか？

たとえば、バスケットボール中に相手チームの選手があなたを傷つけ試合から外すためにわざと肘打ちをくらわしたのなら、この場合の怒りは生産的なものであり、これを利用して試合に活躍して勝つことができます。こんなとき、怒りは有用なのです。ただし、一度試合が終わってしまえば、もはや怒りを感じるべきではありません。この後の怒りは有用ではありません。(注)

三歳の息子が不用意に通りに走り出たときを考えてください。子供は事故にあってケガをするかもしれません。この場合の怒りの声には警告という意味があります。やさしい声では意味がありません。このような場面では怒るべきです。どちらの例でも感情は自分のコントロール下にあります。このような意味のある怒りは、衝動的で敵意に満ちた怒りとは別物です。

新聞で読んだ非情な暴力に腹を立てるときのことを考えてください。こんな暴力はどう見ても悪であり道徳に反しています。それでも、普通はどうしようもないことであり、怒ってもしようがありません。もちろん、それに対して犠牲者を救おうとか、なんらかのキャンペーンを始めれば、その怒りは有効なものになるのです。

以上の二つの基準を肝に銘じて、怒りを鎮める方法を説明しましょう。

願望を実現させる手段にする

いったん怒り始めてしまうとまるでブルドッグのように他人の足に噛みつくことになりかねません。だから怒りはもっとも始末におえない感情です。また復讐心も沸いてくるので怒りを止めるのはますます難しくなります。結局、怒りは「不正である」という観念から起こる道徳感情なので、そこには正義感が含

(注)　有用とは自分を高めるのに役立つこと、有害とは自分を傷つけることです。

まれているのです。それは宗教的感情にも似ています。それに打ち勝つには大変な意志の力が必要なのです。ここが難しいところです。

第一段階：怒り、復讐することの有利な点、不利な点のリストを作るためにダブルカラム法を使うこと。怒りの短期的、長期的な成り行きを考えてみること。そして、リストを見直して損失と利益とどちらが大きいか考えてみること。こうすることで自分の憤慨が本心かどうかわかってくるでしょう。われわれはたいてい自分自身にもっとも良いようにしたいと考えるものですからこれがより平和で生産的な態度を作る方法になります。

例を示します。二人の娘を連れて再婚した三十一歳の女性スーを仮定してください。夫のジョーンも再婚で、先妻の間にできた十代の娘のいる忙しい法律家です。ジョーンは忙しく、時間が限られているので、スーはめったにかまってもらえないと憤慨します。そして夫が自分に十分な時間と注意を払ってくれないのでこの結婚は不幸だと感じると語りました。彼女は図7-2のように自分の苛立ちの良い点悪い点を書き出しました。

また怒りを除去することによる好ましい結果も書き出しました。(1)自分が人により好かれる。人が自分にもっと近づいてくる。(2)自分がもっと先のことが読めるようになる。(3)自分の感情をうまくコントロールできるようになる。(4)もっとリラックスできる。(5)もっと快適に過ごせるようになる。(6)肯定的で文句のない実践的な人物にみられる。(7)ないものねだりをする子供よりずっと大人らしく振る舞える。(8)人にもっと影響力をもち、不機嫌や強要よりも断定的で穏やかで理性的な交渉のほうが実り多い。(9)子供、夫そして親がさらに自分を尊敬する。その結果、スーは怒りを実質的に実りあるものに価置づけることがで

図7-2　怒りが役に立つかどうかの解析

怒りの良い点	怒りの悪い点
1. 気分が良い	1. ジョーンとの関係をさらに気むづかしくする
2. ジョーンにも私が彼を非常に非難していることがわかるだろう	2. 夫が私を拒否するかもしれない
3. 自分がそうしたければいらいらを吹き飛ばす権利がある	3. いらいらを吹き飛ばした後で罪の意識を感じるかもしれない
4. 私はドアマットではないことを知らせる	4. 夫は負けず嫌いなので私に抵抗し，すぐに怒るだろう
5. 私の方が損していると夫に教えることができる	5. 私の怒りは最初の問題を解決することの邪魔になる。そして，問題に取り組むことを難しくし，解決を妨げる
6. たとえ自分の思うようにならなくとも，怨みを晴らす満足を得ることはできる。彼を私のようにもがかせ，傷つかせることができる。そうすることにより夫も成長できるのではないか	6. 少し怒ったり，少し落ち着いたりするごとにジョーンや周りの人はどうしてよいかわからなくなる。私は気分屋で怒りっぽく甘えん坊で子供っぽいと思われる。彼らは私を子供っぽいとみる
	7. 子供に神経質になるかもしれない。子供が大きくなると私の爆発を恨み，救いようのない人のように思うかもしれない
	8. ジョーンは私の小言と意地悪に疲れて，去っていくかもしれない
	9. 自分の不快感で自分が惨めに思える。生活は酸っぱく苦しくなり，今まで自慢していた楽しみや創造がうまくいかなくなる

きました。

自分の怒りについてこうした分析をしてみることは大切なことです。自分の怒りの良い点悪い点を書き出してから、同じテストをしてみてください。なんともならない腹立たしい状況で、あなたは腹を立てずに切り抜けようとするのでしょうか、考えてみてください。もし、はいと答えられるならあなたは明らかに自分を変えようとしています。おそらく穏やかな心と自己評価を得ることができるでしょう。自分の人生をより効果的なものとすることができるでしょう。どうするか選択するときがもう来ています。

気持ちを落ち着けてください

いったん気持ちを鎮めると決めたら、怒りを助長するような無価値なものは、腹が立つとき心をよぎる「怒りの考え」として書き留めておくべきです。苛立ちを鎮めるためにはダブルカラム法（図7-3）で客観的な「落ち着いた考え」を書き留めてください。頭をよぎる反論に気をつけるために「怒りの考え」を「第三の耳」で聞いてください。何も考えずこの対話を記録しましょう。あなたは実に多彩な言葉や復讐心を思い浮べるでしょう。全部書き留めておいてください。そしてもっと有用で興奮の少ない「落ち着いた考え」に置き換えてください。そうすることで刺激されたり、圧倒されることが少なくなるでしょう。

スーは夫の先妻の子サンディーが夫ジョーンにまとわりついているときに感じるフラストレーションを解決するためにこの方法を試してみました。スーは夫に、サンディーにもっと厳しくするように言い続けました。しかし夫はその反対の行動をとりました。逆に夫はスーが小言ばかり言って自分の思うようにしようとしていると感じ始めました。その結果、彼女と過ごす時間はますます少なくなってきたのです。

スーは嫉妬と罪を感じる「怒りの考え」(図7-3)を書き留め、そして「落ち着いた考え」に置き換えました。彼女は気分が和らぎジョーンを支配したいという衝動の解決の役に立ちました。それでもサンディーをわがままにさせておく夫が悪いと感じていました。そこで、夫にも「たまには間違うこともある権利」があると考えることに決めました。その結果スーはジョーンへの口出しが減り、彼は気分が楽になりました。二人の関係は改善し互いに自由で尊敬し合えるものとなりました。もちろん「怒りの考え」を考え直すことだけがこの二人の再婚を成功させる要素ではありません。しかしこれがなければ再婚は行き詰ってしまうような大切な大きな第一歩だったのです。

怒りを鎮めるためにさらに精密なチャートである「歪んだ考えの日常記録」を使うこともできます。怒りを感じるような場面や評価での怒り具合の違いを、この練習の前後で較べることもできます。図7-4は若い女の子が電話で自分を雇ってくれそうな人と簡単なやり取りをしているときのフラストレーションにどう対処したかを示したものです。彼女は「怒りの考え」を抑えておくことで嫌な思いを避けることができたと言っています。この抑えられた苛立ちこそが彼女の毎日を気まずくしていた源なのです。彼女は、「この練習までは自分の敵は電話の相手だと思っていました。でも、相手よりも十倍も悪く自分自身を扱っていたことがわかりました。一度これに気づいたら落ち着いた考えに置き換えることはそう難しくありませんでした。自分でもこんなにうまくいって驚いています」と言っていました。

想像法

自分の心のなかで腹立ちを思い返し、「怒りの考え」を思い起こして心のスクリーンに映してください。

図7-3　スーは夫が自分勝手に振る舞う娘を甘やかしているのを見たときに感じた「怒りの考え」を書き出した。しかし，「落ち着いた考え」をすると嫉妬と恨みは消えた。

怒りの考え	落ち着いた考え
1. なんで彼は私のことを聴こうとしないんだろう	1. 夫は私の思う通りに何もかもやらなくてはいけない義務なんてない。よく話は聴いてくれるんだけど，私が気紛れだから嫌気がさしてきたんだ
2. サンディーは嘘つきだ。働いているというがそんなことはない。ジョーンの助けを期待している	2. 彼女はもともと嘘つきで怠け者で，学校では人を利用するだけだ。働くのが嫌で，それが問題なのだ
3. ジョーンはとても忙しく，自由な時間がない。もし，その上に娘のために時間を取られれば，私は一人になり子供の世話も一人でしなければならなくなる	3. 私は一人が好きだ。自分の子供の面倒は一人でみることができる。救いようがないわけではない。一人で十分だ。おそらく夫は私が怒らなくなれば，もっと私と一緒にいたいと思うようになるだろう
4. サンディーが私から離れていく	4. その通り。でも私は大人だ。一人でも耐えられる。彼が自分の子供をかまっていても怒ることはないのだ
5. サンディーは人を操る	5. 夫も大人だ。夫が彼女の助けをしたくないならそうすることができる。関わらずにいよう，私には関係ないことだ
6. そんなこと許せない	6. 簡単だ。一時のことだ。もっと悪いこともあった
7. 私は子供っぽすぎる。私は罪を感じるべきだ	7. 私は時には未熟でいたっていい。私は完璧ではないしその必要もない。罪の意識など必要ない。救いもいらない

図7-4　歪んだ考えの日常記録

刺激的状況	感　情	怒りの考え	落ち着いた考え	結　果
パートタイムの，医学文献を転写する新聞の求人広告だった。「多少の経験」が必要と書いてあった。最初その男はその会社がどんな会社なのか十分説明しなかった。その上で私を十分な経験がないからと採用しなかったのだ	98%の怒り，嫌悪，葛藤	1. まぬけだ。何を考えているんだ。私は十分経験があるんだ 2. あれは新聞で一番いい仕事だった，そしてそれはうまくいかなかった 3. 親にしかられる 4. もう泣くしかない	1. こんなに興奮することないんだ。彼の声なんか聴きたくない。私に自分の経験を十分説明させてくれなかった。それでよかった。仕事に就けなかったことは私の失敗ではない，彼の失敗だ。そんな会社で働きたいのか 2. 私はものごとの均衡をなくしていた。ほかにもいっぱい仕事はあるんだ 3. もちろんそんなことはない。少なくともトライしたんだから 4. ばかばかしい。泣かなきゃいけないのか。泣くほどの価値もありはしない。自分の価値はわかる	15%の怒り，嫌悪，葛藤

今まで復讐や暴力のイメージがこんなにも鮮やかだと気づかなかったでしょう。

こんな心像光景はあえて思い浮かべなくては気づかないと思います。ちょっとやってみましょう。茶色のバスケットの中の赤いりんごを想像してください。眼は開けていても、閉じていても結構です。ほら、見えるでしょう。それが私の言いたいことです。たいていの人が日常視覚的イメージを持っているのです。それこそわれわれの思考の視覚的な部分で、普通の意識の一部なのです。たとえば記憶は時に心像光景として残ります。高校の卒業、初めてのキス(憶えていますか)、長いハイキングなど今までの生き生きとしたことを想像してください。見えますか？

このイメージは強くあなたに影響します。この影響はちょうど性的な夢や悪夢のように良いようにも悪いようにも作用します。良いイメージの、気分を引き立たせる効果は強烈です。たとえば遊園地に行く途中で最初にローラーコースターで降下するときの眼のくらむような感覚をイメージして、興奮を味わうでしょう。白昼夢は実際楽しいものです。同じように悪いイメージも感情を高ぶらせる効果があります。今までに良いと思った人悪いと思った人を眼に浮かべてください。どんなイメージになりましたか？　その鼻を殴ったり、彼らを煮えたぎった油に落としたりと想像するでしょうか。

最初のきっかけが過ぎても、こんな白昼夢が怒りをいつまでも心のなかに留めておくのです。そしてその怒りはきっかけがとっくに過ぎてからも何時間も何日もあるいは何年も続いていくのです。いつでも自分で自分の気持ちを揺り動かしているのです。干し草を嚙む牛のように。

誰が怒らせているのでしょう。自分でそのイメージを作っているのです。ご存知のようにあなたが怒っている人はどこかわからないところにいます。あるいはそんな人はもはや生きていないのかもしれません。

ひょっとしたら、罪人かもしれません。さあ、このスクリーンではあなたはディレクターでありプロデューサーなのです。そしてたった一人の観客でもあるのです。これを見続ける人はどこにいるでしょう。あなたしかいないのです。あなたが歯を喰いしばり、力を込めて、アドレナリンホルモンを分泌し、そして、あなただけが血圧を上げるのです。一言で言えばあなたは自分で自分を傷つけているのです。こんなことを続けたいのですか？

もしそうでなければ、自分の心の中で怒りの火をくすぶらせるのを減らすようにすべきです。ひとつの方法はその怒りの火をもっと腹が立たないような創造的なものに換えることです。ユーモアは有効なものです。たとえば嫌な奴の首を絞める代りに、デパートの人込みをその人がおしめを当てて歩いている姿を思い浮べてください。たいこ腹、おしめのピン、足、細かなことまで視覚化してください。ほら怒りはどうなりましたか。顔が笑っているじゃないですか。

二つ目の方法は考えを止めることです。お気づきのように、どんなイメージでもスイッチを切って消すことができるはずです。怒り以外のことを思い浮べてみてください。誰かと話をする。本を読む。パンを焼く。ジョギングをする。もし怒りを気にしないようになれば、どんどん気にせずにすむようになるでしょう。いつまでも考え続けるよりも関係ないことを考えたり、性的な夢でも見るようにしましょう。もし怒りの思いが消えないなら腕立て伏せや、速いジョギング、水泳のような激しい運動をしましょう。これらは怒りの根源から関心をそらす有効な方法です。

ルールを書き直す

あなたはうまくいくはずのない非現実的な対人関係のルールを作って、そのために必要もないのに葛藤したり腹が立ったりしているのかもしれません。スーの怒りの鍵は「自分が魅力ある忠実な妻ならば、愛される価値がある」という自分のルールに従って、ジョーンの愛情を一人占めしようとしたことにあります。

この一見もっともらしいルールのために、ちょっと冷たくされるたびにスーは自信を失い、結婚の危機をいつも感じるようになりました。このようにして自分を守るために、いつも夫の目を自分に惹きつけないと不安を感じるようになったのです。しかしその結果、夫との愛は氷の断崖の端へゆっくり滑って行くような具合になりました。当然ジョーンを離さないようになり、夫の冷淡さを感じたときには爆発しました。夫婦の生活が危機にあることに夫が気づかないわけはありません。

スーの「愛情」のルールは不快であるうえに、そううまくは働きませんでした。しばらくは彼女が渇望するような注意を引きつけ、感情を爆発させることでジョーンを脅迫でき、冷たくすることで懲らしめることができ、罪の意識を呼び起こすことで夫を操ることができました。

しかしスーの得た愛情は自然なものではありませんでした。夫は疲れきり、はめられ、操られているように感じていたはずです。しだいに怒りが溢れだしそうになってきました。夫が彼女の要求に応じるのを止めれば、自由への欲求は大きく膨らんで、爆発することになるでしょう。愛情問題の破壊的な効果は驚くべきものです。

もしあなたの対人関係がこの循環的な緊張と専制を特徴とするならばルールを書き直すほうがいいでし

ょう。もしもっと現実的な態度を身に付けることができれば、葛藤を終わらせることができます。世界を変えるようなことより、ずっと簡単なことです。スーは「愛情」のルールを変えることにしました。「ジョーンに対して肯定的に振る舞えば、彼は私を永く愛してくれるだろう。たとえ彼が愛してくれなくとも私は自分を尊重し、効果的に行動することができる。」この彼女の公式化は今までより現実的で、気分や自尊心が夫に左右されるようなものではありませんでした。

対人関係を困難に陥れるようなルールが悪いものにはみえないこともよくあります。それどころか非常に道徳的で人間的にみえるものです。私は最近マーガレットという「結婚は互いに平等でなければならない」と考える女性の治療にあたりました。彼女はこのルールをすべての人間関係に当てはめたのです。「私が人に良いことをすれば、人はそのお返しをするべきだ。」

これは確かに「合理的」で「公正」ですが、完璧なルールとは言い難いようです。どこが間違っているかというと、人間はそれぞれ違うので、結婚を含めた人間関係が自然に「相互的」なことはまれであるという絶対的な事実があるからです。相互性は努力し続けて達成される一過性で独特の不安定な理想です。これには共通のコンセンサス、コミュニケーション、妥協と成長が必要です。折衝と大変な努力が必要なのです。

マーガレットの問題点はこのことに気づいていなかったことです。彼女はおとぎ話のなかに住み、見せかけの真実として相互性が存在していました。彼女はいつでも夫をはじめ人に喜ばれるようにし、そのお返しを待っていたのです。不幸にも、他の人は彼女がお返しを期待しているとは思わなかったので、この一方的な契約は履行されませんでした。

たとえば地方のチャリティー組織が有給のアシスタントディレクターを募集しました。マーガレットはこのポジションに興味をもち応募しました。彼女はその組織のボランティアの仕事を長くしていたし、他の職場でも自分は好かれていて、皆尊敬してくれた、その意味で「相互的」であったと勝手に決めつけ、ディレクターは「相互的」に仕事をくれるだろうと考えました。ところが、本当はこれまでもそんなに評判が良かったわけではありません。むしろ人は彼女の「感じよさ」や長所で人を操ろうという態度に好意はもっていませんでした。他の人が採用された時、「相互性」が通用しなかったので、彼女は苦い思いを味わい、幻滅しました。

マーガレットは自分のルールによってあまりにトラブルを引き起こしたり失望するので、そのルールを改め、相互性は与えられるものではなく、自分の利益のために努力すべきゴールだと考えるようにしました。同時に人に自分の気持を察してもらい、期待通りにしてもらおうと考えることを止めました。これで逆に多くを期待せず、多くを得るようになったのです。

あなたが「であるべき」とか「ではいけない」というルールを持っているなら失望や葛藤の原因となるでしょう。もっと現実的なものにするべきです。図7-5にいくつか例を挙げました。「であるべき」を「ならばすばらしい」と置き換えることが有用な第一歩なのです。

狂った態度を受入れる

スーのジョーンに対する怒りが鎮まるにつれ、互いに冷静になり愛し合うようになりました。しかしジョーンの先妻の子サンディーは父親とスーの仲が良くなったことに反発しました。嘘をつきはじめ金を借

図7-5　「であるべきルール」の再検討

自己破壊的な「であるべきルール」	反　論
1.他人に親切なら，感謝されるはずだ	1.いつも感謝されるとはかぎらない。ほとんどの場合，感謝されるだろうが，時にはそうでないこともある
2.他人は私に礼儀正しくなければならない	2.たいていの人は私さえ喧嘩ごしでなければ礼儀正しい。たまたま気難し屋は不愉快な態度をとる場合もある。しかしそんなことを気にする必要はない。人生はつまらない細かなことに費やすには余りに短い
3.一生懸命やればうまくいくはずだ	3.必ずしもそうでない。何ごとにも成功する保証などありはしない。私は完全ではないし，そうなるはずもない
4.もし誰かが私に不正を働いたら，怒る権利はあるし，そのほうが人間らしいから怒るべきだ	4.人は不正に扱われたか否かにかかわらず怒ることができる。本当の問題は怒ることが自分に有利かどうかということだ。怒りたいのだろうか？それが損か徳か？
5.私がしないようなことを他人もするべきでない	5.そんなことはない。皆が私のルールで動いているわけではない。他人は私と同じような態度で接してくることもあるし，そうでないこともある

りて返さないようになりました。スーの寝室に潜りこみ、引出しをかき回し、スーの物を持ち出しました。これらは皆スーを怒らせるのに十分でした。「サンディーはこそこそすべきでない。やり方がきたない」とスーは考えました。彼女の葛藤は二つの要素からなっていました。

1　サンディーの気にさわる行動

2　サンディーにもっと大人になってほしいというスーの期待

サンディーは変わりそうもありませんでしたから、スーのとる道は一つでした。サンディーにもっと大人らしく、女の子らしくしてほしいという期待を捨てることでした。そして次のように自分の課題をメモしました。

なぜサンディーが気にさわるか

サンディーは自分のことを愛情と注目を受ける存在であると信じ、それは生きるか死ぬかという問題であり、自分が生きるためには皆の注目を浴びなければいけないと考えているみたい。そのため愛情を受けないと、自分の危機であると考えるのでしょう。

注目を浴びるためにはわがままに振る舞うのがよいと思っているから、いつもそのように振る舞うにきまっている。そして、それはすぐには変わりそうもない以上、しばらくはそのままにすることにしましょう。なぜなら、よく考えてみると、彼女がどう振る舞おうと私には関係のないことだから。

サンディーを含めて人はみんな自分が正しいと思うように行動すればよいと私は思う。第一、サンディーはもっと注目されるべきかもしれない。彼女の気にさわる振る舞いは自分の権利意識に基づいていて、彼女にしてみれば正しいことなんだわ。

私は自分の感情はサンディーにでなく、自分で左右したいと思う。彼女の「公正な、気にさわる」振る舞いに腹を立てたい？　まさか、だから私は彼女への反応の仕方を変えることにしましょう。

1　サンディーの盗みを、「彼女ならやりそうなこと」と考えよう。
2　何をしても、子供のすることだからと笑ってすませよう。
3　怒ることに特別な目的でもあれば別だけど、怒らずにいることもできる。
4　もしサンディーのわがままに自尊心が傷つけられたと感じても、子供にそんな力があるかと考えればいい。

このメモにはどんな効果があるでしょう。サンディーはおそらく意地悪のつもりで挑発的な行動をとるのでしょう。サンディーのターゲットはスーで、スーに憤りや葛藤を感じさせようとしているのです。スーが怒ればサンディーの思う壺なのです。スーが自分の考えを変えれば、葛藤を大きく減らすことができるでしょう。

洗練された操縦法

あなたは自分の期待を変え、怒ることを止めると自分が弱虫になるのではないかと恐れたり、他人に利用されていると思っているのではありませんか。自分の欲しいものを手に入れるもっと洗練されたトレーニングを受けていないので、こういう心配が起こるのです。あなたは人に要求しなければ何も得られないと思っているのではないですか。

代わりの方法があるのでしょうか？　すぐれた心理学者であるゴールドシュタイン博士の「妻による夫の条件付け」の研究をみてみましょう。欲求不満の妻たちに関するこの研究で、夫から欲しい物を手に入れようとしてかえって破壊的な方法を妻がとっていることに博士は気づきました。博士は、研究室で細菌や食物やねずみまで含めたすべての生き物に影響する最も科学的な方法を研究し、気紛れで野蛮な夫たちにこの基本原理をあてはめることができるのだろうかと考えたのです。

結論は簡単です。良くない行動を罰するかわりに良い行動を誉めればよいのです。罰は嫌悪と憤りを引き起こし、疎外と回避をもたらします。妻たちのほとんどが自分の思うようにしようとして、夫を罰するという間違いを犯していました。このような妻たちの行動を望ましい行動に着目する報酬モデルにかえることにより、博士はドラマチックな変化を経験しました。

ゴールドシュタイン博士の扱った妻たちは特別ではありません。われわれがよく陥る普通の結婚のもつ問題に陥っていただけです。つまり長い間、夫のよけいな行動にばかり目を向けてきたのです。ここで、夫から望ましい反応を得るためには、大きな方針の変換が必要でした。そのため夫婦間のやりとりを細かく科学的な方法で記録し続けることにより、彼女たちは自分の反応をコントロールできるようになりました。

ゴールドシュタイン博士のある患者さんがどうしたか示しましょう。永い争いの末、妻Xは夫と別れました。夫は他の女性の元へ去って行きました。二人の関係は基本的には虐待と無関心が中心でした。表面的には夫はほとんど妻をかまわないかのようでしたが、それでも夫は時折妻に電話し、彼女に気を遣っているようでした。彼女はこの夫の気持ちを育むか、さらに不適切な反応を続けてこの気持ちを潰してしまうかの決断をしなくてはなりませんでした。

妻Xは自分のゴールを決めました。夫を取り戻すことができるかやってみようとしたのです。最初の一里塚は夫との接触を増やすことができるかどうかということでした。彼女は厳密に夫の電話と訪問の回数と間隔を記録し、冷蔵庫のドアにグラフで示しました。そして自分の行動（刺激）と夫からの接触の頻度（反応）との関係を注意深く検討しました。

彼女は自分からは夫に連絡しませんでしたが、夫からの電話には積極的に愛情を込めて対応しました。彼女の考えは率直でした。夫の嫌な点を見つけて反応するかわりに、好きな点を強化するようにしました。彼女が使った報酬は夫の好むすべてのこと―賞賛、食べ物、セックス、愛情などでした。

彼女は夫の数少ない電話に陽気に、積極的にそしてお世辞でもって対応しはじめました。彼女は夫を元気づけ喜ばせました。夫の言うことに対しては何によらず批評、議論、要求あるいは敵対を避け、六章に示した武装解除法を使いました。最初のうちはすべての電話を五から十分で切り、議論や夫をうんざりさせるような会話を避けました。夫の反応は抑圧されたり無視されたりすることがなくなり、この変化に夫は喜びました。

これを数回繰り返すと夫の電話はどんどん増えてきました。電話は夫にとって楽しみになったのです。彼女は科学者が実験用ねずみの行動をグラフにするように、夫の電話回数をグラフに記録してみました。電話回数が増えるにしたがって彼女はさらにやる気になりいらいらも多少和らいできました。

ある日、夫が訪れると彼女のプラン通りに「嬉しいわ。あなたのために新しいキューバ産の葉巻を用意したところなの。あなたの好みの高級品よ」と夫を迎えました。実際いつ夫が訪れてもよいように一箱葉巻を用意してありました。夫の訪問が実際増えていることに気づいていました。

同様に、夫の行動を強制するよりも報酬を使うことで変え続けました。夫がその女と別れることに決め、戻って良いかと尋ねたときに自分の成功を確信しました。

私はこれだけが人に影響を与えるただ一つの方法だと言っているわけではありません。これはちょっとしたスパイスなのです。メインディッシュでもフルコースでもありません。これがうまくいくという保証はありません。時には事態はとりかえしがつかず、思いどおりにならないこともあるでしょう。

いずれにしろ報酬システムを試みてください。驚くほどの成功に喜ぶかもしれません。人の気持ちを自分の望むように向けられることに加えて、他人の悪い面に目を向けるより、良い面に気づくことで自分の気持ちも楽になります。

「すべき思考」を止めること

怒りの中には道徳的な「すべき」概念が含まれていることがあります。「すべき思考」をやめるようにしましょう。一つの方法はダブルカラム法を使って人がなぜ「……であってはならない」行動をとったかの

図7-6

大工に完璧な仕事を期待する理由	反　論
1. 私が高い金を払っているから	1. 完璧であろうがなかろうが，高い金をとるものだ
2. いい仕事をするのは当り前のことだから	2. 彼はおそらく妥当な仕事をしたと感じただろう。実際彼の作ったパネルは標準的なできばえに見える
3. 完璧な仕事をしていると確認すべきだ	3. なぜそう期待すべきなのか
4. 自分が大工ならあんなことは絶対しない	4. しかし彼は私ではない。私の標準に合わせようとしてはいない
5. もっと自分の仕事を気にかけるべきだから	5. 彼にはそれ以上気にかける理由がない。ある大工は自分の仕事に非常に気を使うが，普通は単なる仕事にすぎない
6. なぜ私がずさんな仕事をする人間を雇わなければならないのか？	6. あなたの家で働く人がずさんなわけではない。100％完璧な人を雇おうと期待することはできない。非現実的だ

理由をリストに作ることです。そして図7-6に照し合せて、その理由がなぜ非現実的で好ましくないものか比べてください。

〈例〉新しい家の台所のキャビネットに大工が失敗をしたため、戸の建てつけが悪くなったと考えてください。これなど「ひどいこと」に思えるので腹が立つでしょう。賃金を払っているのだし、優れた職人わざを期待するのです。「あのなまけ者め、まともな仕事をしたとでもいうのか。いったいなんてことだ」と怒るでしょう。このとき次のような理由と反証をリストにしました。

「すべき思考」を止める原理は簡単なものだ。自分が欲しいからといって欲しいものが手に入ることはない。乗り越えなくてはいけない。大工を呼び、文句を言い、仕事をし直すよう主張しよう。しかし、自分がカッカしてトラブルを大きくしてはいけない。大工はおそらくあなたを怒らせはしないだろうが、ただ言い訳をするだろう。結局、大工の（そして精神科医の、秘書の、作家の、歯科医の……）半分は平均以下なのだ。「平均」を中間点と決めてみてはどうか。この大工の平均的な能力を「ひどいこと」だとなじったり、こんなもので「あるべきでない」と言ってみてもおかしいだけだ。

交渉の戦略

ここで次のように考えるかもしれません。「むちゃくちゃだ。バーンズ先生はなまけ者の無能な大工が並みの仕事をすればそれで良いとおっしゃる。医者の言うことなどこの程度のものだ。ばかばかしい。治療費を払う価値はない」と。

まあ待ってください。誰も大工に目をつぶれと言っていません。怒ったり、混乱せずにうまく自分の意志を通すには、穏やかで断固とした方法のほうがうまくいきます。それに対して、道徳的な「すべき」という考え方はあなたを怒らせ、相手を感情的にさせます。そして、彼は防衛的になり、逆にあなたに攻撃的になります。喧嘩は親しさのひとつの現れですから。大工と親しくしたいのならそれでいいでしょうが、大工に仕事をしてもらいたいわけでしょう？　怒ることにエネルギーを費さないようにすれば、その分自分の欲しいものにエネルギーを向けられるでしょう。こんな場合には次のような交渉技術が役に立ちます。

1　文句を言うかわりに良い点を見つけて誉めてみる。見えすいたお世辞とわかっていても気分が良いのも事実です。人の良い点を何か見つければ、褒めることができます。それから、戸の問題に触れ、穏やかになぜ調整してほしいかを説明するのです。

2　相手が喧嘩ごしになってきたら、どんなに理屈に合わないことでも彼を落ち着かせなさい。これこそが黙らせ、相手の帆に受ける風を取り去ることです。そうすれば、たちどころに……。

3　穏やかに、しかしきっぱりと自分の見解をはっきりさせなさい。

大工が降参するか、妥協点に達するまで、この三つのテクニックを何度も何度も組み合わせをかえて使いなさい。最終通告や脅迫は最後の手段です。そして始めたら最後までやり通すのです。一般的な原則として、彼の仕事に満足しないから交渉するのです。ばかにしたり、悪者だ、鬼だと非難してレッテル貼りすることは避けなければいけません。自分の陰性感情を彼に伝えたいなら、刺激的な言葉や誇張を使わずに客観的に表現しなさい。たとえば「君はもっといい腕があるのに今回は君の腕を発揮していないね」と言う方が「全く、ろくな仕事ができない奴だ」と言うより良いでしょう。

次の会話はこのテクニックを使ってみたものです。

あなた　「できあがって嬉しいね。人にも自慢したいね。特にパネルのできがいいね。台所のキャビネットがもう一歩だけどね」（称賛）

大工　「どこか具合いの悪いところがありますか」

あなた　「ドアがちょっとね。取手が曲がっているし」
大工　「ええ、でもそれが精一杯ですよ。大量生産なので、必ずしもベストではないんです」
あなた　「そうだろうね。そりゃ、もっと値の張るものとは違うだろうし(武装解除法)。でも、あまり良くないね。君がもう少し手を入れてくれると嬉しいんだけど」(明瞭化)
大工　「それは、工場にでも言ってくれなくちゃ。私にはできませんよ」
あなた　「それはわかるよ(武装解除法)。でもこのキャビネットが満足できるようになるには君の協力が必要なんだ。それはできない相談ではないだろう。これは見かけ倒しだし、きちんと締まらないんだ。面白くないだろうけど、君がこれを直してくれるまでは、完璧な仕事と認めるわけにも給料を払うわけにもいかないんだ。君のほかの仕事を見れば、もう少し時間をかければきれいにする技術をもっていることもわかるよ。そうしてくれれば、君の仕事に満足して、他の人にも勧められるよ」(称賛)

嫌な人にこういうテクニックを試してみなさい。おそらく、文句を言っているよりもずっといいことに気づくでしょう。自分の思う以上の見返りに満足すると思います。

正確な感情移入

感情移入はすばらしい怒りの解決方法です。この本のなかの魔法の一つで、その効果は間違いなく真実なのです。どんなトリックもありません。

言葉を定義しましょう。感情移入とは、人が感じることを同じように感じるということではありません。

これは同情なのです。同情は非常に押し付けがましいもので、私の見解では、過大評価されすぎています。感情移入することは、優しく理解して行動することではありません。それは支持なのです。これもえてして過大評価されています。

では感情移入とはどういうことでしょう。それは他人の考えや動機を「それがまさに自分の理由だ」というように正確に理解する能力のことです。これができれば、他人の気にくわない行動すら怒らずに理解し受け止めることでしょう。

いいですか、怒りを産み出すのは人の行動でなく自分の考えなのですよ。面白いことに、相手がなぜそう行動したのか理解した瞬間に、あなたの怒りが驚くほどにおさまってくるものです。

感情移入することで怒りを抑えることが簡単なら、なぜ人は毎日いがみ合うのでしょうか。感情移入できるようになることは難しいからです。人間は自分の認知にこだわり、相手に対しては、いつのまにか自分でした意味づけに従って行動してしまうのです。人の考えることをわかるのは大変なことです。さあ、その方法を示しましょう。

まず例を示しましょう。怒りを爆発させたり、人を罵ってばかりのビジネスマンが助けを求めてやって来ました。家族や上司は彼の思うようにしてくれず、彼は喧嘩ごしになることが多いのです。人を威し、服従させ恥をかかせることがしばしばでした。しかし、あまりにひどすぎるという評判がたってきて、自分の衝動的な行動はいずれ問題になると感じてきました。

彼はディナーパーティで、ボーイが自分のところにワインを注ぎ忘れた時のことを語りました。「ウエイターは自分のことをどうでもいいと考えているに違いない。なんて奴だ」と考え激怒しました。

彼の腹立ちがどんなに非論理的で非現実的かを示すために感情移入の方法を使いました。ロールプレイを提案してみました。彼はウエイター、私がその友人の役割をしました。彼には私の質問にできる限り正直に答えてもらいました。こんな具合です。

デビッド（著者：ウエイターの友人の役割）「あのビジネスマンのグラスに注がなかっただろ」
患者（ウエイターの役割）「そうなんだ」
デビッド「どうしたんだ。あの人はどうでもいいのかい」
患者（しばらくして）「そんなことないよ。知らない人だし」
デビッド「だからってたいした人でないと決めつけることもないし、ワインを注がないってこともないだろうに」
患者（笑いながら）「そんなわけじゃないよ」
デビッド「じゃ、どうしたの」
患者（考えてから）「今夜のデートのことを考えていたのさ。そのうえ、向こうのテーブルの女の子に見とれていたら彼のワイングラスを見落したんだ」

このロールプレイで患者は自分をウエイターの立場に置くことで、自分の理解がどんなに非現実的かということが良くわかりました。彼の認知の歪みは結論への飛躍（心の読みすぎ）でした。いつのまにかウエイターが不公平だと決めつけていました。そして自尊心を保つように対応しなければいけないと感じたのです。彼が感情移入することができれば、自分の正義の怒りがウエイターの態度でなく自分の歪んだ認知に基づくものとわかったでしょう。怒っているときには、他人に文句を言い、復讐したいという激情にかられていますからこのように受け止めることは大変困難です。あなたはどうでしょう？　怒りの多くに意味がないと思えますか？

感情移入のテクニックは人の行動がより意図的に敵意をもったときにも有用です。マリサという二十八歳の女性が夫ハワードと離れている時間について助言を求めていました。五年前、マリサは夫が同じビルに勤めるアンと浮気をしていることに気づきました。このときは大変なショックでした。それでも、そう大騒ぎになりませんでした。ハワードはアンと別れることをためらい、さらに八カ月続きました。この間の屈辱と怒りは彼と別れる重要な要素となりました。彼女はこのように考えました。(1)夫にそのような権利はない。(2)夫は自分勝手である。(3)不公平だ。(4)夫は堕落している。(5)自分の結婚生活は失敗した。

治療でメリサにハワードの役をしてもらい、夫がなぜアンと浮気したのか、なぜそんな行動をしたのかを正確に説明できるかを観察しました。ロールプレイが進むと、突然夫がなぜそうなったのかわかり、その瞬間夫への怒りは全くなくなったと語りました。セッションの終了後、何年も続いた怒りの劇的な消失を詳細に記録しました。

アンとの浮気が終わってからも、夫はまだアンのことを思っているようでした。これは私には辛いことでした。ハワードは私を本当は大切にしていず、私より自分自身の方が大切なんだと感じました。夫が自分を本当に愛しているなら、こんなふうに自分を扱わないだろうと考えました。自分がこんなに惨めになるのに、どうして夫はアンを見ていられるのでしょう。ハワードに対し本当に怒り、自分に腹が立ちました。私が感情移入を学び始め、ハワードの役をするようになって、「すべて」がわかりました。すべてが違って見えました。自分がハワードになって考えると、その気持ちが理解できました。自分を夫の立場に置くことで、恋人のアンと同じように妻のメリサを愛することの難しさが判りました。ハワードは自分で考え出した「勝つことのできない」罠にはまっていたのです。夫は自分を愛していたけど、やけになってアンに引き付けられたのです。思えば思うほど止められなくなるのです。彼は罪の意識を感じても止められませんでした。アンと離れても、私と離れても愛を失うと思ったのです。彼は意に反してどちらも手放せなくなったのです。夫がなかなかアンと別れなかったのは私の無能さのせいではなく夫の優柔不断さのせいなのです。

この体験は私にとっては神の恵みでした。私は最初に何が起こったのかわかりました。夫は何もわざと私を怒らせたわけではないのです。ただ、あのようにするしかなかっただけなのです。こう考え、理解できて幸せでした。

次にハワードと話すときこのように言いました。私たちは互いにこのことを良く考えました。感情移入のテクニックは良い経験になりました。それは、今まで感じていたことより現実的な考えだと思います。

メリサの怒りの鍵は自尊心を無くすことへの恐怖でした。ハワードが本当にひどく悪い行ないをしていたとしても、彼女の怒りは自分がそれをどう受け止めたかによるのです。メリサは「幸せな結婚」のために「良い妻」でなければならないと考えていました。この考えこそが彼女が感情的に混乱した理由だったのです。

〈前提〉自分が良い妻ならば、夫は自分を愛し、自分に忠実であるはずだ。
〈観察〉夫は自分を愛していないようだし、貞節でもないようだ。
〈結論〉自分は良い妻ではないみたいだ。あるいは、ハワードは私の「ルール」を破ったから不道徳な悪人だ。

このようにしてメリサの怒りは頭をもたげてきました。彼女の仮説ではこれだけが自尊心を傷つけないただ一つの方法だったのです。この解決法の問題点は（a）彼女自身、夫が「良くない」と本心では思っていなかった、（b）夫を愛していたので離婚したくなかった、（c）慢性的な怒りのため気分も悪くなり、そのためさらに夫を遠ざけた、ということです。

自分が理想的である限り夫は自分を愛し続けるというメリサの前提は、おとぎ話にすぎません。感情移入のテクニックは、この前提に含まれる誇張をなくし、考え方を効果的なものにしました。夫が浮気したのはメリサが悪い妻だったからではなく、彼自身の歪んだ認知に基づくものでした。夫は自分で混乱していただけで、彼女が悪いわけではなかったのでした。

メリサははたとこれに気づいて雷に打たれたような思いがしました。夫の眼で世界を見た瞬間、怒りは消えました。夫や自分の周りの人の行動に対する責任は自分にはないと考えることにより、人間が小さくなったようにも思えましたが、同時に自己評価は急に上昇しました。

次のセッションでメリサには厳しいテストで新たな洞察を深めてもらいました。これにうまく答えられるかどうかで、彼女を混乱させている悪い考えと向かい合わせたのです。

デビッド「ご主人はすぐにあの女性を追うことを止めることができたのに、あなたをばかにしていますね」

メリサ「いいえ、夫は罠にはめられてそうもいかなかったんです。アンに誘惑され夢中になっていたんです」

デビッド「しかし、あなたと離婚して彼女と一緒になるべきだったんじゃないですか。そうすれば、あなたは苦しまずに済んだのに。その方がずっと人間的だったんじゃないですか」

メリサ「夫は私を愛していたし、私や家族もいたから離婚できないと思ってたんです」

デビッド「ひどいですね。あなたをそのままにしておいて」

メリサ「ひどくないんです。ただそうなってしまったんです」

デビッド「そうなってしまった。よくまあ気楽なことが言えますね。そもそもそんなことになるべきじゃないでしょう」

メリサ「あの時の夫は、生活に疲れていて、アンの方がけしかけたんですから。たまたま、ある日アンのちょっかいに耐えられなかったんです。そのちょっとしたことで浮気が始ってしまったんです」

デビッド「わかりました。彼はあなたに誠実でなかったし、あなたは軽くみられたんですね」

メリサ「そういうことじゃなくって……。それにどんな時でも重んじられたいなんて思っていません」

デビッド「でも、そんなことじゃあなたが良い妻であっても、彼は刺激を探し続けますよ。あなたは望まれず、愛されないのです。あなたは二番目なのです」

メリサ「それでも、夫は最終的にはアンでなく私を選んだのです。だからといって、アンとの勝負に勝ったということではないんです。同じ意味で夫が逃げることでこの問題を解決しようとしたとしても、私が愛されていないことにもならないのです」

私の彼女を怒らせるような質問にもメリサは冷静でした。これは彼女が人生の辛いできごとを超越したことを証明するものでした。彼女は自分の怒りを自己評価に換えたのです。感情移入は怒り、自己欺瞞そして失望の罠から抜けだす鍵だったのです。

統合：認知リハーサル

怒っている時には、椅子にかけて状況を客観的に見積もり、この章のさまざまなテクニックを試すだけの時間的な余裕がないと感じるでしょう。これは怒りの特徴のひとつです。抑うつが静かに永く続くのと違って、怒りはずっと爆発しやすく挿話的なものです。自分が怒っていると思ったときにはすでに自分を押え難いわけです。

「認知リハーサル」はこの問題を解決し、今までに学んだ技術を統合して使うための有効な方法です。実際の場面は経験せずに、怒りを克服する技術を修得する方法なのです。その後あなたが本当にそんな場面に出くわしても堂々と対処できるはずです。

まず、しばしば怒りの種になるような場面の「怒り階層表 *Anger Hierarchy*」を図7-7に従ってプラス一

図7-7　怒り階層表

＋1	レストランで15分間待ってもウエイターが来ない
＋2	友人に電話しても返事の電話がない
＋3	客が説明もなく直前になって予約をキャンセルした
＋4	客が何もいわずに約束に遅れた
＋5	人が自分を意地悪く批評する
＋6	劇場で前の列の賑やかな若者が不愉快である
＋7	新聞で強姦のような残虐な暴力を読んだ
＋8	もう配達して回収できない商品の支払がされていない
＋9	数カ月前から夜中に家の郵便受けを繰返しノックされ，犯人をつかまえることも止めさせることもできない。
＋10	テレビで，おそらく10代のグループが夜中に動物園に忍びこみ，石を投げて多くの鳥や動物を殺したり片端にしたニュースを見た

（最も腹立たない）からプラス一〇（最高に激怒する）にリストしてください。怒りの刺激は自分が怒ってはいけないと考えるような場面にしてください。

「階層表」の最も腹の立たないランクから始めましょう。まさにその状況にいるように想像してください。そして自分の「怒り」を言葉にして書き出してください。図7-7の例では「まったくもう。あのウエイターは何してんだ。なんであんなまけ者をおいておくんだ。あいつらがメニューと水を持って来るまでに餓死するじゃないか」と考えてイライラしています。

かっとして、何も言わずにレストランから飛び出し、ドアをピシャンと閉めることを想像してください。さあ、今感じている怒りを〇から一〇〇％の間で評価、記録してください。

さて、もう一度同じシナリオを演じてください。ただし、もっと好ましい「落ち着いた考え」に換えて、リラックスして落ち着いているように想像してください。その場面を手際良く、はっきりとうまく処理するよう想像してください。たとえば、「ウエイターは自分に気がついていないようだ。忙しくて私がまだメニューも見ていないことを見過ごしているんだろう。腹を立てることもあるまい」と思えばいいのです。

そしてウエイターにこのような原則に従って、はっきりと説明する場面を自分で考えればいいのです。自分が待たされていることを手際良く説明する。もし彼らが忙しいからと釈明すれば、同意してやる。良い仕事をしていると彼らを褒める。そしてもう少しサービスしてくれとはっきりと穏やかに言う。最後にはウエイターは謝罪し、ＶＩＰ級のサービスをしてくれる場面を想像してください。あなたはいい気分でおいしく食事できるでしょう。

さあ、このシナリオをマスターして、この場面を怒らずに、穏やかに処理できるようになるまで練習してください。この認知リハーサルで、実際の場面に出会ってしまったときでもうまく対応できるようになるはずです。

この方法に反論があるかも知れません。ウエイター達がこちらの希望通りに動いてくれる保証もないし、このように考えることは現実的でないと考えるかも知れません。この返事は簡単です。確かにその保証はありません。しかし、悪い方に考えていれば、自分の予言が当ったかもしれないわけですが、怒りはもっと大きくなります。それに対して、よい方に考えていれば、そうひどく腹が立つことも起こらないものです。

もちろん、認知リハーサルで、同じように悪い方にも考えることができます。ウエイターに近づくとイメージしてください。彼は鼻持ちならない高慢な態度でろくなサービスをしません。どれくらい腹が立つか記録し、冷静な考えに置き換えて、前と同じように新しい戦略方法を考えてください。

自分の身に降りかかる多くの問題をうまく考え、そして対応できるようになるまで、階層表を練習し続けます。こうした場面へのアプローチは臨機応変で、違ったタイプの刺激には違った対応をしなくてはいけません。もちろん、感情移入は一つの方法にすぎません。他の場面では、はっきり言葉にすることが鍵かも知れません。時には自分の期待を変えてみることが最も有効かも知れません。

感情的な成長、特に怒りの変化は少しずつ進むので、怒りを鎮める方法の修得を全か無かというように評価することはできません。いつもなら九九％怒る刺激に、次の時七〇％しか怒らなかったらまず最初の成功だと思います。認知リハーサルを続けていれば、五〇％、そして三〇％と減少してゆくことがわかります。最後には怒らなくなったり、少なくとも許容できるようになります。

自分がつまずいているとき友人や知り合いの知恵は大切な宝物です。自分では見えないところを彼らはよく見ていてくれるものです。自分が葛藤したり、絶望したり、腹が立つ場面で彼らだったらどう考え、行動するのか尋ねてみなさい。彼らは心の中で何を言っているのでしょう？　彼らは実際何をしているのでしょう？　人に聞いて見れば驚くほど早く上達することができます。

自分の怒りについて知るべき十の事柄

1　この世に起こることがあなたを怒らせるわけではありません。あなたの「怒りの考え」が怒りを引き起こすのです。たとえ、あなたにとって否定的なことが起こったにしても、それはあなたの意味づけであり、それがあなたの感情的な反応を決めるのです。

自分の怒りに責任を持つという考え方は、結局はあなたにとって有利に働きます。そうすることによって自己管理がうまくいき、自分がどう感じたいのかということについても自由に選ぶことができるようになるからです。さもなくば、あなたは自分の感情を管理することに手も足も出なくなり、管理されなくなった感情は、この世で起きるあらゆること――そのほとんどが結局はあなたには制しきれないでしょう――にどうしようもなく密接に結び付いてしまうでしょう。

2　たいてい、怒りはあなたを助けたりはしません。それどころか、怒りによって活動できず、何ら生産的な目的もなく敵意のなかで身を縮めることになるのです。しかし、前向きな解決法を捜すことの方に重きをおくならば、気が楽になります。難局をどうにかするために、あるいは少なくとも将来同じようにかっとなる可能性を減らすために、いったいどうしたら良いのでしょう？　この心構えは、その場で起こったことをうまく処理できないと感じたときに、あなたを食いつぶす無力感や挫折感をある程度は取り除けるかもしれません。

もし腹立ちが全面的にあなたの管理能力を越えて起こったために解決することができない場合、ただ怒りとともに惨めな気持ちになるばかりでしょうが、それならばどうしてそこから逃げだそうとしないのでしょう？　怒りと喜びを同時に感じることは全く不可能でなくても、極めて困難です。あなたが自分の怒りを特に貴重な重要なものと思っているとしたら、いままでで一番幸せだと感じた時期をひとつでも思いうかべてみてください。そして、自分自身に聞いてみるのです。平和なあるいは喜びに満ちたその時期を挫折感やいらいらと引き替えることなんてできるか？　と。

3　怒りを頻繁に引き起こす考え方は歪んでいます。その歪みを直せば怒りの回数は減るでしょう。

4　結局は怒りというものは、誰かの行為が不正であるとか、なにか不当なことが起こったと信じていることから引き起こされるのです。怒りの強さは、感じられた悪意の強さに比例し、その行為が故意かどうかによっても増大します。

5　あなたがこの世を他人の目を通して見ることを覚えたら、他人の行動が彼らにしてみたら何ら不正ではないということに気づき驚くことでしょう。こうした場合には、不正というものはあなたの心にだけ存在する幻想だというわけです。もしあなたが真実や正義、公平の概念という皆で共有している非現実的な観念から自ら進んで解放されようとすれば、あなたの恨みや挫折感は消えてしまうのです。

6　他人はたいていあなたに責められるいわれはないと思っています。したがって、報復は、人間関係には何の助けにもならず、怒りはかえって関係をより悪化させ、対立を引き起こし、自己満足に陥るのが関の山です。たとえ一時思いのままになったとしても、そのような敵意のある小細工で得たものは長期的には逆恨みを受ける結果に終わります。誰だって管理されたり強制されたりしたくはないのですから。肯定的な報酬のほうが効果があるというわけはこの点にあるのです。

7　あなたの怒りは、他人に批評されたり賛同してもらえなかったり、他人が自分の望んだとおりの振る舞いをしなかったりしたときに自尊心を失うことに対する防衛から起こることが多いのです。しかしそういう怒りはたいてい間違っています。というのは、単に自分の否定的で歪んだ考えが自尊心を失わせているにすぎないからです。他人を役に立たないといって非難するのは、あなたの思い違いです。

8　挫折感は期待が実現しないことにより起こります。あなたを失望させた出来事は「現実」のなかの出来事ですから、それは「現実的」と受けとめるべきです。とすると、あなたの挫折感はいつも非現実的な予想から起こるということになります。もちろん現実を期待に一歩でも近づけようと努力するのは自由ですが、それは実用的ではありません。特にその期待が他のどんな人間の考えともかけ離れた理想を表している場合には。たとえば、人を挫折に導く非現実的な予想のなかには以下にあげる要素を含んだものがあります。

a　自分が望むものは（愛、幸福、昇進、ｅｔｃ）必ずそれを受ける価値がある。
b　一生懸命やれば、必ず成功するものだ。
c　他人が自分の標準にまで達する努力をするのは当然であり、自分の「公正さ」を他人は信じるべきである。
d　自分にはどんな問題もすばやく簡単に解決する能力がある。
e　良妻であれば、夫は必ず愛してくれるはずだ。
f　皆自分と同じように考えたり行動したりする。
g　親切にしたのだから、人はそれに報いるべきだ。

9　自分には怒る権利があると主張してすねるのは子供じみたことです。もちろんしてはいけないとは言いません。アメリカでは、怒りは法的に認められているのですから。ただ問題なのは、怒りを感じることがあなたにとってためになるだろうかということなのです。あなたは、あるいは世の中はあなたの怒りによって豊かになるでしょうか？

10　人間でいるためには、怒りはほんのたまには必要なものです。かといって、それなしでは感情のないロボットになるというわけではありません。実際、不機嫌ないらいらからあなた自身を解放すれば、ずっと大きな興味や喜び、平穏、そしてやる気が自分のものになるでしょう。そして、自由を感じ新しい世界を経験することも可能なのです。

第八章　罪悪感の克服法

罪悪感について語らなければ、うつ病についての完全な本とは言い難いことになります。罪悪感にはどんな役割があるのでしょうか。作家、心理学者や哲学者がこの問題に長年取り組んできました。罪悪感はどうやってできあがったのでしょうか。「原罪」の概念をもとに進化してきたものでしょうか。もしくは、オイディプスの近親相姦の幻想や、フロイトが仮定した他のタブーから育ってきたものでしょうか。罪悪感は人間が生きていくうえで実際的な問題であり、役に立つ感情なのでしょうか。もしくは、最近ある売れっ子心理作家が言ったように、むしろない方がいい「役立たずの感情」なのでしょうか。

微積分が発達したおかげで、科学者は他の方法では解くのが非常に難しかった運動と加速の問題を難なく解くことができるようになりました。認知療法はわれわれにある種の「感情の微積分」をもたらすもので、それを得ればそれまで解決されにくかった哲学的・心理学的な問題をたやすく解くことができるようになるのです。

認知的なアプローチから何が学べるかみてみましょう。罪悪感とは、以下のように考えたときに持つ感情のことです。

1　行動が自分で決めた道徳的基準から外れ、フェアーでなくなったために、やるべきではないことをやってしまった。（もしくはしなければならないことを、やりそこなってしまった）

2　この「悪い行ない」は、私が悪い人間（もしくは悪いことに傾きやすい人間、不道徳な人格、または腐り果てた奴……等々）であることを意味している。

この「自分が悪いんだ」という概念が罪悪感の中心になります。この概念がなければ悪い行ないも罪悪感は起こさずに、健康的な良心の呵責を起こさせるだけでしょう。良心の呵責は、自分で決めた倫理の基準に違反して、自分や他人に対してわざと、必要もないのに傷つけてしまうようなときに、そして素直にそれを気がつくように起こってくるものです。ですから、良心の呵責は罪悪感とは違います。なぜなら、そのようなことをしてしまったとしても、生まれつき悪人で邪悪で不道徳だからそうなったのではないのですから。もっとわかりやすく言えば、良心の呵責や後悔はその「行動」を批判するものですが、罪悪感は「自己」を批判の標的にするものです。

罪悪感に加えて恥・不安・憂うつも感じていたら、おそらく次のどれかを考えているのでしょう。

(1)　「悪い行ない」のために私は劣っていて価値がない（こう解釈して憂うつになります）。
(2)　もし他人に私のしたことが知れたら軽蔑されるだろう（こう認知して恥を感じます）。
(3)　報いや罰を受けるかもしれない（こう考えて不安になります）。

このような考えによって創られた感情が、有益かそれとも有害かを評価する最も簡単な方法は、第三章で述べた十個の認知の歪みのうちのどれかにあてはまるかをみることです。このような考え方の誤りにあてはまる範囲での罪悪感・不安・抑うつ・恥は間違いなく無用のもので、現実に即したものではありません。否定的な感じ方のほとんどがこのような考え方の誤りに、実際は基づくものだということがわかるのではないかと思います。

罪悪感を感じた時に最初に考えられる歪みは何か誤ったことをしてしまったという前提にあります。この前提は実際には場合によって正しかったり、正しくなかったりします。現実に自分を追い込んでしまう行為はそんなにひどく、不道徳で、誤ったものでしょうか。それとも程度をはずれてものごとを拡大解釈しているのでしょうか。最近、ある魅力的な検査技師から、口に出して言うに耐えられない自分自身のことが書いてあるという手紙の入っている封書を受け取りました。彼女に震える手でその封筒を渡され、声に出して読んだり、笑ったりしないよう約束をしてくれと言われました。なかには「私は鼻くそをほじくって食べてしまいました！」という文章が書かれてありました。彼女の不安気な表情とおどおどした様子が、書かれていたもののつまらなさと不釣り合いだったので、私は仕事柄の沈着さを失って大笑いしました。幸い、彼女も腹を抱えて大笑いして、安心した様子でした。

私はあなたに決して悪い行ないをしたことがないのかと尋ねているつもりはありません。そのような考えも、非現実的です。私の言いたいのはへまをしたという気持ちを現実離れして大げさにとらえ、自分を痛めつけることは不必要なことだということです。

罪悪感を起こす第二の鍵になる「歪み」は、自分の行為によって、自分は「悪い人間」だとレッテルを貼ってしまうことです。これは実は中世の魔女狩りにつながる迷信で破壊的な考え方に近いものなのです。確かに時には悪いことや、人を傷つけるような行動をとるかもしれませんがそのたびに自分は「悪い」とか「腐った」人間だとレッテル貼りしてしまうのは、自分を責めることにエネルギーを費やす無駄な行為と言わざるをえません。

このほかに、よく罪悪感を起こさせる歪みに「個人化」があります。つまり自分が原因ではないことに、責任を感じる歪みです。たとえば、あなたが恋人のためを思うがゆえに、相手がひどく傷ついたとします。そしてそれを見て勝手に自分のコメントが不適切だったのだと結論づけてしまい、自分を責めてしまったとします。しかしよく考えてみると、実際相手を動揺させたのはあなたのコメントではなく、その人自身のマイナスの考え方なのです。そしてさらに、この考えはおそらく歪んだものでしょう。つまり相手は批判されたことを、自分は役に立たないということだと考えて、自分は尊敬されていないのだと結論づけてしまったのかもしれません。その瞬間に、その人の頭にその非論理的な考えを入れたのはあなたですか。いいえ、その人がしたのですから、あなたはその反応に責任を感じなくていいのです。

認知療法はただ自分の考えだけが自分の気分を作ると主張するのだから、自分が何をしようが誰も傷つけることはない。だから自分は何をしても許されると誤解するかもしれませんね。それでしたら、家族を見捨てて、浮気をしたり、お金を勝手に浪費してみてはどうですか。それでももしその人達が動揺しても、それはその人達の考えのせいですから、彼らの問題でしょう。こんなことが認知療法の理論で許されるのでしょうか。

もちろん違います！　ここで再び認知の歪みの概念の重要性のところに話がきました。人の感情は、歪んだ考えのために動揺している場合には、その苦しみはその人に責任があるということができます。しかし、その人個人の痛みのためにあなたが自分を責めるなら、それは個人化の誤りです。それとは対照的に、ある人が苦しんでいるのが正当かつ歪んでいない考えによってなら、その苦悩は本物であり、実際外に原因があるのでしょう。たとえば、あなたが私のお腹を蹴ったら、私はこう思うでしょう。「蹴られた！　痛いっ！　……！」この場合、私の痛みの責任はあなたにあり、あなたの私を傷つけたという事実はどんな方法でも変えられません。あなたの良心の呵責と私の不快感は実際のもので正当なものです。

不合理な「すべき思考」は、罪悪感へ行きつく前に「必ず通る道」です。この考えはあなたが完璧で全知全能であるべきだと暗にほのめかしています。完全主義的な「すべきこと」は、生きていくルールも含めて、無理な期待や融通のなさを生み、あなたを苦しめます。このひとつの例に「私は常に幸せであるべきだ」という考えがあります。このルールでつき進めば、動揺するたびに敗北感を味わうことになるでしょう。いかなる人間でも永続する幸せに到達することなどありえないことは明らかですから、そのルールは自己破壊的であり、責任がとれないものなのです。

すべてを知っているという前提に基づいた「すべき思考」においては、あなたは当然世の中すべてについての知識をもち、完全に未来を予言することができなければなりません。たとえば「この週末、海岸へ行かなければよかった。インフルエンザで寝込むことになるなんて……。私は何てばかなんだ。これで病気のために一週間はベッドのなかだ」と思ったとします。海岸へいって病気になることなど確かにはわからなかったのですから、このように自分を責めるのは実際的ではありません。もしそう知っていたら別のことをしていたでしょう。ひとりの人間として決断を下し、その決断が裏目に出ただけのことです。

全能であるという仮定に基づいた「すべき思考」では、あなたは神のように全能で自分と他人、全部をゴールに導く力をもっていることになっています。テニスのサーブミスでさえ、たじろいでこう叫びます。「このサーブをミスするべきではなかったんだ！」と。どうすべきでなかったのですか。テニスが非常に上手だと、サーブミスもできないのですか。

このような三つの「すべき思考」のカテゴリーが、ちゃんとした道徳基準ではなく、それゆえに、不適当な罪悪感をつくっていることがおわかりになるでしょう。

異常な罪悪感を健康的な自責や後悔の念から区別する基準が、歪んだ考え方のほかにいくつかあります。つまり否定的な考えの「強さ」と「期間」と「結果」です。さあ、ここでこの三つの基準を用いて、ジャニスという名前の既婚の五十二歳の英語教師の罪悪感を評価してみましょう。ジャニスは長年ひどく憂うつでした。それは十五歳のときに起こした二件の万引きについて、強迫的に思い続けてきたためです。それ以後は良心的で正直な生活をしてきたにもかかわらず、この二つの出来事を払拭できなかったのです。「私は泥棒だ。私は嘘つきだ。私は役立たずだ。私は詐欺師だ」という罪悪感が常に彼女を苦しめました。その罪の苦悶があまりにも大きかったため、毎晩神様に「私を眠りにつかせたまま死なせてください」と祈っていました。毎朝、目が覚めてまだ生きていることがわかると、ひどく失望して自分に言い聞かせました。「私は神様でさえ召しとってくれない悪い人間なのだわ」と。苦悶し続けて、ついに夫のピストルに弾をこめ心臓に狙いを定め引金を引きました。しかし銃は不発に終り、発射されませんでした。撃鉄を正確に起こしてなかったのです。自殺することすらできないのだと、どん底の挫折感を味わいました。そして銃を置いて絶望しきって泣きだしました。

ジャニスの罪悪感は客観的にみて歪んでいるだけではなく、感じて自分に言い聞かせてきた強さ・期間・結果においてもまた不適当なものです。彼女が感じていたものは実際の万引きに対して感じる普通の良心の呵責や後悔とはいえません。しかし現にこれは、この時点で生きている彼女を盲目にさせ、実際の犯した罪よりはるかにはずれた自己評価を生んでしまいました。彼女の罪悪感はついには最も破壊的で無意味な行動、自殺に彼女を追い込んだのです。

罪悪感の悪循環

罪悪感がどんなに不健全で歪んでいても、いったん罪悪感を感じ始めるとそれが正当であるような錯覚にとらわれてることがあります。このとき錯覚は強力で、確信的なものになります。

(1)　自分は罪悪感を感じ、非難に値する。これは私が悪かったということだ。
(2)　私は悪いのだから、苦しみを受けるのはあたりまえだ。

このように、罪悪感は自分が悪いのだと確信させ、さらに深い罪悪感へあなたを導いていきます。この認知―感情のつながりが、考えと感情の双方をロックしてしまうのです。そして私が「罪悪感の悪循環」と呼んでいる状態に最後にはとらわれてしまうのです。

感情的理由づけがこのサイクルに油を注ぎます。罪を感じているからこそ、自分がダメな人間で、苦しむことも当然だ、と自動的に仮定してしまいます。「私は悪いと感じている。それゆえに私は悪いに違いない」と考えるのです。これは不合理です。なぜなら自己嫌悪しているから、あなたが悪いことをしていることにはならないからです。罪悪感は、単に悪い行ないをしたとあなたが信じていることの反映にすぎません。もちろんそういう場合もたまにはあるかもしれませんが、たいていは違います。たとえば、子供は両親が疲れていたり、過敏になっていたり、子供の行動を誤解したりしたときに、悪くもないのに叱られることがあります。このようなときには、可哀そうな子供が罪悪感をもったとしても、悪いことをしているということの証明にはなりません。

自罰的な行動パターンが罪悪感のサイクルを強化します。罪悪感を起こす考えが何の益にもならない行動を起こさせ、それがまた自分が悪いという考えを強化するのです。また例をあげましょう。専門医試験の準備をしている、罪悪感を感じがちな神経内科医がいました。テスト勉強がうまくいかず、勉強していないことに罪悪感を感じました。そこで彼女は毎晩、「テレビを見てはいけない。試験勉強をしなければ。結局自分はなまけ者で医者になる資格がない。自己中心的すぎるし、罰せられて当然だ」という考えを頭にかけめぐらせながら、テレビを見て時間を浪費していました。こう考えて、強い罪悪感が起きました。そこで「この罪は、私がいかに怠惰で価値のない人間かということの証拠だ」と理由づけました。このようにして自罰的な考えと罪悪感とは、互いに強化し合うことになったのです。

罪悪感を感じやすい人はみんなそうなのですが、この女医も十分に自分が罰せられればまた動くことができるという考えを持っていました。しかし残念ながらもその反対が真実なのです。罪悪感は単にエネルギーを消費し、自分が怠惰で能力に欠けるという考えを強化しただけでした。彼女の自己嫌悪が生みだし

図8-1　専門医試験の勉強ができないために罪悪感を感じているある神経内科医の自罰的な考え。「問題の先のばし」のため悪いのは自分で，罰に値するという確信を強め，それが問題解決の意識をさらに減らした。

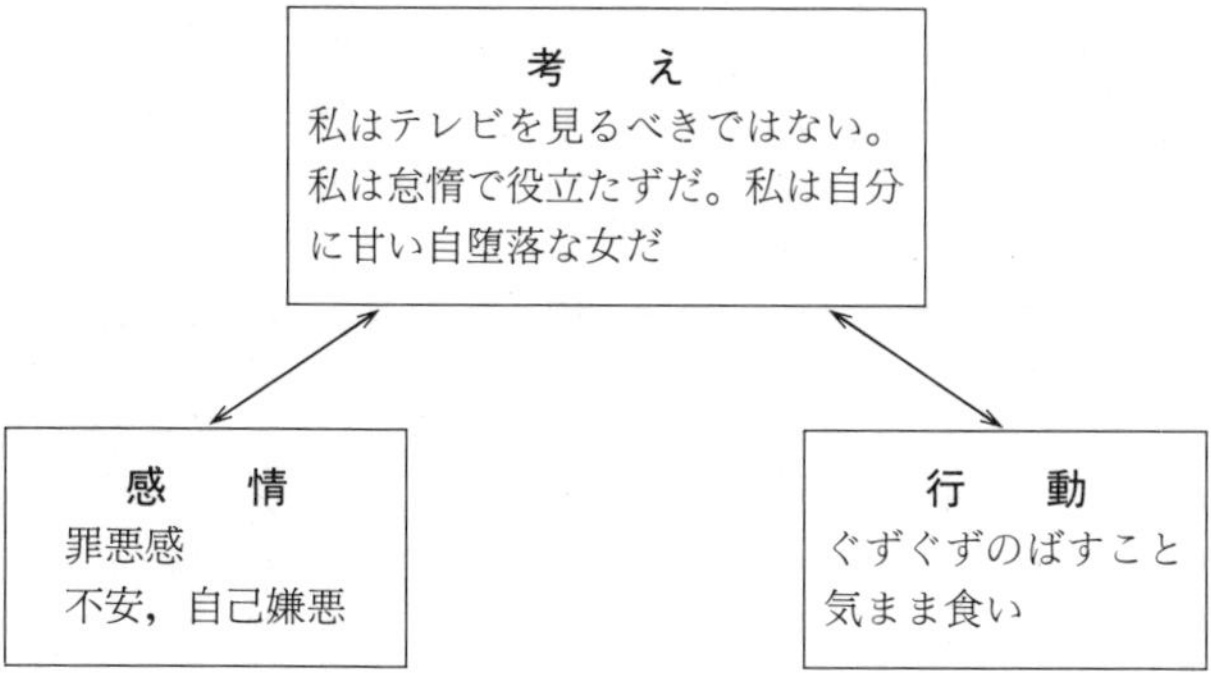
考　え
私はテレビを見るべきではない。私は怠惰で役立たずだ。私は自分に甘い自堕落な女だ
感　情
罪悪感
不安，自己嫌悪
行　動
ぐずぐずのばすこと
気まま食い

た唯一の行動は、夜中に冷蔵庫へ行ってアイスクリームやピーナッツバターをがつがつ食べることを強迫的に繰り返すことでした。

彼女がとらわれた悪循環を図8-1に示します。彼女の否定的な考え、感情、そして行動はすべて関連しあって、自分は悪人で自己コントロールもできないという間違った観念を作りあげていきます。

罪悪感の無責任さ

実際に何か悪いことをしてしまったら、あなたは苦しむに値するものでしょうか。もしこの問いにイエスと答えるのなら、こう自分に聞いてみてください。「どれくらいの間、苦しまなければいけないのか。一日、一年、それとも残りの人生全部をかけてか。」刑期はどのくらいですか。その期間が終わったら、苦悩して自分を惨めにすることをやめられますか。時間に限りがあるのですから、これは少なくとも自分を罰する責任のとれる方法です。しかしそもそも、罪悪感によって自分を苦しめることの意味は何ですか。もし誤りを犯して人を傷つけてしまったら、罪悪感をもったとしても、それは魔法のように大失敗を取り戻してはくれないのです。また、将来同じ失敗をする機会を減らせるように学んでいく速度が速くなるわけでもないのです。このような態度で罪悪感を感じ、自分自身をこきおろしていたら、他の人に愛されたり尊敬されたりしないでしょう。そのうえ、罪悪感が生産的な暮らしをもたらすわけでもありません。では自分を苦しめることに何の意味があると言うのでしょうか。

「罪悪感を感じなくてよいとするならば、どうやって道徳的な行動がとれ、衝動をコントロールすることができるのですか」とよく尋ねられます。牢屋の番人のような見方です。自分をわがままで御し難いものと決めつけて見ていますから、常に自分が暴走しないように厳しく手綱を締めていなければならないわけです。確かに、何の感情的な反応ももたらさないような失敗よりも、他人を傷つけるような行ないをしたときには、良心の呵責を感じるのも当然のことです。でも、自分を悪い人間だとみなすことがかえって悪い行動の原因になることとすらあります。

(a)誤りがあったと認識したとき、(b)それを修正する戦術をたてるときこそ、自己改革をしやすいのです。それは自分を信頼し、リラックスすることによって促進され、反対に罪悪感によって妨げられます。たとえば、患者はよく「先生は厳しいことを言いすぎるので、傷つけられました」と私を批判することがあります。これはもちろん良い気がするものではありません。もしそのなかにわずかな真実が含まれていた場合、罪悪感が起こってきます。私が罪悪感を感じ、自分自身に「悪い」とレッテルを貼れば、私は防衛的に応答しがちになります。自分の誤りを否定もしくは正当化しようとするか、反撃しようという強い衝動にかられます。なぜなら、自分が「悪い人間」であるという気持ちは非常に不快だからです。このために誤りを認めたり修正することがやりにくくなるのです。反対に自分に言い訳をせず、自尊心を失うこともなかったら、自分のミスを認めるのは簡単なことでしょう。そしてただちに問題を訂正し、そこから学ぶことができます。罪悪感をもっていないほどこれは容易に行なえます。

このため、いわゆるへまをしたときに求められるものは、それを認知して、学習し、変化させる過程です。罪悪感がこのなかのどれかの役に立つでしょうか。そうは思いません。自分の誤りを認識することを促進するよりは、罪責感はむしろそれを覆ってしまいます。そのため、どんな批判にも耳をふさぎたくなるのです。非常に嫌な気持ちになるために、間違っていることに耐えられなくなるのです。これが罪悪感がどうして非生産的なのかという理由です。

「罪悪感を感じることがないとしたら、本当に何か間違ったことをした時にどうやってそれを知るんですか。始末に終えない利己主義に身を任せることになりませんか」と反論されるかもしれません。

もちろん、どんなことでも起こりえないということはないのですが、私は正直、このようなことが起こるとは思いません。罪悪感を道徳的な意味でもっと前向きの「共感」に置きかえてみてはどうでしょう。共感はあなたの行動の結果を、良きにつけ悪きにつけ視覚化させる力をもっています。共感とは自分自身と他人に自分が何をしているかということをはっきりさせて、自分に生まれつき悪い人間なのだというレッテルを貼らずに、悲しみや後悔をあるがままに感じる力のことです。共感することによって、罪悪感を感じずに、道徳的に行動を方向づけるような心の構えができます。

これまで述べた基準を用いて、ここで自分の気持ちが正常で健康的な自責感か、自分を壊していく歪んだ罪悪感のどちらなのかをみましょう。

1　故意に何か「悪い」「不公平な」ことをしたか。あるいは不必要に人を傷つけただろうか。もしくは不合理にも自分が完全で全知全能であることを求めてはいないか。

2　この行為のために自分にどうしようもない人間とレッテル貼りしていないだろうか。私の考え方に拡大解釈や一般化のしすぎやほかの歪んだ認知が入ってないだろうか。

3　何かまずいことをしたときにもそれを共感的に意識することにより、現実に即した後悔や良心の呵責に転換できているか。

4　自分の犯した誤りから学ぶことより、自己改革するための戦術をたてているのか、または非生産的かつ自罰的な態度で愚にもつかないことをグズグズ考えているだけなのだろうか。

さあ、ここで不適切な罪悪感を取り去り、自尊心を高めるための方法をもう一度まとめてみます。

1　歪んだ考えの日常記録

第四章で自信のなさを克服するための、この方法を紹介しました。これは罪悪感を含むいろいろな不愉快な感情に対して、効果を発揮します。「状況」と名づけた欄に罪悪感を引き起こした出来事を記録します。「同僚にきついことを言ってしまった」とか「同窓会からの寄付のお願いをくずかごに捨てて、十ドル寄付しなかった」という具合に。そこで自分の頭のなかにある暴力的なことに波長を合わせて、罪悪感の原因がいったい何なのかをわりだすのです。最後に、歪みを明らかにして、もっと客観的にはどう考えるべきかを書きとめるのです。これが安堵に結びつきます。

ひとつの例を図8-2に示します。シャーリーはいつもピリピリしているような女性です。仕事のためニューヨークに引っ越しをすることに決めました。母親と一緒に一日がかりでアパートを探し、フィラデルフィアに帰る電車に乗りました。乗ってから、食堂車も車内販売もない列車に誤って乗ったことに気づきました。母親がカクテル・サービスがないと不平を言い始めたために、シャーリーは罪悪感を感じ、自己批判しました。しかし自分に罪悪感を起こした考えを記録して、考え直してみると、実際に気持ちが楽になってきました。罪悪感を克服することによって、このようなイライラする状況で、普通なら陥っていた不機嫌な感情を避けることができたと私に語ってくれました。

2　「すべき思考」を除く技術

結局は自分の損になってしまうような「すべき」という状況を減らす方法を示します。まず、「いったい誰がやらなければならないと言ったのか。どこにそんなことが書いてある」と自問することです。このポイントは、必要以上に自己批判していることに自分で気づくことです。最終的にはルールを作るのはあなた自身ですから、いったんそのルールが使えないと思えば、それを改めるか、除くことができるはずです。あなたが自分の夫、または妻を「いつも幸せにすべきだ」といいきかせているとします。もし、経験的にこれが現実的でないとわかったら、このルールをもっと正しく書き直せます。たとえば、「私は時には夫(妻)を幸せにすることができるけれども、確実にいつもできるわけじゃない。結局、幸せはその人次第で、自分もその人と同様、完全な人間じゃない。だから私は自分がすることが『いつも』喜ばれるものと期待は

図8-2

状　況	感　情	罪悪感を起こさせた考え	認知の歪み	合理的な反応	結　果
母がとても疲れていて，電車時刻表をよく見ていなかったので，あまり快適でない電車に乗った	極度の罪悪感，欲求不満，怒り，自己の憐憫	1. やれやれ，母さんは私を1日ニューヨーク中連れて歩いて，飲物をとることもできやしない。私がちゃんと予定を説明しなかったからだわ。「食堂車」もビュッフェもないと説明すればよかったんだ	1. 個人化，心のフィルター，すべき思考	1. 母に悪いと思うけれども乗車時間はたった1時間半。説明することは全部したと思うわ。たまには失敗もするわ	かなり気が楽になる
		2. 嫌な感じだわ。私は何と利己的なんでしょう	2. 感情的決めつけ	2. 私は母よりもっと混乱してしまった。やってしまったことは，やってしまったことだから，覆水盆に返らず，だわ	
		3. なぜ私はいつも全部を台無しにしてしまうんだろう	3. 一般化のしすぎ，個人化	3. 全部ダメにしたわけではない。母が誤解したのは私のせいではないわ	
		4. 母さんは私によくしてくれるのに，私はどうしようもない人間だわ	4. レッテル貼り，全か無か思考	4. ひとつのことが万事ではない	

図8-3　「私は妻を幸せにしなければならない」という考えの長所と短所

長　所	短　所
1.妻が幸せなら，私はやるべきことをやっているように感じる	1.妻が幸せでないと，罪悪感を感じ，自分を責めてしまう
2.よき夫になるよう一生懸命働く	2.妻は罪悪感を用いて私を操ることができる。妻が何かしてもらいたいときには不幸せそうに見せかけ，私はそれによって落ち着かなくなる
	3.ちょっとでも妻が不幸せだと，私は失敗したと思う。妻の不幸せは時に私とは無関係であって，そのときは無駄な労力を使ってしまう
	4.限界ぎりぎりまで妻に気を遣ってしまうために，むしろ逆に妻に憤りを感じることになる

しない」というように。

あるルールがどのくらい役に立つのかを考えるなら、「そのルールを持つことの長所と短所は何で」「私が相手を〈いつも〉幸せにすべきだと思うことのメリットは何か。こう信じることにどんな価値があるのだろう」と自問してみるとよいでしょう。図8-3に示したダブルカラムの技法を用いてその価値と利益を評価してください。

「すべき思考」から逃れるためのもうひとつの簡単な方法は、ダブルカラムの技法を使って「～すべき」の代わりに他の言葉を用いてみることです。「こうだったらいいのに」とか「こんなふうにできればいい」という表現はどうでしょう。もっと現実的で、落ち着いてみえます。たとえば「私は妻を幸せにすべきだ」という代わりに「妻はイライラしてるようだ。もし私が今妻を満足させられれば、それに越したことはない。なぜそんなにイラついているのか、私に手助けできることがあるかどうか尋ねてみよう」というようにです。または、「アイスクリームを食べるべきではなかった」という代わりに「もしアイスクリームを食べなかったらよかったのだけれども、そうしたからって世の終りじゃないんだ」と言うのです。

ほかの反「すべき思考」法として、「～すべき」という状況が現実にそぐわないものだということを自分に知らしめる方法があります。たとえば「〇〇をやるべきではなかった」と考えるときには、次の二つのことを仮定すると思います。(1)やるべきでなかったということは事実だ。そして、(2)こう考えることは役に立つ。ところが「現実的な方法」では（驚くことに）真実は正反対なのです。(a)実はやったことは、まさにやらなければならなかったことなので、(b)自分は「すべきではなかった」と考えることはかえって有害なのです。

簡単には信じられないようですね。では例を挙げてこのことを示してみましょう。あなたがずっとダイエットしているのに、アイスクリームを食べてしまったとします。そこで「このアイスクリームを食べるべきではなかった」と考えます。試しに、あなたにアイスクリームを食べるべきではなかったのは、本当のことだと主張してもらい、私はその主張に異論をはさむような形で会話を進めることにします。以下は実際の会話ですが、皆さんに役に立つと思いますよ。

デビッド（著者）「ダイエット中にアイスクリームを食べてしまったんですね。そのアイスクリームを食べて当然だったと思うんですが……」

あなた「とんでもないです。ダイエット中ですから食べるべきじゃなかったのです。わかってますか、私は減量中なんですよ」
デビッド　「それでもあなたがアイスクリームを食べたのは当然だったと思います」
あなた　「バーンズ先生、ちょっとどうかしてますよ。体重を減らそうとしているのだからそうすべきではなかったんです。おわかりになりますか。アイスクリームを食べてどうやって減量できるんですか」
デビッド　「しかし実際食べてしまったんですよね」
あなた　「ええ、だからそれが問題なんです。そうすべきではなかったんです。これではっきりわかりましたか」
デビッド　「あなたはもう起こってしまったことを『そうでなければよかった』とグチを言ってるわけですよ。そしてものごとは適当なわけがあってそのようになったんです。自分はすることをしただけなんだと考えたらいかがですか。なぜアイスクリームを食べたんですか」
あなた　「えーと、混乱していましたし、イライラして……。それにもともと貪欲なんです」
デビッド　「わかりました。イライラしてたんですね。そのような状態のときに物を食べるというパターンがこれまであったのですか」
あなた　「ええ、そうです。自分をコントロールできたためしがないんです」
デビッド　「そうですか。では、先週イライラしてたときにいつも習慣的にやっていたことをやってしまっただけだと考えるのが自然じゃないのですか」
あなた　「ええ、まあ……」

デビッド　「そうしてしまうのが長い間の習慣なのですから、むしろそれに従うべきだったと考える方が、もっともなことになりませんか」

あなた　「まるでアイスクリームを食べ続けるべきで、しまいに太った豚か何かのようになるべきだと言われているみたい」

デビッド　「他の患者さんはあなたほど難物じゃないですがね！　ともかく、豚のようになれとは言っていませんし、イライラしてたときに食べる悪習慣を続けることも勧めません。私が言っているのはあなたは自分の二つの問題を一つにしているということです。一つは実際にダイエットを破ったということです。減量中ですから、これは落ち込むことですね。そして二つめの問題は済んだことで自分をいじめることです。この二つめに頭を悩ますことは必要ありません」

あなた　「それじゃ、イラつくときに食べるのが習慣になっているために、その習慣を変える方法を学ばない限り、イライラしたときにはずっと過食を続けていくだろうということですね」

デビッド　「全くその通りです」

あなた　「習慣をまだ変えていない以上、アイスクリームを食べて当然だったわけですね。その習慣が続く限り、イライラしたときには過食し続けるだろうし、して当然なのですね。言われていることがわかりました。ずっと気分が良くなりましたわ、先生。けれども一つわからないのは、どうやったらこれをやめられるのですか。もっと生産的な方法で行動を変えたいのですが……」

デビッド　「鞭や人参を使って動機づける方法ですね。つまりあなたは自分に『これをすべき』とか『あれをすべきでない』と一日中言いながら、『すべき思考』パターンにはまっていくのです。最終的には憂うつになってしまうことはおわかりでしょう。物事を動かそうとする代わりに、罰よりもむしろ報酬を通して自分に自信をつけることです。この方法はとても効果的だと思います」

私自身の「キャンディとドーナツ」ダイエットの体験をお話ししましょう。私はキャンディとドーナツが大好きです。私は夜に勉強したりテレビを見て過ごしているとき、食べたくなるのを一番我慢しにくいことに気がつきました。アイスクリームをものすごく食べたくなるのです。そこでこの衝動を我慢できたときには、自分に大きなできたてのドーナツを朝に、そして夜にはキャンディを一個、ごほうびとして与えることにしました。そして、どれだけそれがおいしいかに意識を集中させるようにしました。これによってアイスクリームのことを忘れることができました。それでもときどき誘惑に負けてアイスクリームを食べてしまうことがありましたが、少なくともチャレンジしたことへのごほうびとし、失敗したことの慰めとしてキャンディとドーナツをもらってもよい、とのルールも作りました。この方法で五〇ポンド以上減量しました。私は次のような三段論法もつくってみました。

(A)　ダイエットしている人間はときどき失敗をする。
(B)　私は人間だ。
(C)　それゆえに私はときどきは失敗するべきだ。

これも非常に私に役に立ち、週末に気ままな行動をとり、リラックスできました。週末には多少太りましたが、平日にはもっと体重が減らせたので、全体を通せば減量することができ、同時に楽しむこともできました。ダイエットでへまをするたびに自分の失策を批判したり、罪悪感を感じたりはしないようにしました。私はそれを「欲しい物は何でも欲しいときにいつでも罪悪感なしに楽しめる気ままな行動ダイエット」と考え始め、それが楽しかったのでついに目標体重に達したときには軽い失望を感じたほどでした。ダイエットはとても楽しいものだったので、私は実際この時点で一〇ポンド以上減量しました。適当な態度と気持ちこそが鍵なのです。それがあれば、山をも動かせます――たとえ肉体の山であっても。

食事、喫煙、過度の飲酒のような悪習慣から抜け出そうとするときに妨げになるものは、「自己コントロールができない」という思い込みです。そしてこの背景にあるのは「すべき思考」なのです。これにうちのめされるのです。たとえば、アイスクリームを食べないように努力しているとしましょう。そこでテレビを見ながらこう言います。「ああ、私は本当に勉強しなければいけない。アイスクリームはひとつも食べてはいけない」そこでこう自問してください。「こういうことを自分自身に言ったらどう感じるだろう」と。たぶん答えはおわかりでしょう。罪悪感を感じ、イライラしてきます。それではどうすればよいでしょう。そこへいって食べるんです！　これがポイントです。「食べるべきではない」と自分に言いきかせているからこそ食べてみるのです。そして食べ物によって罪悪感も不安も埋めてしまってください。

他の簡単な「すべき」除去法は腕につけるカウンターを使うことです。いったん「すべき思考」が自分のためにならないと納得したら、カウントするのです。「すべき思考」が湧いてくるたびごとにカウントします。そして一日の合計に基づいて報酬を決めてください。このように「すべき思考」にスポットを当てれば当てるだけ得られる報酬は大きくなります。数週間の期間で「すべき思考」の一日の合計数は下がり始め、罪悪感も下がっていることに気がつくでしょう。

他の「すべき」除去法は、自分自身を信用していないということに照準をあわせることです。「すべき思考」がないと、自分が野放しになり、破壊、殺人に走るかもしれないと思うかもしれません。これを評価する方法は、自分の人生にとても幸せだったり、適度に満たされ、生産的で、自己コントロールできていた時期があったかどうかを自問することです。ちょっとそれを考えてみてください。そしてその時の心の像を確かめてください。そこで、「そのような時期に、『すべき思考』で自分をがんじがらめにしていたか」と自問してください。答えはノーだと思います。「すべき」から解放されて、自己コントロールができていたはずです。このことが人生を幸せにおくるために「すべき」はあまり必要ないことの何よりの証拠です。

このことは、数週間でテストできます。これまで述べた技法を用いて、「すべき思考」を減らしてみれば、そこで自分の気分がどう変わるかわかるはずです。きっといい結果がでますよ。

他の方法は、「逆説法」です。一日に三回二分間、時間を決めて「すべき思考」と「自己批判」を大声で朗読するのです。「私は閉店前にマーケットに行くべきだった」とか「私はクラブに行くべきではなかった」「私はなんて腐った奴なんだ」等々。自虐的な自己批判をありったけ唱えるのです。書きとめたり、テープレコーダーに口述することもよいでしょう。そうしておいた後で大声で読んだり、聞けばいいのです。そうすればこういうことがいかにばかげたものかわかるでしょう。決めておかなければいけない時間だけにこれを聞くようにすれば、ほかのときにそれに悩まされなくてすむはずです。

自分の知識の限界を知っておくことも大切です。私は子供のとき、「自分の限界を知れば幸せになれる」とよく聞かされましたが、誰もこの意味を説明してくれませんでした。それどころかいつも「自分が実際は二流のダメ人間かも知れない」とでも言っているようで、あまり気分のいいものではありませんでした。

これは実際のところ、それほど悪い意味ではありません。あなたがよく過去を振り返って、自分の失敗を思い出して落ち込むとします。たとえば新聞の株式欄を見たときに「あの株を買うべきではなかった。二ポンドも下がってしまった」というように。この罠から抜け出すには「私がこの株を買ったときは価格が下がることなどわかっていたのか」と自問することです。そんなことはわからなかったはずです。そこで、「もし下がることを知っていたらそれを買っただろうか」と自問してください。やはり違うでしょう。なら、あなたの言っていることは実は、「もし、あらかじめ知っていたら違った行動をとっていた」ということになりますね。このためには完璧に未来の結果を予測することができなければなりません。そんなことができますか。できませんね。そこで二つの選択に迫られます。限られた知識をもった不完全な人間として自分を受け入れ、たまには自分も失敗をするということを悟るか、もしくは自分が嫌になってしまうかです。

「すべき思考」と戦うその他の効果的な方法は「どうして私がすべきなのか」と問うことです。そうすることによって誤った論理に身をさらし、自らの考え出した証拠に挑戦するのです。この方法により、「すべき思考」を非常識のレベルにまで低めることができます。たとえばある仕事をする人を雇ったとします。芝刈りやペンキぬりなど、何でもいいのです。請求書を提出されて、自分が思っていたよりも高額だったのに、強く請求されて、言われた額を払ってしまいました。してやられた感じを受け、もっとうまくやれたのではと自分を責め始めました。さあ、ここでロールプレイをしてみましょう。あなたは払いすぎた哀れな人の役ですよ。

あなた「昨日あの男に請求が高すぎると言うべきだったんです」
デビッド「彼にもっと安い見積もり書を出すように頼んでみるべきだったというわけですね」
あなた「その通り。もっと主張すべきだったんです」
デビッド「なぜすべきだったのですか。自分にそれだけはっきりいいきかせられるのはあなたの利点だと思いますよ。同じような状況で今度はもっとうまく自己主張できるようになればいいんじゃないですか。しかし、今の論点は昨日どうしてもっとうまくできなかったのかということですね」
あなた「いつも私は他人に利用されてしまうんですよ」
デビッド「そうですか。じゃ、『私はいつも人に利用されるのだから、昨日はもっと主張するべきだったのだ』というあなたの理由づけの線にそって考えてみましょう。さぁ、これに対する合理的な答えはなんですか。少し論理的でないような部分がありますか。理由づけに何かうさん臭さはないですか」
あなた「うーん、そうですね。えーと最初の時点で私が『いつも』人に利用されているというのは正確には正しくないですね。これは拡大解釈です。実際には時には要求水準がとても高いんですよ。私がある状況で『いつも』利用されるとするならば、それこそ自分の習性なのだからそのように振る舞うべきだということですね。新しい人扱いの方法をマスターしない限り、たぶん、この問題は続きますね」
デビッド「まさにその通り！　『すべき思考』についてお話ししてたことを身につけました。読者全員があなたのようにものわかりがよくて熱心ならいいんですが。もっと違う行動をとればいいと思う理由がほかに何かありますか」

あなた　「そうですねえ。『私が支払うべき額より多く払ったと、もっと主張するべきだった』というのはどうでしょう」

デビッド　「いいでしょう。ではそれに対する合理的な解答はなんですか。そしてこの話の不合理性は何ですか」

あなた　「えーと、私は人間なのでいつも正しいことをするわけではないということです」

デビッド　「そうですね。次の三段論法も助けになるでしょう。最初の前提は、あなたが支払いすぎてしまったように、人間すべては誤りを犯すということです。ここまではいいですか」

あなた　「はい」

デビッド　「で、あなたはなんですか」

あなた　「人間です」

デビッド　「それはどういうことですか」

あなた　「間違いを犯すものです」

デビッド　「そうです」

このようにして「すべき思考」を取り除く「べき」です。あ、失敬！　この言いかた自体が「すべき思考」ですね。こう言い直しましょう――もしあなたがこういう方法を役立ててくれたらすばらしいですね。自分をいじめるのをやめることによりずいぶん楽になれます。罪悪感を感じる代わりに、自己コントロールと生産性を高めることにエネルギーを集中できます。

3　自分の意志を通す方法を学ぶ

罪悪感を感じやすいことにはもうひとつ大きな欠点があります。他の人がこの罪悪感を使ってあなたを巧みに操ることができるということです。あなたが誰でも喜ばせなければならないと感じているとします。家族や友達は、たとえあなたがそのことに関心がなくても、それを無理強いするようになります。ありふれた例をあげれば、他人の感情を傷つけないために、気乗りしないつきあいに出ることを考えてください。まあこの場合は、本当はノーと言いたかったときに、イエスと言ったわけですが、その代価はあまり高くはありません。単に一晩無駄に過ごすだけで、それで清算されます。あなたは罪悪感から逃がれ、その結果自分はとりわけ良い人間なのだという幻想をもてます。もし招待を辞退すれば、残念がった主催者は「あなたをお待ちしていたのに。古い友人をがっかりさせないでくださいよ」と言うかもしれません。さあ、そのときには何と言い、どう感じますか？

他人をとにかく喜ばせようということだけ考えてものごとを決断していても、罪悪感にとらわれてしまえば悲劇的結末を迎えることになります。皮肉なことに、誰かがあなたを罪悪感で操作すれば、あなただけでなく他の人もまた傷ついてしまいます。罪悪感のためにとる行動はあなたの理想に基づいていたにしても、全く正反対の結果を生みがちです。

例をあげましょう。マーガレットは幸せな結婚生活を送る二十七歳の女性ですが、太っちょのギャンブラーの弟があります。この弟はいろいろな手を使ってマーガレットを利用しようとするのです。お金がなくなっては借りて、しかも返そうとしません。数カ月ほどもマーガレットの働いている街に滞在するのですが、その間彼女の家族と食事をとり、酒を飲み、いつでも好きなときに新車を使うのを自分の権利だと思っていました。マーガレットはこのような弟の要求を次のように合理化して受け入れていました。「もし私が弟に助けを求めることがあったら、同じことをしてもらえるだろう。結局、仲よし姉弟はお互い助け合わなければいけないのだから。それにもし私が嫌だと言ったら弟は怒り、私は弟を失うことになるだろう。そんなことになると私は何か誤りを犯した気になるだろう」と。

それとともにマーガレットは起こりつつある否定的な結末に気づいていました。①自分は弟の甘えと自己破壊的な生活とギャンブル狂いを支持している。②自分は利用されているにすぎない。③関係の基底にあるのは愛ではなくて、恐喝だ――つまり常に弟の癇癪と自分自身の罪悪感を避けようとして弟を受け入れているのだから。

マーガレットと私はロールプレイにより、機転のきいたやり方で「ノー」という訓練をしました。私がマーガレットの役を、マーガレットが弟の役を演じます。

(マーガレット演ずる)**弟**　「今晩車を使うの？　姉さん」

(著者が演ずる)**マーガレット**　「今使う予定はないけれど」

弟　「後で貸してくれるかい」

マーガレット　「今日は貸したくないわ」

弟　「どうして？　今は使わないんだろう。車は置きっぱなしだろう」

マーガレット「私にはあんたの言いなりになる義務があると思っているの」
弟「もし僕が車を持っていたら、姉さんが必要なときには貸してあげるけどな」
マーガレット「それはありがとう。でも今は車を使う予定はないんだけど、後でどこかへ行こうとした場合に使えるようにしておきたいの」
弟「けれど、使う予定がないんでしょ。お互い助け合っていこうって言ってたのに」
マーガレット「そうよね。けど、それはいつもあなたの言う通りにするってこと？　お互い公平でなくては……。あなたは私の車をもうずいぶん使ったのだから、これからは自分の足のことは自分で考えてほしいわ」
弟「ほんの小一時間だけだから、姉さんが使うときには返すよ。必要なんだし、ほんの半マイルの所だから、車をいためることもないし、心配ないよ」
マーガレット「ちょっと大切な用事みたいね。でも、ほかの交通手段で行けるでしょうし、歩いてはいかがかしら？」
弟「そりゃ名案だ！　姉さんがそんなふうに考えているのなら、これから困っても僕のところには頼みにこないでよね」
マーガレット「私があなたの思い通りにしないから、怒っているみたいね。いつも私があなたの言うことに『はい』と言うと思っているの？」
弟「ずいぶんじゃないか！　こんなたわごとはもうたくさんだよ！　（荒れはじめる）」
マーガレット「じゃあ、これ以上お話しするのはやめましょう。数日後にはあなたの方で話したくなるでしょう。このことについてはもっとよく話す必要があると思うわ」

このようなロールプレイをした後で、お互いの役を交代し、マーガレットはもっと自己主張できるようになりました。私が弟の役をやり、できる限り厳しいことを言っても、その扱い方が身についてきました。その結果マーガレットは勇気づけられ、弟に対しても一定のポリシーをもって対するべきだと考えるようになりました。つまり、①マーガレットには弟の要求をすべて鵜のみにしない権利がある。②バランスをとる意味で、弟の言うことのなかにわずかでも真実があればそれを認め(武装解除法)、愛情とは、常に物を与えることではないという立場をとること。③適切で、断固たる立場を取ること。④自分の足で立てないような弱く未熟な相手に巻き込まれないこと。⑤腹を立てて弟の怒りに反応しないこと。なぜならそうすることは、「自分は残酷で利己的な姉に不当に扱われている犠牲者だ」という弟の考えを強化するだけだから。⑥弟が一時的にしろ遠ざかってしまう可能性もあるが、こういう場合にも弟がもっと話のできる気分になってから話そうと伝えればいい。

マーガレットがこのような態度で弟に接したところ、弟は想像したほどかたくなな態度ではありませんでした。二人の関係に一定の制限を加えれば、弟は実際落ち着いて、大人として振る舞い始めたのでした。

相手の用に従わないから、あなたがその人を傷つけているという一種の脅迫を受けているわけですから、ここでひとつこの技法にこだわってみてください。自分の意志に反して人に従うというあなたの長年の習慣よりずっと楽なはずです。

先んじて実行することは、成功の鍵です。友達と役割演技をして、意見を求めるのもよいでしょう。もしそういう人がいなければ、またはお願いするのが恥かしかったら、思い描いた対話を書き出してみてはどうでしょう。

もちろん少し時間がかかるかもしれませんが、頭の中に回路ができれば、必要なときには勇気をもって「NO」が言え、自己主張ができるようになるはずです。

4　グチのこぼし屋に対抗する技術

これはこの本の中で最も驚くべき、喜ぶべき効果的な方法の一つです。これは誰か（たいていは愛する人）がぐちったり、泣き言を言ってあなたをいらいらさせて罪悪感と無気力を感じさせるような場合に魔法のような力を発揮します。典型的なパターンはこうです。誰かが何かまたは誰かのことでグチを言います。するとあなたは助けてあげたい親切心に駆られて助言します。その人は即座にそれを全く受け入れないで、また不平をこぼします。あなたはがっかりして、自分の助言が不適当だったように思い、さらに一生懸命に別の助言をします。しかし同じ反応が返ってきます。そして話を終えようとすると決まって、その人は「見捨てないでください」などと言うので、あなたとすれば罪悪感を感じる、というわけです。

シバは学校を卒業するまで母親と暮らしていました。シバは母親を愛していましたが、母は離婚のこと、お金のないことなどについてこぼしてばかりでした。それに耐えられなくなり、治療を求めてきたのです。シバにこの技術を最初のセッションで次のように教えました。母親が何と言うかにかかわらず、「武装解除法」によりそれに同意し、忠告する代わりに、心からほめるようにするのです。シバは最初にこのアプローチがふだんの自分のやり方と根本的に違うために驚き、またいくらか奇妙にも感じていました。次のように私が彼女の役をやる一方、シバに母親の役を演じさせてこの技法を説明しました。

シバ（母親の役）「離婚訴訟手続中に、お父さんが株を売却してしまったんだけど、私にはそれを知らせてくれなかったのよ！」

デビッド（シバの役）「そうでしょうね。離婚訴訟になって初めてそれがわかったんでしたね」

シバ「お金をどうしていったらいいか、わからないわ。お兄さんを大学から卒業させられるかしら」

デビッド「それが問題ですね。私たちにはお金がないんだから」

シバ「みんなお父さんのせいよ。あの人の頭はどうかなったんだわ」

デビッド「お父さんはお金のことは全くダメだったからね。お母さんの方がずっとうまくやってた」

シバ「人間の屑よ！　私たち貧乏の淵にあるのに。私が病気になったらどうするの。救貧院で暮らすはめになるわ！」

デビッド「その通り！　救貧院で暮らすなんて全然面白くないもんね。全くあなたの言う通りよ」

シバは母親役を演じてみると、ずっと同意され続ければ、不満を言い続けることが「全く面白くない」ことがわかったと報告しました。次に役を交替し、彼女はこの技術をマスターしました。

実際、単調な受け答えを続けるグチのこぼし屋をすぐに助けねばならぬというのがあなたのプレッシャーになっています。逆説的なことに、グチに同意されるとグチのエネルギーはすぐになくなります。もう少し詳しく説明しましょう。グチるときには、たいていはイライラし、不安を感じています。この場合「助けよう」ということは、「ものごとをちゃんとやっていない」ということを暗示するわけですから、かえって批判されているように聞こえてしまうのです。逆に、賛成され、意見を受け入れられればその人は支持されたように感じ、逆に気を休めて落ち着けます。

5　ムーレイの「嘆き対策」

この技術はスターリング・ムーレイが提案したものです。彼はフィラデルフィアのわれわれのグループで勉強をして、一九七九年の夏の治療セッションで、私とともに働いた優秀なイギリスの医学生です。ムーレイは慢性にひどい憂うつで苦しむ五十二歳のハリエットという名の女性の彫刻家の治療をしました。ハリエットの問題というのは友達がしょっちゅうグチるゴシップや個人的な問題にあいづちをうつのに神経が参ってしまうことでした。どうやって友達を助けたらいいのかわからず、怒りっぽくなっていましたが、ムーレイの「嘆き対策」を身につけてからは変わってきました。スターリングの教えたことは、単に相手が言っていることに同意してそのなかに何かよいものを見い出して、それにコメントをするというだけのことです。嘆く人の例をあげましょう。

(1)　**嘆く人**（ハリエットの友人）：「ああ、いったい全体私は娘に何をしてやれるの。あの子はいい作品を作っているのかしら？」

応　答：「あなたの娘さんはいまだに際だった芸術活動をしているんですか。最近大切な賞をとったそうですね」

(2)　嘆く人：「上司が私をちっとも昇給させないの。ほとんど一年も昇給していないんです。もう二十年も働いているし、もっと給料が高くてもいいと思う」

応　答：「確かにあなたはここではベテランだし、なかなかの貢献もしてきました。二十年前に最初に仕事を始めたときはどうでしたか。思うに待遇はそのときとだいぶ違うのではないですか」

(3)　嘆く人：「夫は家にはほとんどいないんですよ。毎晩ボーリングに出かけてばかりで」

応　答：「あなたも、そのボーリングをやってみては？　あなたがとても高いスコアを出したことがあると聞いていますよ」

ハリエットはムーレイの「嘆き対策」をすぐにマスターして、これまで現実に悩んでいた問題に簡単に対処でき、気分が見た目には劇的に変化したと知らせてきました。次の面接に来たときには、何年も苦しんできた憂うつ気分がほとんどなくなっていました。スターリングにとても感謝していました。もし、あなたの家族や友達が、同じように悩んでいたら、スターリングの方法を試してみてください。ハリエットのように、あなたもまた笑えるようになれますよ！

6　責任の釣り合いを保つ

罪悪感を起こす一般的な歪みのひとつに「個人化」、つまり他人の感情や行動、または自然に起こった出来事を自分に責任があると誤って感じてしまうことがあります。わかりやすい例をあげると、クラブの会長の退職記念に自分が企画したピクニックの日に、思いがけずに雨が降ってしまったときにあなたの感じる罪悪感が、それです。この場合、あなたが天気をコントロールできるはずがないのは明らかですから、理に合わない考えは捨てなければいけません。

罪悪感は、誰かが実際に痛みや不快感に苦しんでいて、それがあなたとの人間関係が原因のような場合は、克服するのがいっそう難しくなります。このような場合は、現実的に考えて責任がもてそうな範囲を明らかにしておくことが役に立つでしょう。どこまでがあなたの責任で、どこからが他人の責任でしょうか。つまり、「責任の再配分」をするわけです。

実例を示します。大学生のジェドは、軽いうつ状態で私のところに来ました。彼の双子の弟のテッドはひどいうつ病のため、学校から落ちこぼれてしまい、両親のもとで隠居したような生活を始めました。ジェドは弟の憂うつに罪悪感を感じました。どうしてでしょうか。ジェドは、自分は常に弟よりも社交的で頑張り屋だったので、その結果、子供のときからいつもテッドよりも良い成績で、友達も多かったことを私に話しました。ジェドは自分の社会的、学問的な意味での成功が弟に劣等感を感じさせ、ダメにしてしまったのではないかと考え、自分がテッドの憂うつの原因だと決めつけてしまいました。

そして彼はこの筋の通らない、極端な仮説に基づいて、自分が憂うつになれば「逆説的な心理学の原則」によってテッドの憂うつと劣等意識が治るのではないかと考えたのです。休日、家に帰った時に、ジェドはいつもの社会活動を避け、勉強で成功するのも最小限に抑え、自分がどんなに憂うつと感じているかを強調しようとしました。ジェドはこれが弟に、自分も落ち込んでいるのだというメッセージをはっきり伝えていると信じていました。

ジェドはこの計画を大真面目で実行しており、私が教えた気分コントロールの技術を使うのをためらいました。というのも、良くなることに後ろめたさを感じ、自分の回復がテッドに痛烈な衝撃を与えるのではないかと思ったからです。

「個人化の誤り」の大半がそうなのですが、弟の憂うつが自分のせいだと考えているジェドの錯覚には半分くらいはそれなりの説得力もありました。弟が劣等感と未熟さを幼い頃から感じていて、テッドの成功や幸せにある種の羨望と憤りをいだいていたことはおそらく事実かもしれません。しかし、「はたしてジェドが弟の憂うつの原因といえるのか？　ジェドが憂うつになることでその状況を良くできるのか？」ということです。

もっと客観的なやり方で自分の役割を評価するために、テッドに、トリプルカラム法（図8－4）を使うことを勧めました。練習の結果、彼は罪悪感が自罰的で、不合理だということがわかりました。テッドの憂うつと劣等感がとどのつまりは、自分の歪んだ考え方のためであり、ジェドの幸せや、成功のためではなかったとわかりました。ジェドがこれを会得してから、罪悪感と憂うつから解放され、正常な日常生活に間もなく復帰しました。

図8-4

自動思考	認知の歪み	合理的な考え
1.子供のときからの関係によって，テッドの憂うつの原因の一部は私にある。私の方が常に良く働いて，成功をおさめていたから	1.結論への飛躍(心の読みすぎ)個人化	1.私自身がテッドの憂うつの原因ではない。彼の憂うつを起こしたのは，テッドの不合理な考えと態度であり，あえて言うならば私の責任は，テッドが好ましくない歪んだ方法で解釈した状況の一部くらいだ
2.テッドが家でひとりぼっちで，私が学校で楽しく過ごしていると言ったら，テッドはさぞイライラすることだろう	2.結論への飛躍(先読みの誤り)	2.もし私が幸せで，楽しく過ごしていることを知ればテッドは喜び，希望をもつだろう
3.テッドが何もせずに座っているのを治すのは，私の責任だ	3.個人化	3.私はテッドが何かするのを，励ますことはできても，強制することはできない。最終的には，彼の責任なのだから
4.自分には何もせずに，テッドに何かしてあげよう。もし私が憂うつになったら，それはテッドにとってホッとする出来事だから	4.結論への飛躍(心の読みすぎ)	4.私の行動はまったく彼の行動とは別のものだ。私の憂うつが彼の役に立つ理由はない。実のところテッドは私をやつれさせたくないと言った。もし，私が良くなったのが彼にわかれば，そのことが本当に彼を勇気づけるだろう。私は幸せになれるということを示して，彼に良いモデルを見せよう。自分の人生をしくじることによっても，彼の欠点を除くことはできない

第三部　現実的なうつ病

第九章　哀しみはうつ病ではない

「バーンズ先生、先生は歪んだ考え方が唯一のうつ病の原因だとお考えのようですね。問題が現実的なときはどうでしょうか。」認知療法の講演で最も多い質問です。患者さんの多くが治療の最初に同じように感じ、「現実的なうつ病 *realistic depression*」の原因と自分で信じている「現実的」な問題をリストアップします。多いものはこんなものです。

破産
老齢（小児期、思春期、青年期、中年期など年齢的な危機）
慢性的な病気
末期的な病気
愛する人との別離

まだ追加できると思います。でも、このようなことでは「現実的うつ病」にならないのです。問題は好ましい嫌な感情と好ましくない同じような感情とをどう区別するかです。「健全な哀しみ」とうつ病はどう違うのでしょう。

その違いは簡単です。哀しみは当たり前の感情で、喪失や失望のような嫌な経験に対するごく当然の認知から起こってきます。うつ病は病気であり、常にいくらか歪んだ考え方になります。たとえば、もし愛する人が死んだら「彼（彼女）はもういない。友情と愛を失なった」と感じるでしょう。こう考えるときの感情は優しく、真実味に富んだ望ましいものです。このような感情は人間味を深め、人生に深みを加えるものです。そういった意味で喪失体験には得るものがあるのです。

それに対して「彼（彼女）がいないなんて、もうおしまいだ」と感じることもあるでしょう。こう考えると自分が哀れでどうにもならなくなります。こういった考えは歪んでいてあなたを陥れるのです。

うつ病も哀しみも自分で大切だと思っていることに失敗したりそれをなくしたりしたときに起こるものです。しかし、哀しみは歪んだ考えではありません。感情の流れであり、時とともに過ぎ去っていきます。決して自己評価を低めるものではありません。うつ病では凍りつき、そのまま留り自己評価を下げるのです。

うつ病が明白なストレスの後、体調を崩したり、大切な人を失ったり、仕事に失敗した後で起こってきた時「反応性うつ病」と呼びます。そのようなストレスがはっきりしないとき「内因性うつ病」と呼び、その症状は本人とは無関係に起こります。しかし、いずれにしても歪んだ、好ましくない考え方になります。こんな考えは何の役にもたたず、悩んでも何にもなりません。その価値はせいぜい病気が治ってから経験する成長ぐらいのものです。

私の見地を述べます。もし、純粋に嫌なことが起ったら、もっぱら考え方と認知から感情は湧いてくるものです。その出来事に対するあなたの意味づけから感情が湧いてくるのです。あなたの悩みの実質はあなたの考え方の歪みにあるのです。その歪みをなくせば「現実的問題」の苦痛もずっと少なくなるはずです。例を示しましょう。どうみても大変な問題に、癌のような重症な病気があります。このような病気の患者の家族や友人は、患者が気が滅入るのは当たり前だと考え、うつの原因については聞きもせず、それが治ることなどは考えもしないものです。これは残念なことです。実際には死の可能性に直面している人に見られるうつ病は最も治りやすいものです。なぜか判りますか。そのような人は非常に勇気があり、自分自身を惨めに考えることは少ないのです。そして自分で自分のことは何とかしようと思っています。このような姿勢は人間的成長に役立つものです。なぜ私が「現実的うつ病」の概念を嫌うかの理由もこのあたりにあります。重症な病気にかかった人のうつ病は避け難いとする考えは非人間的であり、ナンセンスです。ここで実例を見ることにしましょう。

生命の危機

ナオミは四十代の女性で、主治医から胸部のレントゲン写真で異常陰影を指摘されました。医師を訪れるとやっかいなことになると硬く信じて、詳しい検査を先に先にと延ばしていました。医師を尋ねたときには悪い予感が当ってしまいました。苦痛な検査で癌の細胞が発見され、手術によって癌は広がっていることが判りました。

このためナオミや家族は強い衝撃に襲われました。数カ月後、次第に自分の衰えを感じ絶望的になってきました。なぜでしょう。病気の進行や化学療法の不快感は、もちろん嫌なものですが、まだそれほどでもなかったのです。それでも彼女は弱り切ってしまい、自分のアイデンティティやプライドを保っていた毎日の活動を放棄してしまいました。もはや、家で暮らせなくなってしまい（今では夫が家事のほとんどをこなしています）、二つのパートタイムの仕事もやめてしまいました。そのひとつは眼の不自由な人にボランティアで本を読むことだったのです。

ナオミの問題は「本当に大変だ。彼女は考えが歪んでいて不幸になったのではない。そんな状況では当たり前だ」と思うかも知れません。

彼女のうつ病は避けられなかったのでしょうか？　ナオミになぜ日常の活動がめちゃくちゃになったのか尋ねてみました。そのうえで「自動思考」の概念を説明しました。すると彼女は次のようなネガティブな認知を書きつけました。(1)社会のことまで考えなかった。(2)自分個人の領域を大切にしなかった。(3)積極的な楽しみがなかった。(4)夫の邪魔者であった。このような考えと関連する感情は、怒り、哀しみ、葛藤そして罪の意識です。

彼女が書いた物を見て、私は嬉しくなりました。この考えは、いつも私が診ている身体的には健康なうつ病者の考えと同じものなのですから。ナオミのうつ病は悪性腫瘍によるものではなく悪性の態度によるもので、そのために自分をより悪く考えていたのです。彼女が自分の価値と自分の実績を常に同等に考えていたので、癌は「もう駄目だ。廃人になってしまった」とのメッセージに等しかったのです。この考え方のおかげで私は介入することができました。

彼女に、生まれてから死ぬまでの自分の「価値」をグラフにするよう指示しました（図9-1）。彼女はずっと八五％と評価しました。次いで同じように生産性を評価してもらいました。彼女は子供の頃低く、

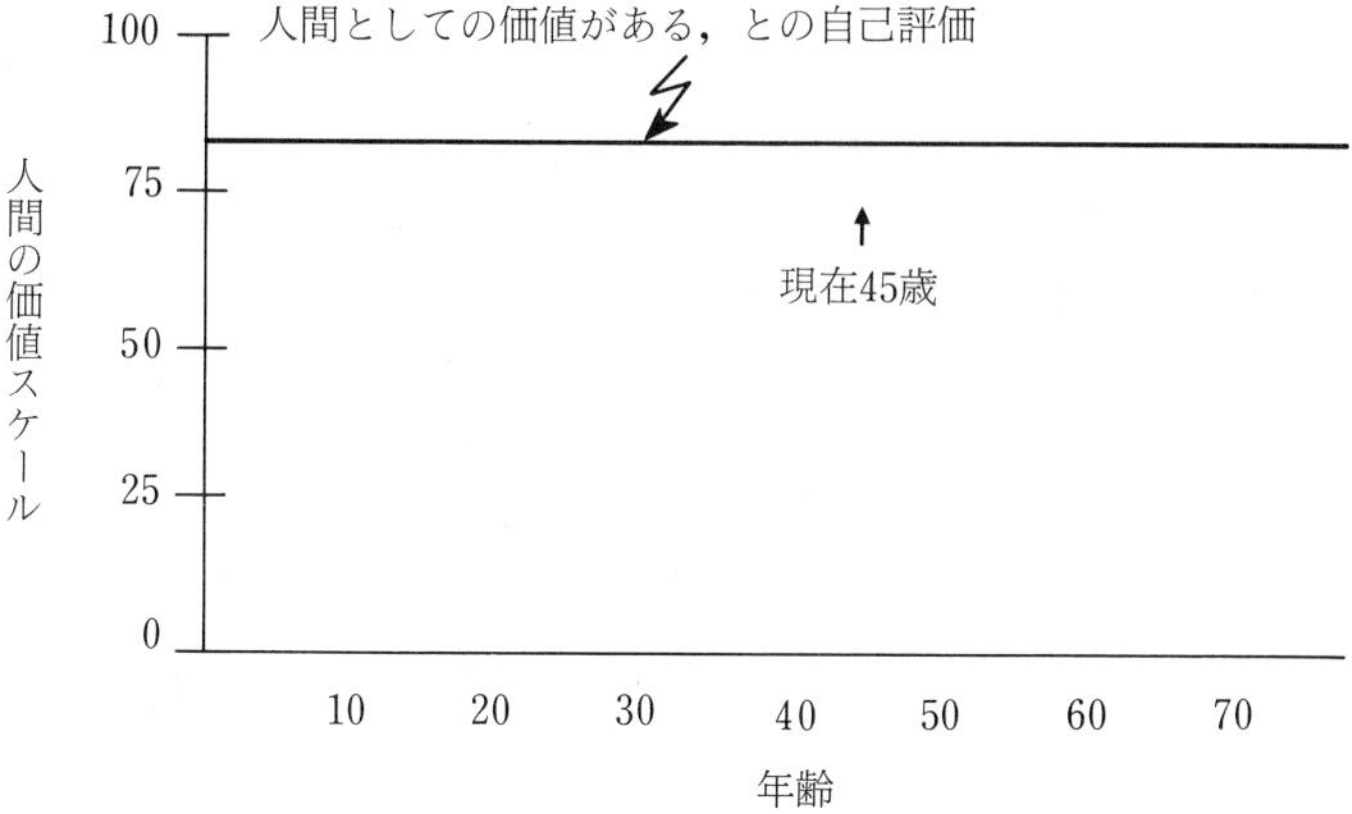

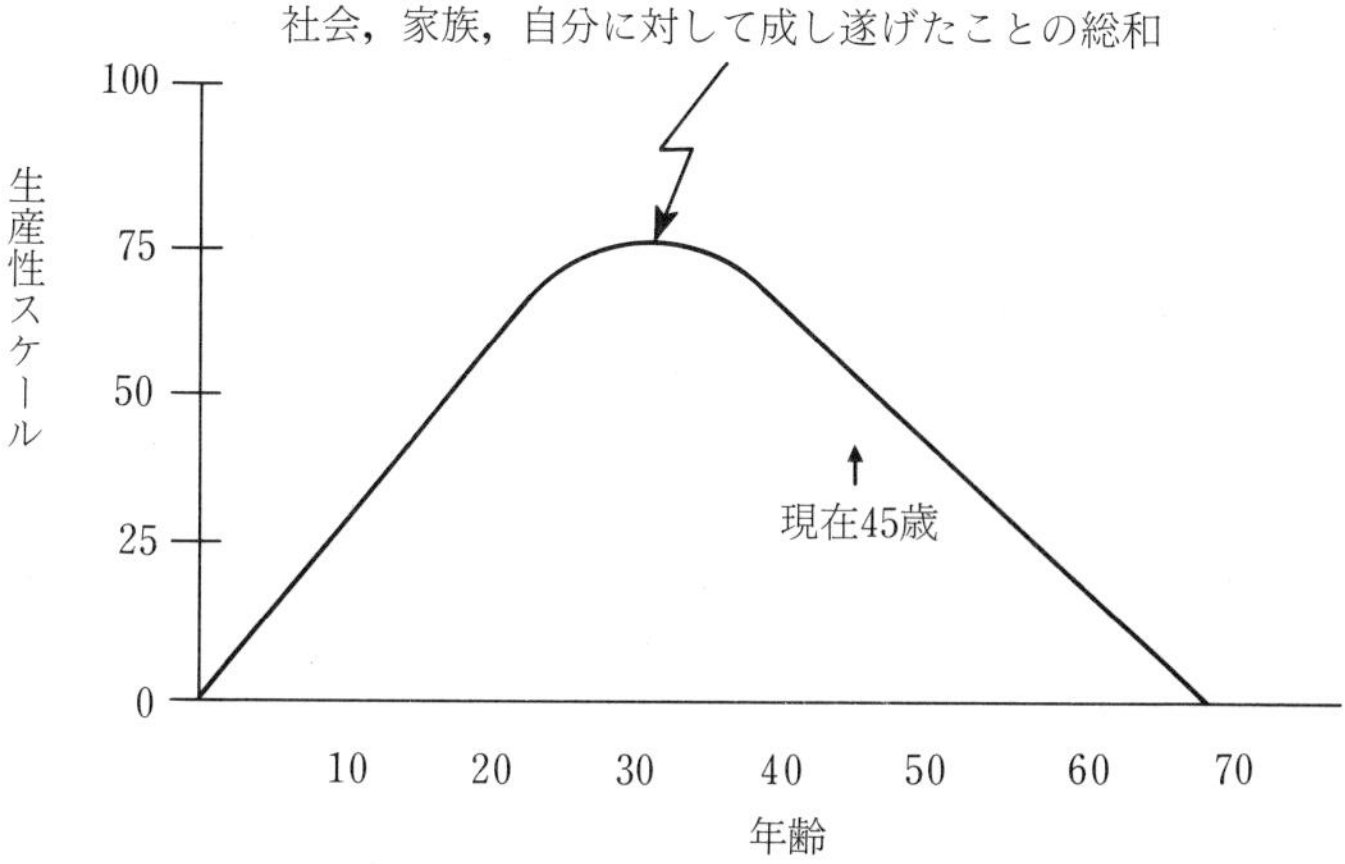

図9-1　ナオミの価値，働きのグラフ。上段のグラフにナオミは自分が生まれてから死ぬまでの自分の「価値」を示した。彼女はこれを85％と評価した。下段に彼女の人生の生産性と達成できたことをグラフに示した。彼女の生産性は子供のころ低く，成人期に最高に達し，それから低下して死に至り0になった。このグラフは自分の「価値」と「どれだけのことを成しえたか」とは関係なく互いに何の関連もないということを理解する役にたった。

次第に増加して成人期の最高に達し、その後、年をとって低下していく曲線を描きました（図9-1）。そうです。彼女は二つのことを急にひらめきました。ひとつは病気のせいで生産性が落ちていても、自分と家族にわずかだが重要な方法で影響を与えることができるということでした。全か無か思考が彼女を無力に思わせていたのです。二番目はさらに重要で、自分の価値は一定していると気づいたことです。自分がどれだけのことを成しえたかとは関係しないのです。これは人の価値は結果ではないということで、彼女は完全に弱気になりきっていたということなのです。彼女の顔に笑みが浮び、うつ病は消えました。私にとってこの奇跡的な瞬間に参加できたことは嬉しいものでした。腫瘍がなくなったわけではありませんが、彼女の自尊心を取り戻し彼女の感じていた世界を別のものにしたのです。

ナオミはすでに私の患者ではありませんが、一九七六年冬、カリフォルニアの私の家で過ごした休暇中に話し合いました。その後彼女から手紙をもらいました。

拝啓　　デビッド先生

この前の手紙の大変に遅れた「追伸」です。つまり、自分の無価値観や自己評価などに関して先生が描かせた小さな「グラフ」についてです。あれはとても私の助けになり、おかげで私は進歩しました。私は別に資格を取ったわけではありませんが心理学者になったのです。人が悩んだり困るような多くのことの役に立つことが判りました。友達にも教えてあげたんですよ。スーは自分の三分の一ほどの年齢の秘書に家具のように扱われていました。ステファンは自分の双子に参っていました。ベッキイの夫は蒸発したばかりでした。イルガブラウンは男友達の十七歳の息子からやたらと干渉するように思われていました。みんなに「そうなの。それでもあなたの**価値**には変わりがないわ。どんな仕打ちを受けたってあなたの価値にはゆるぎがないのよ」と言ってあげました。もちろん、たいていは簡単すぎて役に立たないとは判っていました。でも、助けになります。

敬具

六カ月後、彼女は痛み苦しみ、そして亡くなりました。しかし、最後まで尊厳は保っていました。

四肢の喪失

身体的なハンディキャップは二つめの「現実的」問題だと思います。年齢や、四肢の喪失や盲目のような身体の問題のせいで、うつ病になっていると考えられる場合が多いのです。友人たちはそれが「当然」の反応だと考えるものです。しかし、決してそんなことはないのです。悩みは身体の問題よりも心の問題のために起こります。ハンディキャップをもった人にただ同情するだけなら、自分を憐れむ心理を強化するばかりか、喜びも満足も絶対味わえないんだという態度に陥れかねません。それに対して本人や家族が歪んだ考えを修正すれば、十分に満足できる生活を送ることが可能となります。

たとえば、フランは二人の子供をもつ三十五歳の女性ですが、夫が脊髄損傷による右脚の麻痺が治らなくなってから、うつ病の症状が出始めました。六年間にわたり激しい絶望から抜け出すため病院に入退院を繰り返し、抗うつ薬や電気ショック療法さえも受けました。それでも何の助けにもなりませんでした。彼女はひどいうつ病になって、私を尋ねてきました。自分の問題はどうにもならないと感じていました。

涙ながらに夫の不自由な身体をどう受け止めるかという葛藤を語りました。

私たちにはできないことをしているカップルを見ると涙が溢れて来ます。二人で歩いていたり、プールや海で飛び跳ねていたり、一緒に自転車に乗っていたり、そんな二人を見ると泣けてくるのです。そんなことも私とジョーンには大変なのです。私たちにもできたらどんなにか幸せでしょう。でも、できないのです。私たちには。

最初、私もフランの問題は現実的問題だと考えました。二人にはわれわれが何気なくこなしていることができなかったのですから。盲目や聾唖や手足のない人と同じようなことが老人にも言えるのかも知れません。

実際考えてみるとなにごとにも限界があるのです。では、われわれは皆悲惨な運命にあるのでしょうか？　こう考えて、フランの考えの歪みがわかりました。わかりますか？　すぐに三五頁のリストを見てください。わかりますか？　そうです、フランの必要ない惨めさは心のフィルターなのです。フランは自分にできないことを一つ一つ選び出してくよくよしていたのです。同時に二人でできることには考えも及ばなかったのです。これでは生活に夢がなくなるのも無理ありません。

解決は至って簡単でした。フランにこう言ったのです。「夫と二人でできることをすべてリストアップしなさい。そしてできないことに眼を向けるより、できることを見るのです。たとえば私は月に行ってみたいと思っています。でも私は宇宙飛行士ではありませんし、どうも月には行けそうもありません。自分の立場と年齢を考えてみれば、どう考えても無理だと思うのです。腹も立ちます。でも、私にできることもいろいろあります。ほかのことを考えてみれば、がっかりすることもありません。さあ、あなたがた二人はどんなことができますか？」

フラン「二人とも互いに楽しんでいます。二人で食事に出かけることもあります」

デビッド（著者）「ほかには？」

フラン「乗馬にも出ますし、二人でカードもします。映画、ビンゴ、夫は運転も教えてくれます」

デビッド「そうですか。三十秒も経たないうちに、もう六つも二人の楽しみを上げましたね。次の治療セッションまで続けて考えてください。いくつぐらい考えられるでしょう」

フラン「たくさんですよ。スカイダイビングのように今まで考えたことのないようなことまでできるかもしれませんよ」

デビッド「そうですね。冒険もできるかもしれませんね。あなたとジョーンでできないと思っていたことが実際はできるんです。たとえば、あなたは海にも行けないと言っていたんですよ。思い切り泳ぎたいとこぼしていましたね。そんなに自分のことを意識せずにどうどうと海に行けばいいでしょう。もし私が海辺であなたとジョーンの二人と一緒になっても、彼の身体のことは気になることではありません。実際私は最近カリフォルニアのレイクタホ、ノースショアの海岸に家内と家族とで行ってきました。泳いでいると、入り江のヌードビーチに出てしまい、若い人達が何も身に付けず裸でいました。もちろん私は彼らをよく見たわけではありませんよ。その中の一人は右足の膝から下がなかったんです。でも彼はみんなと楽しそうにしていました。私は人が片足がないから海で楽しめないなんて思ってもいません。そう思いませんか」

人によっては「難しい、現実の」問題が簡単に解決されたり、フランのような頑固なうつ状態がこんな簡単なやり取りで治ってしまうはずがないとまぜっかえすかもしれません。実際、彼女は嫌な気分が全くなくなったと報告し、治療セッションの終わりには最近で最高の気分と言っていました。このような回復のためには、彼女自身が自分の思考パターンを変えるように努力し続けなければなりませんでした。その結果、自分の心の中の綾を織りこみ自分でとらわれてしまうという悪い癖から逃れることができたのです。

失業

仕事の上で成功してはじめて、その人の価値があるとの観念が西洋文明で広く受け入れられているために、資格を無くしたり失業したりすると、人はたいていひどく自信をなくしてしまいます。この価値体系のために、抑うつ感情が経済的破綻や資格の喪失と結びついていると考えられても当然です。

次のハルのことはどう考えるでしょう。ハルは風采の良い五十五歳の三人の子持ちで、妻の父親の経営する商社に勤めていました。私を訪れる三年前に、ハルは義父と会社の経営をめぐって激しい議論をして、その結果会社に興味をなくし、怒って仕事を辞めてしまいました。その後三年間いくつかの仕事に就きましたが、満足できる収入を得ることはできませんでした。何をしてもうまくいかないのではないかと思い、失敗したと考え始めました。彼の妻もフルタイムで働き始め、自分が一家を支えていると自負していた彼は恥じ入ってしまいました。月日が経ち、経済状態はいっそう厳しくなりました。彼の抑うつ気分はよりひどくなり、自己評価は落ちきってしまいました。

最初にハルと会った時、彼は不動産業の見習いとして三カ月働こうとしていました。いくつかのビルを借りていましたが、まだ商売の決済を付けていませんでした。彼は正直に仕事をやりすぎたのでこの見習い期間の収入は微々たるものでした。彼は抑うつ気分に参っていました。終日ベッドにいたいと思いました。「いったいどうしたんだ。僕は敗者なんだ。何もうまくいかない。ベッドにいる方がずっと楽だ」と考えていました。

ハルはペンシルバニア大学で受けた精神療法セッションを受けましたが、精神科研修のためハーフミラーを通しての研修医の見学に同意してくれました。このセッションで彼はヘルスクラブのロッカールームでの話を聞かせてくれました。暮し向きの良い友人があるビルを買おうかと思っているとハルにもちかけました。喜んでこの話に飛びついたと思うでしょう。このような営業成績は実績を上げ、信頼、銀行の信用を押し上げるのですから。ハルは数週間ぐずぐずしていました。彼は「商業物件を売るのはややこしすぎて手に負えない。こんなことはしたことがないし、最後の瞬間に相手の気が変わるかも……。これではこの仕事もできない。僕は何をやっても駄目なんだ」と考えたからです。

後に研修医たちとこのセッションを振り返ってみました。ハルの悲観的で自虐的な態度をどう考えるか知りたかったのです。研修医は、ハルが実際商売向きであり、自分に不必要に厳しいわけでもないと感じました。この点を次のセッションで突っ込んでみました。ハルは他人に対するよりも自分に対して厳しすぎることを認めました。たとえば、知り合いが大きな商売に失敗しても、「それで終りじゃないさ。くよくようするな」とあっさり口にすることができますが、自分のこととなると「僕は敗者だ」と言うのでした。本質的にハルは「二重の標準」を操っていたのです。つまり他人に対しては忍耐強く支持的で、自分に対しては厳格で、批判的、無慈悲でした。あなたにもそんな傾向があるかもしれません。最初ハルは自分のためになると二重の標準を崩そうとしませんでした。

ハル　「まず何より、人に対する責任と興味は自分に対するものとは違うものです」
デビッド　「そうですね。それで？」
ハル　「他人がうまくいかなくても、僕の方に直接の影響はないし、僕の家族も気分を悪くするなんてことはありませんからね。みんながうまくいけばいいと思うからああいうふうに言うだけのことで——」
デビッド　「ちょっと、待って。みんながうまくいけばいいと思うんだね」
ハル　「そうです。つまり……」
デビッド　「あなたがみんなを評価しようとする標準はみんながうまくいくために役に立つことですね」
ハル　「はい」
デビッド　「すると、あなたが自分を評価する標準もあなたがうまくいくために役に立つことなんですね。では、自分が一回失敗して『自分は駄目だ』と考えるのはどういうことだろう」
ハル　「落胆です」
デビッド　「それは役に立ちますか」

ハル　「なんにもならないですね。なんの役にも立ちません」
デビッド　「そうですね。一回の失敗で『自分は駄目だ』と考えるのは現実的ですか」
ハル　「いや、現実的なものではありません」
デビッド　「じゃ、どうしてあなたは自分にはこの全か無か思考を標準にするんだろう。なぜ、あなた自身はたいして関係しないようなほかの人には優しい現実的な標準を使って、もっと大切な自分には厳しい自己を破壊してしまうような標準を使うのはどうしてだろう」

ハルは二重の標準が何の役にも立たないことに気づきかけてきました。自分をほかの誰よりも厳格な規則で判断していたのです。彼は最初——完全主義者というのはだいたいそうですが——人よりも自分に厳しくすることが自分に良いとの考えをかたくなに守っていました。しかし彼はビルを売ろうとしてうまくいかなかったとき、ある種の破局と理解するような、自分の尺度が実は非現実的で自分を破壊するようなものだとだんだんと理解しました。彼の全か無か思考の悪癖が彼を麻痺させ挑戦心を失わせる恐怖の種だったのです。その結果、ほとんどの時間をベッドで過ごしたというわけです。

ハルは二重の標準を取り除き、自分を含めてすべての人を一つの客観的な標準で判断するようになれるようなアドバイスを求めました。私はその最初のステップとして、自動思考、合理的な反応を使う技法をしてみたらどうかと提案しました。たとえば、仕事に手がつかず家でぐずぐずしているとき「今頃から仕事に出て行って、遅れを取りもどしたってしょうがない。寝てても同じさ」と考えているとします。これに対して彼は「これは全か無か思考でばかげたことだ。たとえ半日でも仕事に行けば、大切なステップに

表9-1　ハルの自己批判的な考えを記録し矯正するための宿題。治療期間を通じて合理的な反応を書きとめた。

好ましくない考え（自己批判的）	合理的な反応（自己擁護的）
1. なまけ者である	1. 人生のほとんどの期間よく働いた
2. 病気の方が楽しい	2. そんなこと嬉しくない
3. 自分はダメ人間だ。敗者だ	3. いくらか成功している。幸せな家庭がある。3人の子供を育てた。皆が私に一目置き，地域活動にも参加した
4. こうして何もせずにごろごろしていることが本当の自分だ	4. これは病気の症状であって「本当の自分」ではない
5. もっと多くのことができたはずだ	5. 少なくとも，ほとんどの人よりも多くのことをした。「もっと多くのことができたはずだ」と口にすることは誰にもできることで意味のないことである

なり気分も良くなるのに」と合理的な反応をしました。

ハルは自分を無価値で情けない存在に感じるときに浮かぶ考えを次のセッションまでに書きだしてくることを約束しました（表9-1）。ところがちょうどその二日後にハルは解雇されてしまい、自分の自己批判的考えは絶対真実であると信じきって私のところにやってきました。つまりこのような厳しい状況では全く合理的な反応ができなかったのです。解雇理由として、仕事に来なかったことが挙げられていました。セッションを通じてこの自己批判的考えをどう受け止めるかを話し合いました。

デビッド「さあ、あなたの好ましくない考えに対する答えを合理的な反応の欄に書き込んでいきましょう。この前のセッションを参考にして考えてください。『自分はダメ人間だ』という言葉はあなたの全か無か思考と完全主義の標準によるものですか？

お互いに入れ替わってみれば答えは簡単ですね。他人のことを客観的に言うのは簡単ですから。私があなたの立場だったとして、自分の妻の父親に雇われているとあなたに言ったと考えてください。三年後私たちは喧嘩をしました。自分の方が正しいと信じ、自分が出て行きました。いわばそのときからずっと憂うつで、仕事を転々としていました。今度、契約会社から解雇され、とても痛いめに合いました。まず、私には全く給料が支払われないのです。そして、私の価値を認めてくれないのです。その結果解雇されました。それで自分はダメな人間であると考えました。どう思いますか」

ハル「ええと、最初の四十年間以上の人生では、あなたは確かに何かを成しとげたということから始めましょう」

デビッド「では、それを合理的な反応の欄に書き留めてください。あなたが最初の四十年の間にやりとげたことのリストを作ってください。金をかせいだし、良い子を育て上げたし、ほかにもあるでしょう」

ハル「わかりました。書き出してみましょう。幸せな家庭でした。三人の子供を育てました。みんなが私に一目置き、地域活動にも参加しました」

デビッド「そうですね、そういうことをしたわけです。あなたの自分がダメだという確信のなかでこれをどうとらえますか」

ハル「もっといろいろなことができたはずです」

デビッド　「大変なものだ。どうしてそんなに自分の長所を無意味にするんです？　さあ、ほかの好ましくない思考の『もっといろいろのことができたはずだ』を書き留めておいてください」

ハル　「わかりました。これが五番目になります」

デビッド　「はい、それにはどう答えますか」

（長い沈黙）

デビッド　「どうしました。この考えのどこが歪んでいるのでしょう」

ハル　「うまいこと話を進めますね」

デビッド　「それが答えですか」

ハル　「少なくともほかの人よりはまともですね」

デビッド　「わかりました。いったい何パーセントぐらいそう信じますか」

ハル　「そりゃ、一〇〇％ですよ」

デビッド　「では、合理的な反応の欄に書き留めてください。もう一度この『もっといろいろのことができたはずだ』に戻りましょう。あなたがハワード・ヒューズで何億もの金を持って自分のビルのてっぺんにいるとしましょう。それでもなおかつ自分自身を不幸だと考えてみてください」

ハル　「そうですね、やってみましょう……」

デビッド　「今書き出したことを読むだけでいいです」

ハル　「ああ、『もっといろいろのことができたはずだ』」

デビッド　「あなたはいつだってこう言えますよね」

ハル　「ええ」

デビッド　「それが富と名声をどんなに手にした人でも幸せでないとぐちる理由ですね。完全主義の標準そのものですよ、それは。なんでもあなたには好きなようになるのです。どれだけのことをなしえても、必ず『もっといろいろのことができたはずだ』と言うのです。こうして自分を駄目にしてしまうのです。そう思いませんか」

ハル　「ええ。わかります。幸せはお金だけじゃないから。お金についてなら億万長者は皆ご機嫌ですよね。でも幸せに感じたり満足することは金を手にするよりもっと込み入ったことですよ。私がだめなのは金のことでなくって……」

デビッド　「いったいどんなことです？　家族を養うこと？」

ハル　「それも私には大切なことでした。子供を育ててきました」

デビッド　「そのために何をしましたか」

ハル　「子供と働き、教え、一緒に遊びました」

デビッド　「で、それについてどう思いますか」

ハル　「大変なことですね」

デビッド　「さあ、『自分はダメ人間だ。自分は敗者だ』と書いてください。あなたの三人の子供を育てるという目的と自分のなしたこととをどう解釈するのですか」

ハル　「えっ、私はそんなこと考えてもいませんでした」

デビッド　「どうして自分のことを敗者だというのですか」

ハル　「長い間仕事もできず、金もかせげなかったから」

デビッド　「それで『敗者』と言えるんですか。三年間もうつ病のために仕事に行けない人がいるんですよ。それを敗者と呼べるんですか。うつ病の人はみんな失敗者なんですか」

ハル　「もっとほかにうつ病の原因を知っていれば、もっといい判断ができるかもしれませんが」

デビッド　「うつ病の本態的な原因を探ろうというわけではないのですよ。われわれは、うつ病の直接のきっかけはあなたの懲罰的な構えだと考えています。なぜこのようなことが、あるタイプの人達に多いのかはわかりません。生化学的、遺伝学的な影響はいまだ解明されていません。それに、あなたの育ち方は間違いなく関連していますし。お望みならこういうことを改めて話しましょう」

ハル　「でも、はっきりとしたうつ病の原因はわからないのでしょう。それが失敗とは考えられないのですか。それがどこから生じるのかわからないし、何か自分には悪いもので、自分が失敗してうつ病になったのではないか……そんなように思うんです」

デビッド　「そう思わせるような事実があるのですか」

ハル　「いいえ、そうかもしれないと思うんです」

デビッド　「仮説を立てるには……なんというか、全部を可能性で考えているんですよ。何も事実はないでしょう。うつ病が治ったとき、今までと同じように生産的になります。もしうつ病にかかった人が敗者なら、うつ病が治っても敗者のままだと思います。私の患者には大学教授や会社社長もいます。彼らは壁にもたれうなだれていました。でもそれはうつ病のせいです。うつ病が治れば、以前と同じように会議をし、仕事をとりしきるのです。それでも、うつ病は彼らが敗者だからだと思いますか。

私にはもっとほかのことが関連しているんだと思えますよ」

ハル　「答えようがありませんよ」

デビッド　「あなたが敗者だということはなんの根拠もないことです。あなたはうつ病です、うつ病のときはいつもほどのことができないものです」

ハル　「では、私はうまくいったうつ病なのですね」

デビッド　「そう、その通り。うつ病のなかでうまくいく部分があるということはもっと良くなるということです。今まで六カ月肺炎だったと考えてごらんなさい。全く稼ぎもなかったはずですね。『これで失敗した』というでしょう。これは本当でしょうか」

ハル　「そんなこと言うとも思いません。好き好んで肺炎になったわけではないんですから」

デビッド　「そうです。その理論でうつ病も考えられますか」

ハル　「もちろん。うつ病になりたかったわけじゃないです」

デビッド　「そうですよね。そうなりたかったんじゃないんでしょうね」

ハル　「もちろん」

デビッド　「意識的に何かそうなるようにしましたか」

ハル　「いいえ」

デビッド　「なぜうつ病になるのか知っていれば、そんなものに近づかないでしょう。でも知らないのですからあなたがうつ病を自分のせいだと考えてもしかたないでしょう。確かなことはうつ病の人は自分のことを否定的に考えるようになるということです。そのうえ彼らはその否定的な考えに基づいて感じ、行動します。あなたはわざとそうしたわけではありません。そんな考えから元に戻れば、ものの見方も元に戻り、今まで同様、いやそれ以上に生産的になってきます。わかってもらえましたか」

ハル　「よくわかります」

ハルは経済的にうまくいかなかった数年を経て、自分に「敗者」のラベルを貼っても何の意味もないことにこのようにして気づきました。この否定的な自己イメージと麻痺感は全か無か思考の結果でした。ハルの無価値観は生活の悪い面ばかり見てしまうこと（心のフィルター）と、うまくいった多くのことを見落してしまうこと（マイナス化思考）に基づいていました。「もっといろいろのことができたはずだ」と考えることで不必要に自分で腹を立てていることがわかり、経済価値は人間としての値打ちではないことに気づきました。ついに彼は体験している症状、つまり無気力とぐずぐず主義は単に一過性の病気の過程で「本当の自分」とは何の関係もないことがわかったのです。うつ病が個人のダメさ加減に対する罰であると考えることは、肺炎がそうであるのと同じように道理に合わないことなのです。

このセッションの終りにはベックのうつ病調査表ではハルのうつ病は五〇％改善していました。数週間ダブルカラム法を使って自分で訓練し続けました。自分の腹の立つ考えに自分で反論する訓練をするたびに、自己評価の歪みを減らすことができるようになり、気分も良くなってきました。

ハルは不動産業をやめて本屋を始めました。努力のわりに一年めの終りにはこれ以上続けるに足る利益を上げることはできませんでした。表面的にはこの期間なんら変わりなかったかもしれません。そのかわり、彼は落ち込むことを避け、自己評価を保つことができました。本屋をやると決めたとき、経済的には赤字になっていました。それでも自分の尊厳は保っていたのです。新しい仕事を探す間、次のような文章を書いて毎朝読むようにしていました。

なぜ自分が無価値でないか？

自分と他人の健康に何か関与できれば無価値ではない。

何か自分にできることが、良い結果になれば無価値ではない。

生きていることがひとりの人間にでも影響を与えれば無価値ではない（ひとりの人間というのが自分でも構わない）。

愛情、理解、友好、激励、社交性、助言、慰安を与えれば無価値ではない。

自分の意見、知性を尊重できれば無価値ではない。もし人が褒めてくれれば儲けものだ。

自分の尊厳、威厳を保っていれば無価値ではない。

従業員の家族の生活の助けになれば無価値ではない。

自分の生産性や創造性を通して顧客の役に立つよう最善を尽せれば無価値ではない。

今の環境での私の存在が、他人に影響を与えるのならば無価値ではない。

自分は無価値ではない。大変に価値があるんだ！

愛する人の喪失

私が医者になりたての頃みた重症なうつ病の患者に、ケイがいます。三十一歳の小児科医で六週間前に弟がアパートの前で無残な自殺をしていました。ケイは弟の自殺が自分のせいだと考え、苦しんでいました。その考えは確信的で、なかなか訂正できないものでした。ケイにとってこれは解決不能の、現実的で耐えがたい問題だったのです。そして自分が死に値し、そうしろと言われれば自殺するだろうと思っていました。

自殺した人の家族や友人は罪の意識で悩むことが多いのです。つまり「なぜ止められなかったんだ、自分はなんてばかなことをしたんだ」と悪く考えがちです。精神療法家やカウンセラーでさえもこんな場合には自分たちを酷評するものです。「全く自分の責任です。この前のセッションで彼に他の言い方をすれば良かったのだが。なんで彼が自殺を考えているかどうかはっきりさせなかったんだろう。止めることができたはずなのに。自分が殺したようなものだ。」しかし皮肉なことに、それほどたいしたこともなく、自殺するまでの価値なんてないのに、それを歪んで考えたために自殺にいたっているケースが大半なのです。

ケイは弟よりも良い暮らしをしていたと感じ、罪の意識をもちました。それで彼女は弟が気が沈んでいる間、気持ちのうえでも経済的にも援助することでこれを補おうとしていました。彼女は精神療法家を紹介し、その支払をし、いつでも気が沈んだときに自分を呼べるように自分の近くにアパートまで用意しました。

弟はフィラデルフィアに住む生理学専攻の学生でした。自殺の日、血液に対する一酸化炭素の影響について授業で発表するために尋ねようとケイに電話しました。ケイは血液学の専門家なので、そんなことは簡単だと思い、ろくに考えもせずに教えました。彼女は病院で翌朝しなければいけない講義の用意があったのであまりゆっくり喋りませんでした。講義の準備をしている間にアパートの窓の外で、弟は四回目の、そしてそれが最後になった自殺に、彼女に教えてもらったことを応用したのです。ケイは弟の自殺に責任を感じました。

ケイははた目にも惨めで悲惨な状況になっていました。最初の数回のセッションでは自分がなぜ嘆くのか、なぜ死んだほうがいいのかを説明しました。「私は弟の生活の面倒をみていたのです。でも、駄目でした。弟の死は自分に責任があります。もっとうまく弟を支えなければいけなかったんです。彼が緊急の事態になっていることに気づき、止めなくてはいけなかったのに。振り返ってみれば、彼がまた自殺しようとしていたことは明らかです。それまでに三回企てたことがあります。電話してきたときに聞いてみれば命を救えたかもしれません。死ぬ一カ月前いろんなことで弟に腹を立てていました。それが彼には負担になり、葛藤になっていたんです。一度私はいらだって弟など死んだほうがいいと思ったことがあります。罪深いことを考えたものです。死んだほうがいいと思ったんですよ。私が彼を突き落としたんです。私など死んだほうがいいのです。」

ケイはカトリックの教育を受けた非常に道徳的な女性だったので、罪も悩みも当然のものと受け止めていました。私は彼女の説明はどこか怪しいと思っていました。しかし、彼女は聡明で説得力を持ち自分の殻を作っていたので、私には数回のセッションまで不合理を見抜けませんでした。もうすこしで彼女の辛さが「真実である」と私自身信じるところでした。そして彼女の心を解きほぐす鍵は突然に見つかりました。彼女の間違いは第三章の十番目に議論したこと――「個人化」――だったのです。

五回目のセッションで彼女の考え方の間違いにこの洞察をぶつけてみました。まず、もし彼女が弟の自殺に責任があるなら彼女にはその原因があるはずだということを強調しました。しかし、自殺の原因は専門家にもわからず、彼女が原因であると考える理由はないのでした。

弟の自殺の原因を想像してみると、おそらく彼は自分で希望も価値もなく、自分など生きていてもしかたないとおかしな確信を持ってしまったことでしょうと、ケイに話しました。ケイには弟の考えまで支配することはできないのですから、彼が人生の終止符をうつに至る不合理な仮説の責任を負うことはできないのです。彼の間違いであって、ケイの間違いではないのです。彼の気分や行動に対する責任ということでは彼女がしようとしたことはなしうる範囲を越えていました。やるべきことは、自分の能力の限界をわきまえ助ける者の一人として行動することだったのです。

私は彼女が弟の自殺を止めるのに必要な知識がなかったことは不運だったと強調しました。もし弟の自殺の兆しが見えていたら、彼女はどんなことをしても止めたでしょう。しかし彼女はこのことを知らなかったのですから、止めることができるはずがありません。もしも自分に一〇〇％未来を予言でき、オールマイティーの力があるというのなら弟の死はケイの責任になるのかもしれません。もちろんこんなことは全く不合理なことですから、自分を軽蔑する理由など全くないのです。プロの治療者でも人のありかたについては間違えることもあり、自殺した患者については専門的な知識も役に立たないことが多いと説明しました。

どう考えても、弟は彼女がコントロールできるものではありませんし、彼女が弟の行動に責任をもとうと考えることは大きな間違いです。今の彼女には自分の生活と健康に責任があるのだとよく説明しました。

問題は「弟を駄目にした」ことではなく、自分が抑うつ的になり自分の自殺を考えるようになったことにあると、彼女に指摘しました。まず罪の意識を感じないことであり、抑うつを治して、幸せな満足のいく生活を送ることが責任をもつことなのです。

この話の後、ケイの気分はすぐに良くなりました。彼女はこれを自分の態度が変化したからだと心から考え、自分が死ななくてはいけないと間違った認識をしていたことに気づきました。そのうえ自分の生活の質を高め弟の自殺の数年前から続く慢性的な圧迫感を取り除くために治療を続けることにしました。

悩みなき哀しみ

問題があります。全く歪みのない「健康な哀しみ」とはどんなものでしょうか。言葉を換えれば、たとえ哀しくても、悩まなくともよいのでしょうか？

この問題について明確な答えなど期待できませんが、私が危なっかしい医学生の頃、カリフォルニアのスタンフォード大学メディカルセンターで泌尿器科を回っていたときの体験を披露してみたいと思います。私は腎臓から腫瘍をうまく摘出した男性を受け持っていました。スタッフはすぐに退院できるものと思っていましたが、肝臓の機能が急に悪化し肝臓への腫瘍の転移が見つかりました。この合併症は治らないものであり、彼の健康状態は数日で悪化しました。肝機能が悪化するにつれて病状は不安定になり意識が低下し始めました。彼の妻は状態の危険さに気づき四十八時間以上も昼も夜も枕元に付き添いました。彼女は疲れると枕元に頭を落としましたが、夫のそばを離れることはありませんでした。ときどき夫の頭を叩いて「たった一人の人なの、愛している」と口にしていました。彼が危篤となったのでカリフォルニア中から子供、孫、ひ孫といったたくさんの家族が集ってきました。

患者に付き添い、よく観察しているように指示された夜、私が病室に入ると患者が昏睡に陥っていることに気づきました。八人か十人の親戚がいて、皆老人か子供でした。皆なんとなく彼の具合の悪さに気づいていたようでしたが、どの程度差し迫った状態なのかはわかっていませんでした。もう初老に見える息子が私に近寄って、腎臓に入れてあるカテーテルを抜くことができるかどうかと聞きました。カテーテルを抜くということは家族にはもう彼が死んだということを意味することだとわかっていました。そこで看護スタッフにこんなことができるかどうか尋ねに行きました。看護スタッフは実際に死んだら抜くんだと教えてくれました。カテーテルの抜き方を教わってから、私は患者のもとに戻り、家族が待っている間に抜きました。私がカテーテルを抜くと息子は「ありがとう。父は嫌がっていたと思う。父も感謝していると思います」と話しました。そして息子は私を振り向くとサインの意味を確信しているように「先生、具合はどんな様子ですか。どうなりますか」と尋ねたのでした。

私は急にひどく哀しくなりました。私はこの穏やかで礼儀正しい老いた紳士が私自身の祖父を思い出させたので、この紳士に親しみをもっていました。そして自分の頬に涙が溢れるのがわかりました。ここで家族に自分の涙を見せながら彼らと話すか、それともこの場を去って自分の気持ちを隠すか決めなければならなくなりました。ここに留り、重たい気持ちを口にしました。「お父さんはすばらしい人です。たとえ昏睡でもあなたがたの気持ちは伝わります。でも今夜はそばでさよならを言わなくてはいけない夜です。」そう言って私は部屋を出ると泣いてしまいました。家族もまた泣き、さよならと語りかけながらベットに座り込みました。その一時間後彼の昏睡は深まり、亡くなりました。

もちろん彼の死は家族にも私にもたいへん哀しいものでしたが、忘れ難い優しさと美しさを感じさせるものでした。喪失体験と嘆きは自分に「愛することができる、人を看ることができる」という思いを起こさせました。このことは私にとって深い哀しみを、痛みや苦しみの全く無い高尚なものにしてくれる体験でした。その後ももちろん何度も同じように涙を流したことがあります。私にとって深い哀しみは高尚なものでありたいへん強い体験なのです。

私は医学生でしたから自分のとった行動がスタッフとして不適切だったのではないかと心配でした。後に教授が私を呼び、この患者の家族が、よくやってくれた、よく父の死を看とってくれた、と私への感謝を表わしたと教えてくれました。教授は自分もまたこの患者には強い印象をもったことを私に聞かせ、壁に掛けてある、老人の描いた馬の絵を見せてくれました。

このエピソードは去っていくこと、終結の感覚、そして別れの感覚を示してくれます。これは驚くことでも恐ろしいことでもありません。実際、幸せで、温かく私の人生に豊さを増してくれたのです。

第四部　予防と人間的成長

第十章　憂うつの根本的な原因（暗黙の仮定を見出す）

憂うつな気分が消えたときこそ人生を楽しみ、肩の力を抜くいい機会です。そうする権利は誰にだってあるのですから。治療が終わりに近づくと患者さん達はたいてい、いままで生きてきてこれほど良い気分になったことがないと言います。憂うつな状態というのが、希望もなく、過酷で、御しがたくみえるのでなおさら、それが一度終わりを迎えるといっそう幸福や自尊心の味わいがとてつもなく美味に感じられるのです。気分が良くなり始めると、春の到来とともに訪れる雪解けのように心が揺さぶられ、そして悲観的な思考パターンは、当然のことのように、退いていきます。そしていぶかしがりもするでしょう。第一自分はいつからこの世にあってこんな非現実的な考えをするようになったのだ、と。こうした人間の心のうつろいの奥深さが私はおもしろくてなりません。日常、何度こういった不思議な変身を見てきたことでしょう。

つまり、外見的な変化はドラマティックに見えるはずですし、あなた自身憂うつな気分は永遠に消えてなくなったように信じているかもしれませんが、それが見えない状態であなたのなかに残っていることもあります。それが改められたり、取り除かれなければ、近い将来また憂うつな気分に襲われて傷つく日がやってきます。

治ったような気がすることと、本当に治ったこととの間にはいくつかの違いがあります。治ったような気がするということは、良くない兆候がときどき現れる状態です。本当に治った場合とは、次のような状態を指します。

1　どうして憂うつになったかその原因を知っている。
2　なぜ、あるいはどうやったら良くなるかがわかる。このことは、自分自身にだけ効く特別な立ち直り術を体得して、それを必要に応じて再度適用し、効き目を発揮できることを意味する。
3　自信と自負心を持つこと。自信というのは、人間関係のなかで、また仕事において自分に見合った成功を得るだけの良い機会に恵まれているということをわきまえてこそ生まれる。自負心は、自己愛をできるかぎり感じ、成功しようがしまいが人生をどんなときにも楽しめるということ。
4　もっと深く憂うつの原因を探ること。

第一部、二部、三部では以上の最初の二つに到達する助けをしてきました。これからの数章は三番目、四番目への道をたどるお手伝いをしていきます。

あなたの歪められた否定的な考え方は、憂うつな状態から抜け出した後にはほぼなくなったか、あるいは一掃されたかもしれませんが、心の中には自分では気づかない小さな「暗黙の仮定 *silent assumptions*」がそのままです。それらは大部分、第一になぜ抑うつ状態に陥ったのかを明らかにし、いつまた傷つけられるのか前もって知る手助けになります。だからこそまた防止策をだめにする鍵を握ってもいるのです。

「暗黙の仮定」とはいったい何か。それは、自分で自分の価値と決めたもののことです。したがってそれはあなたの価値の成り立ち、個人的な哲学、自負心の基礎となる資質を表します。例を挙げると、

(1) 誰かに非難されると、自分がどこか間違っているような気がして惨めに感じる。
(2) 本当に完璧な人であれば愛されるはずである。もしひとりぼっちだとしたら、寂しく惨めになる覚悟を決めなくては。
(3) 人間としての価値は、自分の成し遂げてきたことに比例する。
(4) もし完全に行なわなかったら、感じなかったら、あるいは振る舞わなかったら、私は失敗したことになる。

こういった非論理的な仮定によって、あなたは台無しになり、気分の動揺をきたしやすくなります。つまりそれはあなたの心理的アキレス腱といえるでしょう。

これからの章ではあなた自身の暗黙の仮定を確認したり、評価したりすることを学んでいきましょう。気分が揺れ動くもとが、是認や愛、成功、あるいは完璧な態度に心悩ますことなのだと発見するかもしれません。自分自身の自滅的な確信癖をさらけ出し、それに挑みかけるようになれば、妥当で自分を高めるような個人的な哲学を基礎とすることができる。そうすれば、明るく、情緒を啓発されるような人生を歩むようにもなるのです。

精神科医は(そして一般の人も)、自分の気持ちの動揺の根元を探るためには、患者がうつ病の原因の説明の難しさを知った後にも、さらに長くつらい（数年間の）治療期間が必要だといいます。しかし、認知療法ではそうは考えません。

図10-1

自動思考		合理的な反応
1. 患者が私の説明でかえってイライラすると言っているとB先生に言われた。おそらく彼は私のことをダメな治療者だと思っているのだ	→	1. 心の読みすぎ：心のフィルター：レッテル貼り ただB先生は私の過ちを指摘しただけであって，「ダメな治療者」と思うまでにはいたらない。本当はどう思っているのか尋ねたことがあるが，私をほめてくれ，才能があると言ってくれた

本章では、暗黙の仮定を確認する二つの方法を学んでいきましょう。一つは「矢印法 *arrow technique*」と言われる驚くべき効果を持つ療法ですが、あなたの内側の精神をさらけださせます。

これは実際に第四章で紹介したダブルカラム法をなぞっていくもので、そのなかでいかに自分の狼狽の気持ちを書き表すか、また道理にかなった答えにすりかえるかを学びます。この方式によってあなたは自分の思考パターーンの歪みを解消することができるため、気分が良くなるはずです。図10-1に少しダブルカラム法の例を挙げてみました。これは第六章で紹介した精神科研修医のアートが答えたものです。そのとき彼のスーパーバイザーの批判は建設的であったにもかかわらず、それによって落ち込んでいたのです。

不安と罪の意識はなくなりましたが、アートはそもそもこの感情がどこに根ざすのかを知ろうとしました。たぶんあなたも自問しはじめていることでしょう。私の否定的な考え方には固有のパターーンがあるのだろうか、と。心の奥底には何か精神によじれたものがあるのだろうか、と。

アートはこういう問いに答えるべく、矢印法を使いました。まず、自動思考の真下に向けて小さな矢印を書きました（図10-2参照）。こ

図10-2 矢印法にのっとって，暗黙の仮定のもたらす自動思考を書く。下向きの矢印は次のような質問を省略したものである。「もしその考えが，真実ならばなぜ自分は動揺するのか？それはどういう意味があるのか？」引用符で囲まれて出ているのが，あなたが自動思考を書いてから自分に問いただすことである。それを続ければ問題の根本を明らかにするような思考のつながりが見えてくる。

自動思考		合理的な反応
1. B 先生は私のことをダメな治療者だと思っている	→	
↓ 「もしそう思っているとすれば，なぜ自分は動揺するのか」		
2. 彼は専門家なので，（彼がそう思うなら）私はダメな治療者だという意味をもつからだ	→	
↓ 「ダメな治療者だとしたら，それはどういう意味をもつのか」		
3. 私は全面的に敗者だということになる。無能だということになる	→	
↓ 「無能だとしよう。それがどうして問題になるのか。どういう意味があるのか」		
4. うわさが広まって，皆が私を悪者扱いするようになるだろう。そうすると誰も私のことを尊敬などしてくれなくなる。医学界からは叩きだされ，よその州に逃げ出さないとならなくなる	→	
↓ 「それはなにを意味するのか」		
5. つまり私が価値のない人間だということ。惨めできっと死にたくなるだろう	→	

れは、アートに「もし自動思考が真実だとしたら、どんな意味があるのか。なぜ、自分は動揺するのか」と問いかけます。そしてそのときすぐに浮かんだ考えを書くのです。ご覧のように、彼は「もしB先生が僕のことをダメな治療者だと思うならば、それは私がダメな治療者だという意味だったのだろう。B先生は専門家なのだから。」次にアートはこの考えのすぐ下に矢印をし、図10-2にあるように、次の自動思考が浮んでくるように同じ過程を繰り返します。新しい考えが浮かぶ度にすぐ矢印を書き、自問するのです。「もしそれが真実ならば、なぜ自分は動揺するのか。」これを繰り返すうちに、自動思考をつなげていくことができます。それは、問題を引き起こしている暗黙の仮定へとたどりついていきます。こうしてだんだん下降していくやり方は、たまねぎの皮をむくようにすぐ下にあるものをあらわにするのです。実際、単純で、率直な方法です。

さて、この矢印法は、自動思考を書き留めるときのいつものやり方と正反対だと気づかれた方もおありでしょう。通常は、なぜ自動思考が歪められ、無価値であるかということを示す理にかなった答えに置き換えたはずです（図10-1）。この方法はあなたの今この場での思考パターンを変えることに役立ち、その結果、人生をより肯定的に考えることができるようになり、気分も良くなるのです。これに対し矢印法では、歪められた自動思考を仮に正しいとし、そのなかにある真実のかけらを捜すようにします。こうして、自分の抱えている問題の核心に行き着くことができます。

さあ、アートの自動思考のつながりについて図10-2をもう一度見てみましょう。そして、考えてみてください。彼の不安や罪の意識、うつ状態の源を作っているものは何か。以下にいくつか挙げてみました。

1　誰かに批判されるということは、私に悪いところがあるということだ。
2　私の価値は私のやり遂げることで決められる。
3　ひとつ間違えばすべてご破算だ。常に成功していなくては、無に等しい。
4　他人は自分の不完全さに我慢できない。人に尊敬され、愛されるためには、完璧にならなければいけない。まぬけなことをしたら、すさまじい非難にあい、罰せられるだろう。
5　非難されて、私はだめで何の価値もない人間と言われるだろう。

一度自分自身の思考のつながりを見い出し、暗黙の仮定を明らかにすれば、次の段階では、歪みを正確に指摘したり、いつもやっているような道理にかなった答えへのすり替えをすることが大切になります。(図10-3参照)

この矢印法の良い点は、帰納的で、ソクラテス的であることです。思慮に富んだ質問を重ねていくうちに、あなたを自滅させる信念が自分自身にあることを発見するでしょう。「もしこの否定的な考えが真実ならば、それは何を意味するのか。なぜ自分は動揺するのか」という問いかけを繰り返すことによって問題の根を掘り起こすことになるのです。セラピストの個人的偏見や、信念、理論的知識を持ち込まずに、客観的かつ体系的にあなたの問題の根元へまっすぐ進んでいくことができます。この方法は、これまでの精神医学の問題点を克服するものです。あらゆる学派のセラピスト達が、決めつけた言葉でもって患者達の経験を解釈してきました。しかもそれはほとんど、あるいは全くといっていいほど、実証的に確認されて

図10-3 下向き矢印方式で自分の自動思考の流れを引き出した後，アートは認知の歪みを確認し，より客観的な答えに置き換えるようになった。

自動思考		合理的な反応
1. B先生は私のことをダメな治療者だと思っている ↓ 「もしそう思っているとすれば，なぜ自分は動揺するのか」	→	1. B先生はただ私の誤りを指摘しただけのことで，ダメな治療者と思っているわけではない。本当はどう思っているのか聞いたことがあるが，彼は私を称賛し，めだった才能があると言ってくれた
2. 彼は専門家なので、（彼がそう思うなら）私はダメな治療者だという意味をもつからだ ↓ 「ダメな治療者だとしたら，それはどういう意味をもつのか」	→	2. 私の治療者としての能力や弱点を指摘できるのは専門家だけだ。いつ誰がぼくのことを「だめな奴」だとみなしても，おおまかで破壊的で無益な言い方をしているにすぎない。私はほとんどの患者たちに成功を収めたし，したがって誰が何と言おうと私が「だめな奴」であるわけがない
3. 私は全面的に敗者だということになる。無能だということになる ↓ 「無能だとしよう。それがどうして問題になるのか。どういう意味があるのか」	→	3. 一般化のしすぎ。たとえ治療者として比較的不慣れで，効果がうすいにしても，それがすなわち「すべて失敗」とか「役立たず」という意味にはつながらない。他にもいろいろな興味，能力，それに仕事には無関係な好ましい長所がある
4. うわさが広まって、皆が私を悪者扱いするようになるだろう。そうすると誰も私のことを尊敬などしてくれなくなる。医学界からは叩きだされ，よその州に逃げ出さないとならなくなる ↓ 「それはなにを意味するのか」	→	4. ばかげている。たとえ間違ったにしてもそれを正すことはできる。単に間違いを犯しただけで，うわさが野火のように広まるわけがない。新聞の見出しに「著名なる精神科医がミスを犯した！」とでも発表されるのだろうか
5. つまり私が価値のない人間だということ。惨めできっと死にたくなるだろう	→	5. たとえ全世界の人々が私を非難したり、批判したりしても，それで私が無価値になることはない。なぜなら私は無価値なんかではないからだ。だとすると，私は価値ある人間ということだ。それならばどこに惨めさを感じるというのだ

いないのです。もしあなたがそうしたセラピストの説明を受け入れなければ、もっともらしく「真実」への「抵抗」と解釈されるでしょう。こうした巧妙なやり方で、あなたの問題は無理やりに、あなたの言うことに耳を貸さないセラピストの型にはめられてしまいます。宗教家のカウンセラー（神秘的要素を持つ）や、共産国の精神医学者（社会―政治―経済的環境）、フロイト派分析家（内向した怒り）、行動療法家（陽性強化の欠如）、薬物にこじつける精神科医（遺伝的要因とバランスのくずれた脳内生化学現象）、家族療法家（不穏な人間関係）などなど、あなたがそこを訪れればうんざりするほどいろいろの説明をきくはめになるわけです。

この矢印法を試みるときには、ちょっと注意が必要です。感情的な反応を記す際には、それが起こってきた過程を省略しがちです。その代わりに、感情的な反応を引き起こした否定的な考えを書いてください。ここに間違ったやり方の例をあげておきます。

最初に浮かんだ自動思考：ボーイフレンドが約束したにもかかわらず、週末に電話をかけてこなかった。

↓　「どうして動揺するのか。それはどんな意味があるのか」

二番目に浮かんだ自動思考：ひどい、どうしようもない、私は耐えられない。

これでは役に立ちません。あなたが憤慨していることはすでにわかっています。聞きたいのは、どんな考えが心をよぎってあなたを動揺させたのかということです。もし彼があなたのことを無視したのだとしたら、それはどういう意味をもつのか、です。

では正しい例を挙げましょう。

1　ボーイフレンドが約束したにもかかわらず、週末に電話をかけてこなかった。
←「どうして動揺するのか。それはどんな意味があるのか」
2　彼が私を無視したということになる。つまり、私を本当に愛していないということになる。
←「そうだとしたら、どういう意味か」
3　私になにか問題があるということだ。そうでなければ、彼はきちんとした人で約束をたがえるはずがない。
←「そうだとしたら、どういう意味か」
4　私が拒絶されるだろうということ。
←「そして、もし私が実際に拒絶されたとしたら、どうなるのか」
5　私は愛らしくないから拒絶され続けるのではないだろうか。
←「そうだとしたら、なぜ動揺するのか」
6　私はずっとひとりで惨めに暮していかなければならない。

このように、感情よりむしろその意味をたどっていけば、あなたのなかに眠っている仮定を明らかにすることができるのです。

(1)　愛されていないならば価値がない。

(2) ひとりぼっちになったら惨めになるだろう。

だからといって、あなたの感情が重要でないと言っているわけではありません。すべてのポイントは、感情の変換を有効に行なうことです。

態度の歪み発見スケール　(*Dysfunctional Attitude Scale DAS*)

心の動揺を引き起こす暗黙の仮説を明らかにするもう一つの方法を紹介しましょう。私達のグループの一人、アーリーン・ワイズマン博士の開発した「態度の歪み発見スケール」(DAS)と呼ばれるより簡単な方法です。これは、よく情緒障害を起こす傾向のある人百人のリストに基づくものです。この研究によれば、うつ病の治っている時期には否定的な自動思考は減少しますが、自滅的な信念は、ずっと続いていることがわかりました。このことからも暗黙の仮定が情緒の乱れのもととなっていることがわかります。

この長いスケールすべてを本書に載せることはかないませんが、役に立ちそうなものをいくつかほかにも載せてみました。質問事項に答えるときは、それぞれの態度についてどの程度賛成なのか、あるいは反対なのかを記してください。全部できたら、回答を集計して、個人的価値観のプロフィールを作ります。それを見ればあなたの心理的な幅や弱点がわかるというわけです。

テストの答え方はいたって簡単です。二八三頁〜二八五頁に挙げてあるDASの表の三十五の態度について、おおよその場合あなたが抱くような評価を示してある欄に印をつけます。それぞれにひとつずつ答を選んでください。人の考えはそれぞれ違うので、どれが正しいとか間違っているなどと考える必要はありません。設問にある態度が、典型的なあなたの考え方かどうかを決めるために、普通の場合はものごと

〈例〉	強く同意する	少しは同意する	どちらでもない	少し違う	非常に違う
35　成功した証（見栄えの良さ，社会的地位，富，名声）をもつ人は，それがない人よりも幸せになるはずだ		✓			

強く同意する	少しは同意する	どちらでもない	少し違う	非常に違う
−2	−1	0	+1	+2

をどう考えているかよく思い起こしてください。

上にあげた例では、「少しは同意する」の欄にチェックされていますが、それは答えている人が幾分そういう態度をとるということを示しています。では始めてください。

DASを完成させたら、次に示すやり方で集計します。三十五の設問のそれぞれの回答を上の表に示した点数にあてはめてください。

さて、最初の五つの回答の点数を足してください。それによって、あなたが他人の意見を通して測った自分の価値観や、許容度、批判度の傾向を明らかにします。この五つの設問に対する回答が、＋2：＋1：−1：＋2：0だったとしますと、あなたの合計点は＋4になるというわけです。

この方法で、設問の1から5、6から10、11から15、16から20、21から25、26から30、31から35、という五問ずつを足していってください。そして、二八六頁の表に書き込んでみてください。

このように、五つの回答群は、七つの価値基準のうちのいずれかをはかるようにできています。あなたの集計した合計点は、

態度の歪み発見スケール（DAS）*

	強く同意する	少しは同意する	どちらでもない	少し違う	非常に違う
1. 人は批評されることによって明らかに動揺するものである	✓				
2. 他の人を喜ばせるためには自分の興味のあるものを一切捨てるのが一番良い方法だ					✓
3. 幸福になるためには他人の賛同が必要だ				✓	
4. 誰か自分にとって大事な人が何かを期待してきたら，それに沿うようにするべきである			✓		
5. 自分の人間としての価値は，他人が自分をどう思うかによって決まることが多い		✓			
6. 誰にも愛されていないのに，幸福であるはずがない	✓				
7. 誰かに嫌われたら，幸福感が損なわれる	✓				
8. 自分が世話をしている人に拒絶されたら，非は自分の方にある		✓			
9. 愛する人に愛されていないのなら，自分には愛されるだけのものがないのだ	✓				
10. 人々から孤立したら不幸になってしまう				✓	
11. 価値ある人になるためには多くの点で目だつものがなければならない		✓			
12. 役に立ち，生産的で，創造的な人間でなければならない。さもなければ人生は無意味になってしまう			✓		

＊ アーレン・ワイスマン，1978

	強く同意する	少しは同意する	どちらでもない	少し違う	非常に違う
13.何か良いアイデアを持っている人はそうでない人よりも価値がある		V			
14.人と同じようにできないということは、自分は人よりも劣っていることを意味する	V				
15.仕事で失敗したら，人間としても失格だ				V	
16.上手にできないくらいなら，やらないほうがましだ				V	
17.弱点を人に見せることは恥しいことだ				V	
18.引き受けたことは何でも全力をつくすべきだ		V			
19.もし失敗したら動揺するだろう	V				
20.もし自分を高い水準に置くことができなければ，二流の人間で終わってしまう			V		
21.もし自分が何か受けるに足るものであれば，当然それを受ける理由がある。			V		
22.障害があって欲しいものが得られない時は，欲求不満になるのもやむをえない				V	
23.先に人の要求を聞き入れてあげたら，何かしてほしい時にその人に手助けを要求するのは当然のことだ		V			
24.私が良い夫（妻）ならば配偶者は愛してくれるはずだ			V		
25.誰かに良いことをしてあげればその人に尊敬され，私がしたと同様な扱いを受けられると思う				V	

	強く同意する	少しは同意する	どちらでもない	少し違う	非常に違う
26.自分に近い人に対しては，その人の感じ方や振る舞い方に責任を持つべきだ		V			
27.人のやり方を批判した時，その人が怒るかふさぎ込むかしたら，それは私がその人を動揺させたからだ	V				
28.善良で，価値のある，道徳的にも優れた人になるためには，助けを求めている人があればその人を助けようと努めなければいけない		V			
29.子供が情緒的に，あるいは行動的に問題のある場合，その両親が大事な点で失敗をおかしたことを示している		V			
30.私は皆を喜こばすことができなければいけない			V		
31.何か悪いことが起きた時に自分がどう感じるかコントロールできそうにない			V		
32.動揺する気持ちを変えようとすることは意味がない。それは正当な，日常生活の避け難い一部分なのである				V	
33.私の気分はまず第一に大半が自分でコントロールできないような要素，つまり過去の出来事や体の生化学的性質，ホルモンサイクル、バイオリズム，あるいはチャンスや運命といったことから作り出される		V			
34.幸福の大半は自分の身に何が起こるかによって決まる			V		
35.成功者の証を持っている人々（美貌，社会的地位，富，名声）は，それを持たない人より幸福になる可能性が高い					V

集計例

価値基準	態度（設問）	それぞれの点数	合計点
1.承認依存度	1 ～ 5	+2，+1，−1，+2，0	+4
2.愛情依存度	6 ～ 10	−2，−1，−2，−2，0	−7
3.業績依存度	11 ～ 15	+1，+1，0，0，−2	0
4.完全主義度	16 ～ 20	+2，+2，+1，+1，+1	+7
5.報酬依存度	21 ～ 25	+1，+1，−1，+1，0	+2
6.全能感	26 ～ 30	−2，−1，0，−1，+1	−3
7.自律性	31 ～ 35	−2，−2，−1，−2，−2	−9

価値基準	態度（設問）	それぞれの点数	合計点
1.承認依存度	1 ～ 5		0
2.愛情依存度	6 ～ 10		−6
3.業績依存度	11 ～ 15		−3
4.完全主義度	16 ～ 20		−1
5.報酬依存度	21 ～ 25		1
6.全能感	26 ～ 30		−5
7.自律性	31 ～ 35		2

どれも＋10から－10の間にあるはずです。さて、今度はあなたの集計結果を、二八七頁に示すグラフに書き込んでみてください。ここには上に例が挙げてありますので、下のグラフにあなたの結果を入れてください。「個人的人生観」が見えてきます。

見てわかるように、プラスの点数はあなたが心理的に強いことを表しています。逆に、マイナスの点数は気持ちが傷つきやすい面を表しています。

二八七頁の上のグラフに描かれた人は、承認、完全性、報酬を求める態度については良いようです。弱点は、愛情、全能感、自律性といった領域に出ています。次に、こうした考え方からわかることを説明していきましょう。まず、その前に、あなた自身の人生観をグラフにしてみてください。

集計例

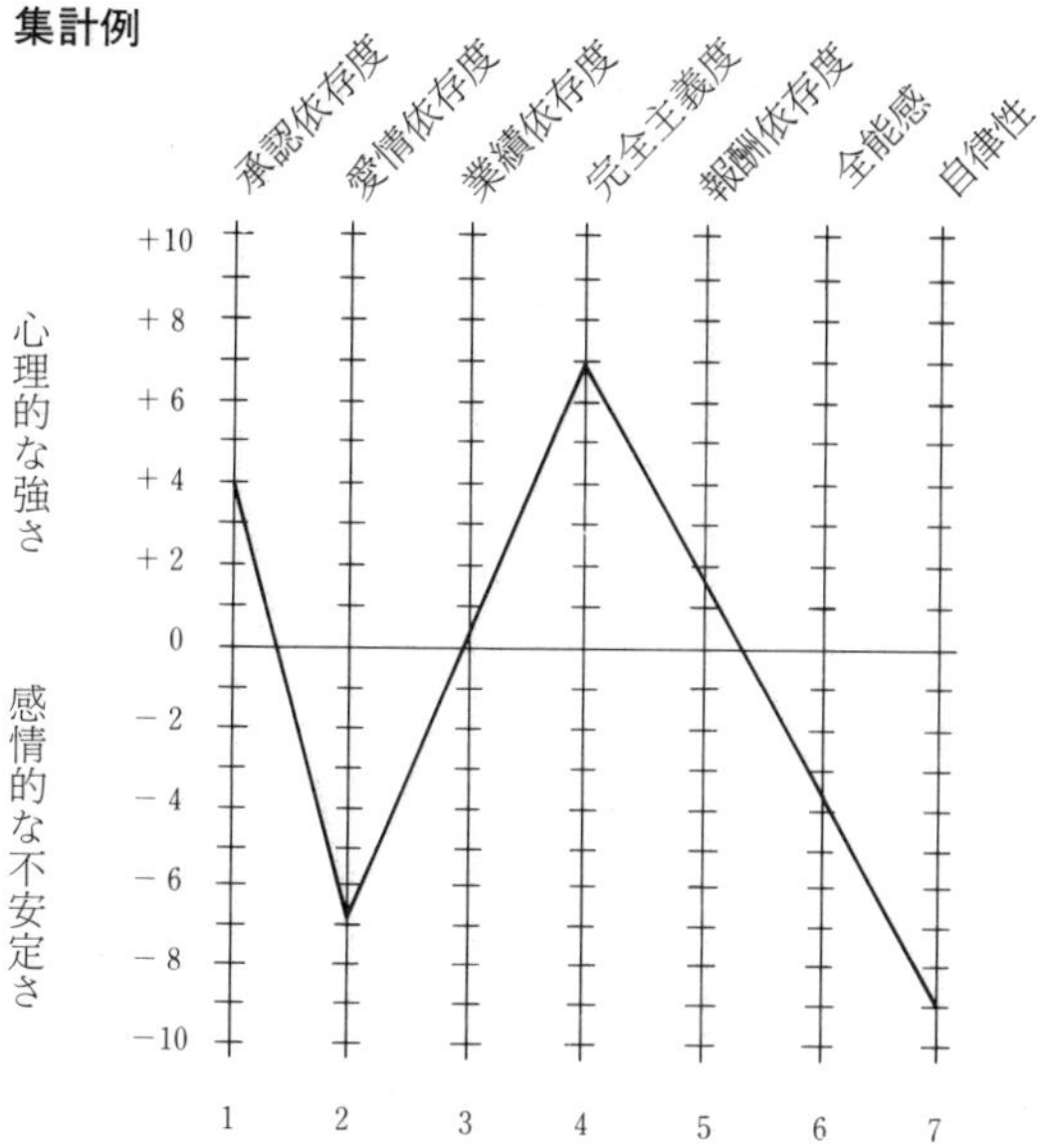

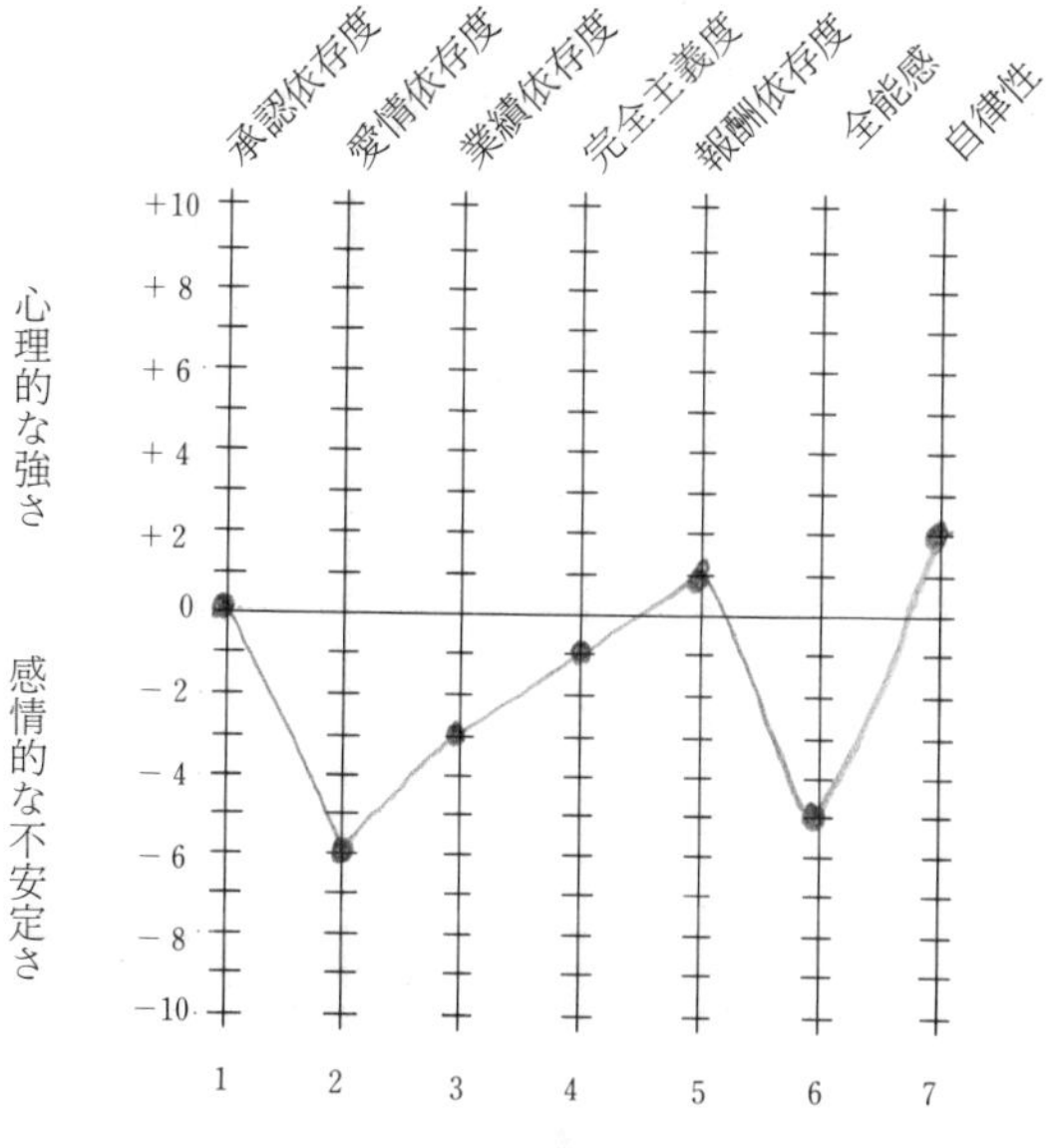

ＤＡＳスコアーの解釈

1　承認依存度

ＤＡＳの最初の五問は、あなたが自己評価をどの程度、他人の反応で測っているかを探るテストです。0から＋10までは、批判や不賛成にさらされても自分自身の価値観をもつという健全な感覚を備えた自立的な人であることを示しています。0から－10までは、自分自身を他人の目から評価しているわけですから、あなたが依存的であることを示しています。誰かがあなたを侮辱したり、やり込めたりすると、自然と自分を軽蔑する傾向にあります。自分は人にどう思われているかという内容に極めて敏感なので、人の意見で容易に行動を変えてしまいやすく、他人の批判や怒りをかったときにはすぐに不安になり、抑うつ的になりやすいのです。

2　愛情依存度

続く五問では、あなたが自分の価値を、人に愛されているかどうかに左右される傾向があるかどうかを評価します。プラスの点数は、あなたが愛情を望ましいものとしてとらえているか、また他に満足感や充足感を味わえるような興味の対象を幅広く持っていることを示しています。したがって、あなたの幸福や自負心に、愛情が必要不可欠というわけではないでしょう。自己を愛することに健全な感覚を持ち、人生のさまざまな面に興味を抱くことのできるあなたは、人の目には魅力的に映るでしょう。

マイナスの点数の場合、あなたが愛情中毒者であることを示しています。愛情を、それなくしては生きていけないし、幸福にもなれない「必然」のように見ているのです。点数が－10に近くなればなるほど、愛情に依存していることになります。劣等感に陥りやすく、人を遠ざけるのではないかと恐れるあまり、自分の意志を抑えてしまいます。その結果、人から尊敬されないし、皆の重荷にされてしまいます。人々があなたのまわりから離れていってしまうことに気づくと、苦悩にうちひしがれ、ひどい引っ込み思案症になるのです。もう日常的な愛情や親切では急な効果が望めないことに気づき、強制的に愛情を獲得しようと必死に打ち込むために、心を消耗させてしまうのです。ほとんどの中毒患者がするように、あなたも「糧」を得るために威圧的で攻略的な振る舞いに訴えもするでしょう。皮肉にも、あなたの貧困な、そして貪欲な愛情への専心は、多くの人を遠ざけ、ますます孤独になっていくのです。

3　業績依存度

11問から15問めまでの点数は、これまでとは違うタイプの中毒症状を測る目安になります。マイナスの点数がでたら、あなたはワーカホリックです。自分の人間性に窮屈な感覚を抱いていて、自分をまるで市場における商品のようにみなしているのです。点数が－10に近づくほど、自分の価値に対する感覚や楽しむ能力は、あなたの生産性に依存します。休暇で出かけたり、仕事でスランプに陥ったり、退職したり、病気になるか動けなくなるかしたら、情緒的に破滅する危険があります。経済不況と情緒的うつ病は、あなたにとっては同じことです。プラスの点数は、対照的に、あなたが創造性や生産性を楽しんでいることを示しますが、だからといってそれが自負心や満足を得るための究極のあるいは必然的な方法だと思わないでください。

4　完全主義度

16問から20問では完全主義度を測ります。マイナスの点数はあなたが完全主義者であることを示します。自分自身のなかに完全性を求めて、間違えることはタブーであり、失敗は死よりも悪く、否定的な感情さえ罪悪なのです。見たり、感じたり、考えたり、振る舞いも、常に華麗に行なうことになっています。華々しく見えないようなときは、地獄の炎のなかで焼かれているように感じます。自分を激しい勢いで駆り立てているのに、貧弱な満足しか得られません。ゴールに到達することができても、すぐにまたもっと遠くにゴールを置き換えてしまうので、決して山頂に達したという報償を得た経験がありません。しまいに、自分の努力で約束された報酬がどうしてすべて実現しないのかを疑問に思い始めます。人生は味気なくなり、退屈なただの繰り返しになってしまいます。あなたは、非現実的で実現不可能な自分だけの標準と暮らしているのですから、それをもう一度見直してみる必要があります。問題は行動のなかにあるのではなくて、それを測るものさしの方にあるのです。もしあなたが現実に沿った期待をもつようになれば、欲求不満に陥るかわりに気分が良くなり、報いられもするでしょう。

プラスの点数は、あなたが意味のある、柔軟な、適切な標準を想定する能力があるということを示しています。過程や経験からも多くの満足を得ることができ、結果に極端に縛られることもありません。あらゆることで目立つ必要もなく、いつも「最善の努力を払う」わけではありません。失敗を恐れず、むしろそれを自分の人間性を知り、保証する絶好の機会として捉えます。逆説的ですが、あなたはおそらく、細部や正確さにこだわらないだけ完全主義的な同僚達よりもより生産的なことでしょう。冷たい氷河のようにみえる厳格な完全主義的な友人に比べてあなたの人生は、流れゆく河、あるいは間欠泉のようによどみないことでしょう。

5　報酬依存度

21から25まででは、「報酬」に対する感覚を試します。マイナスに出れば、あなたは報酬を受ける資格があると考えています。たとえば、成功、愛情、幸福などに。あなたは、自分が生来善人で、一生懸命尽くすのだからといって、他人や世の中が自分の欲求を充分満たしてくれるのが当然だと期待し、要求します。そうならなかった場合――よくあることですが――うつ状態になるか、いらいらするか、どちらかになります。そうして、欲求不満で、悲しく、ひどく興奮して、膨大なエネルギーを使い尽くすのです。人生の大部分を不機嫌で、不健全な経験で埋め尽くします。何度も騒がしく文句を言うのですが、それを解決しようとすることはほとんどありません。結局、問題を解決してもらう資格があるのだから、努力する必要などどこにあろうか、ということなのです。その辛く、要求の多い人生の結果として、いつも人生に求めているものの多くを損失しているのです。

プラスの点数は、あなたがいろいろなことに対して自然と権利を有しているなどとは思わないことを示しています。したがって、欲しいものがあれば交渉し、たいていはそれを得ることができます。人がそれぞれ唯一の存在であり、一人一人が異なっているという配慮ができるおかげで、ものごとが必ずしも自分の思い通りになるわけなどないということを把握できるのです。結果がうまくいかなかったときも、失望はしますが、悲劇だなどとは考えません。それはあなたが、相対的な考えの持ち主で、常に完璧な相互関係や、「正義」を期待していないからです。辛抱強く、根気強いあなたは、十分に欲求不満を受け止めることができます。結果として、人々に先んじることができるのです。

6　全能感

26から30までは、自分自身を個人的世界の中心と見なし、自分の周りで起こっていることの大部分に自分の責任を感じる傾向があるかを調べます。マイナスの点数は、第三章および第六章で取り上げた個人化する間違いを犯していることになります。自分のコントロール外にある他人の良くない態度や行動を、何でも自分のせいにしてしまいます。結果的に、罪の意識に脅かされ、自責の念にかられるのです。逆説的に言えば、全能であるべきだというその態度が、あなたを無能にし、いたずらに不安と無力感を抱かせることになります。

プラスの点数は、反対に、自分が世界の中心ではないという考えにより人生の楽しみがもたらされることを知っているということを示します。他人の管理下にないわけですから、自分自身の責任をとりますが、他人の責任は背負い込みません。感じるだけです。だからといって、他人から孤立するわけではありません。全くその反対といえるでしょう。親しみのある協力者として、前向きに人と付き合うし、人が自分のアイデアに賛成しなかったり、忠告に従わなかったとしても、そのことで脅かされたりしません。あなたの態度は人々に自由と尊厳を感じさせるのでかえって磁力を持つのです。あなたがとうに人々を管理しようなどという気持ちを捨ててしまっているため、周りに人が近づきになろうとやってくるのです。人々はあなたの話を聞き、尊敬するでしょう。なぜなら、自分のアイデアを人々に認めさせようと躍起になって主張しないからです。そしてあなたに賛同するにちがいありません。力で人を管理することを諦めたとき、人に影響力のある人間として迎えられるのです。子供や友人や社会とのあなたの付き合い方は、依存するかわりに相互的なものとしての特徴を持っています。人々を自分の支配下に置かないから、誉められ、愛され、そして尊敬されるのです。

7　自律性

31から35までは、あなたの自律性を測ります。それは、あなたが自分自身のなかに幸福を見いだす能力があるかどうかに関係してきます。プラスの点数は、結局のところ、気分はすべて自分の考えや態度から作り出されたものだということを示しています。自分の気分が自分自身が作りだしたものならば、それに対する責任を引き受けることになります。そういうと、まるでどんな意味づけも感情もあなたの頭の中だけで作り出されたものなんだから、人間なんて結局さみしいものだというふうに聞こえるかもしれません。しかし、逆に、こうした自律的な見方はあなたの心のちっぽけな境界を取り外し、起こるべき満足感や神秘的なこと、興奮をたっぷり備えた世界をあなたにもたらすのです。

マイナスの点数は、あなたがまだ、自分の潜在的な楽しみや自負心が外の世界からくるものだという考えに捕らわれていることを示しています。ということは、外の世界にあることはすべて結局はあなたのコントロールの範囲内のことなのですから、非常な損をしていることになります。あなたの気分は、外界のものごとの犠牲として現れてくるわけです。それでいいとお思いになりますか。そうでないなら、こうした態度から、蛇が抜け殻を脱ぐように確実に自由になることができるでしょう。そのためには、この本で概説したさまざまな方法を実行してみなければなりません。そしてついに自律性と個人的責任感への変換ができるようになったときには、驚き、素晴らしく感じ、楽しみ、あるいは嬉しくなるはずです。それこそが、人間のあるべき姿として価値のあるものなのです。

次の章からは、こうした態度や価値体系を細かく検証していきます。そのひとつずつについて、自問してみてください。

(1)　この独自の信念を持ち続けることは自分にとって有利なのか。
(2)　この信念は本当に正しくて価値があるのか。
(3)　自己防衛的で、非現実的な態度から解放されるために、また、より客観的で自分を向上させるような他の態度に代えるために、どんな段階を踏めばいいのか。

第十一章　いつも認められたい（承認中毒）

なぜ他人に反対されることがそんなに怖いのでしょうか。あなたは次のように考えます。「誰かが自分に反対ということは、皆が私に反対していることを意味する。つまり私に何か間違いがあるのに違いない」と。

このような考え方をすれば、人から反対されるたびに気分が悪くなってしまいます。逆に、「誉められたときには気分が良くなれる」と言うかもしれません。しかし、なぜこの考え方が不合理かといえば、自分の気分を高めるのは自分自身の考え方しかないということを見逃しているからです。他人の賛成などは自分でそれをもっともだと納得しなければ、気分に何の影響も与えないのです。ですから、たとえ誉められたとしても、自分の気分を良くさせるのは結局はあなたの考え方次第なのです。

あなたが病院の精神科病棟を訪れたとします。幻聴のある精神病患者が近づいてきてこう言います。「あなたはすばらしい方だ。そのドアを通りぬけてくる十三人目の人が特別な使者だという神の啓示を受けました。あなたは十三人目の人ですから、神に選ばれし者、平和の王子、聖者のなかの聖者なのです。靴にキスさせてください。」こんなに誉められて気分が良くなりましたか？　むしろ、いらいらして気分悪く思われたでしょう。それは、患者の言うことが現実的でないとわかっているからです。その言葉を信用していないからです。あなたの感じ方に働きかけるのはただ自分自身の確信だけだからです。他人はあなたについてどんなことでも、良いことでも悪いことでも、言ったり、思ったりできますが、あなたの感情に影響を与えられるのは実はあなただけなのです。

誉められることばかり求めると、他人の意見ばかりに左右されるようになります。ちょうど薬の中毒のように、禁断症状の苦しさを避けようとして絶えず礼賛され続けなければならなくなります。誰か、あなたにとって重要な人に反対されたらもはや「ヤク」を失った中毒患者のように痛々しくつぶされてしまうでしょう。つまり他人によってコントロールされることになります。拒絶されたり軽蔑されたりするのを恐れすぎると、自分のしたいことより他人の求めていることを優先しなければならなくなるのです。これは感情的な恐喝にあっているようなものです。

他人からの承認にだけ頼っても得にならないことに気がついてきましたか？　それでもまだあなたの言動の長所だけでなく、人間としての価値をも裁く権利が他人に本当にあると思い込んでいませんか？　精神病棟を再び訪れたと想像してみてください。今度は別の幻聴のある患者が近づいて来てこう言います。「赤いシャツを着ているね。これはあんたが悪魔だという証拠だ。あんたは悪霊だ。」これで嫌な気分になるでしょうか。もちろん違いますね。ではなぜこの言葉に心を乱されることがなかったのでしょうか。簡単なことです。あなたが言われたことが本当とは信じなかったからです。他人からの批判に巻きこまれなければ、嫌な感じは受けないのです。

誰かに非難されても、それが「批判した人の」問題だったことが今までにありませんでしたか？　非難は単に批判する人の道理の通らない考えの反映であることが多いのです。極端な例をとれば、ヒットラーのユダヤ人が劣等だという忌むべき教理も、ユダヤ人の問題点を反映してはなく、むしろヒットラーの方の問題なのです。

もちろん、非難があなたの本当の誤りの結果、起こる場合も多くあるでしょう。しかしそれであなたが価値がなく、良いところもない人間だということになるのでしょうか。違いますね。他人の否定的な受け答えは、直接あなたのした特定のことに対して向いているわけで、あなたの価値に向いているのではありません。人間というものは「常に」誤ったことをしているわけではありません。

別の面を見てみましょう。ひどい犯罪者でも、熱烈な崇拝者集団をもっていることがあります。チャールズマンソンという人は性虐待をしたあげく殺人を犯しましたが、彼の言うことならなんでもやってしまう信奉者がたくさんいて、こういう人達には救世主とみなされていました。私が残虐な行為を弁護しているわけでも、チャールズマンソンの信奉者でもないことは断わっておきましょう。しかしこんな自問をしてみてください。このチャールズマンソンがしたこと、言ったことでさえ完全に拒絶されずにすんだのですから、あなたが誰にでも拒絶されるようないったいどんなことをしたのでしょうか。そしていまだ「賞賛＝価値」という図式を信じているのでしょうか。結局、チャールズマンソンは彼の「ファミリー」の熱心なお世辞を楽しんでいたのです。この賞賛を受けることで彼が特別価値のある人になったのでしょうか。まったくナンセンスです。

賞賛が人を「いい気分」にさせることは事実です。そのことに間違いはありませんし、それは自然な正常のことです。同時に、非難と拒絶は通常苦味があって不快なものということも事実です。これは人間的なことですし、理解できることです。しかし賛成と批判が常に正しく、自分の価値を測る最大の物差しと思い続けるならば、深く、荒れた海を泳ぎ続けているようなものです。

今までに、誰かを批判したり、友達の意見に反対したことがあるでしょう。子供のしたことを叱ったり、いらいらしているときに恋人をたたいたことがあるはずです。また気の合わない人と付き合うのをやめたことがあるでしょう。そのときのことを思い出してみてください。あなたが人に反対したり、批判したり、非難したときにでも、その人が完全に無価値で役立たずの人間だというふうに道徳的に断定しましたか。他人に対して、このような決定的な判断を下す力をあなたはもっているのでしょうか。それとも単に視点の違いのために、その人の言ったこと、やったことにイライラしただけのことでしょうか。

たとえば、怒りにまかせて夫（または妻）にうっかり「このまったくの役立たずが！」とどなってしまったとします。しかしその怒りが一日二日でおさまった後には、妻、または夫の「悪い点」を誇張していたと自分で認めませんか。確かにあなたの愛する人にも欠点があるでしょうが、それに対する批判を全部ぶちまけてよいものでしょうか。もしあなたが相手を非難して、相手の人生の意味や価値を破壊してしまう権利などないとすれば、同様に「他人の」批判にあなたの自己価値感覚を揺さぶる力もないのではないでしょうか。なぜ「他人のこと」だけ特別扱いするのでしょうか。誰かに嫌われていると思って、その恐怖に身震いしている時にはその人の考えの方を拡大解釈して、逆に自分自身のことについては低い評価しかできなくなっているのです。もちろん誰かに行動の欠点や考え方の間違いを指摘されることもあるでしょう。でもそれは歓迎すべきことです。それで学べるのですから。結局われわれは皆不完全であり、他人はそのことをわれわれに教えてくれる役割を持っているのです。それでも、誰かに約束を違えられたり、こきおろされるたびに自分を惨めに思い、自己嫌悪に陥ることに甘んじていて平気なのですか？

問題の源について

そもそも最初にどこでこの承認中毒に陥ったのでしょうか。その答えは、子供のときにその人に重要だった人々との相互関係のなかにあるようです、としかいえません。それは誤ったことをしたときに過度に批判的な両親だったり、特に何も悪いことをしていないときでも神経質な両親だったりしたかもしれません。母親に「そんなことするなんてなんて悪い子なの！」とほっぺたをたたかれたり、父親に「いつもボーッとしてばかりでちっとも進歩のない奴だ！」と言われていたかもしれません。

小さい子供にとっては、たぶん自分の両親というのは神様と同じです。両親にどのように話し、どのように靴紐を結ぶのかを教えられますが、教えられることの多くは有益なことです。たとえば父親が「走っている車の中に飛びこんだら死んでしまうぞ！」と言ったとします。このことは文字通り正しいことです。子供はたいていは両親の言うほとんどのことは正しいと思いますし、あなたもそうだったでしょうからこそ、「役立たず！」とか「成長しない奴だ！」と言われると文字通りにそれを信じて、ひどく傷つくのです。「父さんはことを誇張して考え、拡大解釈しているんだ」と察するには幼なすぎますから。そして父親がその日いらいらして、疲れていて、もしかしたらお酒も飲んでいて、放っておいてほしがっているのかもしれませんが、それがわかるほど情緒的に成熟していないため、父親の爆発が父の問題なのか自分の問題なのかわからなかったかもしれません。またもし父親が理にあっていないとわかる年になって、正しい考え方をしたのにそれが裏切られて失望する、ということもあったことでしょう。

したがって誰かに反対されるたびに自動的に自分を見下してしまう悪い習慣が育ってくるのは、もっともなことです。子供のときにこの傾向をもってしまうのは自分の落ち度ではありませんし、この盲点をもって育ったことも責められることではありません。しかし、ものごとを現実的に考え、このような脆さを克服するために努力することは成人したあなたの責任なのです！

　このような他人からの批判を恐れる心理がどのように人を不安とうつ状態に陥らせやすくするのでしょうか。例をみてみましょう。ジョンは独身の口調の柔らかな五十二歳の建築家で、他人からの批判を恐れて暮しています。数年間の治療にもかかわらず、軽快しない重症の再発性のうつ病のために治療を求めて紹介されてきました。ある日ジョンは特に自分にも満足できたと感じる重要な企画についての自分の新しいアイデアをもって喜び勇んで上司の所へ行きました。しかしその上司に「あとにしてくれ、ジョン。私が忙しいのが目に入らないのかい！」とピシャリとやられてしまいました。ジョンの自尊心はいとも簡単に地に落ちてしまいました。絶望と自己嫌悪に陥り、自分は価値がない奴なのだとつぶやきながらジョンはやっとのことで自分の事務所に帰りつきました。「自分はなんて思慮が足りなかったのだろう」と独りつぶやき、自分を責めました。

　ジョンが私にこの出来事をもちかけたときに、私は単純で明瞭な質問をしました。「今の話で、いけないのはどちらなのですか。あなたは実際に場に適した行動をとっていたのではないのですか。上司が単に不機嫌だったのではないですか。」一瞬後にジョンは本当に問題なのは誰だったかわかりました。その上司がいらいらしてとった行為だと考えることは、彼の自罰的ないつもの習慣ではできなかったのです。ジョンは自分がとった行動を恥じることは何もないのだと悟った途端、気が楽になりました。よそよそしかった彼の上司は、おそらく自分がプレッシャーを受けていて、その日は人と一線をひいていたのでしょう。

ジョンはそこで「なぜ私はいつも賛成を求めてあくせくしているのでしょうか。なぜこのようにどぎまぎしてしまうのでしょうか」と尋ねてきました。そのとき、ジョンは十二歳のときの出来事を思い出しました。たった一人の血をわけた弟が長い白血病の闘病生活の末に、悲惨な死に方をしたときのことです。葬式の後、彼は母親と祖母が寝室で話をしているのを立ち聞きしました。母親はひどく泣きながら「もう私には生きる糧がなくなってしまったわ」と言いました。祖母がそれを聞いて「シーッ！　ジョニーがホールを降りて来たら今のことが聞こえるかもしれないわ」と黙らせました。

ジョンは私とこの話をすると、すすり泣き始めました。彼はこの話を聞いてしまい、その意味を、「これはつまり私には価値がないということなのだ。大切だったのは私の弟だったのだ。私の母親は私を本当に愛してはいないのだ」というように解釈してしまったのです。彼はここで聞いたことを誰にも話さずに、何年もかかって、「母親が私を愛していようがいまいが、とにかくそんなことはどうでもいいことなのだ」といいきかせることによって、この記憶を頭から追い出そうとしてきました。ジョンは自分の成功と自分の仕事を母親が喜んでくれるときを待ち焦がれ、母親の賞賛を得ようと熱心に頑張ってきました。しかし心の中では、自分には本当の価値などなく、劣っていて愛されてないと思っていました。彼はこの間違った自己評価を他人の承認と賛同を得ることによって埋め合せしようとしていました。彼の生き方は、まるで穴の空いた風船をいっぱいに膨らまそうとして常に努力しているようなものでした。

この出来事を思いだしてから、ジョンはホールで聞いた話に対する自分の考えが不合理だったことがわかるようになりました。母親の嘆きと喪失感は、子供が死んだ両親の誰もがとる自然な悲しみの過程の一端だったのです。母親の言ったことは、ジョンとではなく、母親の一時的な抑うつと絶望に関係があったのです。

新しい視点にこの記憶をもっていくことによって、ジョンが他人の意見に自分の価値を関連させて、いかに理屈に合わずに自分をダメにしていたか理解できるようになりました。おそらく、あなたも他人の承認が大切と思っていたことが、非常に現実的でないことだと思い始めているでしょう。そうです。最終的にあなたが、そして唯一あなただけが、自分を堅実に幸せにすることができるのです。他の誰にもできないのです。さて、こういう原理を実践にもっていく簡単な段階を学ぶことで、これからあなたの望む自己評価と自尊心を感情的に現実のものに形を変えることができるようになるでしょう。

独立と自己信頼への道

費用のかからない分析について

態度の歪み発見スケール（DAS）によって判定される、自分を傷つけるような考えを克服する最初のステップは、次のような分析です。それには費用もかかりません。まず、人に反対されることにより、自信がなくなってしまうのはどんな場合か自問して、その利点と問題点をあげてみてください。いろんなケースをリストアップできれば、もっと健康的な価値観の体系ができることでしょう。

たとえば、スーザンという三十三歳の既婚夫人は、責任感が強く、能力もある働き手で、世話役に推されることも多かったのですが、教会と地域活動に巻き込まれすぎてしまっているのに気がつきました。スーザンは新しい仕事に選ばれるたびに非常な喜びを感じていましたが、同時に誰かの反対を買う恐れがあるために、どんな頼まれごとでも断ることが怖くなってしまいました。スーザンは人々をがっかりさせることを恐れて、自分の興味や要求を諦めるという悪循環にどんどんはいっていきました。

DASと前章で紹介した「矢印法」で「人から期待されることをいつもやらなければならない」というスーザンの暗黙の仮定の一つが明らかになりました。そこでスーザンはこれを捨てることを目的にして、費用のかからない分析を受けることになりました（図11-1参照）。その結果、スーザンは、自分の物の見方を変えることにかなり率直になりました。反対されることに対する自己破壊的な思い込みを克服するためにこの簡単な技術を試してみましょう。個人の成長に大切な第一歩となるでしょう。

「暗黙の仮定」を書き直す

もし、前に述べた分析法に基づいて、反対を恐れることが助けになるどころか自分を傷つけているのが分かったら、第二段階であなたの暗黙の仮定を、もっと現実的に、しかも自分を強くするような方向に書き直します（これをDASの三十五の態度のどれかでやってみれば、自分が心理的に傷つきやすいところがどこなのかがわかります）。上記の例で、スーザンは以下のように考えを改めることにしました。「誰かが私に賛成してくれるのは嬉しいことだけれども、立派な人物になるためや、自尊心のために承認が必要なわけでない。不賛成されるのは確かに不愉快なことだけれども、それは私が劣っていることとは違う」と。

自尊心の青写真

第三段階として「なぜ反対や批判を恐れて生きることが不合理で不必要なことか」と題した短いメモを

図11-1　「暗黙の仮定」を評価する費用のかからない分析法

仮　　定：「私は，人から期待されることは，いつもしなければならない」

こう信じることの長所	こう信じることの短所
1. もし人の期待にそえるならば，落ち着いていられる。これは気持ちがいいことだ	1. 妥協して，本当は自分がしたくないことをやらざるをえなくなる
2. 人を喜ばせたときは，安心と安全を感じる	2. この思い込みによって，本当の人間関係がテストできなくなる。自分がありのままの形で受け入れられているのかどうかわからない。人がやってほしいことに応えることによってしか親しみや愛が得られない。これはまるで奴隷のようだ
3. 罪悪感と混乱を避けることができる。私がやらなければいけないことは，他人が私にしてほしいことだから，放っておくことができない	3. 人は私に対して，強い力をもちすぎている。反対されることを恐れるあまり強制されることになる
4. 人が私に困っているか，私を軽蔑しているか，心配しなくてもよくなる	4. 自分で何がしたいのかわからない。自分を優先することと，他人から自立した決定をしたことがない
5. 私は葛藤を避けることができ，自分のために自己主張しなくてもよい	5. 他人に反対されたときに，それに反対することができず，何か悪いことをその人にしてしまったような気がして，ひどい罪悪感と憂うつを感じる。これが私を自分自身ではなく，他の人のコントロール下に置いてしまうことになる
	6. 他の人が私にしてほしいことは，その人自身の興味があることなので，私にとっては最善のことではない。その人たちの私に期待することは必

こう信じることの長所	こう信じることの短所
	ずしも現実的で妥当なことではない
	7. 他人はとても弱くて脆いために私に頼っている，もし私が見離したら傷つくだろうと思ってしまう
	8. 危険を冒すことを恐れ，誰かを私のことで乱してしまうのを怖がっているので，人生はつまらないものになる。変化したり，成長したり，自分の経験の枠を広げるために違ったことをする気もなくなる

書くことが役に立ちます。これがもっと自分を信頼し、自立するための青写真として役に立ちます。なぜ不賛成は不快であっても、致命的ではないのか、理由をすべて挙げてみましょう。いくつかは既にこの章で挙げましたから、書き始める前に見直してみましょう。メモには、信頼でき、助けになりそうなことだけを書いてください。あなたの書きとめた論証ひとつひとつを確かにすれば、新しい独立の感覚が現実になります。合理化してはいけません！　たとえば「誰かに反対されても、その人が友達でなければ、気にする必要はない」というのは歪んだ言い訳ですから役に立ちません。なぜなら、この場合他人の方が良くないと書くことによって自己評価を保とうとしているのですから。あなたが知っていることに忠実であることが、真実になります。

新しい考えが浮かんだら、自分のリストに加えなさい。これを数週間、毎朝読みなさい。

これが他人の否定的な意見や批判を打ち負かす最初のステップになります。

以下に挙げた考えで、多くの人が救われています。このなかのいくつかをメモしておいてもいいでしょう。

1　反対されたら、その中心にあるのは、その人の不合理な考え方だということを忘れないこと。

2　もし批判が正しくても、傷つくことはない。それによって自分の誤りを見つけて、正すことができるから。自分の失敗から学んで、失敗を恥じないこと。人間なのだから、ときどき間違いを犯すのは当たり前だ。

3　もしばかにされたとしても、「生れながらの敗者」というものはない。いつも間違っているなんてことはありえない。人生で今までしてきた数多くの正しいことを思えば、これからでも自分を変え、成長させていける。

4　他人には人間としての価値を単にある特定の行為や口にしたことの正当さや長所だけで判定することはできない。

5　誰もがあなたのしたことのでき具合や行ないの善し悪しにかかわらず、皆異なった判断をするものである。他人の反対が野火のように広がっていくわけでも、一回の拒絶が果てしない拒絶に続くわけでもない。だから、もし悪いことに悪いことが重なって、ひどい反対を受けても、全くのひとりになってしまうことはない。

6　批判と非難はたいてい不快なものだが、不快感は通り過ぎていくものだ。今までの楽しんだ活動を無意味と思わずに始めよう。

7　批判と非難は、よほど巻き込まれることを願わない限りはあなたを混乱させることはない。

8　非難はいつか消えるものだ。あなたを批判する人との関係は、だいたい長続きするものではないから、批判は長続きはしない。論争は生活の一部であり、ほとんどの場合、後でお互いにわかるようになる。

9　もしあなたが誰かを批判していても、その人が完全に悪いということはないはずだ。同様になぜ他人にあなたを判定する力と権利を与える必要があろう。私たちは至高の法廷の裁判官ではなく、単なる人間なのだから。他人が自分の人生より大事でなければ、拡大解釈してはいけない。

この他にもいろんなことを思いつくはずです。では、次の数日間はこの方法を試してみてください。それをちょっと紙に書きだしてみてください。非難に対する自分の考えを持つようにしてください。他人に左右されない独立心を養うのにこの方法はきっと役に立ちます。

言葉による技術

このようにして自分への攻撃にいかに対処するかを学びましたが、では批判する人に対してどう行動するべきかもみてみましょう。第一段階として、第六章に示した武装解除法のような自己主張の方法を振り返ることにします。

まず最初に、非難を恐がっているなら、その人に実際に自分を見下しているのか今までに尋ねようと思ったことはありますか。その非難はあなたの頭の中で作っただけのことと知って驚くかもしれません。これには勇気が必要かもしれませんが、得られるものも大きいはずです。

第六章のペンシルバニア大学でトレーニングを受けた精神科医のアートを思い出してください。アートは、自分の特別な患者が自殺するとは思ってもいませんでした。その患者は耐え難い結婚生活を続けていて、希望を失っていましたが、うつ病の既往も症状もありませんでした。アートはある朝、その患者が頭を撃ちぬいて死んでいるのが発見されたという電話を受け取りました。まず殺人が疑われましたが、死因は自殺ということでした。アートはこのような形で患者を失ったことがなく、彼はこの特別な患者をいつくしんでいたための悲しみ、不安と、スーパーバイザーや同僚が自分を批判し、先が読めなかった「過ち」のために、軽蔑するだろうという恐怖を感じました。スーパーバイザーとこの死について話しあった後、率直に「私に落胆しましたか」と尋ねました。スーパーバイザーは拒絶せず、暖かく共感してくれました。さらに、スーパーバイザーも前に同様の失望を経験していたということを聞かされてアートは安心しました。また、これは精神科医として経験する専門の事故の扱いを学ぶ機会になったことも強調されました。症例を検討して、非難を恐れないことによって、アートは「過ち」を学びました。その過ちとは、臨床的にうつ病の人でなくても「失望」が自殺につながるという事実を見逃していたことです。そして他の人も彼に完全を求めているわけではなく、どの患者にも成功した結果を期待されていたのではないということも学びました。

このようにうまくいけばよいのですが、もし、スーパーバイザーや同僚に思慮がなく、アートを非難し、追い込んだらどうなるでしょうか。最悪の考えられる結果は拒絶されることでしょう。では、最悪の結末を扱う戦法を考えましょう。

拒絶は決してあなたの落ち度ではない！

体を傷つけられたり、自分の財産を壊されたりは別として、人から受ける最大の痛みは拒絶です。これは恐怖の原因にもなります。

拒絶にはいくつかの形があります。最も一般的で明らかなのを、青年期の年齢層にあるかに限らず「青年期の拒絶」といいます。あなたが、付き合っていたり、出会った人に対して恋愛感情を抱いているとします。おそらく、あなたの外観、人種、宗教、個性的な特質が問題になります。または、背が高すぎたり、低すぎたり、太りすぎたり、痩せすぎたり、年をとりすぎていたり、若すぎたり、利発すぎたり、愚鈍すぎたり、積極的すぎたり、受身すぎたり、等々のことでしょう。あなたが、相手の親密に付き合いたい理想のイメージに合わなければ、その誘いははねつけられ、冷たくあしらわれます。

これはあなたの落ち度になりますか。明らかに違います。その人は単に主観的な好みと趣味のためにあなたを受け入れなかったのです。チェリーパイよりアップルパイの方が好きというのと同じです。これはチェリーパイは元から好かれないということでしょうか。ましてや恋愛感情とは、ほとんど無限といえるほど多様なものです。もしあなたが、今の文化に「恰好いい」と祝福される練り歯磨き粉の宣伝に出るようなタイプで、興味をそそられる性格だったら、デート相手や友達を惹きつけるのは、簡単なことです。しかしこの魅力は両方とも、永く続く愛を育むこととは、かけ離れたものですし、美しく、端正なタイプの人でも、時に拒絶に会います。誰も会う人ごとに、会うたびごとに夢中になることはできません。

もしあなたが平均的か、それ以下の容姿と性格なら、始めは人を惹きつけるために一生懸命になり、その分、頻繁に拒絶にあうことでしょう。そこで社交術を学び、人を惹きつける強力な秘法をマスターしなければいけません。たとえば次のようなものです。(1)自分を低くみて安売りしてはいけません。自分で悩むことはやめなさい。第四章で示した方法で自己評価を徹底的に高めなさい。もし自分自身を愛していれば、人はあなたの表現する喜びに反応し、あなたに近づこうとします。(2)心からの挨拶をしなさい。人が自分を好いてくれているのか、拒絶するのかを神経質に待っているかわりに、まずあなたから好きになって、それを相手に伝えなさい。(3)何がその人を興奮させるのかを勉強して、その人に興味を示しなさい。最も夢中にさせることを話して、軽妙にそれにコメントと意見をしましょう。

もし、この線に沿っていけば、自分を魅力的と思う人が必ずいて、自分に幸せになる大きな可能性があることでしょう。青年期の拒絶は不快なものですが、この世の終わりでも、あなたの落ち度でもないのです。

「ああ、そうか。しかしもし、いつも人をうんざりさせるような人間で、皆からひどく嫌われているとしたらどうですか。うぬぼれで、自己中心的だと思われたら。それは自分のせいではないのですか」と、言われるかもしれません。これは拒絶の第二の型です。これは、「怒りの拒絶」といわれています。再び、個人的な落ち度があるために、怒って、拒絶されても、あなたに落ち度はないことがわかると思います。

他人はいきなり気にくわないものをあなたに見つけて、拒絶するわけではありません。別の理由があるのです。あなたの行動の何が気にいらないのか指摘し、それが自分の邪魔にならないようにしようとするだけです。もちろん、他人にはあなたを避け、拒絶する権利があるし、どんな好みの友達でも選べます。しかしそれが、あなたがもともと「悪い人間」であるわけでもなく、誰もがあなたに対して同じく拒絶的な態度をとるとも限りません。あなたは、誰かとうまくやったり、衝突したりします。これは他人の落ち度ではなく、人生にみられる事実にすぎません。

もしあなたが、極端に批判的だったり、頻繁に感情を爆発させたりする気まぐれなパーソナリティで、人がそのために離れていくようなら、それを変えることは、あなたの長所になります。しかしもし、他人が性格の不完全さゆえに拒絶しても、自分を責める必要はありません。われわれは皆不完全ですから、自分のあら捜しする癖や他人の敵意に振り回されてしまうことは無意味なことです。

拒絶の三つめの型は、「操作的な拒絶」です。この場合、他人はあなたの拒絶されたり孤立することを恐れる気持ちを利用してあなたを思うようにコントロールしようとします。不幸な配偶者や、欲求不満の精神分析家でさえ、時にあなたを無理に変えようとすることがあります。この図式はこうなっています。「あなたがこれこれのことをするか、さもなければ私たちの関係はおしまいです。」これは非常に非論理的ですし、人をこれで動かそうとしてもかえって自分の方が壊れてしまうことも多いのです。このような操作的な拒絶は、単に文化的に伝えられる欲求不満の解消パターンで、効果がなく、緊張と憤慨を生むことになり、滅多に人間関係を強固にすることなどありません。実際にはかえって、欲求不満を作ってしまう、実に下手な人間関係の技術と言わなければいけません。確かに人がこうするのは、「あなたの」落ち度ではありませんが、自分をこのように操作的にさせておくのは、あなたのためにはなりません。

方法論の解釈はこのくらいにして、ここで、実際に拒絶されたら、何を言い、どう行動するかを示してみましょう。一つの方法として、ロールプレイがあります。対話をより面白く、やりがいのあるものにするために、私が拒絶する役をして、考えられる最悪の場面にあなたを直面させるようにします。最近私があなたに対してとっている態度が実際に拒絶的かどうか、尋ねることから始めます。

あなた　「バーンズ先生、先生はちょっと私に冷たく、距離をとって接してるようですね。避けているみたいに。先生に話をしようとしても、無視されるか、ぶっきらぼうな答えが返ってくるだけです。先生は私にうんざりしているか、拒絶しようとお考えなのじゃないですか？」

コメント：あなたは、私が拒否していることを最初は責めません。この場合、私は単に防衛的になっているのかもしれませんし、第一、私はあなたを拒絶などしていないのかもしれないでしょう。誰も私の出した本を買わなかったために、ちょっと機嫌が悪いのかも。では、練習としてあなたを憂うつにさせる最悪のパターンを考えてみましょう。

デビッド（著者）「オープンにこの話ができてよかったです。実のところ、もうあなたとはお会いしないことにしたいんです」

あなた　「どうしてでしょうか。確かに私は先生を何回かうんざりさせてはきましたが」

デビッド　「あなたは、役立たずの人間だからです」

あなた　「先生が私に腹を立てているのはわかります。ただ、私がどのような間違いをしてきたのでしょうか」

コメント：このことで防衛的な言い訳をする必要などありません。自分が役立たずでないことがわかっているんですから、私にそのことを釈明することはないのです。そんなことをすれば、いっそう私をイライラさせて、ふたりの対話は見る間に怒鳴り合いにまで悪化します（この「共感法」は、詳しくは第六章を参考に）。

デビッド「あなたの何もかもが不快ですね。鼻もちならないのです」

あなた「特に何が、ですか。そんなに鼻につきますか。私のしゃべり方ですか、最近口にしたことですか、私の服装ですか、またはいったい何なのですか」

コメント：再度、相手の主張に巻き込まれないようにもちこたえるべきです。このやりとりで、私にあなたの何が嫌いなのかを指摘させようとしています。このやりとりで私の最も痛いところに照準を当ててねらい撃ちして、何か決定的なことを言えば、何ともつまらない終わり方をすることになってしまいます。

デビッド「あなたは先日私をやり込めて、私の感情を傷つけました。あなたは私のことなどどうでもいいのでしょう。まるで人間扱いをしてくれませんね」

コメント：これがよくあるパターンです。拒絶しようとする人は、たいてい本心ではあなたのことを気にかけているのですが、逆にあなたを失なうことを恐れてそのような態度をとるものなのです。つまりは自己評価を守るために、激しく相手を非難するのです。たとえば、あなたが愚かだとか、肥満してるとか、利己的とか。批判が何であれ、戦略は二つです。(a)批判のなかのわずかな真実を見つけて、部分的に同意する。(第六章の武装解除法を参照)(b)あなたが実際にした誤りは何でも訂正するように申し出る。

あなた「苛立たせるようなことを言ってしまって本当にすみません」

デビッド「私を役立たずのゴミとおっしゃいましたね。もうこれでおしまいです」

あなた「思慮のない、あなたを傷つけるようなことを言ってしまいました。他にあなたの感情を傷つけるようなことを言ったでしょうか。私のやったことで悪いと思うことを全部話してください」

デビッド「あなたは何をするか予想がつきにくいんですよ。砂糖のように甘いかと思えば、突然激しく喰ってかかったり、口汚なくののしったりしますよね。私はあなたに我慢できないし、他の人がじっと我慢できるのが不思議なくらいです。あなたは傲慢で、生意気で、自分を批判することはないくせに、他人を批判するのです。利己的な人です。もういい加減に目を覚まして、苦労をするべきときです。あなたをやりこめる役を私がしなければいけないのは、心苦しいですが、わかってもらうには、これしかないのです。あなたは自分以外の誰も信じない人ですから。私たちはもうこれ以上いい関係は持てませんね」

あなた「そうですか。そういうようなことはちっとも気づきませんでした。私は神経質すぎたし、思慮もなかったんですね。自分がいかに嫌な人間で、どれだけ先生を不快にさせてきたかわかりました。ほかにどんな面があるか、もっと話してください」

コメント：さらに、相手から否定的な意見を引き出し続けます。防衛的になるのを避け、むしろ相手の言うことのなかにある一縷の真実を探すようにつとめます。まず、批判をすべて吐き出させ、本当のことがあれば何でも同意した上で、反撃を始めます。自分の不完全さをわかっているということ、誤りを正そうとしていることを明らかにします。次に相手にどうして自分を拒絶するのか尋ねましょう。この方法でなぜ相手からの拒絶が決してあなたの責任でないかがわかるはずです。確かにあなたは自分の誤りや、それを直すことに関しては責任があります。しかしもし不完全という理由で拒絶されるなら、それはその人が愚かなだけで、あなたがダメなのではありません。以下のようにやってみてください。

あなた　「あなたに嫌われるようなことを私がたくさんしてきたのはわかります。これからできる範囲でその問題を直すようにします。奇跡はお約束できませんが、一緒に考えていこうと思うのですが、こんなに話し合えましたから、私たちの関係は良くなったのではないのですか。それでも、なぜ私を拒絶しようとするのですか」

デビッド　「私を怒らせたからです」

あなた　「人間関係の中では時にはお互いに行き違いが生じることがありますね。でもそれが私たちの関係を壊すものとは限らないでしょう。あなたは私に腹を立てているせいで、拒絶しているんですか」

デビッド　「あなたが役に立たないなまけ者だからですよ。もう二度とあなたとお話しするのはごめんですね」

あなた　「そうお考えとは残念です。それでも、私は付き合いを続けていきたいと思うんですが……。別れなければいけないでしょうか。この話し合いはお互いをもっと良く理解するために必要なものだったのでしょう。どうしてそんなに拒絶するのか、本当にわかりません。そのわけを教えてください」

デビッド「とんでもない！　私は騙されませんよ。何度もこうして騙されたのですから、同じことです。チャンスは一度きりです。さようなら！」

コメント：この場合、ばかな行動をとったのは、あなたですか、あなたを拒絶した人ですか。拒絶が起こったのは誰の責任ですか。結局、あなたは自分の誤りを正し、率直に話し、歩み寄ることによって、関係を改善しようとしました。それなのに、どうしてあなたが拒絶されたと責められるのですか。もちろん、違いますね。

上述のアプローチを使えば、絶対に拒絶されないわけではありませんが、遅かれ早かれ、良い結果がでる可能性も高くなるでしょう。

非難や拒絶からの立ち直り

他人との関係を改善しようという努力にもかかわらず、実際には、批判されたり、拒絶されたりしています。このような場合に生じる感情をどうやって克服することができるのでしょうか。まず、人生は続いていくもので、ここで失望したからといって、あなたの幸せの価値を永久に損なうものではないと十分理解しなければいけません。拒絶や非難の結果、感情にダメージを与えるのは自分の考え方ですから、それを正すことによって、憂うつから立ち直ることができます。

愛する人を失ってから長い悲しみに沈んでいる人に、毎日一定時間、亡くしてしまった人のことを考えさせるようにすると、悲しみの時期が早く過ぎるともいわれています。ただしこれは、ひとりのときに試みるようにしてください。他人からの同情は、得てして逆効果です。かえって苦痛な時間を延ばすという報告もあります。

拒絶や批判を扱うのに、「嘆きの方法」が使えます。毎日一回くらい、悲しく、腹が立ち、絶望的なことを考えたいだけ考えられる時間を五分か十分くらい決めるのです。もし、悲しければ、泣きなさい。怒りが湧いてくれば、枕を引き裂けばどうですか。この時間全部を使って、悲痛な思い出や考えに身を任せたらいいのです。不平を言い、嘆き、泣きごとを言い続けなさい。自分で決めた悲しみの時間がすぎたら、それ以上はやめなさい。そして、次の嘆きのときまで、普通に生活してください。それでももし好ましくない考えが浮かんできたら、書き出して、歪みを指摘して、前章で概略をお話ししたように、合理的な考え方に変えていきなさい。これがあなたの失望を部分的にコントロールし、思ったより早く自信をとりもどすのに役立つことでしょう。

「内面の光」をともすこと

感情の啓発の鍵は、あなたの考え方のみがあなたの気分に影響力をもっているのだということを知ることです。もし、あなたが他者からの承認にだけ依存していたら、他の人が先にあなたに光をあてたときに「だけ」、自分の内のスイッチをつけるという悪い習慣をもっているということです。そして、他人の承認と自己礼賛とが同様に起こるために、両者を混同してしまいます。他人があなたの気分を良くさせると勘違いしてしまいます。承認とお世辞を喜ぶということは、「自分自身をどう褒めるかを知っている」ということです。しかしもしあなたが承認中毒でしたら、誰かあなたの尊敬する人が、あなたを認めてくれたときにのみ、それを後から追認するという悪い習慣を持っていることになります。

その習慣を破る簡単な方法があります。五章にでてきた、腕のカウンターを少なくとも二〜三週間つけることです。毎日、自分の良い点を、外からの報酬を受けたか受けないかにかかわらずカウントするようにします。たとえば、朝、同僚に暖かく微笑んだら、相手が、嫌な顔をしようが、微笑みを返してくれようがにかかわらず、カウンターを押します。もし引き延ばしていた電話をかけられたら、カウンターを押します。大きなこと、つまらないことを追認することができます。過去にした良いことを思い出しても、カウンターを押します。たとえば、自動車免許をとったり、初出勤した日のことを思い出したり、良い感情が湧いたときに、カウンターを押します。最初は、機械的にみえるかも知れませんが、自分の良いところを無理してでも見つけるのです。とにかく、このように続けて数日後、あなたは自分の内側の光が、初めは鈍く、そしてだんだんと強く光り始めるのに気がつくでしょう。毎晩カウンターの目盛をみて、毎日の日記にこの合計を記録します。二〜三週間後、自分を尊ぶ心を学び、自分のこともっと良く思うようになれるでしょう。この単純な方法が、独立と自己賞賛達成の大きな最初の一歩になるのです。簡単そうに聞こえますか。実際そうなのです。これには驚くべき力があり、少しだけ時間をかけて努力する価値があります。

第十二章　愛情への依存

反対意見を恐れることと並ぶ「暗黙の仮定」は、「異性に愛されない限り、本当に幸せで円熟した人間にはなれない。真実の愛が幸せには最終的に必要なのだ」というものです。

幸せを感じるのに必ず愛情を要求する態度を「依存」といいます。依存とは自分の感情生活に自分で責任を取ることができない状態のことです。

愛情の依存者であることの欠点について

愛されることは絶対に必要なこと、あるいは好ましいことなのでしょうか。

ロバータは三十三歳の独身女性で、自分のアパートのなかで毎晩、毎週末ふさぎこんでいました。なぜなら自分に「世の中はカップルのものだ。男性のいない私など生きていても仕方ないのだ」と言い聞かせていたからです。彼女は私の外来に魅力的な身だしなみをして現れましたが、語る言葉は苦汁に満ちたものでした。愛されるということが呼吸している酸素のように非常に重要なものと信じているにもかかわらず、実際には愛されないため、その憤りで溢れんばかりでした。そのうえ、愛情に対するものほしげで貪欲な態度のために、人は彼女から遠ざかっていきました。

私は「男性（または女性）のいない自分など、生きていてもしかたない」と思い込むことの長所と短所のリストを挙げさせることから始めました。

ロバータの挙げたリストの短所は明快なものでした。それは、(1)こういう考え方をすると恋人のいない私はガッカリしてしまう。(2)そのためやらなければならないことや、外出の機会がさらに少なくなる。(3)気分に張りがなくなる。(4)自分を哀れんでしまう。(5)自尊心や自信がなくなり、他人を見て羨んだり辛くなったりする。(6)ついには自己破壊的な感情が起こり一人でいることがたまらなく怖くなる、というものでした。

次に彼女が考えたことをリストアップしたもので、愛されることが幸せになるために絶対必要だという考えの利点は、(1)こう考えることにより恋人と愛情と安心が得られる。(2)人生に目的と生きる理由を与えてくれる。(3)求めていた何かを与えてくれるというものであり、これらは、男性なしには生きられないと自分に言い聞かせているロバータの考えを反映していました。

こういう利点は現実的なもの、想像上のもののどちらでしょうか。ロバータは長年男性なしではやっていけないと信じていたにもかかわらず、その姿勢ではいまだ好ましい相手を惹きつけはしませんでした。伴侶を得ることが、人生でとても大切なことだと思い込むことに男性を自分のところへ運んできてくれる魔法の力はありませんでした。他人に頼りがちで依存的な人間は、注目を惹きたがり何かやってほしそうにみえるので、異性の最初の関心を惹くことだけでなく、続いて付き合いを保っていくこともとても難しいのです。ロバータは幸せを感じている人の方が異性の仲間うちでも魅力的で、落ち着いているうえに、他の人も楽しませることができるため、磁石のように人を惹きつけるのだということに気づきました。皮肉なことに、探しても探しても男性の見つからない人はたいてい依存的な女性なのです。

これはそう驚くことではありません。自分の価値観のために他人の存在を「必要」とするということは、「あなたと一緒に連れて行って。私には生れつき価値がないし、自分でも自分に我慢ならないくらいだもの！」と公言してることになりますから、こんな人の買い手はほとんどないこと請け合いです。「あなたは私を愛してくれるはずでしょう。愛してくれないなら最低の男よ」と言ってもあなたを慕ってくれる人はいるはずがありません。

もし自分が本当に自立していたら、他人を必要としない人間とみなされて、その結果一人になってしまうのではないかという誤った観念のために、依存的であり続けようとする人もいるかもしれません。これを恐れているあなたは、依存を暖かみと同じだと考えているのです。真実は正直なものです。もしひとりぼっちで依存的だとすると、あなたのイライラ感や怒りっぽさは、自分こそ他人から愛される資格があるとの信念が裏切られたために生じているのです。そしてこの態度ではもっと深い孤立にはまっていきます。これに対して自立している人には孤独を感じることはなく、たとえ一人でいても幸せを感じることのできる度量があるものです。自立すればするだけ自分の気持ちは安らいだものになります。さらに、他人の言動によって気分も左右されなくなります。結局、注がれている愛情というものは、場合によってどうなるかわからないものです。人はあなたのすべてを高く評価してくれるわけでも、いつも愛情をこめて動いてくれるわけでもないのですから。自分自身を愛する方法を学べば、今よりも人から頼られ、高い自己評価を持ち続けることができるようになります。

まず自分が自立することを望んでいるのかどうかを見定めることが第一歩です。皆がゴールが何であるかわかれば、そこに達するチャンスも大きくなります。ロバータも依存心が自分を空虚にしていたということを理解しました。もし、どうしても愛情に依存し続けたいというのなら、その利点が何なのかをダブルカラム法を用いてリストアップしてごらんなさい。もし自分の価値を決めるのが愛情だというのなら、そのことにどんな利点があるのかを書いてください。そして状況を客観的に評価するために、反論や理性的な意見を右側のカラムに書くのです。そうすれば愛情に依存することの長所と思っていたことの一部あるいは全部が錯覚だったことがわかるでしょう。図12-1にロバータと同じような問題をもった女性がどうやってこれらの事柄を評価したかを示しました(三二四―三二五頁)。このトレーニングを通して自分は心の内で他人に何を求めていたかをみつめることができるようになり、依存心こそが自分を無能にしていた本当の原因だったということを理解することができたのです。

孤独とただ一人でいることの違いを了解すること

前章を読んで、気分を調整し、自分自身のなかに幸せを見出す方法が役立つことがわかったと思います。これで一人でいるときも、愛する人と一緒にいるときと同じように生き生きしていられるはずです。しかし次のような意見もあると思います。「バーンズ先生、それは全くけっこうなお話しですけれど、現実的ではありません。実際一人ぼっちでいれば感情的にも劣等感を持ちます。私は愛と幸せは同一のものだと思います。これは私の友達も皆同じ意見ですよ。先生は自分が孤独にならないかぎりは哲学者ぶることはできるかもしれませんけれど、結論を言ってしまえば、愛情はあるべきところにはあるもので、一人ぼっちでいることはいずれにせよ呪わしいことなんですよ。」

実際、多くの人は愛が世界を動かしているのだと信じきっています。こういうメッセージは広告や流行歌、詩の中にたくさん見られます。

愛情を得て初めて幸せになれるという仮定に反論していきましょう。つまり「一人でいること＝孤独なこと」の等式をじっくり考えてみます。

まず考えてみてください。人生の基本的な満足はたいてい自分自身によって得られます。たとえば、山に登ったり、花を摘んだり、本を読んだり、チョコレート・サンデーを食べたりして楽しむために誰かが一緒にいることは必要ないでしょう。内科医は、患者と自分との間に親しい人間関係をもてようがもてまいが、治療するということで満足が得られます。作家は本をたいてい一人で書いています。学生もたいていは勉強は一人でいるときにしています。一人で楽しめる娯楽と満足できることをあげればきりがありません。

満足感の多くは、誰かが一緒にいようがいまいが関係ないものだということがわかるでしょう。ちょっと考えてみてください。ステレオで良い音楽を聞いていますか。庭木いじりを楽しんでいますか。ジョギングは。日曜大工は。ハイキングは。ジャネットという名の銀行員は、最近夫と別れました。しかしその後創作ダンス教室の会員になって、家でひとりでダンスの練習をすることがとても面白いということが(自分でも驚くほど）わかりました。運動のリズムにのれた時に、愛する人がいないことにかかわりはないのに安らかな気持ちになれたのです。

たぶん、あなたはここでこう思うでしょう。「ああ、バーンズ先生、それが先生の論点でしたら、取るに足らないことですよ！　もちろん一人の時に何かすることで一時的には月並みに気は晴れます。憂うつ気

図12-1　「愛情の依存者」でいることの「利点」の分析

幸せになるために 愛情に依存的となることの利点	合理的な反応
1. 私が傷ついたときに誰かが私の面倒を見てくれる	1. これは自立した人たちにも言えることだ。もし私が交通事故にあったら，誰かが救急病院に連れていってくれるだろう。医者は私が依存的だろうが自立した人間だろうがそれにかかわらず手当てしてくれるだろう。傷ついたときに，依存的な人間だけが助けられるというのはナンセンスだ
2. しかし，もし私が依存的ならば，私はものごとを決定しなくてすむ	2. 依存的な人間ならば，人生をよけいに思い通りにできない。自分についての決定を他人に任せるのは信頼できない。たとえば私が今日何を着て夕食に何を食べるかを，他の人に教えてほしいと思うだろうか。私が一番に選んだものを他の人も選ぶとはかぎらない
3. しかし自立した人間ならば，私は誤った決定を下してしまうかもしれない。そうしたら，その結果の責任を取らなければいけない	3. それなら，結果の責任をとりなさい――もしあなたが自立していれば過ちから学ぶことができます。誰も完全ではないですし，人生には完全に確かだという保証などはありません。不確実性が人生のスパイスなのです。自尊心の基礎をつくるものは常時自分が正しいか否かということではないのです。そのうえで，ものごとがうまくいけば，それはあなたの手柄です
4. しかし，私が依存的な人間なら考えずにすむ。ただものごとに対応していればすむ	4. 自立した人間もまた，考えたくないときに，考えないようにしているのです。依存的な人間だけが考えずにいられるというルールはありません

幸せになるために 愛情に依存的となることの利点	合理的な反応
5. しかし私が依存的ならば満足できます。私はおしゃぶりキャンディーのようなもの。私の面倒をみてくれて，頼れる人がいるのは気持ちがいい	5. キャンディーはしばらくたつと胸が悪くなる。私が頼ろうとする人は，私を愛したりおだてたりしようとしないかもしれず，永遠に私の面倒をみてくれるわけではないでしょう。それでは，しばらくすれば嫌になるでしょう。そしてもし彼が私に怒りや憤りを感じて離れてゆくなら，私はもはや信頼できるものがないために憂うつになるだろう。もし私が依存的なら，奴隷かロボットのように扱われるだろう
6. しかし，私が依存的な人間なら，愛されるだろう。愛情なしでは生きられない	6. 自立した人間として私は自分自身を愛することを学び，これが私を他の人に対してより魅力的に見せるだろう。そしてもし自分を愛せるのなら，私はいつでも愛されていることができる。過去の私は依存心のために，人を惹きつけるよりも，人を遠ざけてしまうことのほうが多かった。赤ん坊は愛情とサポートなしには生きられないが，私は愛情なしでも死にはしない
7. しかし，依存的な女性を探している男性もいる	7. 確かにそういう人もいる。しかし，依存心に基づいた関係は自己評価や自尊心といった，他人に与えられないものを要求するために結局は離別し，離婚に終わることも多い。自分を幸せにすることができるのは自分だけなのだ。もし私が他の人に自分を幸せにしてくれと頼んでも，しまいには苦い失望を味わうことがある

分もぬぐえるかもしれない。けれども、こんなことは飢え死にしない程度のパンくずのようなものにすぎないいんじゃないですか。私は本当のご馳走を手にしたいんです。愛情・真実・そして完全な幸せこそ本当のものです！」と。

これはまさにジャネットがダンス教室に入会する前に私に語ったことです。一人でいることは惨めなことだと考えていたために、夫がいなくなってから、楽しめることも、自分を大切にすることもなかったのです。夫と一緒なら、いろいろな計画をたてて楽しめましたが、一人の時には憂うつになってふさぎこんでほとんど何もしなくなったのです。どうしてこうなったのでしょうか。それは自分で自分の面倒をみるという姿勢がなかったこと、そして誰かが一緒にやってくれなければ何も楽しめないという人生観を変えようとしたことがなかったのです。あるとき、仕事が終わってインスタント食品を温めるかわりに、ジャネットはちょうど恋人を楽しませるような調子で特別なディナーを計画しました。手をかけた食事を作り、テーブルにろうそくも用意して、上品なワインで始めました。食事の後は愉快な本を読み、好きな音楽を聞きました。驚いたことにその晩はすべてが本当に心地よく感じられました。翌日は土曜日でジャネットは美術博物館へ一人で行くことにしました。一人で行った方が、以前、美術に興味がなく、気乗りしない夫を連れて行ったときよりも楽しいものだということを発見して驚きました。

自分を元気づけることで、その結果、ジャネットはこれまで自分の力で自分をいたわることができていなかったことがわかり、心から楽しむことができたのです。

よくあることですが、ジャネットが人生を楽しむようになると、多くの人が彼女に惹きつけられ、デートもするようになりました。一方、もとの夫は恋人との迷いに目が覚め、帰って来てほしいと言い始めました。夫は自分がいなくてもジャネットがとても朗らかで幸せそうなことに気がついたのです。その時点で形勢は逆転しました。ジャネットがよりをもどすつもりはないと告げると、夫はひどい抑うつ状態に陥りました。彼女は結局、他の男性と幸せに再婚しました。彼女の成功の鍵は簡単です。何よりもまず、自分自身との良い関係を発展させることです。これができれば、あとは簡単です。

喜びを予測する方法

別に、私の言葉や自分を信頼し、またそれを楽しむようになったジャネットの報告を信用しろとは言いません。その代わり、ジャネットがしたように一連の実験をして、「ひとりぼっちは呪わしい」という信念をテストしてみることを勧めます。このような客観的で、科学的な方法によって、真実に目覚めることもできると信じます。

テストがやりやすいように、図12-2に示す「満足―予想表」を作りました。一人で、あるいは誰かと一緒にやった仕事とかレジャーに対して感じた満足度を予測し、それを記録するようになっています。最初の欄に日付けを記録してください。二番目の欄に実験的にやったことを書き込んでください。二〜三週間で四十〜五十の試みができると思います。そのなかから達成感と喜びをもたらしたり、自分を成長させるような活動を選んでください。三番目の欄に誰と一緒にやったかを書いてください。もし一人でだったら「一人」とこのカラムに書いてください（この言葉によって、自分は決して孤独じゃない、自分自身と常に共にあるのだから！　ということを思い出す）。四番目の欄に、この活動から得られると思われる満足度を

図12-2　満足-予想表

日　付	満足する行動（やりとげた感じ，あるいは楽しみ）	誰と一緒に行動したか（自分一人なら一人と書く）	予想される満足度%（行動する前に書くこと）	実際の満足度%（行動して後に記録すること）
8月18日	美術館に行く	一人	20%	65%
19日	ロックコンサートに行く	一人	15%	75%
26日	映画	シャーロン	85%	80%
30日	パーティ	たくさんの招待客	60%	75%
9月2日	小説を読む	一人	75%	85%
6日	ジョギング	一人	60%	80%
9日	ブティックでブラウスを買う	一人	50%	85%
10日	スーパーに行く	母	40%	30%（言い争い）
10日	公園を散歩	シャーロン	60%	70%
14日	デートする	ビル	95%	80%
15日	試験勉強	一人	70%	65%
16日	運転免許をとりにいく	母	40%	95%（試験に合格）
16日	自転車でアイスクリームを買いにいく	一人	80%	95%

〇から一〇〇%のスケールで評価して予想して記入してください。この数字が高いほど、予想される満足度は大きくなります。四番目の欄は計画したことを行なった後ではなく、行なう前に記入してください。

いったん欄に記入し終えたら、実際に行動してみてください。それが終わったら最後の欄に同じ〇から一〇〇%の尺度で実際の満足度を記録してください。

このような試みをひと通り行なったら、集めたデータを解釈します。いろいろなことがわかることでしょう。最初に予想された満足度（第四欄）と実際の満足度（第五欄）を比較することによって、自分の予測がどれだけ正確だったかがわかります。特に一人ですることのときに満足度を低く評価していたことに気がつくかもしれません。そして人と一緒にやる活動が、必ずしも予測されたように満足のいくものでないことにも驚かされるでしょう。実際一人の方が楽しめる場合も多いことに気がつくかもしれません。一人の時の最高点が他の人と一緒に活動した時のものと同じ、もしくは高いということもあるはずです。また、仕事をしているときと、娯楽をしているときの満足度の比較により、仕事と遊びとの間の適当なバランスがとれるようになることでしょう。

こんな疑問もあるかもしれません。「私が何かしたとして、それが自分が予測したように満足できなかった場合、または、低めに予想したのがその通りになってしまった場合はどうでしょうか。」この場合、自動的に浮かんでくる好ましくない思考に焦点を当て、それを考え直してください。たとえば、子供が全部成長して結婚していってしまった孤独な六十五歳の女性がいます。この人は大学の夜間コースに入学する決心をしました。大学の他の学生は全員新入生です。クラスの最初の週はこう考えて緊張しました。「他の人は私をここにいる権利のないご老体と思っているに違いない」と。しかし他の学生が自分のことをどう考えているかわからないと考えると、少しは安心できました。さらに、学生と話をしてみると、何人かは自分のやる気を評価していることがわかってからずっと気分も良くなり、満足のレベルも上がり始めました。

ここで、満足―予想表が依存性を克服するのにどう役立つかを見てみましょう。ジョアニーは十五歳の高校生で、両親とともに新しい街に引っ越してから数年間、慢性のうつ病で苦しんできました。新しい高校で友達がつくりにくく、多くの十代の女の子が考えるように、ボーイフレンドをもって、仲良しグループに入らなくては楽しくなれないと思っていました。しかし実際は空いている時間のほとんど全部を一人で家で過し、勉強をしながら自分を憐れに思っていました。外出したり何かをしはじめてはどうかと勧められても、それにはむしろ腹を立てていました。その理由は単にそういうことを一人でやっても何にもならないと思ったからです。友達のサークルが、まるで手品のように彼女を仲間にしてくれるまで、彼女はじっとして、考え込み続けると決めているようでした。

私はジョアニーに満足―予想表を使うように勧めました。図12-2に「土曜日に美術工芸センターに行く」「ロックコンサートに行く」などのようないろいろのジョアニーの計画を示します。こういうことは一人で行なったために、第四欄の低い予測に示されるように、面白くないものと予測されました。しかし、実際は案外楽しい時間を過ごしたことを知って驚きました。このパターンを繰り返すにつれ、ジョアニーはものごとを非現実的で否定的な見方でとらえていたことを悟り始めました。自分自身でいろいろな活動をすればするほど、彼女の気分は改善されました。やはり、友達は欲しかったけれども、一人でいても悲惨な気分に追い込まれることはもうありませんでした。自分自身の力でやり遂げた経験をつみ、自分に対する自信も上がりました。そして、友達に自分を主張できるようになり、パーティに数名を招待しました。これが友達の輪を広げることになり、高校のクラスの男子学生も女子学生と同様、彼女に関心をもっていることがわかりました。ジョアニーは満足―予想表を、デートや新しい友達と活動するときの自分の満足度を評価するためにも用い続けました。そしてそれらが、同じことを一人でやっているときに経験した楽しみのレベルと同じことを知って驚きました。

何かを欲しいと思っていることと、必要としていることの間には違いがあります。酸素は必要ですが、愛情は欲求です。繰り返します。「愛情は大人が必要とするものではありません！」確かに愛する人と幸福な関係を持つことはすばらしいことです。けれど、他人からの賞賛、愛情、または注目を、生きるためや、最高レベルの幸せを味わうために「必要」としてはいけません。

態度の変化

愛情と同様に、交際、そして結婚は幸せや高い自己評価のための必要十分条件ではありません。この証拠に何百万もの男女が結婚しているのに惨めな状態にあります。もし愛情がうつ病の特効薬ならば、私はすぐに廃業してしまうでしょう。なぜなら、私が治療した自殺者の多くは実際に配偶者、子供、両親や友人から非常に心をこめて愛されていましたから。愛情は効力のある抗うつ剤ではありません。むしろ、精神安定剤・アルコール・睡眠薬のように、しばしば病状を悪くさせるものです。

行動をもっと創造的に直すとともに、一人でいる時に頭に浮ぶマイナスの考えに立ち向かいましょう。

マリアという三十歳の美人の独身女性のことを示しましょう。マリアは一人で何かするときには「一人でいることは呪わしい」と自分に言い聞かせ、必要以上に不快な気分になっていましたが、次のような方法を試みることにより、とても良くなりました。つまり、自分を憐れむ気持ちと憤りを直すためにマリアに反論のリストを書かせました（図12-3参照）。彼女はこの方法が孤独と抑うつを打ち破るのにとても有用だったと報告しています。

マリアの治療を終えてから一年がたって、この章の草稿を送ると、こういう返事が返ってきました。「昨晩、この章を非常に丁寧に読ませてもらいました。悪かったり良かったりすることはひとりでいるせいではなくて、むしろ、ひとりでいることや、まわりの状況をどのように考えているかということに左右されるものですね。考えというのは非常に力をもったものですね！　人を作りも壊しもできる、そうでしょう。滑稽なことですが、今、私は『男性を得る』ことが怖いくらいです。けれど少しはましにやっていると思います。先生、私がこんなことというなんて予測できましたか。」

ダブルカラム法は自立の邪魔になるようなマイナスの思考パターンを克服するのに特に役立ちます。たとえば、一人の子供のいる離婚女性が、恋人（既婚男性）に捨てられて自殺を試みました。彼女は強い否定的な自己イメージをもっており、異性との関係を保つことが決してできないのだと信じていました。確かに彼女はいつも拒絶され、孤独なままでいました。日記には彼女が自殺を試みた理由として次のような考えが書かれていました。

私の隣りのベッドの空きスペースが静かに私をあざけっている。私はひとりだと。ひとりでいることは私が一番怖いと思うこと、一番恐れおののく運命、そして今の現実なのだ。私は孤独な女であり、気持ちの上で、それは私は何の意味もないということだ。その論理はこんなようなものだ。

図12-3　「一人でいることは呪わしい」の反論，すなわち一人でいることの長所

---

1. 一人でいると，その人が実際に考え，感じ，知っていることを深める機会が与えられる

2. 一人でいることは，家族や配偶者にしばられていれば試すのも難しいようなさまざまの種類の新しいことを試すチャンスがある

3. 一人でいることは，自分の人間的な強さを発達させる

4. 一人でいることで，言い訳をせず，自分自身で責任がとれる

5. 一人でいる女性の方が，合わない男性の伴侶をもった女性よりもましである。同じことは男性にもいえる

6. 一人でいる女性は，男性の付属品ではなく完全な人間として成長していく機会をもつことができる

7. 一人でいる女性は，別の難しい状況に直面している女性の問題をよく理解できる。その結果他の女性を支持することができ，もっと意味のある関係を育てていく助けになる。男性についても，さまざまな男性問題を理解するうえで同じことがいえる

8. 一人でいたことのある女性は，後に男性と暮らした場合，夫が去ったり，死ぬことを常に恐れる必要がないということを体験を通して知っている。また一人で生きることを知っており，自分の内に幸せになる力を持っている。そして，そんな2人の関係は互いに依存や要求しあうよりも互いに高めあえるような関係になる

---

(1)もし私が好ましくて魅力的ならば、今私のそばに男性がいるだろう。
(2)私のそばに男性はいない。
(3)それゆえ、私は好ましくもなく、魅力もないのだ。
(4)それゆえに、生きている場所がない。

彼女は日記の中で自問を続けました。「どうして私には男性が必要なのかしら。男性は私の問題をすべて解決してくれるから。私の面倒を見てくれるから。私の人生の方向を決め、最も重要なことは、毎朝すべてを忘れて眠っていたいようなときにベッドから起きるきっかけを与えてくれるからです。」

そこで彼女はダブルカラム法を、自分の歪んだ考えを直すために用いました。左側の欄は「依存的な私の非難」、右側の欄は「自立した私の反論」と名づけました。そして真実が何であるか決めようと、自分自身と対話をしました（図12-4参照）。

この練習の後、彼女はベッドから起き出る意欲を高めるために、毎朝これを読むことに決めました。日記には以下のような結論が書かれていました。

欲求と必要との間には大きな違いがあることに気づいた。私は男性が欲しいけれども、生きてゆくのに男性がいなければいけないとは、もはや感じない。自分自身ともっと現実的な内なる対話を続けていくことによって、そして自分自身の強さを見つめることによって、さらに自分自身の中の声や考えを聴き、読み、そしてまた再読することによって何が来ようとも自分で対処していける自信感がゆ

図12-4

依存的な私の非難	自立した私の反論
1.私は男性が必要だ	1.どうして男性が必要なの
2.なぜなら私は自分ひとりでやっていけない	2.これまでやってきたじゃない
3.そうね，けれど私は寂しいの	3.そう。けれどあなたには子供もいて友人もいて，とても楽しくやっているじゃない
4.そうよ，でも子供や友人はこの際別よ	4.子供や友人と楽しくやっていることを意識していないだけじゃない
5.けれど，男性は誰も私を望まないってみんな思ってるわ	5.人は好きなようにしか思わない。大切なことはあなたが何を考えるかでしょう。気分に影響するのは結局自分の考えだけじゃない
6.男性なしでは私は何にもならないと思うの	6.自分でできなくって，男性にしかできないことってどんなもの？
7.実際にはあまりないわね。大切なものはすべて自分自身でやっているもの	7.じゃ，どうしてあなたは男性が必要なの
8.たぶん男性が必要じゃないのね，男性が欲しいだけよ	8.物を欲するのはいいことね。けど男性はそれなしでは人生の意味を失ってしまうほど大切とは思えない

つくりと育ってきている。自分の面倒は自分でみられるようになった。親切心と同情を持ち、欠点を補い長所を伸ばすようにして、今までに愛していた友人達と付き合うかのように、自分を扱っている。今後、私はたとえ難しい状況があっても、それを障害物としてではなく、自分の歪んだ考えに挑戦する技術を練習する機会として、私の強さを最確認し、人生を渡っていく能力の自信を強めてゆくものとしてとらえるつもりだ。」

第十三章　仕事だけがあなたの価値を決めるのではない

不安やうつ病の原因となる第三の思い込みは、「人間の価値は人生で何を成し遂げたかによって決まる」というものです。このような価値観は、西欧文明やプロテスタントの倫理感の基本になっています。これは、いかにももっともなもののように思えますが、その実は有害で、しかも不正確な観念です。

前の章でも述べた内科医のネッドが、ある日曜日の夕方、私の所に電話をかけてきました。ネッドはここ数日、ずっとイライラしていたというのです。自分の卒業した大学の十二回目のクラス会に出ようと考えたことが、そのきっかけだといいます。なぜそれだけで不安になったのでしょうか？　よく聞いてみると、ネッドは自分より優れた業績をあげた同級生に会うのを恐れていることがわかりました。「つまり、それは私が失敗者だということを証明することになりますからね」とネッドは言います。

このように自分の業績にこだわる考え方は、特に男性によく起こります。女性の場合、仕事に関連してうつ状態が起こることは、失恋の後ほどは多くありません。これに対して男性の場合、子供のときから何かを成し遂げることに重点が置かれているせいか、仕事上の失敗には特に弱いようです。

このような態度を変えるための第一歩は、それがあなたの得になるのか損になるのかを考えることです。自分の成し遂げたことで自分の価値を測る態度は、あまり利益にならないことに気づくのが、とても大事な手始めです。それでは「コストパフォーマンス」を考えながら、実際的なやり方をみていきましょう。

確かに、業績により自分の価値を評価する態度にも、いくぶんかの利点はあります。第一に、あなたが何かを成し遂げたときには、「これで良いのだ」という気持ちが起こって、満足することでしょう。たとえば、ゴルフの最終ホールで相手がパットをはずして、あなたが勝った場合、ちょっといい気分になるでしょう。あるいは、友人とジョギングをしていて、あなたより先に友人の方が音をあげたときには、多少勝ち誇った気持ちになって、「あいつはいい奴だが、ちょっと私の方が優ってる」などと考えるでしょう。また、たくさん販売実績を挙げたときには、「われながらよくやった。課長も喜ぶだろう」と思うでしょう。基本的には、あなたの成し遂げた業績は自分の価値を高め、幸福感の源となるものです。

またこのような価値観は、やる気を駆りたてるものです。なぜなら自分のあげた業績があなたに新たな価値を付与し、その結果、自分をさらに価値ある人間としてながめることができるようになるからこそ、ますます仕事にのめり込むようになるのです。「平均的人間」であることは、避けようとします。簡単に言うと、「勝つために一生懸命働き、勝つことにより、もっと自分が好きになる」という図式です。

このことを裏返せば、次のようになります。まず第一に、仕事がうまくいっているときには、朝から晩まで仕事に心を奪われているので、仕事以外の部分から来る満足や喜びが見えなくなります。もし仕事をやめれば、心の内側でひどい空虚感が起こるような気がして、ますます仕事中毒になっていきます。そして業績があがらないときには、他の面での充実感と自己満足がないわけですから、全くの無価値な感じにとらわれてしまいます。

病気とか、失業、定年退職などの、自分ではどうしようもないことで、仕事ができなくなった場合のことを考えてみてください。自分が生産的でなくなるわけですから、自分には価値がない、自分は「良い存在」でない、とのひどいうつ状態に陥ることになりかねません。まるで、自分がごみ箱に行くのを待つばかりの、使用済みの空箱になったような気分になってしまいます。「市場価格」のみで自分の価値をおし測ってきたことのつけは、全くの無価値なら死んだ方がよい、との自殺願望の形でやってくることすらあります。これではたして良いのでしょうか？　あなたはこういうことを望みますか？

他の形の破局もあります。あなたが仕事に打ち込むあまり、家庭を顧みなければ、必ず歪みが出ます。それは最初は表面化しませんが、遅かれ早かれ負債を払うはめになります。妻が浮気したり、離婚話がもちあがったりします。十四歳の息子が、非行で補導されたりします。あなたが息子に説教しようとすれば、息子からの反撃を受けます。「それじゃ、お父さんはここ何年もどこにいたんだ？」たとえこんなことが起こらなかったにしても、「真の自己価値」を確立できてはいないのです。これは明らかに、得なこととは言えません。

私は最近、非常に成功しているビジネスマンの治療を始めました。この人はその業界では、世界でもトップクラスの収入を得ているのですが、時に不安と恐怖の発作に襲われるのです。もしビルの屋上から落ちたらどうなるか？　今のロールスロイスのかわりに、シボレーに乗ることになったらどうしようか？　そんなことは、とても耐えられない。これ以上生き続けられるだろうか？　まだ自分自身を愛せるだろうか？　成功や栄光なしで、幸せだろうか？　このような問いのために、彼の心は常に崖っぷちにあるようなものでした。

だいたいどんな中毒もそうですが、常にもっといい気分であり続けるためには、さらに大量の「薬」がいるものです。これはヘロイン、覚醒剤、睡眠薬、アルコールなどみんな同じです。同じことが金もうけ中毒、名声・成功中毒にもいえます。なぜでしょうか？　おそらく、いったんあるレベルまで行けば、自動的に期待のレベルも高めてしまうのでしょう。それにしても、いったいなぜもっと期待するのでしょうか？　答えは明らかです。成功は幸せを保証するものではありません。成功と幸せは同一のものではなく、互いに因果関係もありません。だから空中楼閣を追うのを止めるべきです。成功ではなく、あなたの考え方こそ気分を決める鍵ですから、勝利の興奮などすぐ消えてしまいます。古い業績はすぐに色あせて、空しさが残ります。ちょうど勝ち得たトロフィーをいつまでも眺めていても空しいように。

幸せは成功からもたらされるとは限らないことを信じなければ、あなたがトップにいた時の感じをまた味わうまで、がんばり続けることになり、こうして仕事中毒に陥ってしまうのです。

中年、あるいは初老期には幻想が崩れてくるので、治療を求めるケースが増えてきます。結局のところ、次のような質問に集約されるとも言えます。「私の人生とは何なのか？」成功に価値を求めてきたが、それは幻想にすぎなかったと感じるのです。

このように考えてくると、「成功中毒」のデメリットは明らかだとわかるでしょう。それでも、大成功をおさめた人にはとにかく価値があり、真の幸せと他人からの尊敬を集めるのは、やはり成し遂げた業績によるものである、との考えを捨てないかもしれません。これは基本的には、真実なのでしょうか？

まず大半の人間は決して大成功者とは言えませんが、それでも多くの人が幸せで、尊敬も集めています。このことから考えても、幸せと愛は成功だけからくるとは言えないことがわかります。うつ病とは、伝染病と同じように、地位とか身分に関係なく起こるものです。はっきり言えることは、幸せと偉大な業績との間にはつながりがないことです。

仕事＝価値なのか？

さて、仕事と人間の価値がイコールでないことを認めたとしましょう。そして、仕事上でなし遂げたことが、必ずしも愛、尊敬、幸せをもたらすとはかぎらないことも認めたとしましょう。それでもなおかつ、仕事の上でたくさん業績をあげた人は、そうでない人より優れていることは間違いないとあなたは思うかもしれません。このことをもう一度点検してみましょう。

まず第一に、業績をあげた人は、ただその業績ゆえに価値があると思います？　アドルフ・ヒトラーは、たくさんのことをなし遂げましたが、それゆえに価値がありますか？　違いますよね。もちろんヒトラーは自分の業績を強調して、自分を偉大なリーダーだと言うでしょうし、ナチ党員はそれに賛同するでしょうが、あなたはどうですか？

なかなかのやり手で、なおかつケチで貪欲な、あなたの嫌っている隣人のことをちょっと考えてみてください。その人がやり手だから、価値のある人間だと思いますか。逆にたいした業績もあげていませんが、あなたがとにかく尊敬する人のことを思い浮かべてください。その人のことを価値ある人と思うわけでしょう。それならなぜ、たとえ仕事の面ではたいしたことがなくても、あなた自身の価値を認めないのですか？

第二の方法をお示ししましょう。人間の価値が業績によって決まるなら、価値＝業績という方程式が成り立ちます。この式の妥当性をどうやって証明しますか？　業績は測定できるにしても、価値の方は実験的に測定できません。第一、価値の単位は何ですか？　このような方程式そのものが、ナンセンスなのです。

価値基準という一つの取り決めによって、この方程式は意味をなします。つまり、価値とは業績であり、業績とは価値である、との定義を前提にしています。それなら、なぜ価値は価値であり、業績は業績である、というふうに定義できないのでしょうか。両者は本来別物なのです。

このように言っても、業績をたくさんあげた人はとにかく価値がある、という見方に固執する人もいるでしょう。それではここで、たとえこの考えがみかげ石の上に刻みつけてあっても、それをダイナマイトのように吹き飛ばす、強力な方法を示しましょう。

まず、ロールプレイを行ないますので、高校時代からの友人、ソニア（あるいはボブ）の役をやってみてください。ソニア（ボブ）には家庭があり、学校で教えています。一方、私の役はもっと成功を収めている友人です。会話のなかでは、あなたは人間の価値は何をなし遂げたかで決まると考え、私はその考えを明快で論理的、しかしいやらしいやり方で、さらに押し付けようとします。では準備はいいですか。あなたがまだ信じている考えの、不愉快な一面をお示しします。

デビッド（著者）「ボブ（またはソニア）、久しぶりだね」
あなた（私の昔の友人を演じて）「デビッド、しばらくだったね」
デビッド「そうだね。高校の時以来かな。どうしてたの？」

あなた「えーっと……。結婚して、パーク高校で教えてる。小さな家庭をもっているし、何もかもうまくいってるよ」
デビッド「そうなの。大したことないんだね。僕は君より、ずっと成功してるよ」
あなた「と、言うと?」
デビッド「大学院を出て博士号を取って、仕事の面でもずいぶん成功している。給料もいいし、街中で一番の金持ちになった。われながら、よくやってると思うね。少なくとも君よりはね。あ……別に君を軽蔑する気はないんだよ。でも、価値という点では、君よりよくやってるだろう」
あなた「そうだね、デビッド。よくわからないけど、君と話す前は自分は幸せだと思ってたんだけど……」
デビッド「わかるよ。ぐうの音も出ない……。そんな感じなんじゃない? でも現実にも目を向けないとね。僕は成功して、君はそうでもない。しかし、君が幸せに感じてれば、まあいいんじゃない。小さな人間には小さな幸せがふさわしいとも言うし……。少なくとも、僕の方では君のことをねたましいと思うことなんて、これっぽっちもないね。君があんまり出世してないのは本当に残念だ」
あなた「デビッド、君は変わったね。高校時代にはもっといい奴だったけど。君は僕のこと、もうあんまり好いてはいないみたいだね」
デビッド「そんなことないよ。君が僕より劣った二流の人間だってことを認めればいいんだよ。君も前に言ってたように、何をなし遂げたかによって、人間の価値が決まるとすれば、これからは僕のことをずっと尊敬してほしいもんだね」

あなた「もう君とはあんまり会いたくないよ。デビッド。はっきり言って不愉快だよ」

このように、「価値は業績によって決まる」という考え方の論理的な行き着く先は、まことに不愉快な「優秀―劣等」論です。実際、大半の人は本当は自分は劣っていると思っています。先の会話により、このような考え方がいかに間違っているかがわかると思います。幸せな教師と、自分は他人より優れていることを主張するビジネスマンのどっちが間違っているでしょうか。

ここで、役割を替えてロールプレイをやってみましょう。今度はあなたが成功した人の役を演じ、私を可能なかぎりこきおろしてください。あなたの役はコスモポリタン誌の編集長、ヘレン・ガーリー・ブラウンです。(注) そして私は高校時代の同級生で、ごく普通の高校の先生です。自分はいかに優れているかを主張してみてください。

あなた（ヘレン・ガーリー・ブラウンの役を演じて）「久しぶりね。どうしてたの？」

デビッド（高校の教師の役を演じて）「まずまずだね。小さな家庭をもって、地元の高校で物理を教えてるよ。生活をエンジョイしてる。君はずいぶん成功しているみたいだね」

あなた「そうね。まあ運が良かったのかな。知ってるだろうけど、コスモポリタン誌の編集長をやらせてもらってるわ」

（注）　これは架空の会話であり、実在のヘレン・ガーリー・ブラウンとは関係ありません。

デビッド　「もちろん知ってるよ。テレビのトークショーでよく見るし、収入もずいぶんいいみたいじゃない。自分の会社ももっているそうだね」

あなた　「確かにうまくいってるわね」

デビッド　「でも一つだけ理解に苦しむことがあるんだ。友達に私のことを言ってたそうだね。『自分は成功して大物になったのに、あの人はまあ並みだ』とか何とか、あれはどういう意味なの？」

あなた　「ああ、そのこと。ただ、私の人生でやり遂げてきたことを考えただけのことよ。私は何百万人に影響を与えてきたけど、フィラデルフィアであなたのことを知ってる人がいったい何人いるかしら。私は、いろいろな大スターと親しく交際してるけど、あなたは子供と一緒にバスケットボールをやるのがせいぜいだわよね。こんなこと言って、悪く思わないでね。確かにあなたはいい人だし、誠実で、まあ平均的な人よね。あんまり大したこともできないみたいだけど、現実も知らないと」

デビッド　「あなたは影響力もあるし、有名人だから、僕も尊敬しているよ。でも、だからと言って、どうして君の方が僕より価値があって、優れた人ということになるのか、僕のほうが君より劣ってることになるのか、もう一つよくわからないんだ」

あなた　「あなたはたいした目的もなく、ただぼんやり過ごしているだけなのよ。私にはカリスマ性があるし、アイデアマンで、皆に刺激を与える鋭さをもっているからね」

デビッド　「僕に目的がないってことはないよ。ただ、君より控えめな目的かも……。物理を教えて、地元のバスケットボールチームのコーチをすることとか、そういうことだよね。確かに君の舞台は僕のより大きいし立派だけど、だからと言って、僕が君より劣った人間だということにはならないと思うんだけど」

あなた「私の方が人間的にスケールが大きいし、洗練されていて、もっと重大なことをやってるでしょう。私の講演会には何千人も来るし、有名な作家が私のことを書いてくれるわ。あなたは講演会なんてやるの？　地元のＰＴＡに話すくらいのものでしょ」

デビッド「確かに名声とか、お金の面では、君は僕よりずっと上をいってるよ。君は頭もいいし、よく働いてきたと思う。大きな成功を収めてるね。でもだからと言って、どうして君の方が僕より価値があることになるのか、そこの理論がわからないね」

あなた「結局私の方が、人間として面白みがあるってことかしら。あなたと私は、たとえてみれば、アメーバーと高等生物みたいなものね。アメーバーは退屈な存在でしょ。つまりあなたの生活はアメーバーみたいに、目的もなくぶらぶらするだけのことなのよ。わたしの方は、面白みがあって躍動的で、みんなが必要とする人材なのね。はっきり言って、あなたは二流の人間で、私がキャビアとすると、あなたは、トーストくらいのものかしら。どう？　わかりやすいたとえでしょ」

デビッド「僕の生活だって、君が考えるほど退屈なものじゃないよ。僕の生活は充実しているし、僕の教え子は僕にとって、君の映画スターと同じくらい大切だよ。それに、もしかりに僕の生活が単調で、君のより面白みがないとしても、どうして君の方が価値のある人間ってことになるんだい」

あなた「それはいかにもアメーバーらしい物の見方だわね。私はあなたの立場をちゃんと評価できるけど、あなたは私を評価できないのよ」

デビッド「評価の基準は何だい？　君は僕のことをアメーバーだって言うけど、それはどういう意味なんだ？　名前をつけることで、価値を低めようとしているみたいだな。それはただ、僕の生活が君の興味をひかないってだけのことじゃないか。確かに僕は君みたいに成功もしてないし、華やかじゃないけど、だからといってどうして僕が君より価値がないってことになるんだい？」

あなた　「もう処置なしねー、あなたって」

デビッド　「処置はあるよ。話を続けよう。たぶん、君の方が優れた人間なんだろう」

あなた　「社会的な価値という点ではそうね。これは疑いのない事実でしょう」

デビッド　「それは間違いないね。僕をジョニー・カールソンがテレビに招待するってことはありそうもないからね」

あなた　「そりゃ、そうでしょ」

デビッド　「しかし社会的に成功したからって、どうして人間として価値があることになるの？」

あなた　「高給をもらってるということは、私には何百万ドルもの価値があるってことでしょ。あなたの価値はいくらなの、先生？」

デビッド　「経済的な価値ということでは、そのとおりだよ。でも、だからといってどうして、人間として君の方が価値が大きいことになるの？」

あなた　「デビッド。私のことを崇拝したくないのなら、話すのをやめましょうよ」

デビッド　「そこもよくわからないな。君は自分を崇拝してくれるかどうかで、人の価値を決めるのかい？」

あなた　「もちろんそうよ」

デビッド　「それがコスモポリタン誌の編集長としてやっていく秘訣かい？　もしそうなら、どうやってそんなふうに考えられるのか、教えてよ。僕に価値がないとすれば、その秘訣がわかれば僕が人並みに幸せだと思っていたのが間違いだったと認めるから」

あなた　「あなたの住んでる世界は、狭くてわびしすぎるのよ。私がジェット機でパリに飛ぶ間に、あなたは混雑したスクールバスでシェボヤンに通ってるんだから」

デビッド　「世界は狭いかもしれないけど、僕はとても満足してる。教えることが好きだし、子供も大好きだ。生徒達が勉強して成長するのをみるのが好きだ。生徒が間違ったときには、教えてやるんだ。とても人間的で、愛情のある世界なんだ。どうして君は、それをわびしいというのか、理解に苦しむよ」

あなた　「そんなに学ぶべきことが多いとは思えないわね。困難に立ち向かうというのでもないし、いかにもあなたらしく小さな世界のことを学んで、あとは同じことを繰り返すだけのことみたいに思えるわ」

デビッド　「君の仕事は挑戦的なものかもしれないけど、たった一人の生徒のことを理解することだって、複雑で興味深いことなんだ。まだ完全に生徒のことを理解できたとは思ってないんだよ。一人の生徒だってそうなんだから、たくさんの生徒のことを扱っていくのは僕の能力を越えてることなんだよ。それなのに、どうして僕の世界は小さくて、退屈といえるの？」

あなた　「私には単にあなたがたくさんの人を取り扱う能力がないだけのように思えるわ」

デビッド　「そうかな。ある生徒は君みたいにＩＱが高いけど、知能のそんなに高くない子もいるよ。だいたいは平均的だけど、誰をとっても僕には大切な生徒なんだ。どうして、それが退屈と言えるのかな。偉大な業績をあげた人だけが、君の興味をひくのがなぜなのか、よくわからないな」

あなた　「もう、負けたわ」

この方法を理解していただけましたか？　自分の方が優れているとの主張に対抗する方法は、とても単純です。教養、影響力とか財産など何にしても、自分の方が価値があると言われた場合、そのような面では確かに相手が勝っていることを認めたうえで、「そうだとしても、どうしてあなたの方が価値があるって言えるんですか？」と尋ねてみるとよいのです。これに反論することは、なかなか難しいことです。自分が他人より勝っているとの価値体系を切り崩すのには、これが一番です。

この方法は「操作化 *operationalization*」と呼ばれます。ここでは、ある人がある人より価値があるのはどんな点なのか、一つ一つ点検せねばなりません。それはほとんど不可能なことです。

もちろん、ここに示したような侮辱的なことを実際に言われることは稀でしょう。本当は、侮辱は自分の頭の中で自分に対して行なわれるものなのです。つまり、自分は財産がないとか、大した業績をあげてないとか、人気がないとか、愛されてないなどと、自問するのです。この侮辱をやめさせるのも、あなた自身なのです。それには、次のようにするとよいでしょう。心の中で、前に示したのと同じような会話をするのです。あなたのことを劣っているとか、価値がないなどという想像上の相手を迫害者と呼びます。そして、その主張の中にある一片の真実に同意し、その上でどうして価値がないことになるのかを尋ねます。例を示します。

1
迫害者「おまえは恋人として失格だ。ときどき、ちゃんと勃起もしないじゃないか！　まったく男らしくない、情けない野郎だ」

あなた「確かに、セックスについてはどうも下手だし、神経質すぎるみたいだ。でも、だからといって、男として価値がないってことじゃない。勃起について神経質になるのは男性だけだから、これは男らしい体験ってことじゃないか。それにセックスだけが男の価値を決めるのではない」

2
迫害者「おまえは他の友人より、仕事もしてないし、成功もしてないな。おまえはダメな奴だな」

あなた「気力がなくて、あまり働けなかったのは事実かな。それに才能にもめぐまれてないなー。だからといって、ダメな奴ということにはならないよ」

3
迫害者「何にも取り柄がない奴だな」

あなた「たしかに、何の世界チャンピオンでもないよね。世界第二の何かをもってるわけでもないし、実際、何もかも平均的だ。だからといって、価値がない人間なのか？」

4
迫害者「おまえどうも人気がないな。友達も少ないし、だれもおまえのことなど気にかけていないようだ。家庭も恋人もないし。おまえは失敗者だ。ダメな奴だ。価値のない人間だ」

あなた「今、恋人がいないのは本当だ。友達も少ない。人気者になるためには何人の友人が必要なんだ？　四人かな？　それとも七人？　あまり人気がないのは、たぶんあんまり社交的でないからだろう。この点はもっと努力しなければ。でもだからといって、なぜ失敗者なんだ？　価値がないんだ？」

この方法を試してみることを勧めます。最悪の侮辱的な言葉を浴びせて、それに答えてみてください。最初は難しいかもしれませんが、最終的には真実が明らかになってくることでしょう。あなたは不完全で、成功してなくて、愛されていないかもしれませんが、だからといって価値がないことにはならないのです。

自尊心を手に入れる四つの方法

「自分の価値が成功や愛情や何を達成したかで決まらないのなら、いったいどうやって自尊心を手に入れることができるのだろう。こういったことをすべてひきはがして、個人の価値には何の役にも立たないことだと捨て去ってしまったら、何も残らないような気がする。いったいどうすればいいのだろう」と思うかもしれません。自尊心を得るのには四つの方法があります。あなたにもっとも適したものを選んでください。

ひとつは実用的かつ哲学的な方法です。本質的に人間の「価値」などというものは抽象的なものであると理解しなくてはいけません。そんなものは存在しないのです。したがって、それを手にすることはできませんし、しようと思っても失敗し、また測ることもできません。価値とは「物」ではないのです。包括的な概念なのです。あまりに広く受け入れられているために、具体的で実際的な意味をなくしてしまったのです。それは具体的でもないし、役に立つものでもなく、単に自己破壊的なものにすぎません。あなたにとって、なんの良いこともありません。悩みと悲しみのもとになるだけです。すぐに「価値」を求めようとすることを止めなさい。そうすれば、有能と思われようと試みたり、「無価値」になることを恐れることもなくなります。

「価値」とか「無価値」とかいうものは人間にとって、むなしい概念にすぎないのです。「本当の自分」という概念のように「個人の価値」もまた意味のないものです。自分の「価値」をゴミ箱に捨ててしまいなさい（「本当の自分」をそこに捨てることもできるのです）。何も失うことがないことがわかると思います。そして、今ここで生きていくことに焦点を当てることができるようになるのです。人生にどんな問題があるのでしょう。あなたはそれに対してどう対処するのですか。大切なのは行動することであって「価値」というまやかしの蜃気楼ではないのです。

あなたは自分「自身」とか、自分の「価値」を失ってしまうことを怖がっているのではないですか。何を恐れているのですか。どんな怖いことが起こるというのでしょう。次の会話でこのことははっきりわかると思います。私が無価値だと仮定します。あなたには、私に不愉快なことを言って、私を怒らせるようにしむけてもらいます。

あなた　「バーンズ先生、あなたは価値のない人ですね」

デビッド　「そうなんです。価値がないんですよ。全くその通りだと思います。自分を『価値』づけるものは何もないことに気づいたんです。愛情も何を達成しえたかも、私にとっては『価値』がないんです。だから、私には全く何もないという事実を受け入れているのです。それが何か問題でしょうか。何か悪いことが起こるでしょうか」

あなた　「まずあなたは不幸ですね。『良くない』ことですよ」

デビッド　「『良くない』として、それが何ですか。特別に私が不幸になるような原因があるのでしょうか。『無価値』なことで、何か不利になることがあるのでしょうか」

あなた　「自分のことを尊敬することができますか。他の人があなたを尊敬できるでしょうか。あなたは人間のくずですよ」

デビッド　「あなたが私を人間のくずと考えてもけっこうです。でも、私は自分を尊敬できますし、他人もそうです。自分を尊敬できないような理由を見つけることもできません。あなたが私を尊敬しなくてもけっこうです。私には何の問題でもないことです」

あなた　「でも価値のない人は幸せになれないし、楽しむこともできないですよ。いずれ気がめいって、卑しまれますよ。私の経験から考えれば、あなたは全くのゼロです」

デビッド　「新聞記者を集めて、そのことを知らせなさい。それで翌日の朝刊に『フィラデルフィア医師、バーンズは価値のないことがわかった』と。それでも、もし私が本当にダメならば、もう何も失うものがないのだから平気です。もう何も恐れることはありません。〈トータル　ゼロ〉が悪いことではないし、私は楽しく幸せなのです。私のモットーは『価値のないことはすばらしいことだ』ということです。もちろん何かなくすこともあるでしょうが実際、Tシャツ一枚あれば幸せに感じられます。みたところ、あなたには価値があり、私はそうでないということのようですが、この価値にどんな良いことがあるのでしょう」

こんな疑問がわいてくるかもしれません。「成功は個人の価値に何ももたらさないとすると、何を生きがいにするのですか。」もし、一日ベッドで過ごせば、その日を少しでも楽しくするようなことや、人と出会う可能性は非常に小さくなります。その一方、あらゆる個人的な価値の概念を全く離れて暮らせば大きな満足をもたらすでしょう。たとえば、私はこれを書きながら大変に熱中しています。しかし、私は書き続けているのですから、私が特に「価値がある」と思っているのではないのです。創作の過程、考えていくこと、手直しすること、文を校正していくこと、そしてこれを読んだ人がどう思うだろうかと考えることで、わくわくしているのです。この過程は冒険のような興奮です。影響や結果や責任を負うことは全く刺激的なことです。これは、私がものを考えていくうえの糧なのです。

「価値」という概念のない人生における目的や意味は何だろう——と考えるかも知れません。簡単なことです。「価値」を求めるよりも、日常生活での満足、喜び、新しい知識、熟達あるいは自分の成長や他人との交際を求めることです。自分自身で現実的なゴールを設定して、それを達成するよう努めることです。結局のところ意味がない「価値」についてのすべてを忘れることが、非常に満ち足りたことであると気づくと思います。

「でも私は人間的でありたいし、人の心を重んじたいんです」と考えるかもしれません。「それにすべての人間には価値があると教えられてきたし、この考えを捨てる気はありません。」もちろん、あなたがそう考えたいのなら、私は賛成します。これは自尊心への第二の方法なのです。人は生まれてから死ぬまで一つの「価値体系」を持っていると理解するべきです。子供のときはたいしたことも成しませんが、それでも価値があるのです。また、年老いたり病気になったり、あるいはリラックスしたり眠っていても、何もしていなくてすらも、あなたには「価値」があるのです。あなたの「価値体系」は測ることはできないし、変わることもありません。そして、これは誰に対しても言えることなのです。生きている限り、生産的に暮らせば幸せや満足を高めることができますが、破壊的になってしまえば惨めになります。それでも、あなたの「価値体系」は存在していて、あなたの自尊心や喜びの可能性を伴っているのです。あなたには、それを測ることも変えることもできないのですから、対処のしようも関係しようもありません。そんなものは神様に返上してしまいましょう。

逆説的に、この説明は以前の説明と同じ終着点に行き着きます。あなたの「価値」に対応しようとしても何にもならず、反応もありません。したがって、生産的に生きることに焦点を当てるようになるのです。今はどんな問題がありますか。どうやって解決するのですか。こんな疑問は重要で役に立つものです。ところが、あなた個人の「無価値」についていくら考えてみても疲れるだけなのです。

三つめの方法について述べましょう。自分を責め、不必要で不合理な考えによって自尊心は失なわれるものだということを理解してください。自尊心とは、あなたが気まぐれな熱弁をふるったり、自分に耽溺してしまったりせずに、自動思考に対して有効な合理的反応をしている状態と定義されます。これがうまくいけば、自然の喜びを味わい、自信をもつことができます。本質的に川の流れを変える必要はありません。ただそれをせき止めることを避ければよいのです。

歪みだけがあなたの自尊心を奪うことができるとすれば「現実」はあなたの価値を決して奪いません。その証拠に、ひどく貧しくても自尊心をなくしていない人はたくさんいます。また、第二次世界大戦でナチスに強制収容されても、自分達を軽んじたり、自分たちを捕えた相手の迫害に妥協することを拒否した人もいます。不幸な境遇にあっても、そういう人の自尊心は逆に高まり、気高い誇りを持ちえたといいます。

四つめの方法。自尊心は、自分自身を親友のように扱うことで得られます。あなたが尊敬するＶＩＰが、ある日突然に訪問してきたと想像してください。その人をどうしますか。一番良い服を着て、最高級のワインと食事を用意し、彼が心地よく楽しむことができるように、できるかぎりのことをするでしょう。そしてどんなに彼を大切にしているかを示したと確信し、彼があなたとともに時を過ごしてくれたことを誉りに思うでしょう。さあ、なぜ自分にはそうしないのでしょう。できれば、いつでもそうしてみてはどうでしょう。結局、ＶＩＰにどんな歓待をしたとしても、あなたにとって、あなた自身が最大のＶＩＰでしょう。なぜ、自分に対してそうしないのですか。そのような客に対して悪意をもって侮辱したり、長々とまくしたてたりするでしょうか。彼の長所や短所を捜し出そうとするでしょうか。ではなぜ自分にはそうするのでしょう。こう考えてみれば、あなたの自分に対する拷問はばからしく思えてきませんか。

こうまでして、自分を取り扱う方法を勝ち取らねばならないものでしょうか。いや、これはそんなに難しいものではないのです。自尊心とは自分自身の強さと不完全さの両方をしっかりと見すえた上で、自分で行なう一つの主張なのです。まやかしの優越感を捨てて自分のプラス面を評価し、自己卑下や劣等感を感じることなく、弱い面にもスポットライトをあてることです。この態度こそ自己愛と自己を尊敬するエッセンスを具体的なものにするのです。それは勝ち取らねばならぬものではなく、第一勝ち取ることができるようなものでもないのです。

業績至上主義の罠から逃れること

「業績や自己の価値について哲学的に学ぶのもいいけど、結局、バーンズ先生はその分野でキャリアもあり、本も出しているから、彼にしてみれば私に業績のことを忘れろと言うことは簡単なのだ。金持ちが乞食に対して金など大切でないと説明しているみたいな感じだ。正直いって、私はまだたいしたことをなし遂げてないのが残念だし、もっと成功すればもっと人生は意義深くなると思っている。本当に幸せな人は大物であり、エグゼクティブだ。だけど私はまあ平均的だ。いまだかつて他人より突出したことがないから、幸せも満足も少ないのだ。この考えがもし正しくないというなら、私に証明してほしい。それから先生の言うことを本当に信じるよ。」こう考えるかも知れません。

価値と幸せを感じる権利を手に入れるために、人より傑出していなくてはいけないと感じている罠からあなた自身を解放するステップを復習してみましょう。

反論してみること

まず、このような自分をおとしめるような歪んだ考えに反論する習慣をつけてください。これで、問題点はあなたの実際の業績ではなく、あなたが自分自身を低く見積る歪みにあるということに気づくはずです。あなたが実際になしたことを正当に評価することを学ぶにつれ、自分を認め、満足感が増してくること請け合いです。

ロックバンドのギタリストを目指す若者、レンの場合を紹介しましょう。彼は自分は「二流」のミュージシャンだと感じて、私のところに治療のためやってきました。彼は若いときから、自分が評価されるためには「才能」が重要であると信じきっていました。彼は批評にすぐに傷つき、自分を有名なミュージシャンと比較し、「自分はX氏の足元にもおよばない」と感じては打ちひしがれているといったありさまでした。友達やファンも彼のことを二流の人間と見ているにちがいないと確信し、称賛や尊敬、愛情などの人生の大切なことも受けたことがないといいます。

レンは、自分自身に向かっているナンセンスで非合理的な考えを明確にするためにダブルカラム法を使いました（図13-1）。これで、自分の問題の原因は音楽の才能がないことではなくて、自分の非現実的な思考パターンであることがわかりました。歪んだ考えを修正していくにつれて、自信も回復してきました。彼はこのようにその効果を書いています。「自分の考えと答を書きだしていくことは、私が自分に厳しすぎたことを理解するのに役立ちました。そして、変えることのできる部分があることに気づいたのです。自分一人で考えて腹を立てながら座っているよりも、それと戦う武器を手に入れたのです。」

自分を熱中させることに焦点を合わせる

常に業績にとらわれるようになる原因のひとつは、「仕事での成功を通してのみ本当の幸せが訪れる」との仮説にあります。人生における満足のほとんどには完璧に成し遂げることなど必要ないのですから、この仮説は非現実的なことです。秋晴れの林の中を散策する喜びには何の特別な才能もいりません。あなたの息子を愛情を込めて抱きしめるのに「人より傑出する」必要はありません。たとえ平均レベルのプレー

図13-1 自分こそ「もっとも偉大な」ミュージシャンであるという歪んだ考えに対するレンの反応（レンの宿題からの抜粋）

自動思考	合理的な反応
1.もし自分が「もっとも偉大」でなければ，人々からの注目を受けない	1.(全か無か思考)「もっとも偉大」であろうがなかろうが，自分の演奏を聞きにくる人はいるし，多くはプラスの評価をしてくれる
2.しかしすべての人が好いてくれるわけではないだろう	2.これは本当。ベートーベンやボブディランだって嫌いな人はいる。すべての人が好きな音楽というのはない。私の音楽が好きな人はかなり多いし，自分で音楽が楽しめることが一番大切だ
3.しかし自分が「もっとも偉大」でないとすると，自分の音楽なんて楽しめない	3.演奏することがいつも最高じゃないか。それは「世界一のミュージシャン」以上のものではないか。だからそうであるべきだと考えるのをやめよう。
4.しかしもっと有名で才能があれば，ファンはもっと多くなる。大スターがスポットライトを浴びて，自分がその影にいるなんて幸せといえるだろうか	4.幸せになるために何人のファンとガールフレンドがいるのか
5.しかしビッグネームになるまでは，一人の女性も愛してくれないさ	5.平均的な仕事しかしてない人だって愛されている。愛されるためには本当にビッグネームである必要があるのだろうか。それほど偉大でなくても，みんなデートしているじゃないか

ヤーでもバレーボールの試合を十分に楽しむことができます。あなたは何が楽しみなのですか。音楽、ハイキング、水泳、食べ物、会話、読書、習いごと、スポーツ、セックス？　これらを徹底的に楽しむためにも、決して有名なトッププレーヤーになる必要はないのです。このような音楽が大きくはっきり聞こえてくるように、チューニングをする方法を示しましょう。

ジョーンは五十八歳の男性で破壊的な躁病相と耐えられないようなうつ病相との病歴があります。子供の頃、ジョーンの両親は将来人並みはずれた成功をおさめるよう運命づけられているといつも強調したので、彼はいつでもナンバー・ワンにならなければいけないと感じるようになりました。彼はたまたま自分の選んだ電気技術の分野ですばらしい論文を発表しました。多くの賞を受け、学会の会長を約束され、数々の特許を得ました。しかし、彼の周期的な感情病はしだいに重症になってきて、ジョーンは躁病相を示し始めました。病相期中、彼の判断はひどく障害され、行動は奇妙でまとまらなくなってしまい、何回かの入院を余儀なくされました。悲しくも、彼は躁状態から戻ったとき、世間的な地位とともに家族も失ってしまったことに気づきました。妻は離婚を申し出て、勤めていた会社からは退職を強いられました。二十年の間に成し遂げてきたことが水に流れてしまったのです。

数年間経過をみていると、ジョーンはリチウムの治療を受け、小さいながらコンサルト業を興しました。リチウム治療を受けていましたが、抑うつ的な不快な気分の変動がまだあったので、私に治療を求めてきたのです。

抑うつの理由は明確でした。ジョーンは、かつての金や名誉とはもはや比較できないほどの現在の地位のために自分の生活に落胆していたのです。若いときにカリスマ的な「やり手」の役を楽しんでいたのに、

図13-2　満足-予想表

日　付	喜びや満足のための行動	誰と行ったか(一人ならば単独)	満足の予想(0〜100%)行動前記入	実際の満足(0〜100%)行動後記入
4月18日	コンサルト業の仕事	単独	70%	75%
19日	朝食前の長い散歩	単独	40%	85%
19日	レポートの用意	単独	50%	50%
19日	有力な顧客への「重大な電話」	単独	60%	40% 仕事はうまくいかなかった
20日	ローラースケート	ガールフレンド	50%	98%！

もはや六十歳に近づき、寂しくそして「峠を越えた」と思っていました。そしていまだ本当の幸せや個人の評価を手に入れるたった一つの方法は、最高の、創造的な成功をすることだと信じていたので、今の地位やライフスタイルは二流のものであると感じられたのです。

しかし物の考え方は依然として科学者のものでした。そこで彼は自分の人生が病的なものであるように定められているのか否か、満足−予想表（前章参照）を使って実験してみました（図13-2）。毎日、喜びや満足、個人の成長をもたらすさまざまの行動をとるようにしました。それは趣味やレジャー、仕事など広い分野にわたっています。ひとつひとつの活動の前に、どれほど楽しめるかと予想して、〇%（全く満足しない）から九九%（人間が体験できる最大の楽しみ）の間で評価し、書き留めて置きました。

数日間これを書いてみると、人生には苦痛もある一方で、喜びと満足にも満ちていることに気づきました。これは自分でも意外な発見でした。仕事もうまくいくようになり、それ以外のことも楽しめるようになったのです。たとえばある土曜日の夜、ガールフレンドとローラースケートに出かけ、音楽にのって上手に滑る自分を再発見し、とても楽しむことができました。満足—予想表のデータで、最大の満足を手に入れるためにストックホルムまで行ってノーベル賞を手に入れる必要などないことがわかりました……スケートリンクに行くだけで十分なのです。仕事への小さなこだわり方から放たれれば、人生は喜びと満足を得るたくさんの機会に満ちており、広い範囲の豊かな体験を得ることができることが、ジョーンの実験からわかると思います。多くの体験に自ら飛び込んで行きました。

私は成功や業績が望ましくないものだなどと言うつもりはありません。しかし、最大の幸せを手に入れるためには、大成功は必要十分条件ではありません。愛情や尊敬を集める必要だってありません。また、満ち足りるのにナンバー・ワンになる必要もありません。ただ心の中の幸せと自尊心の意味を知ること、それでいいと思いませんか。

第十四章　中ぐらいであれ！——完全主義の克服法

あなたに、中ぐらいでいることをお薦めします。これは、ばかげたことに思えますか？　それでは——たった一日でいいから、中ぐらいでいるよう努力してみてください。やってみますか？　その結果、二つのことが起こるだろうと思います。一つは、中ぐらいでいることにうまく成功しないこと、二つ目はそれにもかかわらず自分のしたことに十分満足するだろうということです。普段以上に満足するでしょう。あなたがこれからも「中ぐらい」でいる努力を続けるなら、きっとこの満足は拡大して喜びへと変わるでしょう。この章で言わんとするのはこれだけです——完全主義を克服して、本当の喜びの成果を味わってください。

まず、こう考えてごらんなさい——二つの扉があります。一つは、目覚ましい「完璧」であり、もう一方は目覚ましい「中ぐらい」です。「完璧」の扉は、華麗で楽しく、魅力的であなたを誘います。あなたは、どうしてもそこを通りたくなります。「中ぐらい」の扉は、くすんでいて質素です。ああ、誰がそこを通りたくなりますか？

あなたは「完璧」の扉を通ろうとして、いつももう一つのれんがの壁に突き当たります。いくらそれを突き破ろうと努力しても、結局はそこにぶつかって痛い思いをするだけです。反対にもう一方の「中ぐらい」の扉の向こうには、魔法の庭があります。でも、ちょっと覗こうとしてこの扉をあけようとしても、無駄ですよ！

私が、信じられませんか？　私も信じていませんでしたし、あなたが信じないとしても何の不思議もありません。あなたの懐疑主義を、保ってください！　その方が健康的です、しかしそのかわり私が間違っていることを証明してください。私の主張をテストしてください。人生のたった一日でも、「中ぐらい」の扉を通ってみてください。きっと、びっくりするでしょう！

なぜだか、説明しましょう。「完璧」は、人間の究極的な幻想です。世界には、簡単には存在しません。完璧などないのです。完璧は、この世で一番の誘惑かもしれません。富を約束し、困窮から解放します。しかし完璧を求めて一生懸命努力すればするほど、あなたは失望してしまいます。というのは、それは単に一つの現実に適合しない概念でしかないからです。あなたが人々や考え、仕事や経験を十分に綿密に批判的に見つめられれば、ものごとはもっとずっと良くなるでしょうが、あなたが完全主義者だとすると、たとえ何をしようとも敗者であることは請け合いです。

「中ぐらい」はもう一つの幻想ですが、良い方の幻想であり役に立つ概念です。一ドル入れて一ドル五〇セント返ってくるスロット・マシーンのようなもので、あなたをあらゆる面で豊かにしてくれます。

この奇妙な仮説を調べてみたいと思うなら、さっそく始めてごらんなさい。ただし、あまりに中ぐらいになろうとしないでください。あまり幸福を感じすぎる結果を生みかねませんから。狩りが終わった後で、ライオンはやっとお腹一杯肉を食べることができるものです。

第四章に登場した、ジェニファーのことを覚えていますか？　彼女は、友人や治療者がこぞって自分に完全主義をやめるよう勧めるが、誰もどうやってやめるかを教えてくれなかった点に不満を感じていました。本章は、ジェニファーにささげます。このように当惑を感じるのは、ジェニファーだけではないのです。私が講演の中で示した完全主義の克服法の十五の手技を説明してくれるようたくさんの人から依頼がありました。それで、ここに手技を示しますが、緊張したり失敗を恐れたりする必要は全くありません。なぜなら、その成果は後戻り可能だからです。

1　完全主義を克服するにあたってまず必要なのは、この方法を続けていこうとするあなたの動機づけです。完全主義者であることの利益と不利益を、表にしてごらんなさい。実際には自分の利益になっていないことがわかって、びっくりしますよ。完全主義がどんな場合にも自分の助けにはならないことがわかると、それをやめたいと思うようになってきます。

図14-1に、ジェニファーのリストを示します。彼女は自分の完全主義が、全く利益になっていないことを理解しました。さあ、あなたのリストを作ってごらんなさい。それを作ってしまってから、先へ読みすすんでいきましょう。

2　作ったリストを使って、自分の利益についての仮説を確かめるため何かの実験をしたくなりませんか。皆と同じようにあなたも「完全主義がないと、自分は無に等しい。何一つまともなことなんかできやしない」と信じ込んでいますね。あなたはこの仮説が本当なのかどうか確かめようとしたことなどないでしょう。というのは、あなたの思い込みは、長年それに疑問さえ持たなかったほど、ほとんど自動的な習

図14-1　ジェニファーの，完全主義の利益・不利益一覧表。彼女は「明らかに，不利益は利益よりも多い」ことを理解した。

完全主義の利益	不　利　益
1. すばらしい仕事を産み出す。良い結果に達しようと一生懸命頑張る	1. 堅くなりすぎて，良い結果を出せないことに対して，神経質になってしまう
	2. 良い結果に到達するために必要である間違いを恐れて，危険を避けてしまう
	3. 自身に対し非常に批判的となってしまう。自分の成功を認めたり喜んだりができなくなり，人生がつまらなくなってしまう
	4. いつでもどこでも完全でないものが目について，リラックスできなくなる。そして自己批判に陥る
	5. 本当に完全になどなれるはずがないので，いつも落ち込んでしまう
	6. 他人を許せなくなる。人は批判されることを好まないので，結果として多くの友人を失ってしまう。人の欠点ばかりが目について，人を思いやる気持ちや人を好きになる能力も失ってしまう
	7. 完全主義は，新しいことを始めたり発見したりしようとする気を削いでしまう。今うまくやっていることより以上のことができないということを恐れる。その結果，何も新しいことをしなくなるので，自分の世界が狭くなり退屈でいらだってくる

慣になっているからです。あなたは今までに、完全主義でなかったとしても今あるように成功していただろうと考えたことはありますか？　これは、ものごとの真実を見られるかどうかの一つの試みです。いろいろな活動に応じて、あなたの要求水準を変更するよう努めてみてください。その結果に、驚きますよ。私も、執筆活動、診療、そしてジョギングにこれを応用しました。どの場合でも、要求水準を下げることによって自分のなしえたことを快く感じることができるばかりか、前よりもっと能率良くできるようになることがわかりました。これは私にとっても驚くべきことでした。

たとえば、私は一九七九年一月からジョギングを始めました。坂だらけの所に住んでいるので、始めの頃は途中で休むか歩くかしないと、二、三百ヤード以上は走れませんでした。そこで毎日、前の日よりは少しでも遠く走ることだけを目標にしました。これは簡単に達成できるゴールでした。それで私の気分は良く、そのことがさらに拍車をかけたのです。数カ月もすると、かなり早いペースで急勾配を七マイルも走れるようになりました。けれども、最初に目標としたルールは決して破りませんでした。このルールのおかげで、ジョギングについては一度もイライラや失望を感じなくてすんだからです。病気や疲労のため、全く走らない日も何日もありました。たとえば今日は、風邪をひいていて私の肺が「もう、たくさんだ」と言ったので、四分の一マイルしか走りませんでした。そんなときは、こう自分に言うのです、「これが、私が走ろうとしていた距離なんだ」と。そうすると、私は目標を達成したわけだから気分が良いのです。

試しにやってごらんなさい。どんな活動でもいいから選んで、一〇〇％を目標とするかわりに、八〇％、あるいは六〇％、四〇％を目標にするのです。それから、あなたがこの活動によってどのくらい楽しかったか、どの程度の成果であったかを見てみるのです。あえて、中ぐらいを目標にするのです！　それは勇気がいりますが、きっと驚くべき成果がありますよ！

3　あなたが強迫的な完全主義者ならば、完全を目標としなくては、人生を最大限に楽しんだり本当の幸福を得ることなどできはしないと信じていることでしょう。反完全主義シート *Antiperfectionism Sheet*（図14-2）を使って、あなたのこの考え方をテストすることができます。図にあるように、歯を磨く、りんごを食べる、散歩するなど広い範囲の活動から実際にあなたが得る満足を記録するのです。実際にどれだけ完全にやったかを〇〜一〇〇％の範囲で見積もってごらんなさい。同じように、どれだけの満足を得たかも〇〜一〇〇％で記録しなさい。こうすることで、あなたは完全さと満足とは架空の関係であることに気づくでしょう。

どのように関係しているか、説明しましょう。第四章で、私は常に完全であるべきだと信じ込んでいる医師の話しをしました。どれだけやり遂げたかとは全く無関係に、彼は常に基準を高くしてしまい、その結果惨めな気分を味わうのでした。私は彼に、全か無か思考のチャンピオンになれるぞ、と言ったものでした。彼も認めたのですが、どうやって変えていったらいいかわからないと訴えました。私は、反完全主義シートを使って気分とやり遂げたこととを調べてみるよう勧めました。ある週末、彼は家のパイプが壊れ台所が水浸しになったので、配管工事をしました。図14-2に示すように、彼はシートにこの仕事について九九％の満足を記録しました。配管など初めてのことだったので、彼は技術はわずか二〇％とだけ記録したのです。多くの時間を使い、隣の人から教えてもらいながらではありましたが、彼はこの仕事をやり終えました。これと対照的に、彼がなした傑出した仕事からは、彼は低い満足しか得られませんでした。

図14-2　反完全主義シート

活　　動	活動がどのくらい効果的であったかを0〜100%の範囲で記録する	活動によって得られた満足度を0〜100%の範囲で記録する
台所の壊れた配水管を修理する	20%（長い時間をかけてしまったし，間違いもずいぶんした）	99%（現実に私が直したんだ！）
医学部の学生に講義する	98%（非常に熱心に聞いてくれた）	50%（たいていは熱心に聞いてもらうので，格別ワクワクすることはない）
仕事の後でテニスをする	60%（ゲームは敗けたが，うまくプレイできた）	95%（本当に気分が良かった。ゲームと興奮を楽しめた）
1時間で最近の論文に手を加えた	75%（良く読んでたくさんの間違いが見つかり，修正して滑らかな文章になった）	15%（まだまだ理想的な論文じゃないと自分に言い続けた。フラストレーションを感じた）
卒業後の進路について学生と話す	50%（特別なことは何もしなかった。ただ，学生のいうことに耳を貸し2，3の示唆を与えただけにすぎない）	90%（彼はこの話し合いに本当に感謝しているように思われ，そのことで満足できた）

このように反完全主義シートを使った経験から、彼は楽しむには完全にやる必要はないということを学びました。さらには、完全を求めて一生懸命努力し、けたはずれの成功をおさめたからといって幸福が保証されるとはかぎらないこと、それどころかかえって満足感を損なうことすらあることもわかりました。彼は、強迫的なまでの完全主義を捨てて喜びに満ちた生産性の高い生き方をとるか、幸福は二の次にして絶えずトップを目指し、精神的苦痛と生産性の低い生き方をとるかの決心をしたのです。さあ、あなたはどちらを選びますか？　反完全主義シートに挑戦して、自分をテストしてごらんなさい。

4　完全主義を全く諦めてしまったと仮定して、いったい何が起こるのでしょうか。あなたは、一生懸命頑張ったときのみ本当に完全になれること、また何かことを成したら魔法のように何ごとかが起こるというイメージをずっともっています。では、そのゴールが合理的か否かを厳しくチェックしてみましょう。完全主義というモデルは、本当に現実に合いますか？　あなたがかつて経験したなかで、完全すぎて改善の余地がないなどというものがありますか？

これをテストするために、周囲を見回して、どれだけ改善できるかチェックしてごらんなさい。たとえば、誰かの服や飾ってある花の色どりや、テレビの映り、歌手の声、この本の有効性などなどです。あらゆるものに何らかの改善の余地が見つかるだろうと思いますよ。最初にこの練習をしてみたとき、私は汽車に乗っていました。汚れてきしんだ線路から始まりあらゆるものがあまりにも不完全で、私は簡単に多くの改善すべきところを見つけることができました。そこに、一つの問題が起きました。ある若い黒人男性がいて、彼の髪の毛は縮れ毛でしたが、それは完璧につやつやとしていて大理石模様のように見え、何ら改善の余地はなさそうでした。つまり完全な存在のように見えました。私は当惑し、世の中に完全なものなど存在しないという信条が揺らいできそうになりました！　そのとき、突如私は彼の髪に白い物が混じっているのに気づいたのです。結局、彼の髪は完全ではなかったのです。もっと近づいて見ると、数本の髪が長すぎてはみだしていました。注意して見れば見るほど、彼の髪の不釣り合いなところがそれこそ百も見つかりました！　どんなに完全なものも現実にちょうど合うということはないのだということを、私はさらに確信しました。ならば、なぜ完全であることを諦めてしまわないのか？　あなたは、標準を目標にしていたらきっと敗けてしまうと思い込んでいるのです。どうして、そんなに自分をいじめるのですか？

5　完全主義を克服する他の方法は、恐怖と対決することです。完全主義の後には、いつも恐怖が隠れていることにお気づきですか。恐怖は、ものごとを徹底的に磨きあげようとするあなたの衝動を焚きつける燃料なのです。完全主義をやめようと決心すると、最初はこの恐怖と対決せねばなりません。あえてそんなことをやる必要があるのでしょうか。しかし、完全主義はあなたを守ってはいますが、最終的にはつけがまわってくるものです。完全主義は、批判や失敗、非難の危険からあなたを守るかもしれません。完全ではなくものごとをやってみようと決心すると、最初はその対決を思ってカリフォルニア大地震のごとく、ガタガタと震えだすかもしれません。

完全主義の背景に恐怖が大きな役割を果たしていることがわかっていないと、完全主義的な人々の激しい行動パターンが、不可解で横暴に見えます。たとえば「強迫的スローモー」という奇妙な病気は、日常生活のこまごまとしたことまで〈完璧に、正確に〉やろうとしすぎたための結果なのです。この奇妙な障害を持ったある弁護士の例を示しましょう。この人は、自分の髪がどのように見えるかにこだわっていました。毎日何時間も櫛と鋏を手に鏡の前に立ち、ヘアスタイルをいじっています。このことにかかりきりのため、彼は他の肝心の仕事をカットせねばならず、そのためますますヘアスタイルに割く時間が多くなっていきます。むやみと切っていくため、日毎に彼の髪は短くなり、結局、八分の一インチにまでなってしまいました。彼は、今度は額の生え際をそろえようと躍起になり、〈正確に〉やりはじめました。毎日生え際は後退していき、結局彼の頭は全部禿げてしまいました！　やっと彼は一息ついて、今度はそろって伸びてくるように願いました。髪の毛が伸びるとまた切り始め、こうして全サイクルが再び繰り返されるのです。このバカげた日課は数年間続き、彼を実質的な無能力者にしてしまいました。

このケースは極端かもしれませんが、必ずしも重症というわけではありません。これよりはるかに悪い形の症状もあるのです。患者の奇妙な習慣がどんなにばかばかしく見えても、その骨折りは悲惨です。アルコール依存症のように、こういった患者はその強迫性ゆえに仕事も家族も犠牲にしてしまいます。あなたもその完全主義のために、あまりにも重い支払いをしていませんか。

何が、このすさまじい過剰にコントロールされた人々を駆り立てているのでしょうか？　彼らは気が変になっているのでしょうか？　たいがいは、そうではありません。完全主義に駆り立てているのは、恐怖なのです。今していることをやめようとした途端、彼らはたちまち生々しい恐怖へとエスカレートする強力な不快感に捕まってしまいます。結局、安心を得るため、もとの強迫的な儀式に戻ってしまうのです。彼らに完全主義の悪循環をやめさせようとするのは、崖に指だけでぶらさがっている人に飛び下りろと説得するようなものです。

あなたの中にも、そこまで重症ではないにしろ、同様の強迫的な傾向はありませんか。あなたは今までに、自分が置き忘れてしまった鉛筆や鍵を、出てくるまでほっておけばいいものを執拗に探しまわったことがありますか？　やめるのが耐えられないので、そうするのです。やめようとした途端、不安になり神経過敏となってしまいます。まるであなたの人生のすべてが危機にあっているかのように、失せ物が出てくるまではどういうわけか〈よろしい〉と、思えないのです！

この恐怖と対決し克服する一つの方法は、「反応予防 *response prevention*」と言われています。その基本原則は単純かつ明確です。単に完全主義を拒否し、恐怖と不快感に身をゆだねるのです。強情に我慢しとおして、たとえどんなに混乱しそうになっても気にとめないことです。そこで踏みとどまって、混乱が最大に達するのを許すのです。ピークを過ぎれば、強迫性はそれが完全に消えてなくなるまでだんだんと減じていくでしょう。この時に——何時間かかるか、あるいはほんの十分か十五分かもしれないが——あなたは、勝ったのです！　自分の強迫性を克服したのです。

簡単な例を挙げましょう。あなたに、家や車の戸締まりを何回も確かめる癖があるとします。もちろん一回確かめるのは理にかなっていますが、それ以上は余分であり無意味です。駐車場に車を止めロックして出掛けます。ロックの確認をするのです。すると、不安な気持ちになります。戻って行って、本当にロックされているかどうか見てみようとします。ダメですよ。そのかわりに、図14-3にあるように「反応—予防表 *Response Prevention Form*」に不安がなくなるまで分刻みで、あなたの不安を記録していくのです。不安がなくなった時点で、あなたの勝ちです。こういった体験を一回すれば癖を完全に治すのには十分で

図14-3　反応-予防表

完全にリラックスできるまで，1～2分ごとに不安感とその時に浮かんできた自動思考を記録する。ここにはドアのロックを強迫的にチェックする悪い習慣をやめようとしている人の例を示す。

時間	不安，不快感の％	自動思考
4：00	80％	誰かが車を盗んだら，どうしようか？
4：02	95％	そんな考えはバカげている。どうしてキーがかかっているかどうかを確かめてみないんだ？
4：04	95％	誰かが今頃車をいじっているかもしれない。そんなことには，耐えられない！
4：06	80％	
4：08	70％	
4：10	50％	
4：12	20％	うんざりだ。車はたぶん大丈夫さ
4：14	5％	
4：16	0％	ああーやりとげたぞ！

すが、時には充電をするように繰り返して行なう必要がある場合もあります。さまざまな「確認儀式」(ストーブが消えたかどうか、手紙が郵便箱にちゃんと入ったかどうかなど）や潔癖症（強迫的に手を洗う、家の掃除のやりすぎなど）は、こういったタイプの悪習慣に入ります。あなたがこういった傾向を打ち破りたいなら、反応予防法はきっと役に立つと思います。

6　強迫的な完全主義に駆り立てる気違いじみた恐怖の源が何なのか、あなたは自問することでしょう。あなたの人生に対する硬く不自然なアプローチの基盤となっているある概念を明確にするには、第十章で説明した矢印法が役に立つはずです。フレッドは大学生ですが、期末レポートを完璧に仕上げようと夢中になりすぎた結果、丸一年それにかかりきりでとうとう落第してしまいました。やっとレポートを書き上げて大学へ復帰しましたが、フレッドは完全主義を治す方法を探すようになりました。このやり方では、大学を卒業するまでに時間がかかりすぎることにやっと気づいたからです！

一学期の終わりにまたレポートを提出しなくてはならなくなったとき、フレッドは恐怖と対決しました。教授は、決められた日の夕方の六時までに提出するか、さもなければ遅れるごとに毎日減点していくと言い渡しました。フレッドは、レポートについては良い草稿があったのでもうそれ以上文章に磨きをかけたり訂正する必要はないことに気づきました。それでスペルの点などまだ彼にとっては満足できない部分はあったにしろ、しぶしぶ四時五十五分に提出してしまいました。レポートを提出した途端、フレッドの不安は大きくなりはじめました。不安は分刻みで増加し、とうとう夜遅く私の家へ電話するほどのパニックに彼は陥りました。不完全なレポートを提出してしまったために、きっと何か恐ろしいことが自分に起きるに違いないと彼は確信していました。

私は彼に、何をそんなに恐れているのかを正確に知るために矢印法を使ってみるよう示唆しました。フレッドの最初の自動思考は、「僕は、すぐれたレポートを提出できなかった」というのでした。彼はこれを書きだして（図14－4）、それから自身に問いました。「仮にそうだとしても、僕にとってなぜ問題になるのか？」この質問は、図14－4に示すように、彼を混乱させる隠れた考えを引き出させました。フレッドは心に浮かんだ次の考えを書き出し、不安がさらに深いレベルで暴露されるまで矢印法を使ってどんどん進めていきました。こうしてフレッドは、彼のパニックや完全主義の一番奥の源が浮かびあがるまで、玉葱の皮を剝き続けたのです。時間的には、ほんの数分ですみましたが、彼の隠れた概念が、これではっきりし

図14-4　フレッドは不完全なレポートを提出したのではないかという恐れの根源を明らかにするために，矢印法を使った。この方法は，彼が経験している恐怖を和らげるのにいくらか役立った。下向きの矢印の次に来る質問は，フレッドが自動思考をもっと深いレベルで見極めるために自分自身にした質問である。このように玉葱を剝くことで，フレッドは彼の完全主義の源になっている暗黙の仮定をはっきりと知ることができたのである。

自動思考	合理的な反応
1. 優れたレポートを提出できなかった ↓ 「仮にそうだとしても，なぜ自分にとって問題になるのか？」	1. 全か無か思考。答案は完全ではないにしろ，かなりいい線をいっている
2. 教授はタイプミスや文章の不備をすべてみつけるだろう ↓ 「それが何で問題になるのか？」	2. 心のフィルター。教授はタイプミスに気づくだろうが，答案の全部に目を通すはずだ。かなり良い文章もあるんだ
3. 教授は私が不注意な人間だと感じるだろう ↓ 「教授が気づいたとして，それからは？」	3. 心の読みすぎ。教授がどう考えるかなんて分かりはしない。たとえそう感じたとしても，この世の終わりというわけじゃない。学生なんて皆答案の不注意があるものだ。それ以上に私が気をつけても教授がそう思うとしたら，それは教授が悪いのだ
4. 私は教授をがっかりさせるに違いない ↓ 「そうだとしても，何で落ち込まなくてはいけないんだ？」	4. 全か無か思考。先読みの誤り。いつも人を喜ばせるなんてできやしない。教授が私の答えの大半を気に入っていれば，たとえがっかりしたとしてもレポートはパスするだろう
5. DかFの評価を受けるだろう ↓ 「そうだとしても，どうだっていうのか？」	5. 感情的決めつけ。先読みの誤り。落ち込んでいるからそう考えてしまうんだ。でも，自分が未来を読めるわけではない。BやC，Dを取る可能性も同じようにあるはずだ

自動思考	合理的な反応
6. それは私の学問上の評価が台無しになることを意味する ↓ 「そうだとして，どうなるのか？」	6. 全か無か思考。先読みの誤り。他の人だってたまには失敗するが，それだからといって人生が台無しになるわけではない。たまには失敗したっていいじゃないか？
7. 自分は，期待されていたような学生ではなかったということになる ↓ 「何で落ち込む必要があるのか？」	7. すべき思考。いつも期待された通りであるべきだと，誰が決めたのか？ある一定のレベルまで達するべきだと誰が私に強制しただろうか？
8. 人は私のことを怒っている。私は敗者だ ↓ 「人が自分のことを怒っていて，自分が敗者だとしても，何がそんなに恐ろしいのか？」	8. 先読みの誤り。誰かが私のことを怒っているとしても，それはその人の問題だ。いつも人の気に入るようにはできないし，第一疲れてしまう。人生が狭いつまらないものになってしまう。他人を怒らせることになっても自分の基準に合わせる方が，たぶんずっと良いに違いない。答案がうまくいかなくても，それが「敗者」ということを意味するわけではないんだ
9. 自分は皆から除者にされ，一人ぼっちになるだろう ↓ 「それから？」	9. 先読みの誤り。誰も彼もが除者にするわけではない
10. 孤独はきっととても惨めに違いない	10. マイナス化思考。私の一番幸せだった時期の中には，一人きりの時もあった。「惨めさ」は孤独であることから来るのではなくて，非難されるんではないかという恐れや，掲げた目標に応えられないという自責感に由来するのである

ました。(1)一つのミスが自分の人生を破壊する。(2)人は私に完全と成功を求める。もし私が失敗すると、人々は私を排斥するだろう。

いったん自分を混乱させている自動思考を書き出してみると、彼は自分の考えの誤りがはっきり見えてきました。三つの歪みがしばしば出ています——全か無か思考、心の読みすぎ、先読みの誤りの三つです。こうした歪みのために、彼は人生に対して硬直した、抑圧的で、完全主義的な方向づけをしてしまったのです。合理的な反応に置きかえることにより、恐れがいかに非現実的であるかがわかり、パニックが鎮まりました。

しかし、フレッドはまだ懐疑的でした。彼は、悲劇的結末などやってはこないということが完全には信じられなかったのです。彼には、いくつかの実際の証拠が必要でした。彼は今までの人生で、たとえてみれば、象が暴れ出すのを防ぐためにたえずトランペットを吹き続けるような生き方をしてきたので、トランペットを置いても象の暴動は起こらないということが信じられないのです。

その二日後、フレッドは必要としていた証拠を手にいれました。彼はレポートを返してもらったのですが、結果はA－トップでした。綴りの間違いは教授によって直されており、最後に非常に役に立つ助言とともに思慮深い賞賛の言葉が添えてありました。

もしあなたが完全主義から脱却するつもりなら、フレッドがしたように始めは不快感に身を晒さなくてはなりません。しかしこのことは、矢印法を使いつつ恐怖の起源を知るまたとない機会にもなりうるのです。恐怖から逃げるより、静かに座ってオバケと対面するのです！　自問してごらんなさい、「何を恐れているんだ？」「どんな悪いことが起きるっていうんだ？」それからフレッドがしたように、あなたの自動思考を書き出してその虚勢に挑戦するのです。怖いかもしれませんが、あなたがそれに耐え不快感にも堪え忍べば、自身の恐怖に打ち克てるでしょう。なぜなら、恐怖は本来は幻想なのですから。苦労性の悩める人から勇士へと変身する際の爽快感は、人生への確信に満ちたより強いアプローチの出発となります。

それでも、以前のような思考が浮かぶこともあります。しかしフレッドがBやC、DあるいはFのような不合格をとったかどうか思い出してごらんなさい。また、それからどうなりましたか？　現実には、あなたのような完全主義者はかなりの努力をしているので、悲惨な結末になることはまずないのです。とは言っても、人生には失敗も起こります。われわれの誰一人として、すべてに免疫を持っているわけではないのです。このような経験を有益に活かすためには、失敗の可能性に対して早めに準備することも役に立つかもしれません。

現実に失敗をどう活かしていけるのでしょうか？　簡単です！　そんなことで、人生は破滅しないということに気づけばいいのです。実際に、Bをとることはあなたがオール A の学生だとすると、かえって好ましい体験になりうると言ってもよいのです。なぜなら、そうすることであなたの人間性に直面し、それを受け入れるチャンスが与えられるからです。これは、人間的成長にもつながります。あまりにも頭脳明晰で強迫的なため、個人の努力を越えた失敗の機会にも恵まれずオール A で卒業してしまう学生の方が、本当の悲劇が待っているのです。成功はその学生を、恐怖を極端に避けることのみに人生を費やしてしまう、奴隷のような人間に変えてしまう危険も、合わせ持っているのです。こうした人々の人生は、業績の上では豊かでも楽しみの点では貧困である場合が多いのです。

7　完全主義を克服する別の方法は、プロセス重視という見方です。これはものごとの評価の基本として、その結果よりもプロセスに注目することです。私が始めて開業したときには、すべてのセッションのどの患者にも抜群の仕事をせねば、と思っていました。患者や同僚も同じ期待を私にしていると思っていたので、私はそれこそ声が出なくなるまで終日働きました。患者がセッションのおかげで良くなったと言ったときには、私は自分の成功を思い世界の頂点に立った気分でした。反対に、患者がその日のセッションに対してごまかしを言ったりネガティブに反応したりすると、私の気分は惨めになり失敗したと思い込んでしまいました。

私はジェットコースターのような感情の上下に疲れ果て、仲間のベック先生とこの問題を再検討しました。彼のコメントは非常に役に立ったので、それをあなたに伝えます。彼は、毎日市役所へ車を運転することを想像してごらん、と私に言いました。ある日は、青信号ばかりでとても早く着きました。ある日は、赤信号や交通渋滞でもっと時間がかかりました。運転技術は毎日同じはずなのに、どうして自分がやった仕事に同様の満足が持てないのでしょう？

彼は、どの患者にもすばらしい仕事をしようと頑張るのをやめて、このような新しいものの見方を持つことを提案しました。その代わりに、患者がどんな反応をするかにかかわらず、一定の良好な努力をすることを目標としました。その結果、私はいつも一〇〇％の成功を確信することができるようになったのです。

もしあなたが学生だとしたら、あなたはどのようにゴールの進行を組み立てていけますか？　(1)講義に出席する。(2)集中してノートをとる。(3)適切な質問をする。(4)毎日の授業の内容を勉強する。(5)二、三週間ごとの授業の復習をする。これらをあなたの目的にすることができます。これらのプロセスはすべてあなたのコントロールできるものであり、だからあなたは成功を信じることもできるのです。対照的に、あなたの最終の評価はあなたのコントロール下にありません。それは教授がその当日どんな気分か、他の学生がどれだけうまくやったか、どこでその学生がごまかしたかなどにかかっているのです。

もしあなたが職を探していたとしたら、どうですか？　目的として、(1)自信を持って、気に入っている服を着る、(2)そういうことに詳しい友人に履歴書をチェックしてもらい、それをプロにタイプしてもらう、(3)未来の雇い主へ、面接の間ちょっとお世辞を言う、(4)会社に関心があることを表明し、面接者にも自分のことを少し話させるようにしむける、(5)未来の上司があなたに彼の仕事についての意見を求めたら、ほがらかな調子で何かポジティブなことを言う、(6)面接者があなたについて批判的あるいはマイナスの意見を述べたら、第六章で紹介した「武装解除法」を使って、すぐに同意する、以上がゴールを目指すプロセスになります。

たとえばこの本についての発行者と私との打ち合わせで、私は編集者が本のいくつかのポジティブな部分をかなりネガティブに解釈していることに気づきました。「武装解除法」のおかげで、このかなり難しい談合を穏やかに進めることができました。たとえば、

編集者　「私が関心があるのは、バーンズ博士、今ここでの症状の改善についてなのです。先生は、うつ病の原因について見落としてはいませんか？」

（本書の最初の草案のとき、私はうつ病を引き起こす誘因について何章かに仮説を書いたのですが、編集者がこれに感銘を受けなかったか、あるいは全く読まなかったかのどちらかであるのは明白でした。私は守りの体勢で反撃することにしました。つまり、編集者の意見をある程度受け入れて彼女の気分を守ることです。そして、次のようにして彼女を和らげることにしました。）

デビッド　「それは卓越したご意見ですね。あなたのおっしゃることは、もっともです。私は、あなたがご自宅でも原稿に目を通されていることがよくわかりますし、喜んでご意見を聞かせていただきます。読者は、なぜうつになるのかを本当に知りたがっています。このことはまた、将来うつになるのを防ぐ効果も期待できます。発病についての仮説の章を追加したり、『原因を極める』という題で新たに章を設けるのはどうでしょうか？」

編集者　「それはすばらしい！」

デビッド　「この本について、他にご意見は？　私はあなたからもっと教えていただきたいです」

私は、編集者X氏のどんな意見にも賞賛する道を、また批判についても何らかの折り合う道を見つけていきました。これは嘘ではありません。私は物書きとしては駆け出しでしたし、X氏は私に非常に有益な手引きをしてくれる地位にいた才能ある人物だったからです。商談を通して彼女は、私が彼女を尊重していること、われわれは生産的な共同作業ができる関係であるということがわかってきました。

編集者との面談で、私が商談のプロセスよりもその結果にこだわったとしたらどうなったでしょう。きっと、編集者がこの本を引き受けるかどうかという一点にのみ心が奪われて、緊張してしまったことでしょう。そして彼女のどの批判も危険なものとして捉えてしまい、関係そのものも不快なものになっていったことでしょう。

このように、あなたが仕事を求める際には、職を得ることをあなたの目的にしてしまわない方がいいのです！　特に、その職がぜひとも欲しい場合には！　結果は、最後にはあなたが操作できる以外の多くの要因によっているのです。希望者の数、彼らの能力、またボスの娘を知っているかなども含めて。実際、以下の理由でできるだけ多く断られようと努めた方がむしろいいのです。考えてごらんなさい、気に入った職を得るまでには、平均して十から十五の面談をしなくてはなりません。つまり、あなたが望む職を得るためには、そのうち九から十四は断られなければならないのです。だから毎朝こう言うのです、「さあ、今日もできるだけたくさん断られるぞ！」そして断られたら、こう言うのです、「うまく断られたぞ。これで私のゴールに近づく大事な一歩になったんだ。」

8　完全主義を克服するほかの方法は、一週間の活動全部に厳しい時間制限を設けて、自分の生活を調整することです。こうすることであなたの視点が変わり、生活の流れに焦点をしぼってそれを楽しむことができるようになります。

あなたが完全主義者だとしたら、おそらくしょっちゅうものごとを先延ばしにするのではないですか。なぜなら、あまりにも徹底的にものごとをやることに固執するからです。幸せの秘訣は、それを達成するための最もつつましい目標を設定することです。あなたが不幸になりたいなら、完全主義と先延ばし主義にしがみついていればいいのですが、あなたが変わりたいなら、朝一日のスケジュールを決めるときに、各々の活動ごとに時間を配分しましょう。完全にできたかどうかは置いておいて、あなたが配分した時間がきたらさっさと止めて、次の予定に移るのです。たとえばあなたがピアノを弾くとして、何時間も弾くか、さもなくば全く弾かないという傾向があるなら、一日に一時間だけ弾くと決めるのです。この方法で、あなたの満足が増し実際に腕もあがるだろうと私は思います。

9　きっとあなたは、ミスをすることを恐れていますね！　なぜミスするのが、そんなに恐ろしいのでしょう？　あなたが間違うと、世界は終わりでしょうか？　間違いを犯すのにそんなに耐えられないのですか。しかし実際には、危険を恐れるあまり、成長の可能性を失なうということもあるのです。完全主義を打ち破る特に強力な方法は、むしろ間違いの犯し方を学ぶことです。

さあ、どうすればできるでしょうか。完全主義や間違いを犯すことがなぜ非合理的で自己破壊的なのかを、一つの文にして書いてごらんなさい。次の文は、先に挙げた学生、ジェニファーのものです。

間違えることは、なぜ大切か

1　私は、間違うことが恐い。なぜなら、一つ間違うとすべてがダメになるという完全主義的見方で、あらゆるものを見てしまうから。小さな一つの間違いは、たぶん最終的に全部をダメにすることはないのだ。

2　間違いをすることは、良いことなのだ――なぜなら、間違いをしたことで私は学ぶことができるのだから。誰も、間違わないでいることはできない。そして、どんな場合でも起こりえる以上、私たちはそれを受け入れて、それから学ぶべきだ。

3　間違いを認めることで、われわれの行ないも整えることができる。その結果、私たちはもっと楽しくなれるのだ――つまり、われわれがもっと幸せになり、ものごとがもっと良くなるように、間違いは作用するといえるのだ。

4　間違いをすることを恐れていたら、何もできない――何か間違いはしてしまうものだから、恐れていては何も試みられない。間違いをしないように活動を限定すると、本当に自分自身をダメにしてしまう。たくさん間違うように努めれば、それだけ早く学べて結局はもっと幸せになれるのだ。

5　大部分の人は、われわれが間違いをしたからと言ってわれわれを嫌いになったりはしない。皆、間違うのだから。それに、たいていの人は「完全な」人間が嫌いなものだ。

6　間違ったからといって、死ぬわけじゃない。

あなたが変わるのはそれほど簡単というわけにはいかないとしても、この方法は少なくとも正しい方向へスタートする助けにはなります。ジェニファーは、この文を書いた週に非常に良くなったと報告しています。彼女は、絶えず自分がいいかどうか思い悩むより、学ぶことに焦点をあてる方が勉強にとってためになるんだとわかってきました。その結果、彼女の不安は少なくなっていき、逆にものごとをやり遂げる能力は増えていきました。このリラックスして自信に満ちた気分は、だれにとっても最大の不安である一学期の期末試験の間も保たれました。彼女は言いました。「完全である必要などないことがわかりました。私は、私の間違いをしていくつもりです。なぜなら、間違いから学ぶことができるから。間違えることを何も心配していません。」彼女の言う通りです！

この要領で、あなたも書いてごらんなさい。間違いをしたからと言って、この世が終わりになるわけではないこと、間違いの利益の部分に目を向けることを忘れないでください。書いたら、これから二週間毎朝それを読むのです。きっとこの習慣が、あなたの今後に大きな助けとなるでしょう！

10　完全主義者は、自分の短所をほじくり出すことにかけてもたいした能力をもっています。そういう人は自分がやり終えていないことばかりとりあげて、やったことは無視しようとする悪い癖があります。人生を、間違いと欠点の目録を作ることで費やしているのです。気分が良くないのは当たり前です！　誰がそんなことをしろと言いましたか？　そんな気分になるのが好みですか？

このばかばかしくも苦しい癖を覆す簡単な方法があります。毎日、あなたが正しくやろうとすることを腕のカウンターを使って数えるのです。計算して何ポイントになるか見てごらんなさい。あんまり簡単そうに聞こえるので、あなたは何の助けにもならないと思うかもしれませんね。そう思うなら、とりあえず二週間だけ試してごらんなさい。きっとあなたは、人生のポジティブな面に目を向け始めるだろうことを、その結果として自分自身についてもっと良く思えるようになるだろうことを私は請け合いますよ。実際とても簡単な方法です。

11　別の役に立つ方法は、完全主義のもとになる全か無か思考の不合理性をさらしてみることです。自分を見回して、世の中のどれぐらいが全か無かという分類に当てはまるか考えてごらんなさい。回りの壁は、全部が本当にきれいですか？　少しは汚れていませんか？　私にしても、書いたものすべてに説得力があるでしょうか？　それとも一部だけでしょうか？　たぶんこの本のどの文も、完全に洗練されているわけでも驚くほど役に立つわけでもないでしょう。すべてに穏やかでいつも自信に溢れている人など、身近に知っていますか？　非の打ちどころのない美人スターの方が、好みですか？

全か無か思考がしばしば現実に合わないということがわかったら、一日のあなたの生活の中で、そういった考え方があるかどうかを探してごらんなさい。見つけたら、それに反発し論破してみるのです。きっと気分が良くなりますよ。各人がそれぞれに全か無か思考と闘っている例を、図14-5に示します。

12　完全主義を治す別の方法は、個人的な打ち明け話をすることです。ある状況であなたが神経過敏になったり不快感を持ったら、それをほかの人と分かち合うのです。不適切にやってしまったと感じたことは、隠さずにさらけだすのです。そして、どうやって治すべきかを聞いてみなさい。あなたが不完全であるがために人々があなたを拒絶しようとしたなら、そうさせてそれで終わりにすればいいのです。もし自分の立場があいまいなら、間違いを犯したとき、人が自分を低く見るかどうかを聞いてみればいいのです。

この方法をとる以上、あなたはもちろん自分の不完全さのために軽蔑される可能性のあることを覚悟しなければなりません。実際に、私は治療者のグループを指導しているとき、こういう目にあいました。扱いの難しい患者に怒りの反応をした際、自分の間違いに気づいて、それをさらけ出したのです。そのとき

図14-5　全か無か思考を，他の合理的な考え方に置き換える方法。以下の例はさまざまな場合に当てはまるものである。

全か無か思考	合理的な考え方
1. なんてさえない日だ！	1. 悪いことが起きたとしても，すべてが大惨事というのではあるまい
2. 自分の作った料理は，悲惨な味だ	2. 今まで作った料理がベストの味というわけではないにしろ，だいたいはいい味だった
3. 私は，もう年だ	3. 何に対して年をとりすぎているのか？いろんなことを楽しむのに？いいえ。セックス？いいえ。友人との交わりに対して？いいえ。人を愛したり愛されたりするのに対して？いいえ。音楽を聞くのに？いいえ。実りある仕事をするのに？いいえ。じゃ，何について年をとりすぎているんでしょう？つまり，何の根拠もないことなのだ
4. 誰も私を愛してくれない	4. ナンセンス。私にはたくさんの友人や家族がいる。自分が要求するほど多くの愛情ではないかもしれないが，これからそうなるように働きかけることはできる
5. 自分は敗者だ	5. 他の皆と同じように，うまくいったこともあれば失敗したこともある，ただそれだけの話しだ
6. 自分の人生は，もう峠を過ぎて黄昏だ	6. 確かに若い時のようにはできないが，まだまだ実りある仕事ができる。なぜこのことを楽しまないのか？
7. 自分の講義は最低だった	7. 今まででー番良い講義だったとはいえない。事実，私の平均以下だった。でもいくつか指摘されたことは，この次の講義を良くするのに役立てることができる。半分は平均以下でも，後の半分は平均以上かもしれないということを覚えておこう！
8. ボーイフレンドは，私のことを好きではないんだ	8. 何に対して，彼は私を十分好いていないのか？結婚する気はないかもしれないが，デートに誘うところをみると，部分的には私を好きに違いない

私は皆に、私の弱点を聞いて軽蔑したかどうかを尋ねました。一人の治療者がそうだと答えたとき、私は窮地に陥りました。そして次のような会話がなされました。

治療者（受講者の一人）「二つのことを考えました。一つはポジティブな考えです。あなたが聴衆の前で自らの間違いを指摘したことを、高く評価します。私ならそうするのは、とても怖いからです。これはあなたの偉い一面であると思います。しかし、同時に私はあなたにアンビバレントな感情を持たざるをえません。今私はあなたが間違いを犯すことを知ってしまいました。もちろん、それは現実的なことではあるんですが……、私はあなたに失望しました。率直に言って、そうなのです」

デビッド「ええ、私はその患者をどう扱えばよいかを知っていたのですが、自分の怒りに敗けてしまい、その瞬間感情的に反応してしまったのです。これは、本当に愚かでした。その扱いが拙かったことを認めざるをえませんね」

治療者「思うに、あなたは何年もたくさんの患者をみておられる。一つ大失敗をしたからといって、地球がひっくり返るものではないことは確かです。彼女が死ぬわけでもありません。それでも、私はがっかりしてしまったのは事実です」

デビッド「しかし、これは珍しいことじゃないですよ。治療者は皆、一日のうちでさえいくつもの大失敗をしていると思います。はっきりと目に見える失敗から、ごく小さな失敗までいろいろと。少なくとも私はそうです。この点について、あなたはどうですか？　私があの患者を適切に扱わなかったので、本当に失望したようですね」

治療者「ええ、そうです。私はあなたが、患者が言ったどんなことでも簡単に扱えるすばらしく広い行動レパートリーを持っておられると思い込んでいました」

デビッド「いいえ、それは違います。難しい状況で役に立つことを言う場合もありますが、また時には私が望むようには役立たないこともあります。私は、まだまだ学ばなければいけません。今の私の知識では、あなたは私を軽蔑しますか？」

治療者「ええ、そうです。そう言わざるをえません。なぜなら、あなたのなかにあなたを打ち負かしてしまう十分な葛藤があることがわかったからです。あなたは、自分の弱さを曝け出さずにその葛藤を処理することができなかったのです」

デビッド「その通りです。少なくとも、あのときはうまく処理できませんでした。私はこの点に関して、もっと努力する必要があるし、治療者として成長しなくてはなりません」

治療者「ええ、少なくともこのケースではそうですね。ほかのケースでは、私が想像するようにはあなたは対処しないと思いますよ」

デビッド「それはそうです。でも、私が完全ではないからといって、なぜ私を軽蔑するのですか？　そのことで、私はあなたより劣った人間ということになるのでしょうか？」

治療者「それは誇張しすぎですよ。私は人間としてあなたを軽蔑しているわけではないです。それでも、治療者としては、私が思っているほどにはあなたはいいというわけではないということです」

デビッド「それは本当です。私の評価が低くなりましたか？」

治療者「治療者として？」

デビッド「治療者として、あるいは人間として、私を低く評価しますか？」
治療者「そうだと思います」
デビッド「どうしてですか？」
治療者「ええっと、どう言っていいかわかりませんが、私はあなたをほとんど『治療者』としてしか知らないわけですから……。あなたにそんな不完全な面があるのを知って、失望しました。あなたについて、もっと高い期待を持っていたもので。でも、おそらくあなたのほかの生活面では、もっと良いのだと思ってますよ」
デビッド「あなたを失望させたくはないのですが、私はほかの多くの生活面でも、もっと不完全です。だからあなたが治療者としての私を軽蔑するとしたら、一人の人間としての私についてはもっと軽蔑するだろうと思います」
治療者「もしそうなら、一人の人間としても低く評価するかもしれませんね。それが、あなたについて私がどう感じているかの正確な表現ということになりますか」
デビッド「私があなたの完全な標準に合わないからといって、なぜ軽蔑するんですか？　私はただの人間で、ロボットではないんです」
治療者「その質問は、よく理解できません。私は、その人の行ないによってその人を判断します。あなたは失敗をしたので、私があなたをネガティブに判断する事実と直面せねばなりません。それはいやですが、でも現実なのです。あなたがわれわれのスーパーバイザーである以上、もっと良く振る舞うべきだったと私は思いました。私はあなたに多くを期待していましたが、今聞いたところでは、患者の方があなたよりましに振る舞ったように聞こえましたよ！」

デビッド　「なるほど、あなたはあの日は私よりもその患者に対してうまく対処できたでしょうね。それは、私があなたから学ぶことのできる点です。しかし、なぜこのために私を軽蔑するのですか？　私が間違いを犯すたびにあなたが失望し尊敬の念を失っていくとしたら、早晩あなたは全く私を尊敬できなくなりますよ。なぜなら、生まれてからこの方、私は毎日間違いをしてきましたから。そんなに不愉快になりたいんですか？　われわれの友情を続けたい、楽しみたいと望むなら、あなたに私の不完全さを受け入れてほしいし、受け入れざるを得ないと考えます。たぶんあなたは私が犯す間違いを喜んで探してくれるでしょうし、それで私があなたに教えている間中、私もあなたから指摘を受けて学ぶことができるのです。私が間違いを犯さなくなったら、きっと成長する機会を失ってしまうでしょう。自分の誤りを認め治していくこと、それから学んでいくことが私の最も大きな財産の一つです。あなたが私の人間性や不完全さを受け入れることができれば、たぶんあなた自身をも受け入れることができると思いますよ。あなただって自分も間違いをして良いのだと考えた方が気が楽でしょう」

この種の対話には、あなたが想像する以上の広がりがあります。間違いを犯す権利を主張することは、矛盾するようですが、あなたをより人間として大きくさせるでしょう。そのことで人が失望したとしたら、それはあなたに人間以上の非現実的な期待をしたその人の誤りなのです。あなたがそんなバカげた期待を背負わなければ、何か失敗をしたときでも立腹したり防衛的になる必要もなければ、恥じ入ったり気後れする必要もありません。選択は明快です。あなたは、完全であろうとしてずっと憂うつでいることもできますし、あるいは人間らしく不完全でも気分を高めることを目指すこともできるのです。さて、あなたはどちらを選択しますか？

13　次の方法としては、あなたの人生で本当にハッピーな時期に精神的に焦点を合わせてみることです。どんなイメージが、心に浮かびますか？　私の場合だと、大学生の時にハバスパイ峡谷に登ったときのことが心に浮かびます。この峡谷はグランドキャニオンから離れていて、徒歩か馬を用意するかしなければなりません。私は友人と行きました。インディアン語で「青緑色の水の人々」という意味のハバスパイは、不毛の地を洗うトルコ石のような緑の河で、狭い峡谷を何マイルも続く青々としたパラダイスにしています。最後にハバスパイ河はコロラド河に合流します。そこには何百フィートもの高さの滝がたくさんあり、その底はまるでトルコ石でできたプールのように緑色につやつやと滑らかに光っています。ハコヤナギや紫に咲いたアサガオが、川沿いに豊富に並んでいます。住んでいるインディアン達ものんびりしていて、親しみやすい人達です。それは喜びに満ちた思い出です。たぶん、あなたも同じように幸せな思い出を持っているでしょう。ここであなたに尋ねますが――その経験のうち、何が完全でしたか？　私の場合に限れば、何もありません！　そこにはトイレの設備もなく、私たちは外で寝袋にくるまって寝ました。完全に歩いたわけでも泳いだわけでもなく、何もかもが不完全でした。人里離れているため電気もひかれておらず、店で唯一手に入るのは缶詰の豆とフルーツだけで、肉も野菜もありません。それでも歩いたり泳いだりした後の食事は、大変おいしかったのです。誰が完全を求めましょうか？

あなたは、こんな楽しい思い出を持てますか？　おそらく食事に行くとか旅行や映画など楽しい出来事があったとしても、自分からそんなことは楽しめないと思い込んでしまい、必要以上にその出来事をまずくしてしまうでしょう。しかし、これはばかげたことです。あなたを打ち負かしているのは、あなた自身の見込みなのです。たとえばホテルに泊まると、そのベッドがひどく硬く、あなたは五十六ドルも払ったと想像してみてください。フロントを呼び出しますが、彼らはほかのベッドも部屋も空いていないと説明します。なんということだ！　今あなたは、例の完全主義を持ち出して問題を二倍にするか、「楽しいけれど不完全な」思い出を作るかのどちらもできるのです。キャンプをしたとき、地面に寝てとても楽しかったことを思い出しませんか？　あなたさえ選択すれば、このホテルで十分楽しむことができるのです。あなた次第なのです。

14　完全主義を克服する他の方法は、「貪欲技法」です。これは、人間は前進しようとして完全主義に陥る、というごく単純な事実に基づいています。したがって基準が低くて成功をどんどんおさめれば完全主義には陥らないはずです。たとえば私が学術的な研究を始めたときは、公表した最初の論文を書くのに二年以上かかりました。その仕事は価値あるものだったし、今でも私は誇りに思っています。しかし私と同じくらいの能力を持った同僚はその同じ期間に、もっと多くの論文を書いていることに気づいたのです。それで私は自問しました――九十八個の価値ある内容を含んだ一つの論文で自分は満足すべきか、それともたった八十個の価値ある内容しかない十の論文を書いた方が良いのかと。後者の場合だと、私は八百個の価値ある内容を書けたことになり、さらに前進ができる。このような理解の仕方は非常に説得力があり、私は自分の要求水準を少し下げてみようと決めました。そうすると、自分の満足感と同様に私の生産性も大いに伸びたのでした。

あなたの場合は、どうですか？　あなたがある仕事を持っているとして、ひどくゆっくりとしかその仕事が進まないことに気づいたとしましょう。そろそろ折り返し点を過ぎたことがわかると、いいかげんに次の仕事に取りかかった方がよいこともあります。私はあなたがその仕事を切ってしまうことに賛成するわけではないのですが、ストレスがかかるような一つの大きな業績にこだわるよりも楽にできる仕事をたくさんした方が喜びが大きいこともあるのです。

15　さて、いよいよ最後の項になりました。ごく簡単な理論を示しましょう。人間は皆間違いを犯すという前提です。これを認めますか？　よろしい。では、あなたに聞きますが、あなたはどうでしょう？　あなたも人間ですよね？　よろしい。その先は？　もちろん、あなたは間違いを犯すだろうし、また間違わねばならないのです！　間違いをしてしまい自分を責めようとするたびに、自分に言い聞かせなさい。「私だって人間なんだから、間違いもするだろうと予想はしていたんだ」と。あるいは、「こんな間違いをするなんて、何と人間らしいんだろう」と言い聞かせるのです。

さらに、自問してごらんなさい。「この間違いから、何を学べるかしら？　ここから生じるどんな良いものがあるだろうか？」と。試しに、あなたが犯したいくつかの間違いを思い出して、それから学んだことを全部書き出してごらんなさい。間違えたからこそ始めて学び得た事柄がいくつかあるはずです。つまり、しゃべったり歩いたりあらゆることをしながらいかにあなたが学んだかを示しているのです。こんな成長の機会を、あなたは諦めてしまうのですか？　あなたの不完全さや愚かな面も、あなたの良い面の一つであるとさえ言うことができるのです。そういった面を、大切にしましょう！　悪い面も受け入れる力を諦めないでください。そうでないと、前へ進む能力までも失ってしまいますよ。実際にもしあなたが完全だとしたら、どうなっているか考えてごらんなさい。学ぶべきことは何もないし進歩もありません。努力することによって得られる満足感も、この先変化する可能性もないのです。人生の残りを幼稚園で過ごすようなものです。あなたは答えを全部知っていて、ゲームにもすべて勝ってしまうでしょう。あなたは何ごとも正確にやるので、どんな企画も成功を保証されます。あなたはすべて知っているのだから、ほかの人々と話し合う必要もないわけです。とりわけ重要なのは、誰もあなたを愛せないし心を通じあうこともできないことです。完全無欠で何もかも知っている人間に対しては、誰も愛情を感じることはできません。それは、あまりにも孤独で惨めではないですか？　それでもまだ、本当にあなたは完全になりたいですか？

第五部　絶望感と自殺に打ち勝つ

第十五章　最終的な勝利：生への選択

近年の研究でアーロン・ベック博士は、死にたいという願望は中等度のうつ病ではおよそ三分の一に、重症のうつ病では四分の三に認められると報告しています。(注) 実際にうつ病患者の五％が自殺により死亡することは、すでに知られていることです。これは、一般人口の自殺率のおよそ二十五倍になります。事実、うつ病の患者が死亡する場合は、六人に一人は自殺がその死因です。

年齢や社会状況、職業などで自殺を免れることはできません。自殺した有名人を思い浮かべてごらんなさい。特にショッキングでグロテスクな自殺――何の理由も特に見当らない――は、若い人々に多いようです。フィラデルフィア郊外の教区学校の第七学年、第八学年を調査したところ、その三分の一はかなり重症のうつ状態で自殺願望を持っていました。母子分離する幼児さえその過程で失敗するとうつ状態となり、餓死という形をとる一種の自殺をすることが可能なのです。

このようなことを聞いて、うんざりするかもしれませんが、ちょっと待ってください。安心できる面にもふれてみます。第一に、自殺する必要はないのです、そしてそういった衝動は認知療法によりすみやか

(注)　アーロン・T・ベック：うつ病、原因と治療。ペンシルバニア大学出版、三〇―三一頁、一九七二。

に改善され消失します。われわれの研究では、認知療法や抗うつ剤によって治療した患者では自殺衝動が実質的に減少しました。認知療法を受けた患者では、治療の最初の一週間か二週間のうちには、日常生活の上でも良い変化が現れています。気分がよく変わりやすい人のうつ状態をその時点で積極的に予防することは、将来的な自殺予防にもつながります。

なぜうつの人はそんなにしばしば自殺を考えるのでしょうか、またこういった衝動を防ぐには何ができるのでしょうか？　積極的に自殺を考えている人の思考を調査すれば、これらのことが理解できるでしょう。彼らの思考には、悲観的なものの見方が蔓延しており、人生は悪夢以外の何ものでもないように思えてしまうのです。過去を振り返ると、思い出すのは抑うつと苦悩の日々ばかりです。

あなたが落ち込むと、今まで一度も楽しいことがなくこれから先もないような気がして、ますます落ち込んでしまいます。あなたの知人や身内がふだんあなたは幸せだと言ったら、あなたはきっと彼らが間違っているか単に自分を励ますだけで言っていると解釈するでしょう。これは、うつの間はあなた自身が過去を曲解してしまっているためです。過去の楽しかった思い出を一つも思い起こすことができないので、そんなものは存在しなかったんだと錯覚してしまうのです。こうして、あなたは今までも、そしてこれからもずっと惨めであり続けるかのごとく思い込んでしまうのです。もし誰かがあなたが幸せだったと指摘しても、最近私の診察に来た若い患者の言ったように反応することでしょう、「そんな時期は、勘定に入りませんよ。幸せなんて一種の幻想みたいなもんです。本当の私は落ち込んでいて、ちっともいい状態じゃないんです。自分のことを幸せだなんて思ったとしたら、私はばかですよ。」

あなたの気分がどんなに悪くても、ものごとは最終的には良くなっていくという確信さえ持っていれば耐えられるものです。自殺を決行しようという決断は、この気分はこの先も良くなりようがないという非論理的な確信から起こってくるのです。未来は、さらなる痛みと混乱のみのように確信してしまうのです。ある種のうつ病患者のように、あなたもまた縦横のデータをもとに自分の悲観的な予想を確信してしまうかもしれません。

うつ病患者で四十九歳の株式仲買人が最近私にこう言いました、「先生、私はこの十年、すでに六人の精神科医にかかってきました。電気ショック療法も受けたし、ありとあらゆる抗うつ剤や安定剤ものみました。それにもかかわらず、このうつ気分は一分たりとも消えてくれないのです。良くなるために、もう八万ドルも使いました。今は、精神的にも経済的にもクタクタです。先生達は皆こう言います『きっと打ち勝てます。だから、へこたれてはいけません。』でも、私にはそれは本当ではないとわかってきました。皆、私に嘘をついていたのです。私は一生懸命闘いました。先生が本当にうちひしがれたときには、きっとこの気持ちを理解してくれるでしょう。死んだほうがましだと思うしかないんです。」

非現実的な絶望感が自殺願望を発展させる重要な要因であることは、多くの研究が報告しています。歪んだ考え方のせいで、自分自身を逃げ道のない落し穴に入ったように見てしまうのです。問題が解決不可能だとしてしまう結論を、飛びこえることです。耐えられない、きりがないと感じることからくる苦痛のために、あなたは自殺が唯一の逃げ道のように錯覚してしまうのです。

もしあなたが過去にこんな考えを持ったことがあれば、また現に今持っているとしたら、この章で私に次の言葉をはっきりと大きな声で言わせてください。

自殺が、問題解決の唯一の、そして最上の方法だとするあなたの考えは間違っています。

繰り返し言いますが、あなたは間違っています！　落し穴に落ち込み、もはや絶望的だと考えるときは、あなたのその考えの方が非論理的で歪んでいるのです。どんなにあなたの確信が一貫していようと、またほかの人々を納得させたとしても、あなたはうつ病という病気のために単純な誤りを犯しているだけなのです。自殺は、あなたの苦しみを解決する最上の方法とは言えません。これから私がこのことを説明し、あなたの落し穴から抜け出す道を示しましょう。

自己の自殺衝動を正しく評価すること

自殺したいという気持ち自体はうつ病でない人にも存在するとしても、あなたがうつ病の場合は、現にそれが起こってしまう可能性が危険な臨床症状の一つとしていつも考えられます。こういった自殺衝動がどのくらいあなたを脅かしているかを正確に知ることが、まず大切なことです。第二章のベックうつ病調査表の中で、質問九が自殺衝動に関連しています。あなたがこの質問に一か二、三を答えたとすると、自殺衝動があることになり、その重症度を評価すること、必要があれば何らかの介入をすることも大切なことです。（一三頁参照）

自殺衝動に関してあなたが犯しやすい最も大きな誤りは、それをカウンセラーと一緒に語ることを過度に避けている点です。多くの人は自殺衝動を話すことを恐れますし、話しただけでも実行に移すように思われて非難されることを恐れるのです。こういったものの見方は、正しいとは言えません。専門の治療者にこの思いを話すだけでもかなりの救いになるはずですし、結果として自殺衝動を解決する糸口が見つかってくるものです。

あなたが自殺したいという考えを持っているなら、その考えを重大だとみなしているかどうか自分自身に尋ねてごらんなさい。自分が死ぬことができれば、と願うときがありますか？　その答えがハイならば、その死は能動的なものですか、それとも受動的なものですか？　あなたが死を望むけれども積極的な手段をとることを好まないなら、受動的な死となるでしょう。ある若い男性が私に白状しました、「先生、僕は毎晩寝る前に、自分を癌にさせてくださいと神に祈っています。そうすれば僕は平和に死ねるし、家族も納得できるでしょうから。」

積極的な死を望む場合は、もっと危険です。あなたが現実に自殺の手段を真剣に練っているとしたら、次のことを知っておくべきです。方法を考えていますか？　それは、どんな方法ですか？　計画は？　何か特別な準備をしましたか？　一般に計画が具体的であればあるほど、また良く整っているほど、実行に移す可能性は高くなります。専門家の助けを借りるのは、今ですよ！

あなたは過去に、自殺を図ったことがありますか？　もしあるなら、今抱えるのがどんな自殺衝動であろうとすぐに助けを求めるべき危険信号として、その衝動を考えないといけません。たいていの人にとっては、以前の自殺行為は準備運動のようなもので、選択した手段に不慣れだったのです。過去に何回か自殺を図り不成功に終わったという事実は、将来は成功してしまう危険性が高いことを意味します。不成功に終わった自殺行為は単なるジェスチャーか注意を引くための芝居で、だからあまり大げさにとる必要はないという見方は、大変危険です。自殺願望や行為はすべて慎重に受けとめるべきである、というのが現在の一般的な考え方です。自殺願望や行為を「助けを求める叫び」と取ってしまうのは、非常に誤解を招きます。むしろ自殺者の多くは最も助けを求めていないと考えてもいいかもしれません。なぜなら、彼らは自分たちは絶望的で救いようがないと一〇〇％信じこんでいるのですから。この非論理的な確信ゆえに、彼らが真に望んでいるのは死なのです。

あなたの絶望感がどの程度かは、自殺を実行に移すか否かの危険率を判定するうえで一番重要な目安となります。これは他の要因よりも、実際に自殺を実行するかどうかと深く関連しています。あなたは自問するに違いありません、「良くなる見込みが全くないと、自分は信じているのだろうか？　あらゆる治療の可能性を使い果たして、もはや何も助けにはならないと感じているのだろうか？　この苦しみは耐えられないもので、終わりなく続くと確信しているのだろうか？」この質問への答えがハイならば、あなたの絶望感の度合いはかなり高く、専門的な治療が今必要です！　私は咳が肺炎の一つの症状であるように、絶望感もうつ病の一症状であることを強調します。咳が出たからといってあなたが肺炎で倒れる運命にあるという証明にはならないように、絶望という感情が実際にあなたが絶望的であるという証拠にはならないのです。単に、あなたが病気――この場合はうつ病ですが――で苦しんでいるということを示しているだけなのです。絶望感は自殺を実行に移させる理由ではなく、十分な治療を求めるべきであるという信号をあなたに送っているのです。だから、あなたが絶望したら助けを求めなさい！　もうこれ以上、自殺のことを考えていてはいけません！

最後に重要な要素は、思い止まらせることがあるか否かです。自問してごらんなさい、「私の自殺を阻むものが何かあるかしら？　家族や友人、あるいは宗教上の信念のために私は思い止まるだろうか？」もしあなたが何ら阻止するものを持っていなかったら、自殺を実行に移す可能性はもっと大きくなります。

要約

あなたが自殺したい気持ちを持っているなら、その衝動性を常識の線で事実に則して正しく評価することが、最も重要です。以下の項目があてはまれば、あなたは危険性が高いということになります。

1　重症のうつ病で、絶望感を持っている。
2　以前に自殺を図ったことがある。
3　自殺についての綿密な計画と準備をした。
4　自分を引き止める何の歯止めも見当らない。

この項目の一つかまたはそれ以上があなたにあてはまるなら、専門家による介入と治療を受けることが急務です。うつ病の人にとっては、自己救済という姿勢が重要であると私は固く信じているので、あなたは直ちに専門家の指示を受けるべきです。

自殺の非論理性

あなたは、うつ病の人は自殺を行使する「権利」を持っていると考えますか？　心得違いのヒューマニストやかけだしの治療者は、過度にこの問題に興味を持ちやすいのです。あなたが絶望感にうちひしがれ死にたくなっている慢性のうつ病患者を助けようとし、そのカウンセリングを担当しているとしたら、きっとこう自問するでしょう、「私は積極的に介入すべきなんだろうか？　それとも彼の好きにさせるべきなんだろうか？　この件において、人間としての彼の権利は何だろう？　私に自殺を阻止する責任があるのだろうか、それとも彼の好きにさせて選択の自由を彼に残すべきだろうか？」

私は、これは全くポイントを取りまちがえた不合理な問題だと思います。本当に問題になるのは、うつ病患者が自殺する権利を持っているかどうかではなくて、自殺を考えているときの患者の思考が理にかなっているかどうかなのです。死にたいと願う患者と話すときは、私はなぜ彼がそんな気持ちになるかを知ろうと努めます。そしてこう聞くことが多いです、「自殺を望むあなたの動機は何ですか？　あなたの人生で、解決法もないほど悲惨な問題とは、何でしょう？」それからできるだけ早く、自殺衝動の背後にある非論理性を明らかにして救済をはかります。あなたがもっと論理的に考えられるようになったら、絶望感は消え、生きたいという欲求が出てくるでしょう。こうして私は、死にたいと願う患者に死より喜びを勧めるのです。そして、できるだけ早く喜びを手に入れるような方法を教えるのです。では、どうやったかを次に示しましょう。

ホーリーは、ニューヨークの児童精神科医から私へ紹介された十九歳の女性でした。彼女の主治医は、十代前半からずっと続いている重症のうつ病を分析的に治療しようと数年間試みましたが、うまくいきませんでした。他の医者も、彼女をよくできませんでした。彼女のうつ病は、両親の別居から離婚に至る家族状況の変化の時期に発症していました。

ホーリーの慢性的な抑うつ気分は、おびただしい数の手首を切る行為に象徴されています。葛藤と絶望感がこみあげてくると、彼女は自分の肉を切り裂きたい欲求にかられ血が流れるのを見て始めてほっとした、と彼女は述べています。始めて彼女に会ったとき、私は彼女の手首にこの状況を物語るいくつもの傷跡があることに気づきました。このような自傷行為のほかにも、彼女は何度となく自殺しようと試みたことがありました。

これまでのあらゆる治療にもかかわらず、彼女のうつ病は改善しませんでした。ひどくなるたびに、入院させられただけでした。ホーリーが私に紹介されたときは、七カ月間もニューヨーク病院の閉鎖病棟に収容されていました。彼女を紹介した医師は最低三年は入院を続けることが望ましい、実質的な改善の見込みは、少なくとも近い将来では乏しいだろうという予測をしました。

皮肉にも、彼女は聡明でまた容姿も美しかったのです。病院に収容されている間、授業に出席できなかったにもかかわらず、彼女は高校を優秀な成績で卒業しました。家庭教師の助けを借りて、いくつかのコースも取得しました。多くの思春期の患者がそうであるように、彼女の夢も心理関係の仕事につくことでした。しかしホーリーは前の治療者から、彼女の爆発的で強情で感情的な性格のため、無理だと言われてしまいました。この意見は、いっそうホーリーを落ち込ませただけでした。

高校卒業後は、外来では無理とみなされたため、彼女はその時間の大部分を精神病院の一室で過ごしました。彼女の父親は必死に助けを求めた結果、われわれのうつ病治療を聞いてペンシルバニア大学へ相談にきたのです。父親は、娘にとってもうほかに役に立つ治療はないものかと尋ねてきました。

電話で私と話した後、ホーリーの父親は治療の可能性を求めてペンシルバニアへ娘を連れてきました。会ってみると彼らの性格は私の予想とはだいぶ違っていました。父親の方は、物腰の柔かな穏やかな人物であり、娘はたいそう魅力的で、感じが良く協調的でした。

私はいくつかの心理テストをホーリーに施行しました。ベックのうつ病調査表では重度の抑うつが示され、ほかのテストでは高度の絶望感と自殺願望が表れていました。ホーリーはぶっきらぼうにそれらを私に渡して、「死んでしまいたい」と言いました。家族歴を見ると、親類の何人かが自殺を図っており、うち二人は既遂でした。ホーリーになぜ死にたいか聞くと、自分はなまけ者だからと答えました。自分はなまけ者で、だから何の価値もないし死にたいのだというのです。

私は彼女が認知療法に良く反応するかどうかを知りたいと思ったので、彼女の関心を得るためのテクニックを用いました。そこで、二人でちょっとしたロールプレイをしようと提案しました。すると彼女は、二人の弁護士が彼女について法廷で論証している場面をやってみたいと言いました。ところで、彼女の父親は偶然にも医療過誤を専門にする代理人だったのです！　その当時、私はまだ駆け出しの治療者だったので、この偶然はこのような困難なケースを扱おうとする自分自身の不安をいっそう大きくしてしまいました。私はホーリーに検察官の役を演じるように言いました。役の上で彼女は、陪審員が彼女が死刑の宣告を受けるに値すると確信するように努めました。私は彼女に、自分は弁護する側の役をするから、彼女が犯したあらゆる罪の正当性を論証してみると言いました。この方法により、生への彼女の意味づけ、死への彼女の意味づけをもう一度考え直すことができ、また真実がどこにあるかを知ることもできるのだということを彼女に伝えました。

ホーリー　「この人にとって、自殺は生きることからの脱出なのかもしれません」

デビッド（著者）「その論理は、世界中の誰一人にだって受け入れられません。それ自体、死ぬことの決定的な理由にはなりえません」

ホーリー　「検察官は、患者の人生はたいへん悲惨で、もうこれ以上耐えることはできないと答弁します」

デビッド　「彼女は、今まで耐えることができました。きっとこれからも、もう少しは耐えることができるに違いありません。彼女は過去に、いつもいつも惨めであったわけではありませんし、また将来的にも、いつも惨めであるという証拠は何もないのです」

ホーリー　「検察官は、彼女の存在は家族にとって重荷であることを指摘します」

デビッド　「弁護側は、自殺はこの問題の解決にはならないことを強調します。むしろ、自殺による彼女の死により、家族はいっそう打ちのめされるでしょう」

ホーリー　「しかし彼女は自己中心的で、なまけ者で何の価値もなく、死んで当然なのです！」

デビッド　「いったい、この国の人口の何％がなまけ者でしょう？」

ホーリー　「ええっと、たぶん二〇％……いえ、一〇％くらいでしょう」

デビッド　「そうすると、二千万人のアメリカ人がなまけ者だということになります。弁護側は、この人々が死ぬ必要はないことを主張します。だから、患者一人が死を選ばれる理由は何もないわけです。あなたは、怠惰と無気力はうつ病の症状と思いますか？」

ホーリー　「おそらく」

デビッド　「弁護側は、われわれの文化圏ではなんびとも病気のために死を宣告されることはないと主張します。それが肺炎であろうとうつ病であろうと、ほかの病気であろうと同じです。また、怠惰はうつ病が治ってしまえば、おそらくなくなってしまうことでしょう」

ホーリーはこの即興劇に引き込まれ、おもしろがっているように見えました。以上のような告発と弁護のやりとりの後で、彼女は自分には死ぬべき決定的な理由は何もないこと、また思慮深い陪審員は弁護側に賛成するであろうことを、理解してきました。もっと大切なことは、ホーリーが自分についてのネガティブな考え方に答え、挑戦することを学んだことです。このプロセスは、彼女に部分的ではありますがすみやかな気分の改善をもたらしました。ここ数年来で、彼女にとっては始めての経験でした。カウンセリングの最後に彼女は、「今の気分は、私が思い出すことができる限りで最高のものです。でも今でさえ、マイナスの考えが、心をよぎります。『この新しい治療だって、あてになるもんか』と。」このように考えると、彼女は再びうつに陥るのを感じました。そこで私は彼女にこう言って安心させました。「ホーリー、弁護側はそれは何ら問題ではないと主張します。治療が今思っているほど良くないとすれば、二、三週間もすればわかります。そうしたら、あなたにはまだ入院という選択があるのです。何も失っているわけではありません。また、治療は部分的にせよ、きっと良いはずです。おそらく、かなり良いでしょう。たぶん、あなたはすすんで治療を受けたくなるでしょう。」この申し入れによって、彼女は治療を受けにフィラデルフィアへ来る決心をしたのです。

死にたいというホーリーの気持ちは、単に認知の歪みから生じたものでした。彼女は、人生への興味の喪失や無気力といった病気の症状を自分の本物の人格と勘違いし、自身を「なまけ者」と規定してしまったのです。ホーリーは人間としての自分の価値をその業績から評価したので、自身を無価値で死に値すると考えてしまったのでした。彼女は、自分は決して治らないという考えや、家族は彼女がいない方が良いのだという思い込みを乗り越えました。彼女は、「私は耐えられない」と言うことで、自身の不快感を誇張していました。彼女の絶望感は、自分は治らないんだという誤った未来予測のために生じたのです。自分は単に非現実的な考えに囚われていただけなんだと気づいたとき、ホーリーは急に救われた気分になりました。症状の改善を維持するために、ホーリーは根底にあるマイナスの考え方を治すことを学ばねばならず、そのために一生懸命やりました！　彼女は、簡単にそれらを会得しようとは思っていなかったのです。

われわれの最初のカウンセリングに続いて、ホーリーはフィラデルフィアの病院へ移りました。そこに私は週に二回、認知療法を行ないに彼女を訪ねました。彼女は劇的な気分の変化に動揺し、入院してからかなり不安定になりましたが、五週間後には退院できるまでになりました。そこで私は彼女に、サマー・スクールに入ってみるよう勧めました。彼女の気分はしばらくはヨーヨーのように揺れ続けましたが、全体的には改善していきました。当時、ホーリーは数日間良い気分が続くと述べています。これは、彼女が十三歳のとき以来始めて経験する楽しい時期だったので、本当の意味での突破口となりました。しかしまもなく、突然彼女は重いうつ状態に逆もどりしました。同時に、死にたいという気分もまた起きてきて、彼女は私に人生は生きるに値しないことを認めさせようとしました。多くの青少年と同じに、彼女もまた人間すべてに恨みを抱いていて、もはや生きる意味がないと主張しました。

自己の価値観がネガティブであるのに加えて、ホーリーの世界観も非常にネガティブで幻滅したものでした。自分が不治のうつ病にかかっていると思っていただけでなく、彼女は現代の青少年の多くのように個人的にニヒリズムでもあったのです。これは、悲観主義の極端なものです。ニヒリズムは、この世には真実も意味もないという信念、生命あるものは皆苦しむのだという信念です。ホーリーのようなニヒリストにとっては、世界は悲惨以外の何も与えてはくれません。ホーリーの中で、この世界のあらゆる人間や物の本質は悪であり身の毛もよだつという考えが作られていったのです。彼女のうつ病は、この世の地獄の体験でした。ホーリーは、死を唯一の可能な終わりと考え、死を熱望しました。彼女は、人生はいつも耐えられないものであり、人間は皆本質を見失っていると主張しました。

このような知的で頑固な若い女性を見、その考え方が歪んでいることを認めさせるという仕事は、治療者にとっても本当に一つの挑戦でした！　以下の会話は、彼女の考え方の非論理性を指摘し彼女を治そうとする私の格闘と同じくらい、彼女のネガティブな態度が強硬であったことを物語っています。

ホーリー　「人生には生きる価値がないわ。なぜって、この世は良いことよりも悪いことの方が多いのですから」

デビッド　「私がうつ病患者で君がその治療者だとして、私が君に同じことを言ったら、どうしますか？」

（私はホーリーに、この手を使いました。というのは、ホーリーの人生の目標がセラピストになることだと知っていたからです。私は、彼女が何か理にかなう楽観的なことを言うと予想していました。しかし、彼女の次の言葉は私を打ちのめしました。）

ホーリー「私はあなたを説得できない、と言うでしょうね」

デビッド「それでは私がうつ病患者だとして、君に人生は生きるに値しないと言ったら、君は窓から飛び下りろとアドバイスしますか？」

ホーリー（笑いながら）「ええ。そう思ったときが、実行するベストのときだと考えます。世界中で起きているいろんな悪いことを考えたら、憂うつになるしかないでしょう」

デビッド「そうすることのメリットは？　世の中の悪事を正すことが、救いになるのでは？」

ホーリー「いいえ。悪事なんて正せませんよ」

デビッド「この世のすべての悪事を正すことができないとしても、一部でも正せないのでしょうか？」

ホーリー「大事なことは、何一つ直せませんよ。私が思うに、小さなことは直せるでしょう。でも、この世の悪をやっつけることはできっこないです」

デビッド「では、毎日の終わりに家へ帰って、私がこう自分に言ったとします。今日も良くやれた。つまり、今日一日で私が助けてあげられた人のことを考えて、いい気分にもなれるし、あるいは、私が会えずに助けることができなかった人が何千人もいることを思って、絶望的になることもできるのです。このように考えるとひどく無力感を感じます。それが私の利益になるとは思えません。無力感を感じて何かメリットがありますか」

ホーリー「まさか。さあ、良くわかりません」

デビッド「無力でいたいと思うの？」

ホーリー「いいえ。私が完全な無能力者でないとすればですが」

デビッド「ではどういうふうに、なりたいんですか？」

ホーリー「死にたいんです。そうして、存在を消したいんです」

デビッド「死ぬのが楽しいことだと思いますか？」

ホーリー「ええ、そのように考えるしかないんですよ。死んで何も経験しなくなることは、恐ろしいことかもしれないと想像はするけど、でもそんなこと誰も知らないことでしょ」

デビッド「そう、死は恐ろしいかもしれないし、何でもないかもしれない。何でもないという状態に一番近いのは、麻酔をかけられたときです。それは、楽しいと思う？」

ホーリー「楽しくはないです。でも、不愉快というわけでもありません」

デビッド「楽しくないと君が認めたのは、嬉しいです。無の状態は、本当に一つも楽しくないというあなたの考えには、同感です。でも、生きていることには何か楽しいこともありますよ」

（この時点で、私はある程度の成功をおさめるのではないかと本当に思いました。しかし、ホーリーは再び思春期時代の主張に戻ってしまい、私の裏をかき続け私の言うあらゆることに反発しました。彼女の意固地さはその反発と共に私の課題であり、同時に私にとってかなりのストレスともなりました。）

ホーリー「なるほど、人生にはいくらかは楽しみもあります。でも、そのわずかな楽しみを得るために、私から見ればとても割に合わないような多くの努力を続けなくてはならないんです」

デビッド「気分がいいときはどう感じる？　やはり割に合わないと感じますか？　それとも、気分の悪いときだけそう思うんですか？」

ホーリー「それは、私が何を考えるかによります。自分が落ち込まないための唯一の方法は、気を滅入らせる世の中の汚いものを考えないようにすることだけです。わかりますか？　だから私の気分がいいということは、そのときは良い事柄に注意を向けているということなのです。でも現実には悪いことは存在するのであって、しかも良いことより悪いことの方がずっと多いのですから、気分が良かったり幸せに感じるということの方が、いんちきなのです。これが、なぜ自殺がベストなのかの理由です」

デビッド「なるほど、世の中には二種類の悪いことがありますね。一つは、われわれが頭の中で想像し作り上げた本物ではない悪いことです」

ホーリー（さえぎって）「ちょっと待って！　新聞を見ると、強姦や殺人が載ってるでしょう。そういったものは、本物の悪いことに思えますけど」

デビッド「わかります。それは、私が本物の悪いことと呼ぶものです。でも、まずは偽物の悪いことを見てみましょう」

ホーリー「どんなもの？　偽物の悪いこととは、どういう意味でしょうか？」

デビッド　「たとえば、人生は良くないというあなたの言葉を取り上げてみましょう。その言葉は、不適切な極端化です。君も言うように、人生は良い要素も持っていれば悪い要素も、中立の要素も持っています。だから、人生は良くないとかすべてに希望がないと言ってしまうのは、極端すぎるし現実的ではないのです。これが、私の言う偽物の悪さです。もう一方で、人生には本当の問題もあります。人々が殺されたり癌になったりするのは、本当です。でも私の経験では、こういった楽しくない出来事は対処可能です。実際にこれからの人生で、世の中の問題の中で君がその解決に何らかの寄与ができる事柄に対して、かかわろうかどうしようかと決心することがきっとあると思います。しかし、そこで意味あるかかわりとは、圧倒されて何もせずしょげ返ってしまうのではなくて、ポジティブな面で問題とかかわっていこうとするやり方なのです」

ホーリー　「ああ、わかります。私がそうでした。私は、その通りすぐに出会った悪いことに圧倒されてしまうのです。それで、死ななくてはいけないような気分になってしまうんです」

デビッド　「その通りです。もし何の問題も苦しみもない世界があったとしたら素敵かもしれませんが、そのかわり、人は成長したり問題を解決したりする機会も失うことになります。これから先、あなたはいろんな問題に出会うでしょう。そしてそれを乗り越えていくことが、満足の源になるのです」

ホーリー　「ああ、そんなふうに問題を扱うのはフェアじゃないです」

デビッド　「どうして、自分で試してみないんですか？　私は自分自身で試し、本当かどうか見つけるのでなくては、私の言っていることを信じてほしいとは思いません。試すには、ものごとに巻き込まれてみることです。授業に出たり、働いてみたり、ほかの人々との人間関係を固めたりしてみるのです」

ホーリー　「そういうことは、やろうと思っています」

デビッド　「そうですね、そうすることで今話したことの意味がわかりますよ。また、サマー・スクールへ行ったり、世の中のためになることをしたり、友達を作ったり、何かの活動に参加したり、仕事をして適切な評価を受けたり、いろんな楽しみややりがいを味わったり――こういったこと全部が君にとって満足感に繋がるとは言えないかもしれない。あるいは、『こんなことなら、うつ病の方がましだった』と思うかもしれません。『楽しいことなんか、好きじゃない』とか『人生に巻き込まれるのは、もう嫌だ』と言うかもしれません。そうしたら、いつだってもとのうつと絶望感に戻れるんです。私は君から、何も奪うつもりはありません。でも、幸せを求めようとするまでは、幸せの扉をノックしてはいけません。よく、調べるのです。君が参加したり努力したりしたときに、人生はどんなものかよく見るのです。そのときに、同時に、幸せがどこにあるかわかるんですよ」

ホーリーは、この世界は良くなくて生きるに値しないという信念は単に自分のものの見方が誤っているためだったのだということを少なくとも部分的には理解し、ある程度精神的に安定してきました。彼女は、ものごとのマイナス面だけしか見ないという誤りを犯して（心のフィルター）、この世のプラス面は勘定に入れないと勝手に解釈し（マイナス化思考）、あらゆるものごとはすべてマイナスで人生は生きる価値がないという印象を持っていたわけです。自分の考えの間違いを直すことを覚えてから、ホーリーは少しずつ良くなりはじめました。何回も気分が上がったり下がったりを繰り返しつつも、その頻度と程度は時間がたつにつれ減っていきました。サマー・スクールでの成績が大変良かったので、ホーリーはカレッジに正規の学生として受け入れられました。自分はアカデミックな頭は持っていないから、きっと落第するだろうと悲観的な予想をしていましたが自分でも驚いたことに彼女はそのクラスで並み外れた良い成績を取ったのです。マイナスをプラスの活動に変えることを学んだ結果、彼女は最優秀の学生になりました。

ホーリーと私は約一年弱の週ごとのセッションの後で、一つの別れ道に来ました。ある議論の最中に、彼女はオフィスから飛び出しドアをバタンと閉め、二度と戻らないと誓いました。たぶん彼女は、他にさよならを言う方法がわからなかったのでしょう。私は、彼女がもう自分の力でやっていく覚悟ができたのだと信じています。たぶん彼女は、私を打ち負かそうとすることに疲れ果ててしまったのです。つまり、私は彼女と同じくらい頑固だったというわけです！　最近彼女は私に電話をしてきて、どんなにものごとが変わったかを知らせてきました。まだ時々は自分の感情と闘わねばなりませんが、彼女は今二年生でクラスのトップです。専門職につくために学校を卒業しようという彼女の夢は、はっきりと見えてきました。神の祝福あれ、ホーリー！

ホーリーの考え方は、自殺へ導く可能性のある多くの精神の罠を代表しています。自殺患者ほとんどすべてに共通しているのは、非論理的な絶望感を持ち、自分は解決不可能な窮地に直面していると確信することです。一度、自分の考え方の歪みを暴露すると、かなりの精神的な解放感が得られるはずです。このことはあなたに希望への基礎を与えてくれ、危険な自殺への試みをそらしてくれるでしょう。さらにこの精神的な解放感は、あなたがこれからの人生で本当に変わっていくために必要な、息抜きの部屋を提供してくれるでしょう。

ホーリーのような不安定な思春期患者は極端すぎる例かもしれません。そこで、もっと一般的な自殺を考える原因――中年やわれわれよりも少し上の年代にしばしば起こる幻滅感や絶望感――について、見てみましょう。あなたが過去を振り返るとき、青春時代の夢のような期待と比べて、ほとんど実現していないと思うことがあります。これは中年期の危機と呼ばれており、今まで実際にやってきたことを自分の希望や計画と比べてみる段階にあたります。この危機をうまく乗り越えられないと、非常に苦々しい思いや深い失望を味わうことになり、自殺を考えるのです。しかしここでも、問題が現実に起きていることはほとんどないものです。あなたの心の動揺は、やはり歪んだ考え方からきているのです。

ルイーズは、第二次世界大戦の時、ヨーロッパからアメリカへ移民してきた五十歳の既婚女性でした。救急病院から退院して翌日、家族に連れられて私の所にやってきました。ルイーズの自殺は誰も予想していませんでしたし、もう少しで成功するところでした。家族は彼女が重度のうつ病にかかっていたことに全く気づいておらず、非常なショックを受けていました。ルイーズは自分の人生は何も希望がかなえられなかった、少女の頃夢見た喜びも充実感もあとかたもなく、人間としても失格だと語るばかりでした。自分は何一つ意味あることを成し遂げなかったし、自分の人生は生きるに値しないと言うのです。

私は第二の自殺の遂行を阻止するために早急な介入が必要と感じたので、彼女の言う内容の非合理性をできるだけ早く彼女に知ってもらえるよう認知療法の技法を使いました。まず始めに、彼女に今までの人生でやってきたことをリストアップしてみるよう頼みました。

ルイーズ　「ええっと、私は第二次世界大戦の際、ナチのテロから家族を守り、この国へ移民してきました。さらに、私はたくさんの語学を学び、成人したときには五カ国語以上話せるようになっていました。アメリカへ渡った当時、私は嫌な仕事でも働いたので、家族は十分なお金を手にすることができました。夫と私は一人息子を育てあげ、彼は大学を卒業して今は立派なビジネスマンになっています。料理もうまいですし、たぶん良い母親、良いおばあちゃんだろうと思います。これが、私が今までの人生でやってきたことです」

デビッド　「これだけのものを顧みて、どうして何もやってこなかったと言えるんですか？」

ルイーズ　「いいですか、家族はみんな五カ国語を話すんです。ヨーロッパから出ることは、本当に生きるか死ぬかの出来事でした。私の仕事は平凡なもので、何の才能もいらないものでした。家族を育てるのは母親の義務ですし、主婦は皆、料理は学んでいます。これはみんな私の義務であって、誰でもやれることで本当の業績ではありません。だから、私は死にたくなったのです。私の人生は無価値です」

ルイーズは、自分にとって何か良いと思われることでも「それは、勘定に入らない」と言ってしまって、自身を打ちのめしてしまっているのだということがわかってきました。これは「マイナス化思考」と呼ばれる認知障害で、彼女の病気の根源でした。ルイーズは彼女の不適切さや誤りにだけ焦点を当てて、自身の成功は何ら価値がないと主張したのです。もしあなたが自分の業績をこんな調子で割り引いていったら、自分は価値のゼロの人間だという幻想にとりつかれることでしょう。

ドラマの形でその考えの誤りを知ってもらおうと、私はルイーズに二人でロールプレイをしてみましょうと提案しました。私の役はうつ病にかかった精神科医で、彼女は私の治療者でなぜ私がうつになっているか原因を探そうとしています。

ルイーズ「バーンズ博士、なぜあなたの気分は落ち込むのですか？」

デビッド「私は、この人生でなにもやってこなかったとわかったからです」

ルイーズ「あなたが、なにもやってこなかったですって？　でも、それじゃ答えになっていませんよ。あなたは、何かをやってきたはずです。たとえば多くのうつ病患者を治したり、研究論文を発表したり、講義をしたりしているのを私は知っています。あなたの年齢にしては、非常にたくさんのことをしてきたように見えます」

デビッド「いいえ、そんなこと数に入りません。患者を治すのは、医者の義務です。だから、数に入らないんです。私は、自分がすることになっていることをただやっているにすぎません。同じように、大学で研究したり論文を発表するのも私の義務です。だから、やはり本当の業績ではありません。大学職員は、みんなやっていることですし、私の研究なんて重要じゃありません。アイデアが、平凡なのです。私の人生は、根本的に失敗です」

ルイーズ（自身を嘲笑いながら――もはや、治療者ではなくなっている）「私は、こんなふうにこの十年、自分を責めてきたんだということがわかってきました」

デビッド（再び、治療者として）「では、自分がなしえた事柄について考えるときいつも『そんなのは数に入らない』と言っていたときの気分は、どんなものですか？」

ルイーズ「落ち込んでいました」

デビッド「また、あなたがやりたかったけれどもやらなかったことを考えたり、自分のやったことがかなりの努力と決心の結果であることを見逃したりするのは、どんな意味がありますか？」
ルイーズ「全く、何の意味もありません」

このような介入の結果ルイーズは、自分で繰り返し繰り返し「私のやったことは、十分良いとは言えない」と言い続けて、勝手に落ち込んでいたのだということを理解できるようになってきました。自分自身に対してやっていることがいかにばかばかしいことかを理解すると、彼女は急に精神的な解放感を覚え、また死にたいという気持ちも消えていきました。ルイーズは、今までの人生で何をやったかはたいして問題ではないことを、またもし落ち込みたければいつでも過去を振り返って「十分じゃなかった」と言いさえすればよいことがわかってきました。このことは、彼女の問題は本物ではなくて単に精神的な落し穴に落ち込んだだけであることを示しています。役割を逆にしたことが、彼女に楽しむ感覚と笑いを呼び起こしたものと思われました。ユーモアのセンスを刺激したことで彼女は自分を批判することのばかばかしさを悟り、またもっと自分自身をいたわる必要があることを認めるようになったのです。

さて、自分は「絶望的」なんだとする信念がなぜ非合理的で自己破壊的であるかをもう一度復習しましょう。第一に、抑うつ状態はたいていは（すべてではありませんが）自己限定的なもので、多くの場合治療しなくても結局は消失してしまうものだということを思い出してください。治療の目的は、回復のプロセスを早めることにあります。現在行なわれている薬物療法や精神療法、その他の効果的な治療法は、今も急速に発達しています。医学は常に進歩・発達しているのです。われわれは今、うつ病におけるわれわれのアプローチにルネッサンス期のような復興を経験しています。われわれはまだある患者には精神医学的な介入が最も効果的であるというはっきりとした予想ができないので、幸福の扉を開ける鍵が見つかるまではたくさんの技法を試さざるをえません。忍耐のいるハードな仕事ではありますが、一つあるいはいくつかの技法が無効だったからといってすべての方法が失敗だというわけではないということは、きちんと心に留めておかねばなりません。実際に、正反対の方法が正しいという場合もあるのです。たとえば近年の薬物研究で、あるひとつの抗うつ剤に反応しない患者は、ほかの抗うつ剤には平均よりも反応する率が高いと報告されています。このことは、ひとつの薬物治療に失敗してもほかの方法で改善する見込みが現実に開かれていることを意味しています。膨大な数の抗うつ剤や精神療法、自己救済法があふれている現状を考えれば、結局は治ってしまう可能性が非常に高いと言えるのです。

落ち込んでいるときには、感情と事実とを混同してしまいがちです。絶望感や自暴自棄はうつ病の症状であって、事実ではないのです。自分には希望がないと考えれば、このような感情が起きて当然です。このような感情は、単に非論理的な考え方を反映しているにすぎません。何百人ものうつ病患者を治療してきたベテランだけが、回復の見通しについて予想を立てることができるのです。死にたいという思いは、治療が必要だというサインなのです。だから、自分は「絶望的」だと確信するのはたいていはそうではないことの証しと言えます。自殺ではなくて治療が適応となるのです。たとえ一般的には誤解されようとも、私は次の原則を貫くつもりです。「絶望を感じている患者は、決して実際には絶望的ではない。」

絶望的だと思い込んでしまうのは、うつ病の最も興味を引く側面の一つです。事実、見通しの明るいはずのうつ病患者の感じる絶望感の度合いは、見通しの暗い末期癌患者の経験する絶望感よりも通常大きいのです。現実に自殺が実行されるのを阻止するためには、できるだけ早く絶望感の背後に潜む非論理性を明らかにすることが重要です。あなたは、人生で解決不可能な問題を抱えていると思い込んでいるかもしれません。実際には存在しないはずの落とし穴に落ち込んだと思い込んでいるかもしれません。この考えはどんどんフラストレーションを大きくさせ、単に逃げ道として自殺を願うようにさえなってしまいます。しかし、どんな落とし穴に陥っているかを正確につかんで患者と向き合い、患者の「解決不可能」な問題に目標を合わせていくと、いつの場合も患者が勘違いしていることに私は気づくのです。こんな場合はあなたは悪い魔法使いで、心の魔法で地獄の幻想を作り出しているのです。あなたの死んでしまいたいという考えは、非論理的で誤っているのです。あなたの歪んだ考えや真実ではない憶測が、あなたを苦しめているのです。鏡の後を覗くことを覚えれば、きっと自分で自分を笑っていたことに気づくでしょう。そうすれば、死にたい気持ちなんかすぐに消えてしまいますよ。

うつ病患者や自殺志願者は決して「本当の」問題を抱えてはいないと言えば言いすぎかもしれません。われわれは皆、経済面から人間関係、健康に至るまで本当の問題を抱えているものです。しかしそのような問題も、いつも自殺以外のもっと合理的な方法でなんとか切り抜けていけるのです。事実、そのような挑戦との出会いは気分の高揚や人間的成長の源になります。さらに言えば、第九章で指摘したように真の問題は決してあなたを落ち込ませないものです。歪んだ考え方だけが、あなたから希望や自尊心を奪うのです。「全く解決不可能」な問題のため自殺を志願するようなうつ病患者では、私は「本当の」問題を抱えている人はまだ見たことがありません。

第六部　日々のストレスに打ち勝つには

第十六章　自分の理論を私自身にいかに当てはめているか

「医者よ、自分自身を癒せ」　ルカ伝　四章二三

最近のストレス研究が示すところによれば、精神的緊張、心臓発作の起こる割合の高さという意味で、世界で最もストレスの大きい仕事の一つは、飛行場の管制官だそうです。ぼんやりしていることは即、事故につながりますから、管制官は常に緊張を強いられています。でも本当は私の仕事の方がたいへんなのではないか、と密かに思っています。というのは、パイロットは管制官に常に協力的ですし、無事に着陸しようという意思をちゃんともっているのに対して、私の誘導する飛行機はときどきわざと墜落したりするからです。

先週の木曜日の朝の三十分間に次のようなことが起こりました。十時三十分からの治療セッションが始まる五分前に、フェリックスという患者からの怒りに満ちた、長いとりとめのない手紙を受取りました。その手紙には、これまで治療を受けた二人の精神科医を含む三人の医者を殺して血の海にすると書いてありました。そして「店に行って拳銃と弾を買う意欲がでるまで待っているところだ」というのです。私は

フェリックスに電話で連絡しようとしましたが、つながらなかったので、十時三十分からのハリーとの治療セッションを始めました。ハリーはやつれていて、まるで強制収容所から出て来たばかりのようでした。そして腸が閉じているとの妄想のため食べようとせず、七〇ポンドも体重が減っていました。やむをえず鼻から管を入れて栄養補給をするため、ハリーを入院させようと説得していたとき、ジェロムという別の患者から緊急の電話がかかりました。ジェロムは妻が仕事から帰る前に自殺するため、ちょうど今、首のまわりにロープを巻いたところだと言い、外来の治療も入院ももう無駄だと言います。

私はその日、この三つの緊急事態をどうにか片づけて、ほっとして家に帰りました。ベッドに入ろうとしたとき、最近別の患者から紹介されたある女性の患者（その人はとても有名な人です）から電話がかかってきました。そして言うには、自分はもう何カ月も憂うつなままで、今日の夕方も、鏡の前でのどをかみそりで切る練習をしたとのことです。彼女は、私の所に来たのは友人への義理だてであって、もう自分は何の希望もないから、治療を受けても仕方ないと言います。

もちろん毎日がこんなに大変なわけではありません。しかしそれにしても、まるで圧力がまの中で暮らしているような生活です。強い不確実感、不安、葛藤、いらいら、絶望、罪の意識といかに戦うかを学ぶのには、本当によい機会を与えられていると言わねばなりますまい。そして私の認知理論を自分自身に当てはめて、それがはたして有効かどうか試すのにも良い機会です。それは意義深く、楽しみなことでもあります。

もしあなたがこれまで精神科医かカウンセラーにかかったことがあれば、主に話すのはあなたの方で、治療者は聞いているだけということが多かったのではありませんか？　これは従来の治療者は、いわば患者の言うことを映す鏡のように非指示的で、受け身であるように訓練を受けていたためです。これに対して、たとえば認知療法のように新しい精神的治療法では、患者と治療者がチームを組んで、ごく自然な対等のやりとりをします。従来の一方通行的な方法は、非生産的で、逆に混乱を引き起こすようにも思えます。次のような疑問がわいてきませんでしたか？「私の先生はどんな人なのだろう？どんな気持ちをもっていて、どうやって自分の気持ちを押さえるんだろう？　私や他の患者を治療するとき、どう思っているんだろう？」

「バーンズ先生、先生は自分のおっしゃることを実践されてるんですか？」こんなふうに直接的に聞く患者もたくさんいます。実際私は帰りの電車のなかで、その日の出来事に対して起こった感情的反応に対処するため、ノートに線を引いてトリプルカラム法をやります。もし興味がおありなら、喜んで私の自己トレーニングをお見せします。これを見れば、精神科医がどんなふうに自分の悩みを語るのかわかるでしょう。それとともに日常的に起こる悩みに対して、認知療法をどのように当てはめるかの復習になると思います。

敵意にいかに対処するか――二十人の医者を転々とした患者

要求水準ばかり高く、攻撃的で話のわからない人に付き合うほど疲れることはありません。私もこれまで何人もの「東海岸おこりんぼチャンピオン」を治してきました。この手の人は、自分の世話になった人に攻撃性を向けるものです。

ハンクは怒りっぽい若者です。私のところに紹介されるまで二十人の医者を転々としてきました。ハンクは絶えず背中の痛みを訴え、それが何かの身体の病気からきていると確信しているようでした。いろいろと精密な検査をしても異常が見つからないので、どの医者も何かの精神的緊張からくると説明しましたが、ハンクはこれに納得せず、医者は厄介ばらいをしたくてでたらめを言ってると決めつけて、医者に対して何度も怒りを爆発させました。精神科医のところに紹介されたときも、それに対して不満でしたがとにかく一年間通い、それでも良くならないので私のところにやって来ました。

ハンクはかなり抑うつ的でしたので、私は認知療法を始めました。ある夜、背中の痛みがひどくなって、怒り狂って私の自宅に電話をかけてきました（電話帳で探す手間を省くために、どうしても電話番号を教えるようきかなかったのです）。ハンクはまず私を誤診したと非難しました。精神的なものではなく、身体の病気だというのです。そしてついには「明日電気ショック療法をやるか、さもなくば今から自殺する」との最後通牒をつきつけてきました。ハンクの要求は実現困難な場合が多いのです。たとえば私は電気ショック療法がこの場合適当とは思いません。だからその私の考えをわかりやすく説明しましたが、ハンクはさらに怒って「もう何をしでかすか責任がもてないぞ！」と脅してきました。

精神療法セッションの間中、ハンクは私の欠点を指摘してばかりいました（その指摘は当ってもいましたが）。そして私のクリニックにやって来て、机をドンドン叩いたり、口汚なくののしったりしました。一番困らせたのは、私が治療しているのは金のためだけで、ハンクのためをちっとも思っていないという非難でした。実際ハンクは何カ月も治療費を払っていませんでしたし、このまま治療を中断して、前よりもっと悪い状態になるのではないかと私は心配はしていました。また何とかハンクを治して、私の成功率を上げたいとの気持ちもありましたから、彼の言うことにもいくぶんかの真実は含まれていました。私は少し罪の意識を感じましたが、ハンクの方ではそれを敏感に嗅ぎとってますます非難がエスカレートしてきました。

私は感情クリニックの同僚に、ハンクの攻撃性をどう扱うか、また私自身のフラストレーションをどう処理するかを相談しました。ベック先生のアドバイスは特に役立ちました。まず先生は「攻撃と非難といかに戦うかを学ぶ絶好の機会を得たのだから、幸運だと思うべきだ」と強調しました。私は最初はこれを聞いて全く驚きました。自分が幸運だなどとは思ってもみなかったからです。ベック先生は私のイライラを減らすために認知療法を試みるよう言い、それとともにハンクの攻撃に対処する次のようなユニークな方法を提案しました。(1)ハンクに攻撃をやめさせようとせず、逆に考えつくだけの悪口をみんな言わせる。(2)その悪口の中の一片の真実をみつけて、それに同意する。(3)その後で同意できない部分について、穏やかだが単刀直入なやり方で話し合う。(4)同意はできないにしても、こうして一緒に話し合うことの重要性を強調する。そしてハンクに、フラストレーションと攻撃性は治療のペースを遅らせるが、私との関係や最終的目標をダメにするものではないことを伝える。

ハンクが次にどなりこんで来たとき、私はさっそくこの方法を試し、私について考えられるだけの悪口を言うよう言いました。効果はすぐ現れました。ほんのわずか後に、まるで台風が去ったように、攻撃がおさまりました。ハンクは穏やかに座って話し始めました。驚いたことに、批判のうちのいくつかはその通りだ、と同意すると、ハンクは私を逆にかばってくれて、私の良いところを指摘し始めました。この結果はあまりにも印象的でしたので、以来、ほかの攻撃的なケースにも同じ方法を試みるようにしています。

攻撃性を扱う方法を身に着けたわけですから、今や攻撃を向けられるケースが楽しみなくらいです。

ハンクの深夜の電話に対して、私はダブルカラム法も用いました(図16-1)。同僚の勧めにしたがって、私はハンクの立場になってものごとを見ようとしましたが、これは私自身の怒りとフラストレーションをおさめるのに役立ちました。そしてハンクのイライラした気持ちを理解できるようになり、常に協力的になるよう要求することは無理なことと悟りました。こうして私の方が落ち着くにしたがい、ハンクとの関係も前より良くなってきました。

最終的にはハンクの憂うつと痛みは治まり、私の治療も終わりました。私は長い間ハンクに会いませんでしたが、ある日留守番電話に電話がほしいとのメッセージが入っていました。私は以前のことを思い出して、急に不安になり、胃が痛くなってきました。ずいぶん迷いましたが、結局電話しました。それはひどく忙しい一週間の終わった後の土曜日で、私としてはやっと休めると思っていたときだったのです。ハンクは電話にでました。「バーンズ先生ですか？　ハンクです。覚えてますか？　あんたに言いたいことがあるんだ。」ハンクはこう言って言葉を止めました。私はまたどなられるかと、身構えました。ハンクは言いました。「一年前に先生の治療をやめてからもずっと痛みも憂うつもなくって、今は仕事をしてますよ。町内でもボランティア活動のリーダーをやってます。」これがハンクかと信じられない思いでした。「でも電話を願ったのはそのことではないんで……。つまり私が言いたかったのは……。」そこでハンクはまた少し黙りました。「先生には感謝してるってことで……。先生の言ったことは正しかったと今では思ってるんだ。前は混乱してたからおかしな考え方をしたんで……。あのときは自分で認めたくなかったんじゃないか。何かやっと今一人前になったみたいで、このことを言おうと思ったんですよ。もっと早く言えば

図16-1　敵意にいかに対処するか

自動思考	合理的な考え方
1. 私は誰よりもハンクにエネルギーを注いで来たのに，その報いがこれだ！	1. 不平をやめろ！　そういう考え方こそハンクそっくりだ。ハンクは恐れ，悩んでおり，それゆえに反抗的になっている。誰かに一生懸命つくしたからといって，必ずしも感謝されるとはかぎらない。しかし，いつの日にか感謝するかもしれない
2. なぜ私の診断と治療を信頼してくれないのか！	2. ハンクは極度に苦しんでおり，全くよくなっていない。症状がよくなりはじめると，信頼してくれるようになるだろう
3. それにしても，私をもう少し尊敬してくれたっていいはずだ	3. いついかなる時も尊敬していてほしいのか？　それとも，ある側面だけでいいのか？　一般的に言って，ハンクは認知療法のトレーニングを一生懸命取り組んでいるし，その点では，私を尊敬してくれている。全面的な尊敬を勝ちえようとしないかぎり，悩む必要はない
4. それにしたって，夜中にあんなに自宅に電話を頻回にしてくることはないと思う。こんなことが許されていいのか？	4. 雰囲気の良い時に，ハンクと話し合ってみてはどうだろう。たとえば個人認知療法に加えて，患者同士が電話などで連絡し合って互いにサポートするグループに加わるのはどうだろうか？　この方法で，電話の回数が減るかもしれない。ただし，ハンクが電話してくるのは，計画的なものではなく，真にせっぱつまったものであることは理解しておくべきである

よかったけど、なかなか勇気がなくって……。どうもすみませんでした。」

ハンク！　私の方も君に感謝したい。私は君のことをこうして書けたということで、君を誇りに思い、何百回も共に苦闘したことも価値があったと今は信じている。

恩知らずな人にどう対処するか——決して感謝しない女性

あなたの努力に対して全然無関心か、逆に無礼な態度でしか応じない人に、それでもあえて親切にしなければならない、なんてことありますよね。感謝をしないって、本当に失礼なことですよね。あなたもこのように感じているとすれば、きっとあなたもこんな経験を何回もしてきた人なんでしょう。あなたが頭にくればくるほど、気持ちの方も乱れてきます。

スーザンの話をしましょう。高校を卒業してから、スーザンは繰り返すうつ病の治療をするためにやって来ました。スーザンは自分が絶えず憂うつであることを私にわかってもらえるかどうか、私に治す力があるものか疑っていました。そして二つの大学のうち、どちらに行くべきか決めかねて、何週間もヒステリー状態でした。自分が正しい決断ができなければ、世界の終わりが来るかのように振る舞いました。しかし実際には、単に煮え切らないだけのことで、決められないからこそ葛藤がずっと続いていたのです。

スーザンは大げさにすすり泣きました。自分の彼氏と家族を困らせました。ある日、スーザンは私に電話してきて、助けを求めました。要するに、決断せねばならなかったのです。私の提案をすべてはねつけたうえ、怒ってもっと良い考えはないのか、と要求し、「決断ができないんだから、認知療法は私には効かない。先生の治療はちっともよくない。決められないいんだから、気分なんてよくなるはずがない」と主張し続けました。スーザンはとても混乱しているようでしたから、私は急いでその日の午後、同僚に相談しました。同僚はとても良い方法をいくつか考えてくれたので、私はスーザンにすぐ電話し、解決方法を与えました。するとスーザンは十五分以内に満足のいく決断ができて、すぐに機嫌が良くなりました。

スーザンが次のいつもの治療セッションに来たとき、私と話してから落ち着いて大学を選ぶことができたと報告しました。私は感謝の言葉を期待して、まだ認知療法は効果がないと思うか、と聞いてみました。スーザンは言いました。「ええ、まだそう思ってますとも。壁にぶち当ったから、決断しなけりゃならなかっただけです。今気分が良くても長続きはしませんから、こんな治療は役に立ちませんよ。これからもずっと憂うつが続くと思います。」私の考えは次のようです。「何ていうことだ！　どうしてこんなにわからず屋なんだ！　まるで泥を金に変えたようなものなのに、それに気づかないなんて！」私の気持ちは煮えたぎりました。そこでこの気持ちを治めるため、ダブルカラム法を試みてみることにしました(図16-2)。

自動思考を書き下してから、スーザンが感謝しないことで、私が感じていた怒りの原因となっていた不合理な仮定を指摘できました。つまりそれは、「誰かを助ければ、必ず感謝されて、結局自分の得になる」というものでした。もちろん、ことがそのように運べば、それはすばらしいことです。でもこの場合、そうじゃありません。だれも私の厚意や努力に見返りをくれる法的、倫理的な義務などもっていないのです。それなのになぜ、それを要求できるでしょうか？　私は現実的な考えに返りました。「もし私が誰かを助けることができて、その人も感謝すれば、それは気分は良いことである。しかしそうでないことも多い。もし相手の反応が不合理なものなら、それは私ではなく、その人の問題である。だからそのことで頭を悩ま

図16-2　恩知らずな人にどう対処するか

自動思考	合理的な反応
1. 彼女のように聡明な女性がどうしてあんなに不合理な態度がとれるのか？	1. 簡単なことだ！　その不合理な考え方こそが，まさにうつ病の原因なのだ。ネガティブなものの考え方をやめないかぎり，彼女のうつ状態は治らないだろう。それをやめさせるのが，私の仕事だ
2. しかしそんなことはできない。彼女はきまって私を傷つける。私をちっとも満足させてくれない	2. 彼女には私を満足させる義務はない。次のように考えてはどうだろう。自分の考え方のみが気分を決定するのではなかったのか？　自分のやったことをもっと信じては？　彼女に下駄を預けてはいけない。人を決断に導くのにはどうすればよいか，学んだぶん良かったではないか
3. それにしても，私が助けたんだということを認めてもよさそうなものだ。感謝すべきだ	3. なぜ「すべき」なんてことがあるのか？　そんなことは，おとぎ話にすぎない。彼女は本当は感謝していたにしても，今それを表現できないのだ。何十年もしみついた不合理な考えは，簡単にはぬけない。自分が助けられたことを認めれば，また失望してしまうとでも考えているのかもしれない。あるいは，私が「やっぱり私の言った通りでしょう」とでも言うのではないか，と恐れているのかもしれない。まあ，シャーロック・ホームズのようにいろいろ考えてみるのがよい。いずれにしろ，彼女に実体以上のことを要求するのは無理だ

すことはない。」このような考えははるかに気楽なものであり、かえって患者からの感謝が得られるようになりました。後にスーザンが電話してきて、大学でうまくやっていること、もう卒業が近いことを知らせてくれました。そして父親がうつ病にかかったので、良い認知療法家に紹介したい、と言いました。これは彼女なりの感謝の表現だったのでしょう。

まだ不確実なことを先走って心配して起こる無力感と戦う——自殺を決意した女性

月曜日の朝、いつも私は今週はいったい何が起こるのかと考えながら通勤します。あるとき、とてもショックなことがありました。私がオフィスのドアを開けると、紙の束がドアの下に挟んであるのを見つけました。アニーという患者からの二十枚に及ぶ手紙でした。アニーは恐ろしく難しい感情障害の治療を八年にわたっていろいろの治療者から受け、どれも成功を収めていましたが、私のところに何カ月か前、ちょうど彼女の二十歳の誕生日に紹介されてきたのです。十二歳のときからアニーは悪夢のようなうつ病と自傷行為のエピソードに苦しんできました。尖った破片で腕を傷つけるのが好きで、あるときは二百針も縫ったほどです。自殺企図も、ほとんど成功しかかったことが何回もあります。

私は緊張して手紙を取り上げました。アニーは最近、深い絶望感を感じていました。うつ病に加えて重症の神経性食欲不振にも悩んでおり、ここ一週間は奇妙な、コントロールできない衝動食いが続き、レストランを次々めぐって、何時間も食べ続けていました。そして食べたものをみんなもどして、また食べ続けるのでした。手紙の中には自分のことを「人間ごみ箱」と書いてあり、もう希望がない、と述べていました。自分はもはや基本的には無であることがわかったので、もう何をすることも諦めたとも書いてありました。

それ以上先を読むのをやめて、私はアニーのところに電話をかけました。するとルームメートが出て、アニーは荷物をまとめて三日ほど旅をしてくると、行き先も旅の理由も告げずに出かけた、と言います。私は嫌な予感がしました。これまでの自殺企図と同じやり方なのです。偽名を使ってホテルに泊まり、薬を大量に飲むのです。私は手紙を読み続けました。「もうくたびれてしまいました。電球が切れたみたいです。スイッチを入れてももう灯りません。悪いと思いますが、遅すぎます。もうこれ以上、いつわりの希望などたくさんです。最後の瞬間の気分は、それほど悪いものではありません。これまで何回も、歯をくいしばって何かをつかもうとしましたが、無駄でした。」

そこには自殺すると書いてはありませんでしたが、本気の自殺宣言といってよい内容でした。私はアニーがあとかたなく、この世から消えてしまうのではないかという思いにかられ、自分がアニーに何もしてやれなかったと考えると、不安でやりきれない気持ちに襲われました。そこで私は、心に浮かんだ自動思考を書きとめることにしました。その時の事態に、合理的な反応ができることを期待したのです(図16-3)。

それから私の助言者であるベック先生に相談の電話をかけました。ベック先生は、自殺したという証拠がないかぎり、とりあえずアニーは生きているとみなすべきだとの考えに同意しました。そしてもしアニーが死んだとしても、うつ病の難しさを学び、それに対処するうえでの専門的な体験となるだろうと言いました。また私が予想しているように、アニーが生きているのなら、うつ病が最終的に治るまで治療を続けるべきであることを強調しました。

図16-3　不確実なことを心配する気持ちを克服する

自動思考	合理的考え
1. 彼女はもう自殺に成功したに違いない	1. それには何の証拠もない。いずれにしても，はっきりするまで，彼女は生きていると仮定してはどうか？　そうすれば，無駄な心配をする必要がなくなる
2. もし彼女が死んだら，私が殺したことになる	2. 違う。助けようとしているのであって，殺そうとしているのではない
3. 先週もっとほかの方法をとっていれば，こんなことにはならなかった。これは私の失敗だ	3. あなたは予言者ではない。未来を占うことなどできない。あなたは自分が今知ってることで，ベストを尽くすしかない。そう考えて自分を信頼することだ
4. 私はベストを尽くしたのにこんなことが起こった	4. 何にしても起こることは起こる。たとえベストを尽くしても，結果は保証などできない。あなたは自分の努力をコントロールはできても，彼女その人を完全にコントロールはできない
5. つまり，私の方法は2級品ということだ	5. あなたの方法は最高のもので，最大限の努力をし，成果を得た。けっして2級品ではない
6. 彼女の両親は私に対して怒っている	6. そうかもしれない，そうでないかもしれない。あなたがこのことで，ショックを受けていることは知っている
7. ベック先生や同僚は私に対して腹を立てるだろう。私のことを無能だと考え，見下すだろう	7. そんなことがあるはずがない。長くみてきた患者を失えば，誰でもがっかりする。でもけっして見下したりするはずがない。嘘だと思えば，みんなに電話してみては？　いつも言ってることをここで実証せねばいけない
8. 彼女がどうなったかわかるまで，惨めで，罪の意識を感じる	8. マイナスの考え方をすれば，惨めになる。彼女は生きていて，良くなると考えよう。そうすれば，気分も明るくなる。気持ちを滅入らせる必要などないではないか！

ベック先生との会話と、自動思考を書きとめることによる方法は、すばらしい効果を発揮しました。私は最悪の事態を予測して、自分自身を惨めにする理由は何もないことを悟りました。そしてアニーの行動に責任をとることはできないが、うつ病が最終的に治るまで、頑固に治療を続ける決意をしました。

すると私の不安と怒りは完全に消えうせ、水曜日の朝、アニーについてのニュースを電話で受け取るまで、安心していることができました。アニーはフィラデルフィアから五〇マイル離れたホテルの部屋で、意識不明のままで見つかりました。それは八回目の自殺企図でした。アニーはいつものように、かつぎこまれた救急病院で文句を言い続けました。命には別状ありませんでしたが、長く意識がなかったためにできた褥創に対する膝と肘の形成手術を必要としました。私はアニーをペンシルバニア大学に移す手続きをし、「情け容赦のない」認知療法を続けることにしました。

アニーは無力感にうちひしがれていました。次の数カ月のセッションでは、特に荒れ狂いましたが、十一カ月目にうつ状態はしだいに改善しはじめ、私が診はじめてからちょうど一年目のアニーの二十一歳の誕生日にうつ病の症状はすっかり消えました。

結　末

私の喜びには大きなものがありました。それはちょうど、長い妊娠と苦しいお産のあとで、妊婦が初めて生まれた子供の顔を見た時に感じる喜びと似ています。まさに誕生の喜びです。うつ病が長ければ長いほど、治療の苦労が大きければ大きいほど、治療者と患者はともに内的な平和と、苦労を越えた実りを味わうことができるのです。

増補改訂
第２版

いやな気分よ、さようなら

――――――自分で学ぶ「抑うつ」克服法

デビッド D.バーンズ　著

翻訳
（第１章～第16章）
野村総一郎，夏苅郁子
山岡 功一，小池 梨花

（第17章～第20章）
野村総一郎
佐藤美奈子
林　 建 郎

第１章から第16章までは，縦組のため
表側からお読みください。

星　和　書　店

増補改訂第2版
いやな気分よ、さようなら——自分で学ぶ「抑うつ」克服法

1990年11月30日　初版第1刷発行
2005年2月19日　第2版第2刷発行

訳者代表　野　村　総一郎

発行者　石　澤　雄　司

発行所　株式会社　星　和　書　店

東京都杉並区上高井戸1-2-5　〒168-0074
電　話　03(3329)0031(営業部)/(3329)0033(編集部)
FAX　03(5374)7186
http://www.seiwa-pb.co.jp

　Printed in Japan　ISBN4-7911-0206-1

第７部　感情の化学

第 7 部　感情の化学　　目　次 1

第7部　感情の化学　　目　次2

第7部　感情の化学　　目　次3

第7部　感情の化学　　目　次4

第17章 「黒胆汁」を探して

いつか，自分の気分を思うがままに操ることのできる，驚くべき技術を手にすることができる日が訪れるかもしれません。この技術は，安全で，すばやく効果が表れ，憂うつな気分を数時間のうちに解消してくれる治療薬という形で実現されるかもしれません。と同時に，これは，人類史上最も類まれで，哲学的にも混乱を招きかねない，画期的成果を代表することになることも考えられるでしょう。ある意味で，これは，『エデンの園』の再発見ともいえ――私たちに，新たな倫理的ジレンマを強いることになるかもしれないのです。

「この薬は，いつ飲んだらいいんだろう」

「四六時中，こんなに幸せでもいいんだろうか」

「悲しく思うほうが，正常で，健康的だってことも，時にはあるんじゃないだろうか。いや，やっぱり，悲しみというのは，常に治療が必要な異常とみなされるんだろうか」

「正常と異常，いったいどこで線が引かれるんだろう」

おそらく，このような疑問が，胸に浮かび上がってくることでしょう。

このような技術は，既に，Prozacという形で実現されている，と考える人もいます。しかし，これからご説明する数章をお読みになれば，必ずしもそうとはいえないことが，おわかりになるでしょう。一部の人には効く，という抗うつ薬は多数あります。しかし，その一方で，抗うつ薬が満足に効果を発揮せず，幾らか回復したとしても，多くの場合，完全には至らなかった，という人が多いことも確かなのです。ゴールまでの道のりは，まだまだ遠い，といわざるを得ないでしょう。

それだけではありません。実際のところ，はたして脳はどのようにして感情を生み出しているのかすら，わかっていないのです。生涯に亘り，物事を否定的に捕らえ，憂うつな気分に陥りがちな人がいる一方で，常に，明るく前を見つめ，元気いっぱいな，とことん楽観的な人もいるのは，なぜなのでしょうか。うつ病は，一部，遺伝的なものなのでしょうか。化学的バランスやホルモン的なバランスの悪さが，原因しているのでしょうか。これは，私たちがもって生まれたものなのでしょうか，それとも生きていくなかで，身につけてしまったものなのでしょうか。私たちはまだ，これらの疑問に答えることはできません。にもかかわらず，既に回答が出ている，と誤解している人が多数いらっしゃるのです。

治療に関する疑問も，いまだ明確な回答が得られていないことに変わりはありません。どの患者さんの治療には薬物療法を用いるべきで，どの患者さんには心理療法を用いるべきなのでしょうか。どちらか一方のタイプの治療のみを単独で用いるよりも，両者を組み合わせたほうがよいのでしょうか。これほど基本的な疑問に対してすら，その回答を巡り，予想以上に喧々囂々《けんけんごうごう》の議論が繰り広げられていることが，おわかりいただけることでしょう。

本章では，こうした問題を取り上げ，検討していきたいと思っています。まずは，うつ病が，生物学的なもの（性質）に因るところが大きいのか，それとも，環境的なもの（養育）に大きく原因しているのか，という問題について考えることにしましょう。脳の機能についてご説明した後，脳内の化学的なバランスの崩れがうつ病の原因である，とされる根拠を検討したいと思います。また，このようなバランスの崩れに対し，抗うつ薬はどのように修正しようとするのか，その機能についてもご説明するつもりです。

第 18 章では「心と身体の問題」を取り上げ，「心」に対する治療法（たとえば，認知療法）と身体に対する治療法（たとえば，抗うつ薬）をめぐって，現在繰り広げられている，数々の論争を検討したいと思っています。そして，第 19 章，第 20 章では，気分障害に対して現在処方されている，すべての抗うつ薬について，実際に役立つ情報をご紹介することにしましょう。

遺伝と環境，どちらがうつ病により大きく影響するのでしょうか？

遺伝的影響と環境的影響が，うつ病に及ぼす相対的重要性について明らかにしようと，多くの研究が行なわれていますが，そのどちらがより重要かについては，いまだ明らかにされてはいません。双極性障害（躁うつ病）に関しては，根拠はかなり明白で，遺伝的要因が大きいと考えられています。たとえば，ある一卵性双生児の一方が躁うつ病を発症した場合，もう一方の双生児も，同じ障害を発症する確率は，かなり高いといわれています（50% から 70%）。対照的に，二卵性双生児の一方が双極性障害（躁うつ病）を発病した場合には，もう一方の双生児が発病する可能性は，一卵性双生児の場合と比べ，低いことが予想されるのです（15% から 25%）。また，両親もしくは双生児ではない兄弟姉妹に，この障害が認められる場合，当人もそれを発病する確率は，約 10% 程度と考えられます。一般的な双極性障害の発症率は，1%未満といわれていますから，いずれにしても，これらの確率は，それよりかなり高いことがおわかりいただけるかと思います。

ここで1つ，心に留めておいていただきたいことは，一卵性双生児は互いにまったく同じ遺伝子をもっているのに対し，二卵性双生児の場合，同一の遺伝子は半分にすぎない，ということです。そして，この事実こそが，双極性障害（躁うつ病）の発症率が，二卵性双生児よりも，一卵性双生児の場合のほうが遥かに高いこと，しかも，いずれの双生児についてみても，双極性障害の発症率は，一般の人々における発症率をかなり上回っていることの原因と考えられるのです。一卵性双生児における躁うつ病発症率は，たとえ彼らが生まれた時点から別々に暮らし，異なる家族によって育てられたとしても，高いことに変わりありません。一卵性双生児が実際に，別々の家族によって育てられることは稀でしょうが，場合によって，そのようなことがないわけではありませんし，別れて育った2人を後に探し出し，その類似点や相違点を比較した研究例もあります。別れて育った一卵性双生児の場合，同一の遺伝子をもちながらも育った環境は異なるわけですから，こうした「自然な」実験は，遺伝子対環境の相対的な重要性について，実に多くのことを明らかにしてくれます。そして実際，このような研究で浮かび上がってきたのが，双極性障害に与える，遺伝子の大きな影響力だったのです。

抑制不可能なほどの躁病のエピソードはない，もっとずっと一般的な抑うつについては，いまだ，その遺伝的要因は極めて曖昧な状態です。遺伝研究者らが直面している問題の1つとして，うつ病の診断が，双極性障害（躁うつ病）の診断と比べ，かなり明白でない，ということがあります。双極性障害は，多くの場合診断が明白な稀な障害ですし，少なくともその重症なケースについては，そういえるでしょう。薬物やアルコールに関係なく，突如として目を見張るような人格の変化が起きたかと思うと，それに伴って，次のような症状が表れるのです：

- 激しい多幸感。苛々を伴うことが多い
- 信じ難いエネルギーで運動し続ける。または，落ち着きなく，興奮して身体を動かし続ける
- 睡眠に対する欲求がほとんど見られない
- 切迫した調子で，留まることなく喋り続ける
- 転々と話題を変え，思考が飛ぶ
- 誇大妄想（世界平和のための名案がある，と突然思い込む，など）
- 衝動的で，無謀であるうえ，不適切な態度（常識に欠けるような浪費，など）
- 不適切で，過剰な異性への関心，及び性行動
- 幻覚（重症の場合）

これらの症状は，通常，間違えようのないほど明白ですし，多くの場合，入院による治療が必要なほど抑え難いものです。いったん回復してしまえば，たいてい完全に正常な機能を取り戻すことができるようになります。このように，双極性障害には際立った特徴がありますから，既にうつ病を発症しているかどうかの判断は，通常難しいものではなく，遺伝子研究も比較的問題なく進めることができるのです。また，この障害は，若年層に発症することが多く，最初のエピソードは，20 歳から 25 歳にかけて起こることがしばしばです。

対照的に，うつ病の診断はこれと比べるとかなり複雑です。一般的な悲しみと，臨床的なうつ病との境界線は，どこに引いたらよいのでしょうか。その判断は，多少恣意的なものとならざるを得ないでしょうが，それによって，研究結果を大きく左右することになるでしょう。もう 1 つ，遺伝研究が直面する問題は，ある人が臨床的うつ病を発症したと，と判断するまでには，はたして

どれほどの期間を置く必要があるのか，ということです。たとえば，家系的にうつ病を発症する可能性が高いと考えられる人が，臨床的なうつ病のエピソードが一度もないままに，自動車事故で，21歳の時点で亡くなったとしましょう。このような場合，はたしてこの人はうつ病の傾向を遺伝的に受け継いでいなかった，と結論してもよいのでしょうか。しかし，もし仮にこの人が亡くならなかったとしたら，その後の人生でうつ病のエピソードを発症していたかもしれないのです。なぜなら，うつ病の最初のエピソードが起こるのは，21歳以降であることが多いからです。

このような問題は，どうしようもないとまでは申しませんが，うつ病に関する遺伝的研究を難しくしていることは確かでしょう。実際，うつ病の遺伝をめぐり，これまでに発表された研究の多くには，かなりの欠陥が認められることは確かですから，これらからは，この障害における遺伝対環境の影響の大きさについて，何ら明確な結論を引き出すことはできません。しかし，幸いにも，現在，より高度な研究が行なわれつつありますから，もう後5年から10年の間には，これらの疑問により満足のいく答えが得られるかもしれません。

うつ病は脳内の「化学的なバランスの崩れ」が原因で起こるのでしょうか？

長年に亙り，うつ病の原因究明に向け，努力が重ねられてきました。古代においてさえ，憂うつな気分は，体内の化学的なバランスが崩れたことに因るのではないか，とする考えはあったのです。ヒポクラテス（紀元前460－377年）は，「黒胆汁」が犯人だ，と考えました。近年，この捕らえどころのない黒胆汁の発見に，全精力を傾けてきました。うつ病の原因と考えられる，脳内の化学的なバランスの崩れを特定しようとしてきたのです。幾つかヒントは挙がっているのですが，ますます高度化されつつある研究手段にもかかわらず，いまだその原因を特定できない，というのが現状です。

臨床的うつ病の発症には，何らかの化学的なバランスの崩れもしくは脳の異常が関わっている，とする考えを支持する主要な仮説が，少なくとも 2 つあります。まず 1 つは，重症のうつ病に認められる身体的症状が気質的変化の関与を裏づけている，とする説です。このような身体的症状としては，苛々（うろうろ歩き回る，手をぎゅっと握り締めるなど，神経が高ぶった行動），極度の疲労（無感動のまま，身動き 1 つしない——全身が重いレンガの塊と化したように感じ，何もしない）などがあります。「1 日のうちに」気分が変わる，ということもあるかもしれません。これは，午前中はうつ病が悪化し，夕方に掛けて，症状が改善してくることをいいます。その他，睡眠パターンの乱れ（不眠症が最も一般的です），便秘，食欲の変化（たいてい低下しますが，増進することもあります），集中力の低下，性欲の低下なども，うつ病の身体的症状です。うつ病の原因が身体的なものである，と考えられる傾向があるのも，これらのうつ病症状が極めて身体的に「感じられる」からなのです。

もう 1 つ，うつ病の原因を生理学的なものと考える説は，気分障害のうち，少なくとも幾つか，家系的に受け継がれているものがあるように思われることから，遺伝的要因が窺がえる，とするものです。何かうつ病の引き金となるような遺伝的異常が存在するとしたら，他の多くの遺伝病同様，この場合も，身体の化学的機能の異常，という形をとるのではないか，と考えられるのです。

遺伝的仮説が興味深いことはやまやまですが，なにぶん，そのデータには限りがあります。双極性障害の場合は，多くの人々が罹るような，より一般的なうつ病と比べ，遥かに強力な証拠によって，その遺伝的影響が裏づけられているのです。しかも，家系的に受け継がれている現象のなかには，遺伝的な原因に因らないものも多数あります。たとえば，米国の家庭では，ほとんどといっていいほど英語が話されていますし，メキシコではほとんどがスペイン語です。ある特定の言語を話す傾向が，家系的に受け継がれている，ということはできるでしょうが，言語は学習によって話せるようになるものであり，遺伝されるものではありません。

私は何も，遺伝的要因の重要性を軽視するつもりはありません。生まれた時点で離れ離れにされ，別々の家庭で育てられた，一卵性双生児についての最近の研究からは，これまで後天的に学習されるものと考えられている特性の多くが，実際には遺伝されるものであることが明らかにされています。恥かしがりやか社交的か，といった性格的な特徴でさえ，遺伝的な面があるようです。また，どの味のアイスクリームが好きか，といった個人的な嗜好ですら，遺伝子の影響を強く受けているかもしれないのです。と考えると，肯定的，楽観的に物事をとらえるか，それとも否定的，悲観的にとらえるかという傾向は，遺伝的に受け継がれているといっても，とんだ見当違いとは思えない気がします。いずれにせよ，この可能性の究明には，まだまだ多くの研究が必要でしょう。

脳はどのように機能するのでしょうか？

脳は基本的に，ある意味でコンピュータに似た電子システム，といえます。脳のさまざまな部分は，それぞれ異なる機能を担い，専門化されています。たとえば，後頭部へかけての脳の表面部分は「後頭葉皮質」と呼ばれ，視覚を司っています。脳のこの部分に影響を及ぼすような卒中を起こすと，視覚に障害が出ます。また，脳の左表面の小さな部分は，「ブローカ野」と呼ばれ，言語を司っています。卒中によってこの部分に支障が出ると，会話が困難になります。言いたい，と思うことを考えることは可能なのですが，いざそれを言おうとすると，言葉の出し方を「忘れて」しまうのです。「大脳辺縁系」と呼ばれる，脳の原始的な部分は，喜び，悲しみ，恐怖，または怒りなどの感情のコントロールに関係している，と考えられています。しかし，脳がどのように，またどこで，楽観的な感情や悲観的な感情を生み出すかについては，まだよくわかっていない，というのが現状です。

神経が脳内の「電線」の役割をすることは，わかっています。神経の長く細い部分は，「軸索」と呼ばれ，神経が刺激されると，この軸索を通して，神経の末端まで電気信号が送られます。とはいえ，神経は単なる電線とは比較にならないほど複雑な構造をしています。たとえば，1 本の神経は他の数千にも及ぶ神経からの入力を受けることができます。神経は，いったん刺激を受けると，その軸索を通じ，他の数千本に及ぶ神経へと即座に信号を送ることができるのです。これは，軸索が幾つにも分岐して，信号を送るからです。この分岐した枝は，ちょうど 1 本の樹の幹がたくさんの枝に分かれるように，さらに枝分かれを繰り返していきます。脳の 1 本の神経が，脳全体に張り巡らされた 2 万 5000 本にも及ぶ他の神経に信号を送ることができるのも，このような枝分かれする性質のおかげなのです。

では，これらの神経は，どのようにしてその電気信号を他の神経へ伝達するのでしょうか？　この仕組みを理解するために，図

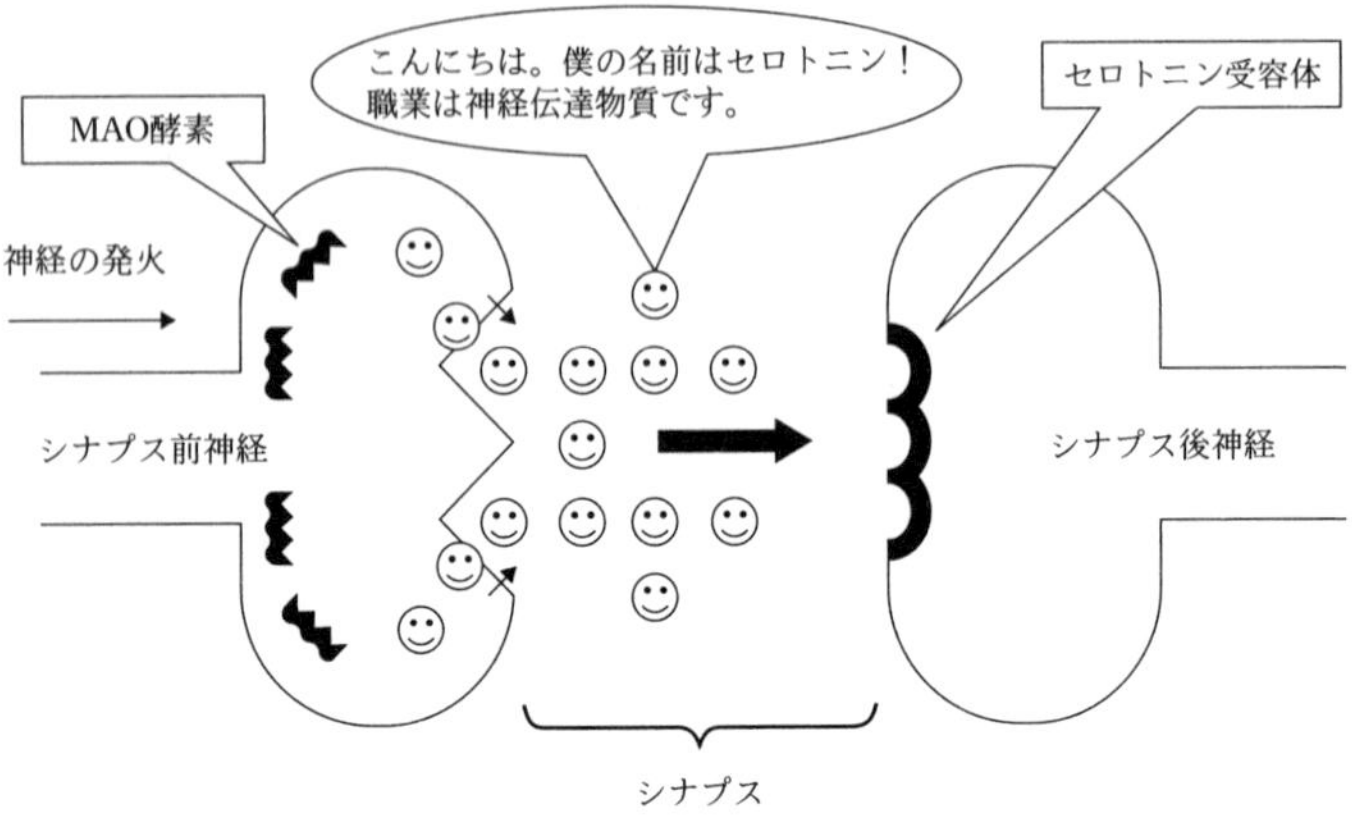

図 17-1　シナプス前神経が発火すると，セロトニン分子の小箱（神経伝達物質）がシナプスに放出される。それらの小箱はシナプスを泳いで渡り，シナプス後神経の表面にある受容体にたどり着く。

17-1をご覧ください。2本の神経の模式図が描かれていることがおわかりいただけるかと思います。この2本の神経の接合部は，「シナプス」と呼ばれます。このような専門用語は，耳慣れないかもしれません。でも，心配なさる必要はありません。単に，2本の神経の間にある隙間を表しているだけです。それぞれ，左側の神経は「シナプス前神経」，右側の神経は「シナプス後神経」と，呼ばれます。これらも，これといって特別複雑な意味を表しているわけでなく，図中のシナプスを中心に左右を区別し，神経の終わる端の部分を「シナプス前神経」，神経が始まる端の部分を「シナプス後神経」と，呼んでいるにすぎません。

シナプスを横断してやり取りされる，この電気信号の伝達は，脳の仕組みを理解するうえで，大変重要です。左側のシナプス前神経と右側のシナプス後神経との間の隙間は，液体で満たされています。これは，神経科学の発達史上，非常に重要な画期的発見でした。私たちの身体は主に水によって構成されていますから，このように申し上げても，さほど驚くべきほどの発見とは思えないかもしれません。しかし，神経を伝わる電気的刺激は，シナプス液を通じて伝わるにはあまりにも弱すぎる，と考えられていましたから，この発見に研究者は戸惑いました。ではなぜ，図 17-1 の左側のシナプス前神経は，液体で満たされた，このシナプスの中を通って，シナプス後神経へ電気信号を送ることができるのでしょうか？

1 つ，例を挙げて考えてみましょう。たとえば，ハイキングをしていたら，川辺に突き当たったとしましょう。どうしても川の向こう岸へ渡りたいのですが，あいにくその川は，かなりの深さです。しかも周囲を見渡しても，橋は 1 つもなく，かといって，飛び越えるには川幅が広すぎます。さあ，どうしたらいいでしょう？ 向こう岸へは，カヌーを漕いで渡るか，さもなければ泳いで渡るしかなさそうです。

神経が直面している状況も，これと同じです。神経の電気的刺激は，シナプスを飛び越えるにはあまりにも弱すぎるのです。そのため，神経は小さな水泳選手を派遣して，メッセージを託します。この小さな水泳選手は，「神経伝達物質」と呼ばれる化学物質で，図 17-1 の神経では，セロトニンと呼ばれる神経伝達物質が使われています。

図 17-1 では，シナプス前神経が信号を発火すると，セロトニンの小さな箱が，シナプス中に放出される様子が描かれています。放出されたこれらの化学的なメッセンジャーたちは，液体で満たされたシナプスを「泳いで」渡り，このプロセスを拡散と呼びます。こうしてシナプスの反対側へ渡ったセロトニン分子は，シナ

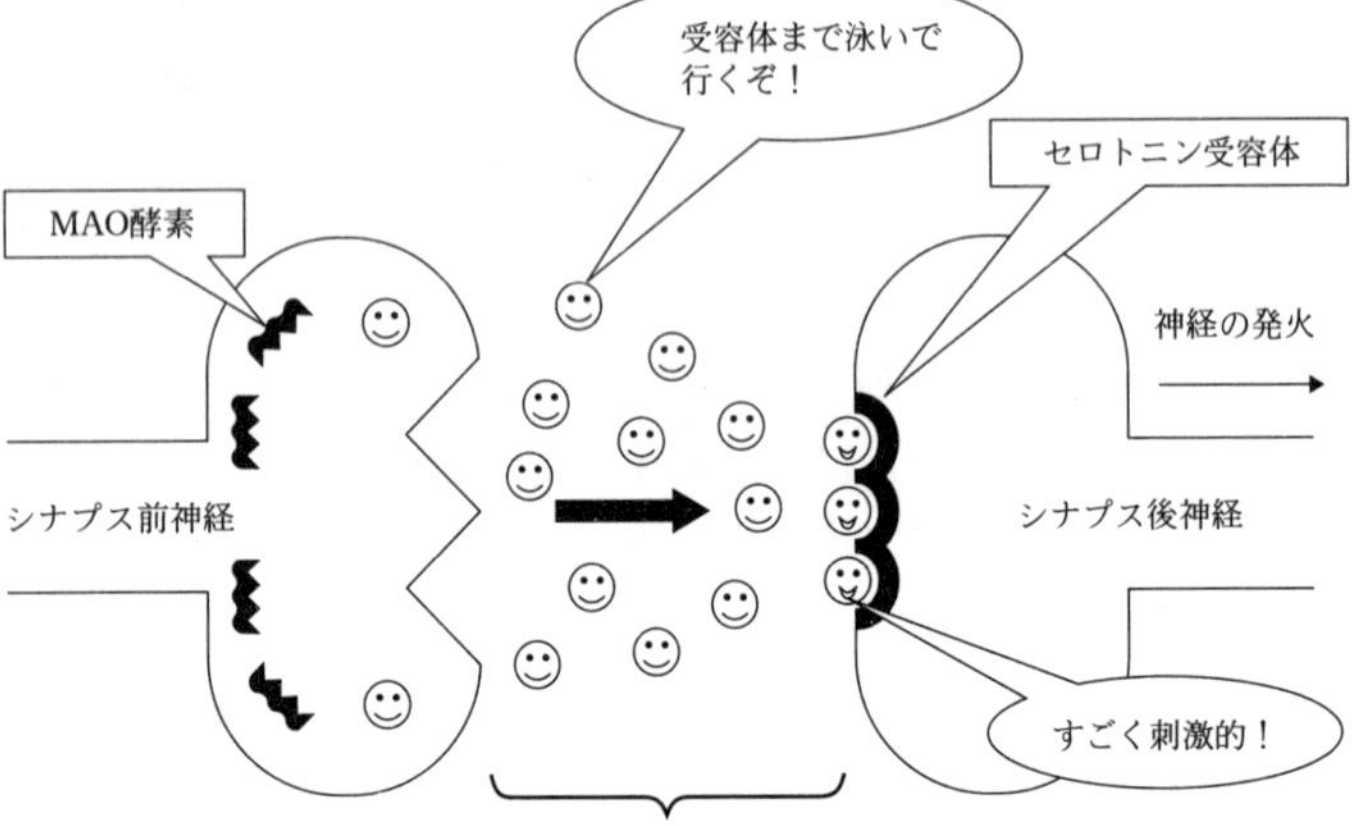

図 17-2　セロトニン分子はシナプス後神経上の受容体に付着し，これが神経を刺激して発火させる。

プス後神経の表面にある，受容体に付着し，図 17-2 にあるようにシナプス後神経に発火を命ずる信号を発するのです。

それぞれの神経の種類によって，使用される神経伝達物質は異なります。脳内には，このような神経伝達物質が非常にたくさん存在します。その多くは，私たちが摂取する食物に含まれるアミノ酸から作られていることから，化学的には，「生体アミン」に分類されます。これらのアミン神経伝達物質は，脳内の生化学的なメッセンジャーの役割を果すのです。辺縁系領域（感情）に存在する，アミン神経伝達物質は，セロトニン，ノルエピネフリン，およびドーパミンの3つです。これら3つの神経伝達物質は，数多くの精神病障害の発症に関わると考えられ，精神医学者らによる熱心な研究が行なわれてきました。うつ病や躁病にこれらの化

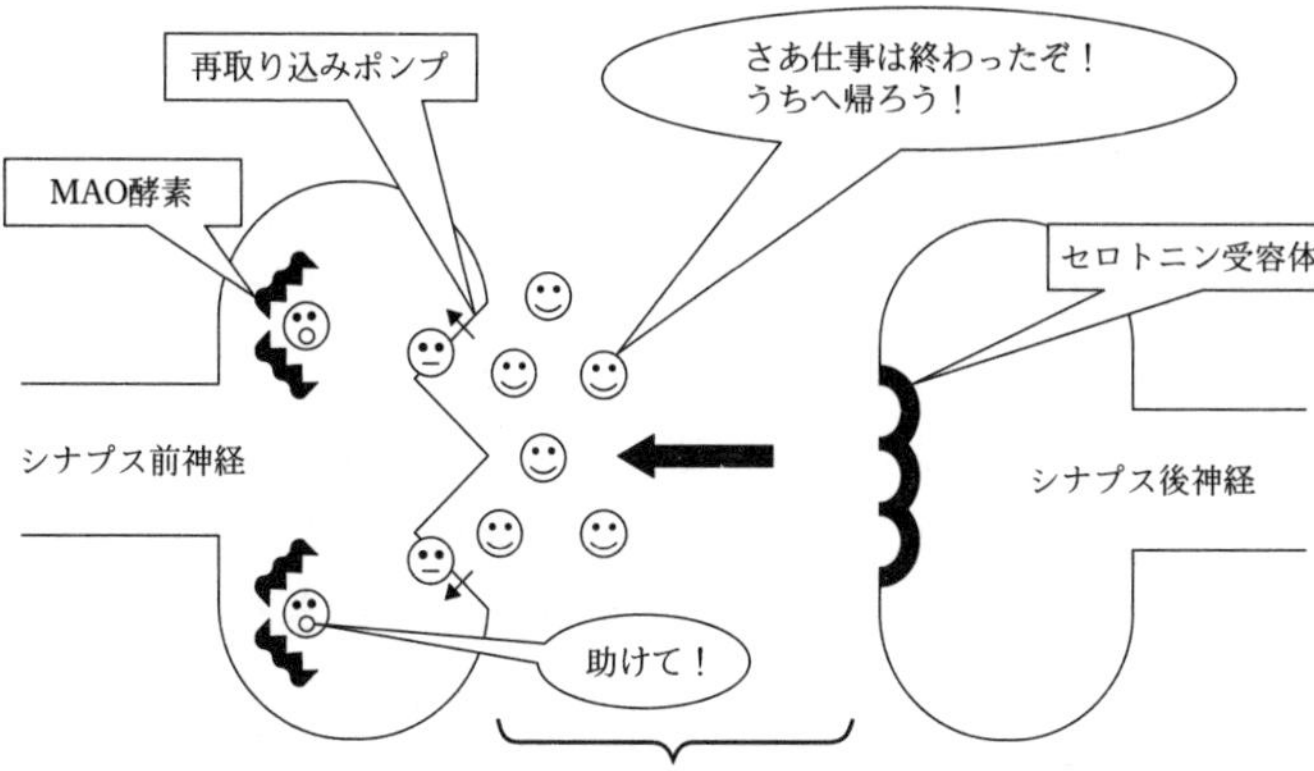

図 17-3　シナプス前神経に戻ったセロトニン分子は神経内部へと取り込まれ，MAO 酵素によって分解される。

学的伝達物質が関わる，とする仮説は，それらの物質の名称にちなみ，生体アミン仮説と呼ばれることがあります。少々，話が専門的になりすぎてしまったかもしれませんね。

では，この化学的メッセンジャーは，シナプス後神経に付着してから，どのようにその神経を発火させるのでしょうか？ ここでは仮に，シナプス後神経にある化学的メッセンジャーが，セロトンニンだとしてみましょう（これらの物質は，いずれも皆，同じように作用しますので，どれを選んでもかまいません)。シナプス後神経の表面には，「セロトニン受容体」と呼ばれる，小さな領域があります。これらの受容体は，正しい鍵がないと開かない錠のようなものだと，考えていただければいいでしょう。受容体は，神経の表面を覆う膜の上にあります。これらの神経膜は，私たちの身体を覆う皮膚のようなものです。

それでは，ここで，セロトニンをシナプス後神経の鍵と考えてみましょう。実際の鍵と同様，セロトニンもそれ独自の形をもっているからこそ，正しく作用することができるのです。シナプス液の中には，他にもたくさんの化学物質が浮遊していますが，これらは正しい分子の形をしていませんから，セロトニン錠を開けることはできません。鍵が鍵穴にぴったりはまると，鍵が開きます。そして，これが次の化学反応の引き金となり，シナプス後神経を電子的に発火させるのです。神経が発火すると，セロトニン（鍵）は，シナプス後神経上の受容体（錠）から解き放たれ，再びシナプス液の中へ戻ります。そして最終的には，図17-3にあるように，シナプス前神経へと「泳いで」戻ることになるのです（この過程も，拡散と呼ばれます）。

こうしてセロトニンは，その役割を果たし終えましたから，シナプス前神経は，それを除去する必要があります。さもないと，役割を終えたセロトニンがシナプス内をさ迷い，再びシナプス後神経に戻って神経を刺激しかねないからです。このようなことになると，シナプス後神経はそれを新たな刺激ととらえて，再び発火する恐れがありますから，混乱が生じる恐れがあります。

この問題を解消するため，シナプス前神経にはポンプが備わっています。役割を終え，泳いで帰ってきたセロトニンは，シナプス前神経の表面上の受容体（もう１つの「錠」）に付着し，図17-3にあるような，「膜ポンプ」もしくは「再取り込みポンプ」と呼ばれる仕組みによって，神経へと送り戻されるのです。

セロトニンは，ポンプの作用によって内側に戻された後，シナプス前神経によって再利用されることもありますが，次の電気的信号に備えて既に十分な量のセロトニンが確保されている場合は，余分なものについては破棄されることになります。シナプス前神経が，このような余分なセロトニンを破棄する過程は，「代謝」と呼ばれ，ある化学物質を別の化学物質へ変えること意味します。この場合，セロトニンは，血流中に吸収される化学物質に変えられるのです。神経の中に存在して，この作用を行なう酵素を，モノアミン酸化酵素，略してMAOと呼びます。MAO酵素は，セロトニンを「5-ヒドロキシインドール酢酸」，すなわち5-HIAAという新しい化学物質に変容させます。またしてもややこしい名前が登場してしまいましたが，単にこれは，セロトンの老廃物と考えてくだされば結構です。5-HIAAは脳を離れ，血流によって腎臓に運ばれます。腎臓は血液から5-HIAAを取り除き，膀胱へ送ります。そして最終的に，5-HIAAは尿と一緒に体内から排出されるのです。

これでセロトニンの循環は終わりです。もちろん，シナプス前神経は，神経の発火に必要な新しいセロトニンを継続して作り出し，全体的なセロトニンの量が枯渇しないよう供給していく必要があります。

うつ病ではどこの具合が悪くなるのでしょうか？

まずはじめに，再度強調しておかなければならないことがあります。それは，うつ病であろうと他のいかなる神経疾患であろうと，いずれにしてもその原因は，まだ解明されてはいない，ということです。興味深い仮説は数多くありますが，1つとして証明されたものはない，というのが現状です。いつかその答えを発見し，この時代の考え方を歴史的珍品として振り返る日が訪れるかもしれません。とはいえ，科学というのは，とにかくどこかからスタートしなければなりません。脳の研究は，現在，実に見事なスピードで進展しつつありますから，今後 10 年間に，画期的な新説が登場することは間違いないでしょう。

この節の説明は，ごくごく簡潔なものに留めさせていただきたいと思っています。脳というのは非常に複雑で，その仕組みについてはまだ，極めて初歩的なことしか明らかにされていません。脳のハード面についても，ソフト面についても，まだまだわからないことがあまりにも多すぎるのです。1 本の神経，または一連の神経系の発火が，いったいどのようにして思想や感情に変換されるのでしょうか。この謎は，驚くべきことに宇宙の起源をめぐる謎に勝るとも劣らない，科学の最も深い神秘の 1 つなのです。

ですから，ここでは，こうした謎の答えを模索することすら控えたいと思います。当面の目標は，もっとずっと謙虚なものです。図 17-1 と図 17-3 を理解していただければ，とりあえず，うつ病ではいったいどこの具合が悪くなるのか，現在いわれている説を理解することは極めて簡単なはずです。

脳内の神経が，神経伝達物質という化学的メッセンジャーを使って，互いにメッセージを送り合っていることについては，既に説明しました。脳の辺縁系においては，セロトニン，ノルエピネフリン，ドーパミンの 3 つが，神経の多くによって，化学的メッセンジャーとして使われることもおわかりいただけたかと思います。研究者のなかには，うつ病が，これら脳内の生体アミン伝達物質の 1 つ，あるいは複数が欠乏することが原因で起こり，躁病（極度の多幸感，もしくは上機嫌）は，逆にこれらが過剰になったことが原因で起こる，と提唱するグループもいます。また，うつ病と躁病において最も重要な役割を担うのはセロトニンである，と主張する研究者もいる一方で，ノルエピネフリンやドーパミンの異常も，何らかの関与をする，と唱える研究者もいます。

これらの生体アミン仮説から，抗うつ薬はうつ病の患者さんのセロトニン，ノルエピネフリン，及びドーパミンの濃度，もしくは活性を引き上げることによって，効き目を発揮するのかもしれない，と推論されています。これらの薬の作用の仕組みについては，もう少し後で詳しくご説明しましょう。

では，図17-1において，セロトニンなどの化学的メッセンジャーが，シナプス前神経から枯渇してしまったとしたら，いったいどうなるのでしょうか？ そうなった場合，この神経はシナプスを通じて，信号をシナプス後神経へ適切に送信することができなくなります。脳内の回路は接続が悪くなり，その結果，精神的あるいは感情的に活動が停止した状態になります。ちょうど，チューナーの配線が外れたラジオから音楽を聞くようなもの，と考えればいいでしょう。感情の停止状態の1つ(セロトニン欠乏)が原因で起こるのがうつ病，また別のタイプの停止状態（セロトニン過剰）が原因で起こるのが躁病と考えられます。

最近，これらのアミン仮説は，大幅に修正されました。セロトニンの欠乏や過剰がうつ病や躁病を引き起こす原因である，とは，もはや信じられない，とする研究者もいます。その代わりに考えられているのが，神経膜上の受容体の1つ，ないし複数の異常が，気分異常を引き起こすのではないか，という説です。もう一度，図17-2をよく検討し，シナプス後神経上のセロトニン受容体に何らかの異常がある，と仮定してみましょう。そうですね，たとえば，それらの受容体の数が十分でない，とします。このとき，神経と神経の間の伝達はどうなるでしょうか？ たとえシナプスには十分な量のセロトニン分子があっても，シナプス前神経が発火した際に，シナプス後神経も，それと一致する形で発火することができなくなってしまう可能性があります。逆に，セロトニン受容体の数が過剰にある場合は，セロトニン系における過活動，という反対の影響を及ぼすことが考えられます。

現時点で，少なくとも 15 種類のセロトニン受容体が，脳内に存在していることが確認され，さらに多くの種類の受容体が日々，確認されてきています。おそらくこれらの受容体はすべて，それぞれ異なる作用を，ホルモン，感情，及び行動に及ぼす，と考えられます。これら，それぞれ異なる受容体がいったいどのような働きをするのか，また，これらのいったいどの受容体の異常がうつ病や躁病の発症に原因的に関わるのか，ということについては，いずれも，現在のところ完全には解明されていません。しかし，この領域の研究は，急速な勢いで進展しつつありますから，これら多くのセロトニン受容体が生理学的，心理学的にはたす作用について，近い将来，より明確な情報を手にすることができるでしょう。

セロトニン受容体が脳の機能にはたす作用に関しては，まだ極めて限られたことしか明らかにされていませんが，シナプス後神経上の受容体の数が抗うつ薬に反応して変化する，という証拠があります。たとえば，神経と神経の間のシナプスにおける，セロトニンの濃度を引き上げる薬を投与すると，シナプス後神経膜上のセロトニン受容体の数は，数週間後には減少するでしょう。このようにして，神経は過剰な刺激を補正しようとしている――いわば，信号のボリュームを下げようとしている，と考えられます。この種の反応は，「ダウンレギュレーション（下向き調整）」と呼ばれます。逆に，図 17-1 のシナプス前神経からセロトニンを枯渇させたとしたら，どうでしょうか。この場合，シナプスへ放出されるセロトニンの量はずっと少なくなり，数週間後，シナプス後神経は，セロトニン受容体の数を増やすことによって，これを補おうとするかもしれません。神経は，信号のボリュームを上げて，よく聴こえるようにしているのです。この種の反応は「アップレギュレーション（上向き調整）」と呼ばれます。

ここでもまた，ややこしい名前が登場してしまいましたが，意味は簡単です。要するに，「アップレギュレーション」とは，「より多くの受容体」，「ダウンレギュレーション」とは，「より少ない受容体」ということです。アップレギュレーションというのは，ちょうどラジオのボリュームを上げるようなもの，逆にダウンレギュレーションというのは，ボリュームを下げるようなもの，と申し上げてもいいでしょう。

抗うつ薬が効果を発揮するまでには，通常，数週間以上かかるとされています。その理由を解明しようと，研究が重ねられてきました。これらの薬の抗うつ作用を，ダウンレギュレーションによるものではないか，と考える研究者もいます。当初，抗うつ薬が作用するのは，これらの薬がセロトニン系を強化するからだ，と提唱されていたのですが，そうではなく，逆にこれら，抗うつ薬が数週間かけて，セロトニン系を弱めることが理由ではないか，という説です。この説は，セロトニン濃度の低下が結局，うつ病を引き起こす原因ではない，ということを暗に示唆しています。むしろ，脳内のセロトニンの活性が高められたことが，うつ病の原因となる可能性があるのです。したがって，抗うつ薬は，数週間かけてセロトニン系を弱め，この状態を矯正するのではないか，と考えられるのです。

これらの説は，どれほど確立され，その正しさが証明されているのでしょうか？ 実は，まったく全然なのです。先にもそれとなく申し上げたのですが，仮説を提唱するのは実に簡単なのですが，それを証明するとなると，遥かに困難なのです。現在に至るまで，これらの説を，納得のいく形で，正しいとも正しくないとも証明できたことは一度もありませんでした。しかも，うつ病を引き起こす化学的なバランスの崩れを確実に突き止めることができるような検査を，グループもしくは個人の患者さんを対象にして行なった例は，臨床的にも実験の場においても，一度もないのです。

現在唱えられている仮説については，研究を活発にし，脳の機能に関する知識を深めるうえで主として役立つ，としか申し上げられません。しかし，最終的にはそれより遥かに正確な理論と，それを検証するための，ずっと素晴らしい方法を手に入れることができる，と信じています。

「これですべて？ これだけなんだろうか？」と，思われている方もいらっしゃるかもしれません。研究者らは，ただ座って，「うつ病は，脳内のあれやこれやといったいろいろな伝達物質，もしくは受容体が過剰，または不足することが原因でおこる，と考えられる」と，平然と言っているだけなのでしょうか？ ある意味で，本当にこれですべて，と申し上げるしかないのは事実です。現在解明されている脳のモデルが，非常に初歩的なものにすぎないことにも問題があります。そのために，うつ病の仮説も，いまだ初歩的な域を出られないのが現状なのです。

ひょっとしたら，うつ病の原因が，化学的伝達物質や受容体とはまったく無関係な問題である可能性もないとはいえません。うつ病が，脳の「ハードウエア」ではなく，むしろ「ソフトウエア」に原因がある問題であることが明らかになる日が訪れるかもしれないのです。たとえば，コンピュータをお持ちの方なら，コンピュータがしょっちゅう故障し，動かなくなることがあることは，よくご存知ですよね。ハードドライブの欠陥など，ハードウエアに何らかの問題が生じたことが原因の場合もあるでしょう。しかし，もっと多いのは，特定の状況下でプログラムが正しく作動しなくなるなど，ソフトウエア面の問題です。うつ病に関する脳の研究についても，同じことがいえます。私たちは，ついつい「ハードウエア」(先天的な化学的不均衡など)に目を向けがちですが,実は,「ソフトウエア」(後天的に学習した否定的な思考傾向など)に原因があるかもしれないのです。どちらの問題も脳の組織に関係することから,「有機的」なもの,ということができるでしょうが,その解決方法は,根本的に異なるのです。

うつ病の研究が直面している主な問題は,もう1つあります。それは,鶏が先か卵が先かのジレンマです。検査によって測定される脳の変化は,うつ病を引き起こす原因なのでしょうか,それともその結果なのでしょうか? この問題を具体的にご理解いただくために,ある思考実験を行なってみましょう。森の中に,1匹の鹿がいる,と想像してください。その鹿は,今幸せで,満ち足りた気持ちです。この鹿の,脳内の化学的電気的活性を目に見える形で知ることのできる,特別な器械がここにあるとします。たとえば,警察がスピード違反の取締りで使うレーダーのような,遠隔操作ができ,携帯可能な未来の世界の画像読み取り装置を想像していただければいいでしょう。一方,その鹿は,まさか私たちが器械を使って脳内の活動を観察していることは知りません。このとき突然,鹿は飢えた狼の群れが近づいてくるのを目にします。パニックです! このとき,私たちの手元にある脳の画像読み取り装置は,鹿の脳内の電気的化学的活性が,瞬間的に大きく変化したことを察知します。この電気的化学的変化は,はたして恐怖の原因なのでしょうか,それとも結果なのでしょうか? 鹿が不安になったのは,突然,その脳内で「化学的なバランスが崩れた」から,というべきなのでしょうか?

うつ病の患者さんの脳内でも,同様に,さまざまな化学的電気的変化が生じます。幸せに感じたり,腹が立ったり,恐怖に怯えたりすると,脳は実に劇的な変化をします。脳のどの変化が強い感情の結果で,どの変化がその原因なのでしょうか? 原因と結果の区別は，うつ病研究が直面している最も困難な問題の1つです。これは，解決不可能な問題ではありませんが，簡単なものでないことは確かでしょう。しかし，うつ病をめぐる現在の仮説を熱烈に支持されている研究者の方々は，必ずしもこのことを認識していないように思えるのです。

これらの仮説を検証する研究が，気の重くなるほど困難な作業であることは明らかでしょう。重要な問題として，人間の脳における化学的電気的プロセスに関する，正確な情報を得ることが，いまだ非常に難しいことが挙げられます。うつ病の患者さんの脳を切り開き，中を覗かせていただくことなど，到底できっこありませんからね！ 仮にそれが可能であったとしても，はたしてどこをどのように調べたらいいのか，皆目，見当もつかないでしょう。しかし，現在，PET スキャン（陽電子放射断層撮影法）や MRI（磁気共鳴映像法）などの最新機器の導入で，このような研究が実際可能になっています。研究史上初めて，人間の脳内における神経の活動や化学的プロセスを「見る」ことが可能になり始めたのです。このような研究は，まだ緒に就いたばかりですが，この先10年間のうちには，大きな飛躍を期待できることでしょう。

抗うつ薬はどのように作用するのでしょうか？

うつ病の近代的化学研究が加速的な進展を遂げたのは，1950年代初期，イプロニアジド[1)] と呼ばれる，新しい結核治療薬の検査中，偶然のことでした。イプロニアジドは，結局，結核治療には効果がないことがわかったのですが，この薬を投与された患者さん方の多くに，著しい気分の高揚が見られたことが注目を集めました。その結果，イプロニアジドには抗うつ作用特性があるのではないか，という仮説が生まれたのです。こうして，抗うつ薬第1号の開発，販売を目指した数々の製薬会社によって，研究が大躍進を遂げることになったのです。

イプロニアジドが，先にご説明しましたMAO酵素（モノアミン酸化酵素）を阻害する作用をもつことは，わかっていましたから，この薬は，MAO阻害薬——略してMAOIと分類されることになりました。その後，イプロニアジドとよく似た化学構造をもつMAO阻害薬が，幾つか開発されました。そのうちの2つ，フェネルジン（Nardil）とトラニルシプロミン（Parnate）は，米国では今日でもなお使われています。3番目のMAO阻害薬は，セレギリン（エフピー）と呼ばれ，米国ではパーキンソン病治療薬として承認されています。この薬は，気分障害の治療にもときどき使用されることがあります。その他，現在海外で使用されている新しいMAO阻害薬も，いずれは米国で市販されるようになるでしょう。

現在MAO阻害薬は，もはやかつてほど頻繁には処方されなくなりました。これは，万一患者さんがチーズなどの特定の食べ物と一緒にこれらの薬を服用されると，危険な血圧の上昇が起きる可能性があるからです。また，MAO阻害薬は，特定の薬と一緒に用いると，中毒反応を引き起こすこともあります。こうした危険性があることから，より新しく，安全性の高い抗うつ薬が開発されたのです。これらの新しい薬の作用の仕方は，MAO阻害薬とは大きく異なっています。とはいえ，うつ病の患者さんのなかには，他の薬では効果がなくても，MAO阻害薬なら実に有効に作用する，という方もいますし，本書の第20章で詳しく説明します数々のガイドラインを，患者さんと主治医がきちんと守って使われる限り，これらの薬を安全に服用することは可能なのです。

イプロニアジドの発見により，うつ病の生化学的研究は，新たな時代の幕を開けることになりました。MAO 阻害薬の作用の仕方を解明すべく，熱心な研究が重ねられました。MAO 阻害薬が，脳の辺縁系領域に集中的に存在する，セロトニン，ノルエピネフリン，及びドーパミンの，3 つの化学伝達物質の崩壊を防ぐことは知られていました。そこで，これらの物質の 1 つ，あるいはそれ以上の欠如が，うつ病を引き起こす原因であり，これらの物質の濃度を引き上げることで，抗うつ薬はその効果を発揮するのではないか，という仮説が立てられました。こうして，生体アミノ仮説が実際に生まれることになったのです。

それではここで，脳の機能の仕方について，おさらいをしてみましょう。図 17-1 から図 17-3 までを，もう一度よくご覧になってください。シナプス前神経が発火すると，セロトニンがシナプスに放出されます。シナプスを渡ったセロトニンは，シナプス後神経の受容体に付着した後，再びシナプス前神経へと泳いで戻ってきます。そして，このシナプス前神経でポンプによって神経内部に取り込まれ，MAO 酵素がこれを破壊するのです。では，1 つ質問です。この MAO 酵素がセロトニンを破壊するのを阻止したとしたら，はたしてどうなるでしょう？

ご推察の通りです。シナプス前神経は，休みなく新しいセロトニンを生産し続けていますから，セロトニンはこの神経内に蓄積されていくことになります。セロトニンがどこかに破棄されない限り，神経内のセロトニン濃度はどんどん上昇し続けるでしょう。そして，シナプス前神経が発火するたびに，通常量を遥かに上回るセロトニンが，液体で満たされたシナプスへと放出されることになるのです。シナプス内の過剰なセロトニンは，シナプス後神経を予想以上に刺激します。この化学変化は，ちょうど，ラジオのボリュームを上げることに相当すると考えていただければいい

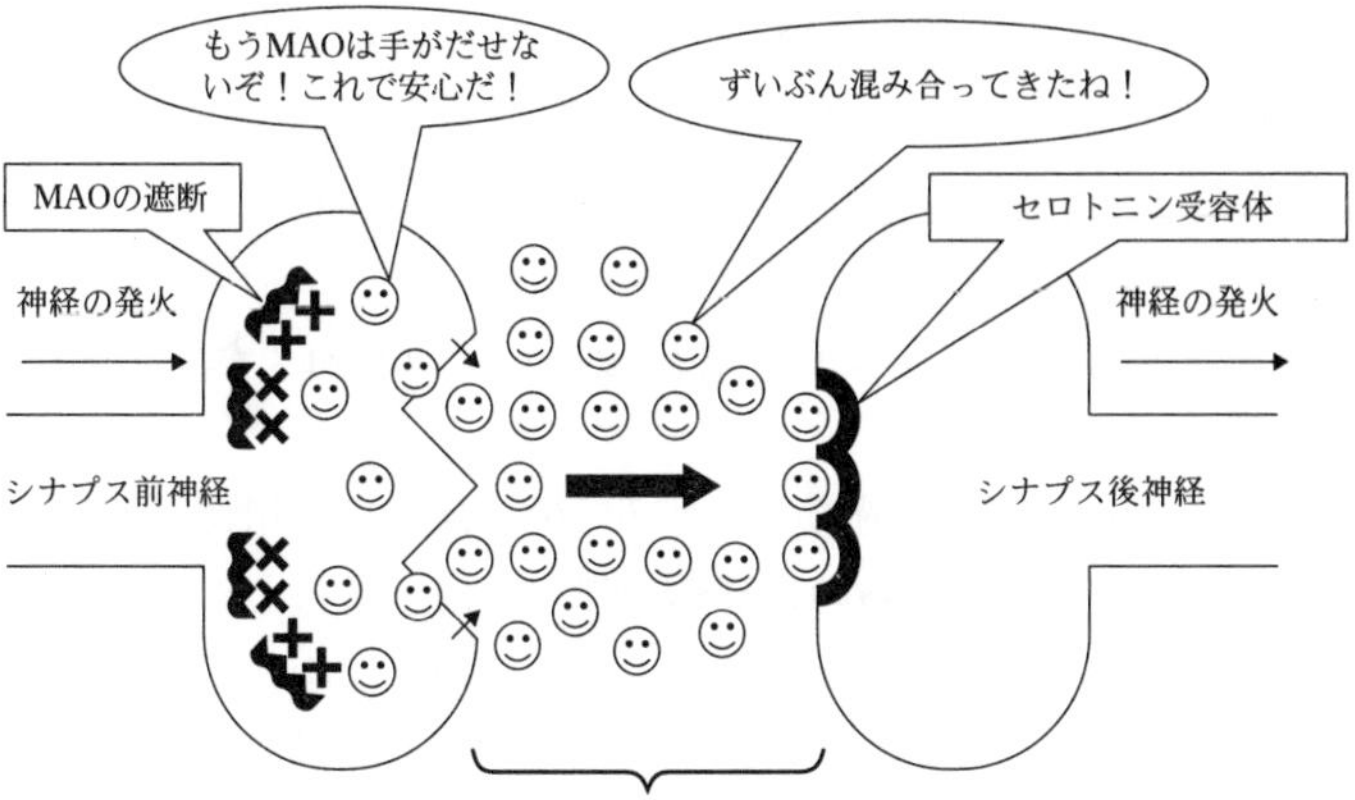

図 17-4 MAO 阻害薬が MAO 酵素をシナプス前神経内で遮断するため，セロトニン濃度は上昇する。神経が発火する度に過剰なセロトニンがシナプス間隙に放出される。このことによってシナプス後神経がより強く刺激される。

でしょう。MAO 阻害薬の，このような抗うつ薬作用をわかりやすく説明したのが，図 17-4 です。

これが，MAO 阻害薬が気分の高揚をもたらす理由なのでしょうか？ その可能性はあり得るでしょうし，仮説では，これこそまさに，これら MAO 阻害薬の作用の仕方である，とされています。調査研究でも，これらの MAO 阻害薬を人間，あるいは動物に投与すると，脳内のセロトニン，ノルエピネフリン，及びドーパミンの濃度が上昇することが確認されました。しかしながら，これらの生体アミンのいずかの上昇が，抗うつ効果を生むのか，それともこれらの薬が脳内で及ぼす何か別の作用から，その効果が得られるのか，確かなことはわかっていないのです。

これら MAO 阻害薬がなぜ，またどのようにして効果を発揮するのかについて，読者のみなさんには，他に何か思い浮かぶ理論がおありでしょうか？ 気分の高揚は，はたしてシナプス後神経の過剰なセロトニンの結果でしょうか，それとも何か別の説明が可能でしょうか？ この先の説明にお進みになる前に，いま一度，先の節でご説明しました，ダウンレギュレーションを思い起こしていただき，みなさんなりの答えを探してみられてはいかがでしょうか？

薬を服用後数週間経過後のシナプス後神経への作用は，最初に薬を服用した際のこれらの神経への作用とは，まったく逆になる可能性があることを思い出された方もいるのではないでしょうか。シナプス内の過剰なセロトニンすべてに，数週間後にシナプス後セロトニン受容体のダウンレギュレーションを引き起こす可能性があり，このダウンレギュレーションが，抗うつ作用に相当する，と考えられます（セロトニンの枯渇がうつ病の原因である，と考える研究者がいる一方で，セロトニンの脳内における活性の高まりが原因である，と確信されている研究者もいる，と申し上げましたことを覚えているでしょうか）。以上のことを理解されているようであれば，神経化学の学習は合格です。この抜き打ちテストの成績は，満点を差し上げてもよいでしょう！

MAO阻害薬の抗うつ効果は，脳内の他の系統への作用によるものではないか，とお考えになられた方もいるかもしれませんね。そのような方にも，満点を差し上げましょう。抗うつ薬がどのようにしてうつ病を改善するかを巡るこれらの仮説は，いまだ証明されてはいません。MAO阻害薬が脳に及ぼす作用は，図17-4に示される簡単なモデルとは比較にならないほど複雑です。おそらくいずれの抗うつ薬の作用も，脳内のある特定の領域，もしくは特定の種類の神経にのみに限定されるものではないでしょう。脳内のそれぞれの神経は，他の何千本もの神経とつながっており，さらにそのすべてが今度は他の何千本もの神経ともつながっていることをお忘れにならないでください。抗うつ薬を服用すると，脳全体に及ぶおびただしい数の化学的電気的系統に大規模な変化が生じます。これらの変化のいずれにも，気分の改善を引き起こす可能性があり得るのです。これらの薬の作用を正確に理解しようとすることは，依然ややもすると，藁の山から 1 本の針を探し出すことに劣らぬ至難の技でしょう。しかし，さしあたり今重要なことは，これらの薬がその作用の仕方，理由の如何にかかわらず，うつ病の治療に効果を発揮することは，どうやら確からしい，ということです。

先にも触れましたように，1950 年代以降，実にさまざまな，新しい抗うつ薬が開発され，数多く市販されてきました。図 17-4 で説明したような MAO 阻害薬と異なり，これら新しい抗うつ薬は，シナプス前神経の内部で，セロトニンなどの伝達物質を蓄積させることはありません。その代わり，これらの薬は，シナプス前神経もしくはシナプス後神経の表面にある受容体に付着することにより，脳内に自然に存在する神経伝達物質の作用を真似るのです。

新しい抗うつ薬がどのようにして，このような作用を可能にするのかをご理解いただくために，先ほどの錠と鍵のたとえを思い出していただければ，と思います。自然な伝達物質は鍵のようなもの，一方，神経の表面上に位置する受容体は錠のようなもの，と考えてください。鍵が錠を開くことができるのは，ひとえにその鍵が錠とぴったり一致する形をしているからです。しかし，かの有名なハリー・フーディニのような奇術師の手にかかればどうでしょう。鍵などなくても，難なく錠は開けられてしまうに違いありません。

抗うつ薬は，製薬会社が製造した偽物の鍵のようなもの，と考えていただければいいでしょう。セロトニン，ノルエピネフリン，及びドーパミンなどの自然な伝達物質の形を立体的にとらえることで，それらとそっくりの形をした，新しい薬を製造することが可能なのです。これらの薬は，神経の表面上にある受容体にぴったり納まり，自然の伝達物質の作用を真似します。脳は，まさか錠に納まっているのが抗うつ薬とは夢にも思わないでしょう——当然，自然な伝達物質が，神経の表面にある受容体に付着しているもの，と騙されてしまうのです。

理論的に言えば，人工の鍵（抗うつ薬）は，受容体に付着した際，次に述べる，2つの作用のうち，いずれか一方を引き起こすとされます。つまり，それによって錠が開くか，それとも実際に錠が開かないまま，鍵穴だけがそれによって塞がれてしまうか，のどちらかです。錠を開ける薬は「作用薬（アゴニスト）」と呼ばれます。作用薬は単に，自然の伝達物質を真似るだけの薬です。一方，鍵穴を塞いでしまう方の薬は，「拮抗薬（アンタゴニスト）」と呼ばれます。拮抗薬は，自然の伝達物質の作用を遮断し，その効果を阻害します。

抗うつ薬が，シナプス前神経及びシナプス後神経上の受容体に及ぼす影響の仕方については，幾つか考えられます。話をよりわかりやすくご理解いただくために，シナプス前神経が使用する伝達物質はセロトニンである，と考えるといいでしょう。とはいえ，あくまで同じことが，他のどの伝達物質にもまったく同様にあてはまることは，ご承知ください。ではここで，再取り込みポンプ上の受容体を遮断したとしたら，はたしてどうなるでしょうか？シナプス前神経は，もはやセロトニンをシナプスから取り込むことができなくなってしまいます。神経が発火するたびに，ますます多くのセロトニンがシナプス領域に放出されるでしょうから，結果的に，シナプスはセロトニンで溢れてしまうことになります。

これこそまさに，現在処方されている抗うつ薬の作用の仕方で

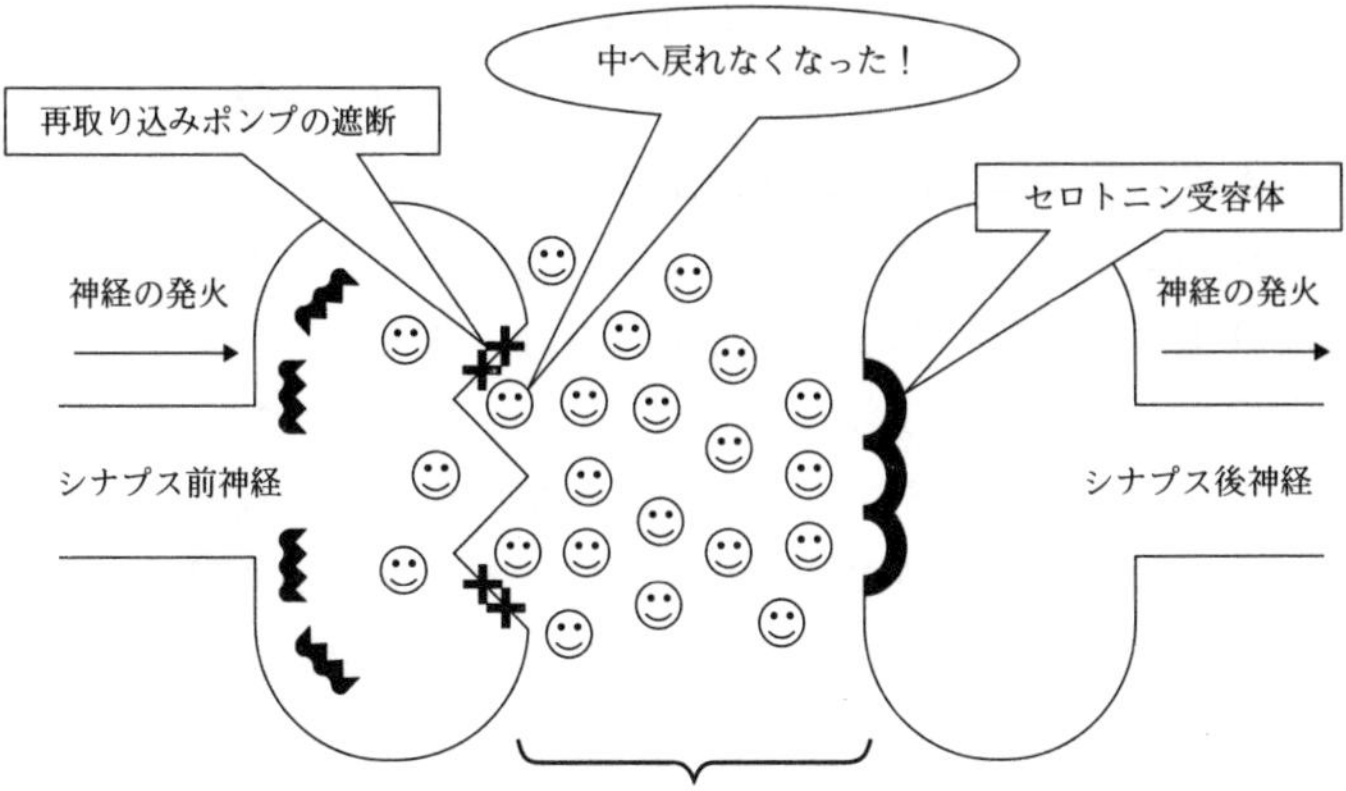

図 17-5 ほとんどの抗うつ薬は再取り込みポンプを遮断するので，セロトニンは神経が発火した後もシナプスに留まる。セロトニンがシナプス間隙に蓄積されるため，シナプス後神経への刺激はより強くなる。

す。図 17-5 をご覧いただくとわかるかと思いますが，抗うつ薬によって，シナプス前神経上にある再取り込みポンプの受容体が遮断されると，シナプス領域には伝達物質がどんどん蓄積されていきます。このプロセスは，最終的に，先ほど説明した，MAO 阻害薬を投与した際と同様の作用をもたらすことになります。これらのどちらの場合にも，シナプス領域におけるセロトニン濃度は上昇していきます。そのため，シナプス前神経が発火すると，通常以上の量のセロトニンが，シナプスを「泳いで」渡り，シナプス後神経を刺激して発火させるのです。またしてもここで，セロトニン系の，いわゆる「ボリュームアップ」が生じることになるのです。

はたしてこれはよいことなのでしょうか？ これこそが，抗うつ薬が気分を改善してくれる仕組みなのでしょうか？ 確かに，この仮説は現在，広く受け入れられていますが，実際のところ，その本当の答えはまだ誰にもわからないのです。

抗うつ薬が異なれば，それによって遮断されるアミンポンプも異なります。また，抗うつ薬によっては，他と比べ，より特効的な作用をもたらすものもあります。アミトリプチリン（トリプタノール）やイミプラミン（トフラニール）などの比較的古くからある「三環系」抗うつ薬は，セロトニンとノルエピネフリンの再取り込みポンプを遮断します（三環系という用語は，三輪車のように「3つの輪」を意味します。これは，これらの薬が，輪のように連なって結合する，3つの原子からなる化学的構造をしていることに因ります）。そのため，三環系の抗うつ薬を服用すると，これらの伝達物質が脳内に蓄積することになります。三環系抗うつ薬のなかには，セロトニンポンプに比較的強く作用する種類もあれば，ノルエピネフリンポンプに比較的強く作用する種類もあります。セロトニンポンプにより強い作用を及ぼす薬は「セロトニン作動性」，ノルエピネフリンポンプにより強く作用する薬は「ノルアドレナリン作動性」と，それぞれ呼ばれます。では，ドーパミンポンプに強く作用する薬は、どのように呼ばれているでしょうか？ そうです，「ドーパミン作動性」です。正解なさった方もいることでしょう！

一方，フルオキセチン（Prozac）など，比較的新しい抗うつ薬のなかには，セロトニンポンプに対して非常に選択的で，特効的な作用を及ぼすという点で，より古い三環系抗うつ薬とは異なるものがあります。先ほどご紹介しました，新しい言葉を使っていえば，Prozacは，「セロトニン作動性」が非常に高い薬である，ということができるでしょう。なぜならば，Prozacを服用すると，脳内にセロトニンが蓄積されるからです。しかしながら，Prozacが遮断するのは，あくまでセロトニンポンプだけですから，ノルエピネフリンやドーパミンなど，他の伝達物質は蓄積されません。このようにProzacは，セロトニンポンプに選択的で，特効的に作用することから，「選択的セロトニン再取り込み阻害薬（略してSSRI)」と呼ばれます。SSRIとは，またしても威圧的な用語ですね。しかし，その意味するところは実に単純です。つまり，SSRIというのは,「この薬はセロトニンポンプだけを遮断し，それ以外のポンプは一切遮断しませんよ」という，意味にすぎないのです。現在米国で処方されているSSRIは，5つです。それらについては，第20章で詳しくご説明することにしましょう。

一方，新しい抗うつ薬のなかには，それほど選択的ではないものもあります。1つの種類に限らず，複数の種類の再取り込みポンプを遮断する，ということです。たとえば，ベンラファキシン(Effexor）は，セロトニンとノルエピネフリンの両方のポンプを遮断します。そのため、この薬は，二重（デュアル）再取り込み阻害薬，と呼ばれてきました。ベンラファキシンを製造している製薬会社は，この薬が1つの伝達物質に限らず，2つの物質（セロトニンとノルエピネフリン）を蓄積し，濃度を上昇させることから，より効果的である，と謳っています。とはいえ，これは，さほど斬新な特性ではありません。先ほどお話しましたように，比較的古い（しかも遥かに安価な）抗うつ薬のほとんどにも，これとまったく同じ特性がみられるのです。加えて，ベンラファキシンが，古い薬よりも，より効果的で，より即効性がある，という証拠はまったくないのです。しかしながら，ベンラファキシンが，より古くからある三環系抗うつ薬の幾つかと比べ，副作用が少ないことは確かです。このことから，高価なベンラファキシンを使うことで，多少，コストがかさむことになっても致し方ない,とされる場合もあるかもしれません。

これまでに，MAO阻害薬と，三環系抗うつ薬やSSRIなどの再取り込みポンプ阻害薬について説明してきました。これらの他にもまだ，抗うつ薬が効果を発揮する仕組みはあるのでしょうか？　もしみなさんが，製薬会社に勤める化学者で，まったく新しい抗うつ薬を開発したいとしたら，どのような作用をその新しい薬に期待されますか？　1つ考えられるのは，シナプス後神経のセロトニン受容体を直接刺激する薬の開発でしょう。このような薬は，自然のセロトニンの作用を真似ることになりますから，一種の模造セロトニン，と申し上げてもいいかもしれません。このような作用をもつ薬としては，たとえば，ブスピロン（BuSpar）があります。この薬は，シナプス後神経の受容体を直接刺激するのです。ブスピロンは，もう随分以前に，初の非常用性抗不安薬として発売されました。この薬には，幾分穏やかな抗うつ作用もあります。しかし，その抗うつ特性も，抗不安特性も特に強力というほどでもないことから，結局，不安やうつ病の治療薬としては，さほど人気が出なかったのです。

なぜブスピロンは，うつ病に，より一層大きな効果を発揮しないのでしょうか？　その答えは，実際のところ，よくわかってはいないのです。ただ，思い出していただきたいのは，脳内には少なくとも15種類もの異なるセロトニン受容体が存在する，ということです。これらの受容体のすべてが，それぞれ異なる機能をもち，しかもそれについてはまだ，完全に理解されているわけではありません。ひょっとしたら，別の種類のセロトニン受容体を刺激する薬になら，より強力な抗うつ作用が期待できるかもしれません。ご察しの通り，脳の仕組みが解明されればされるほど，その研究は，ますます加速的に複雑さを増しているのです。

もしみなさんが製薬会社に勤める化学者であれば，図17-6で理

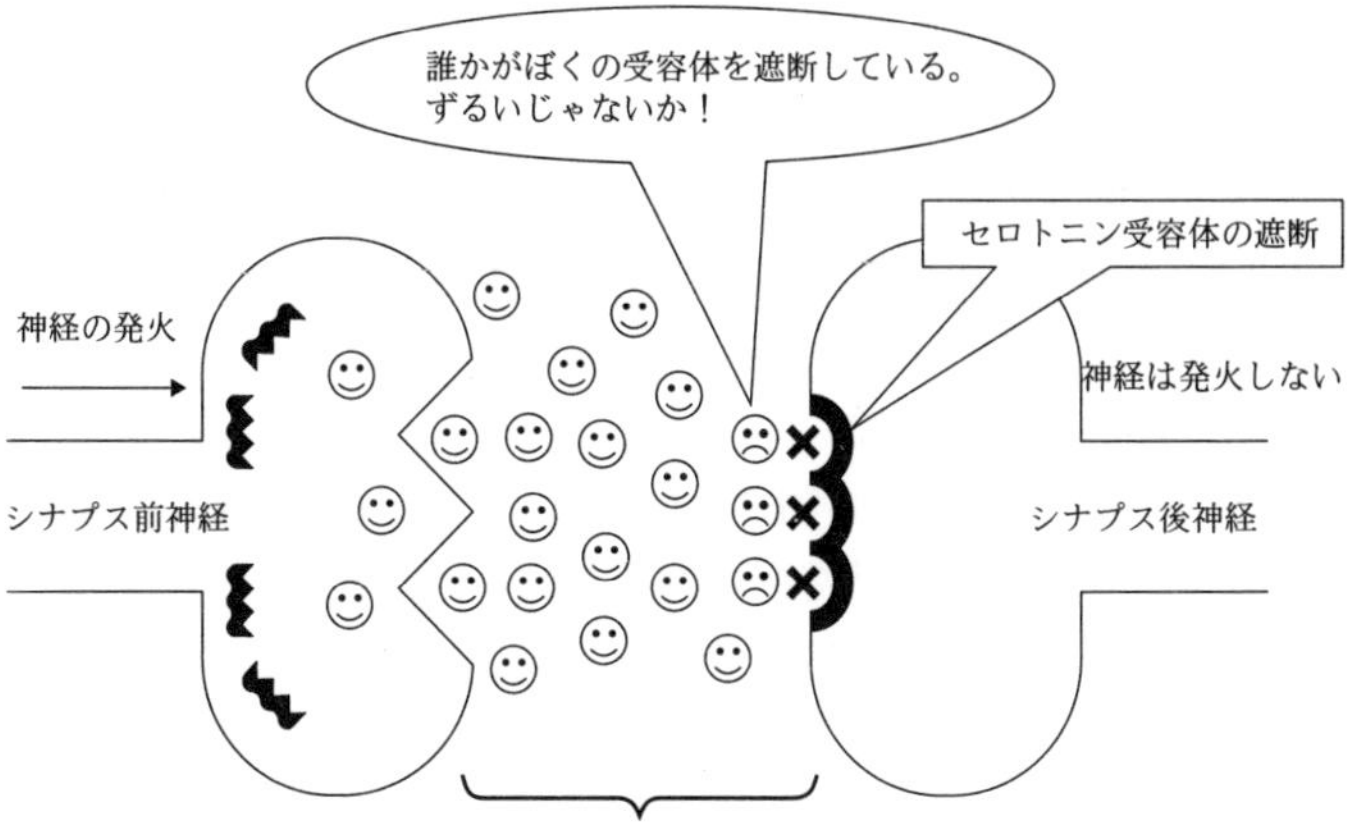

図 17-6 セロトニン拮抗薬がシナプス後神経のセロトニン受容体を遮断する。結果としてシナプス前神経が発火しても，セロトニンはシナプス後神経を刺激することができない。

解いただけるような薬を開発することも可能かもしれません。この図で示されているのは，シナプス後神経のセロトニン受容体を遮断する薬です。この種の薬は，自然のセロトニンのもつ作用を阻害することから，理論的には，うつ病を悪化させると考えられます。セロトニン受容体を遮断する薬は，実際には，既に開発されています。そのうちの 2 つが，ネファゾドン（Serzone）とトラゾドン（デジレル，レスリン）です。これらの薬は,「セロトニン拮抗薬」に分類されていますが，抗うつ薬としても使われています。

薬によっては，シナプス前，シナプス後神経の数種類の受容体に複雑な作用を及ぼすものもあります。たとえば，ミルタザピン（Remeron）がそうです。この薬は，米国で 1996 年以来販売されている新しい抗うつ薬です。ミルタザピンは，シナプス後神経のセロトニン受容体を刺激するように思われますが，シナプス前神経上にあり，ノルエピネフリンを伝達物質として使用する受容体も刺激するのです。これによって，これらの神経から放出されるノルエピネフリンが増加します。したがって，ミルタザピンを服用するとセロトニン系が弱められ，逆にノルエピネフリン系が強められることになるのです。

これら，ネファゾドン，トラゾドン，及びミルタザピンの抗うつ作用は，セロトニン仮説から予想される作用とは，まさに正反対です。セロトニン系を弱めるにもかかわらず，抗うつ薬であるというのは，いったいどういうことでしょうか？ どうも複雑でよくわからなくなってきたという方，実は私たちもそう，お仲間です！ 脳内にはさまざまな種類の受容体が存在し，そのそれぞれがすべて異なる作用をする，と申し上げたことを覚えているでしょうか。しかも，脳内のさまざまな回路間では，複雑で数多くの相互作用が相当なスピードで起こっていることも，忘れないでください。脳内のある領域における神経系統の１つを動揺させると，脳内の他の領域にある，数億にのぼる他の神経にも瞬時に変化を及ぼすことになるのです。詰まるところ，たとえ世界のトップクラスの神経学者といえども，これらの薬が，なぜ，またいかにしてうつ病に効果を発揮するのか，明確に理解しているわけではない，と申し上げてもいいかもしれません。

要するに，現在処方されている抗うつ薬のほとんどは，セロトニン，ノルエピネフリン，もしくはドーパミンの系統のいずれかに作用する，ということです。１つの伝達物質系にのみ，非常に選択的に作用する抗うつ薬もあれば，多くの伝達物質系に作用するものもあります。しかし，ではなぜ，現在処方されている抗うつ薬が，これら３つの神経伝達系統に及ぼす作用が有効なのか，ということになると，十分に一貫した，説得力のある説明がまだないのが実状です。たとえば，抗うつ薬のなかには，セロトニン濃度を引き上げるものもあれば，セロトニン受容体を遮断するものもあります。さらには，セロトニンには一切，何の作用も及ぼさないものあることを説明しました。しかし，これらはいずれも，ほぼ等しく有効なのです。図 17-4 から図 17-6 に描かれている模式図が，極端に簡略されたものであることは明らかですし，抗うつ薬の作用を巡って現在唱えられている仮説といえども，せいぜいよくて，不完全なものにすぎない，といわざるを得ないでしょう。

私は何も，必要以上に否定的に申し上げるつもりはありませんし，現在処方されている抗うつ薬の有効性に異議を唱えようとしているわけでもありません。ただ，現在，これらの薬の作用を巡って唱えられている仮説で，すべての事実を説明しきれるわけではないということ，これだけは心に留めておいていただきたいのです。

幸いにも，神経科学研究者のほとんどの方々は，この事実を認めています。研究の焦点は，大きく広がりつつあります。何がしかの生体アミン濃度に的を絞るのではなく，脳内全体に及ぶ調節の仕組みに着目した幅広い研究戦略が採られてきていますし，新しい仮説も生まれています。これらの新しい仮説のなかには，脳内の他の伝達物質や，シナプス前・後神経のさまざまな受容体，神経内部の「第二伝達物質」，もしくは神経膜を通過するイオン流入を扱ったものもあります。さらには，神経内分泌系，免疫系，及び生体リズム障害などに関連する理論もあります。現在のような，広範囲に目を向けた研究によってこそ，脳が気分を調節する仕組みの解明は，大きく飛躍の一歩を遂げることができる，と私は確信します。

脳の研究は，現在驚くべきスピードで高度化しています。今後 10 年に，その進展はさらに一層速度を増すことでしょう。こうした研究によって，次の点での進展が見られることを期待します：

- うつ病の原因となる化学的なバランスの崩れを測るための臨床試験（あくまで，そのような崩れが存在する，という仮定）
- うつ病や躁うつ病に罹りやすいことを裏づける，遺伝子の異常を突き止める試験
- 副作用がより少なく，安全性の高い薬——第 20 章で，詳しくご説明したいと思いますが，この分野では既に，著しい進展が見られています
- より効果的で，即効的な薬と心理療法
- いったん回復したうつ病の再発を，完全に，あるいは最小限にとどめる薬，または心理療法

現在の私たちの理解が，まだ初歩的段階にとどまっていることは事実でしょう。しかし重大な研究は，既にその帆を揚げ，前進し始めています。いつか，これらの研究の成果が，謎の「黒胆汁」の存在を突き止める日が訪れるかもしれません。

第 18 章　心と身体の問題

フランス人哲学者，ルネ・デカルトの時代以来ずっと，「心と身体の問題」は，学者らの頭を悩ましてきました。これは，人として，私たちには少なくとも 2 つの分離した存在レベル——心と身体——がある，という考え方です。私たちの心は，思考と情緒から成り，これらは目に見えない微妙なものです。これらが存在するということがわかるのは，私たちがそれを経験するからですが，では，なぜ，または，どのようにしてこれらは存在しているのかというと，それはわからないのです。

対照的に，私たちの身体は組織——血液，骨，筋肉，脂肪など——から成っています。組織は究極的に分子から成り，分子は究極的に原子で成り立っています。これらの基礎的要素は，活動性をもたず——おそらく原子には，意識は一切存在していないのではないか，と思います。では，脳のなかのこのような不活発な組織は，いったいどのようにして私たちの意識的な心を起こすもととなり，しかもその心は，ものを見，感じ，聞き，愛し，そして嫌うことが可能なのでしょうか？

デカルトによれば，私たちの心と身体は何らかの形で結びついているに違いない，とされます。デカルトは，脳のなかのこれら 2 つの実体を結びつけている部分を「魂の場」と呼びました。何世紀にも亙り，哲学者は，この「魂の場」の所在を突き止めようとしてきたのです。近代では，神経学者らによって，私たちの脳が情緒や意識的思考を生み出す仕組みを明らかにしよう，試されるなか，この探求が続けられています。

心と身体は別々に分離しているに違いない，とする考えは，うつ病を始めとする問題の治療にも反映されています。「身体」に対しては生物学的治療を，「心」には心理学的治療を処方する，というようにです。通常，生物学的治療では，薬が用いられます。一方，心理学的治療では，何らかの形式の対話療法が行なわれるのが普通です。

「薬物療法」と「対話療法」，両陣営の間では，しばしば激烈な競争となることがあります。概して，精神科医は薬物療法側に立つことが多いようですが，これは，精神科医が最初にまず，内科医（M.D.s）としての訓練を受けることに因ります。彼らは，薬を処方することが可能ですから，医学的な診断治療の影響を強く受けるものと思われます。したがって，うつ状態に陥り，精神科医にかかった場合，その原因は，脳内の化学的なバランスの崩れにあるとされ，抗うつ薬による治療が勧められる可能性が高いでしょう。また，家庭医にうつ病の治療を求めた場合も同様で，やはり薬物療法を処方されることは大いに考えられ得ます。これは，心理療法の訓練を受けていない家庭医が多く，しかも，患者と生活上の問題について話をする時間的余裕がほとんどないことが原因です。

対照的に，心理学者，臨床ソーシャルワーカー，及びその他のタイプのカウンセラーは，対話療法側に立つ場合が高いように思われます。彼らは，医学的訓練を受けていませんから，薬を処方することはできません[2)]。通常，彼らが受けるのは，うつ病を引き起こすことが考えられ得る，精神学的，社会的要因に，より焦点を置いた教育だからです。したがって，うつ状態に陥った人が，対話療法側に立つセラピストに治療を求めた場合，当人が受けてきた養育のあり方，ものの考え方，もしくは失恋や失業といった大きな精神的ストレスをもたらす出来事に焦点が置かれる可能性が大きいと考えられます。認知行動療法などの心理療法が，セラピストから勧められることもあるでしょう。とはいえ，以上申し上げたことは，あくまで一般論ですから，これには当然，多くの例外が存在します。非医学的セラピストのなかにも，うつ病の発生に際して，生物学的要因がある一定の役割をはたしていることを確信している人は大勢いますし，精神科医で，しかも心理療法士としての才能に長けている人も，決して少なくないのです。また，患者さんが両タイプの治療からそれぞれ利益を得られるよう，精神科医と非医学的セラピストがチームを組み，一緒に治療にあたることもときどきあります。

にもかかわらず，心（心理学），身体（生物学），両学派間の分裂は著しく，両者間の話し合いはしばしば激烈で，喧々《けんけん》囂々《ごうごう》の激論と化します。このような議論の風潮には，時として，科学的な発見結果以上に，政治的，経済的思惑が大きく絡んでいることがあるように思われます。最近の研究のなかには，このような議論をしたところで結局，空騒ぎとなるにすぎず，心と脳の二分法など実体のないものであることを窺がわせるものもあります。これらの研究は，抗うつ薬と心理療法が，私たちの心と脳に同様の影響を与える可能性——言い換えると，両者は同様に作用するということ——を示しているのです。

たとえば，1992 年にアーカイヴス・オブ・ジェネラルサイカイアトリー誌に発表された古典的研究で，ルイス・R・バクスター・ジュニア博士，ジェフリー・M・シュワルツ博士，ケネス・S・バーグマン博士及び UCLA 医学校の彼らの同僚たちは，強迫性障害（OCD）の患者さん 18 人について，脳の化学的作用における変化を調査しました。これらの患者さんの半数には，認知行動療法（薬は一切なし）による治療，残りの半数には抗うつ薬（心理療法は一切なし）による治療が行なわれました[3]。薬なしの患者さん群に対しては，2つの主な要素から成る，個人心理療法とグループ療法を行ないました。第1の要素は，暴露と反応防止でした。これは行動療法技能の1つで，施錠確認や繰り返し手を洗う，といった自らの衝動的欲求を抑え，応じないよう，患者に働きかけることなどが含まれます。第2の要素は，本書で述べられている概略に沿った認知療法でした。ここで覚えておいていただきたいのは，このグループの患者は，一切，何の薬物療法も受けてはいない，ということです。

この研究では，薬物療法，もしくは心理療法のいずれかによる治療の前後10週間に，さまざまな脳の部位における糖（ブドウ糖）の代謝率を調べるために，PETスキャン（陽電子放射断層撮影法）が用いられました。これは，脳のさまざまな領域における神経の活動を査定する脳走査の手法です。これらの研究者が特に着目したのは，脳の右半分の尾状核という部分でした。

2つの治療法は，両方とも効果がありました——いずれのグループの患者さんも，その大多数が症状が改善し，2つの治療方法にこれといって重要な違いは一切認められなかったのです。これは別に驚くべき結果ではありませんでした。なぜなら，薬と，認知行動的な心理療法が，OCDの治療において同様の効果をもたらすことは，当研究以前にも既に報告されていたからです。一方，PET調査の結果は，かなり驚くべきものでした。心理療法なしの薬による治療か，それとも薬なしの心理療法による治療か，いずれの治療法を受けたかにかかわらず，治療の効果があった患者さん双方の，右尾状核の活動に，類似の低下が認められたことが報告されたのです。それに加え，2つのグループの症状と思考パターンにおける改善の程度もほぼ同等で——どちらか一方の治療法が他方よりも勝っている，ということもありませんでした。そして，最終的な症状の改善を総計してみたところ，右尾状核の変化と，これらの改善の間には，その程度に重要な相互関係があることがわかったのです。別の言い方をすれば，最も症状が改善した患者さんの右尾状核における脳の活動が，最も大きく低下していた，ということです。薬かそれとも心理療法か，いずれの治療法を受けたかにかかわらず，脳の活動が低下したということは，その領域の脳の神経が落ち着き，安定したということです。

この研究から窺がえることは，第1に，強迫性障害の発症，もしくは継続には，右尾状核における過度の活動が，何らかの形でかかわっている可能性がある，ということです。第2に，脳の構造と機能を正常に戻すうえで，抗うつ薬と認知行動療法は，等しく効果的といえるかもしれない，ということです。

発表されている研究のほとんどがそうですが，本研究にも幾つか，かなり重要な欠点があります。まず1つ，特定の精神病障害において，たとえどのような脳の変化が認められようとも，それが真の因果的効果ではなく，単なる「下流効果」の表れにすぎない可能性は免れない，ということです。別の言い方をすると，強迫性障害の患者さんの右尾状核における神経の活動性が増したとしても，それは単に，脳全体に及ぶ有害ストレスのより一般的なパターンを反映しているだけかもしれず，先述したような症状の原因ではないかもしれないのです。

さらにもう1つ，研究の対象とされた患者さんの数が，極めて少なかった，ということが挙げられます。しかも，その一方で，脳の部位に関しては，相当な数に亙って調査が行われたことから，ひょっとしたら――かなりの確率で――これらの発見結果が，単なる偶然だった，という可能性も否定できないのです。この可能性は，抗うつ薬による治療を受けた患者さんの脳の活動について，研究者らからさまざまな活動パターンが報告されている，という事実とも一致します。これはどのような研究結果についてもいえることですが，それが正当と認められるためには，まずその前に，当該の研究者らとは関係ない，独立した他の研究者らによって，より多くの患者さんについてその結果が再現される必要があるのも，だからこそなのです。こうした問題があるとはいえ，バクスター博士と，その同僚による報告は，この種のものとしては，これが最初のものでしたし，これによって，脳の機能と感情に対し，薬と心理療法がどのように影響し得るのか，という問題を巡り，新しいタイプの，重要な統合的研究に向け，新たな扉が開かれることになるかもしれません。

抗うつ薬が，うつ病の患者さんに対し，その否定的な思考パターンを変えるのを助けることにより，実際有効に作用する，という可能性については，他の研究者らからも既に指摘されています。たとえば，セントルイス・ワシントン大学医学校では，アン・D・シモンズ博士，ソル・L・ガーフィールド博士，及びジョージ・E・マーフィー博士によって，抗うつ薬のみによる治療と認知療法のみによる治療のいずれか一方を，無作為にうつ病の患者さんに割り当てる，という研究が行なわれました。こうして，両患者グループにおける否定的思考パターンの変化を調査したのです。その結果，抗うつ薬の効果があった患者さんと，認知療法で効果が認められた患者さん，双方の否定的思考パターンの改善に差が見られないことが明らかになりました[4)]。ここで思い出していただきたいのは，薬物療法を受けた側の患者さんは心理療法は一切受けておらず，逆に，認知的治療を受けた側の患者さんは薬物療法については一切受けていない，ということです。したがって，この研究から明らかなことは，患者さんの否定的思考パターンを変えるうえで，抗うつ薬が認知的治療とほぼ同様の作用をする，ということです。抗うつ薬が人のものの見方や思考に対して及ぼす作用は，これらの薬が脳のなかのさまざまな伝達系に及ぼす作用についての生物学的説明と，まったく同じくらい，むしろそれ以上に，その影響をよく説明している，といえるかもしれません。

これらの注目すべき研究は，「心と身体」を分離してとらえる見方を改め，それぞれに対する異なる治療方法が，いかにして互いに関係しあって，心と脳に作用しているか，ということについて考え始める時期にきていることを示唆しています。結合的アプローチによって，日頃互いに違う角度から問題に接しているセラピストと研究者間の共同作業の重要性について，自覚が高まり，感情障害の理解により迅速な進展をもたらすことができるかもしれません。実際，うつ病のうち少なくとも幾つかについては，何らかのタイプの遺伝的もしくは生物学的障害が含まれていることがあるとしても，心理療法が薬物療法を交えずとも，これらの問題の改善にしばしば効果を発揮することは確かです。身体的な症状があり，いかにも「生物学的」原因がうつ状態を招いている，と思われる重症のうつ病患者さんに対し，薬は一切用いず，認知療法のみでしばしば，迅速な効果が表れることは，私自身の臨床経験だけでなく，多くの研究者らによっても確かめられています[5)]。しかもこのような心理学的治療は，また別の形式で，その効果を発揮することもあるのです。私はこれまで，数多くの心理療法的介入を試みてみたものの，依然として行き詰まったまま，にっちもさっちもいかなくなっている，多くのうつ病の患者さんに取り組んできました。ところが，これらの患者さん方に抗うつ薬を処方すると，その多くが峠を越え始めると共に，それまで効果がなかった心理療法にも成果が表れ始めるのです。それはまるで，うつ病からの回復において，薬が本当にその効果を発揮するのは，それが否定的思考パターンの改変に効を奏すからであるかのようでした。

うつ病が遺伝するとしたら，それは薬による治療は望ましくない，ということではないのでしょうか？

第17章では，躁病以外の，比較的一般的なうつ病の形態において，遺伝的影響がどれほど強力であるかは，現在のところまだ明らかにされていない，ということをお話しました。では仮に，結局，うつ病のほとんどすべての形態が，少なくとも部分的に遺伝されることが明らかになったとしたらどうでしょうか，想像してみてください。それは，薬によるうつ病治療は，行なうべきではない，ということを意味するのでしょうか？

答えは――必ずしもそうとはいえないのです。たとえば，血液恐怖症について考えてみましょう。これは，少なくとも部分的に遺伝的影響によるものである，と考えられていますが，ほとんど必ずといっていいほど，行動療法によって迅速に，しかも容易に治療することができるのです。通常，恐怖症に対しては，当人を恐怖の状況に晒し，それに真っ向から対峙するなか，恐怖が徐々に弱まり，やがて消えていくまでじっとその不安に耐えているよう，患者さんに強く促す，という治療方法が選択されます。たいていの患者さんが，そのあまりの恐怖に，最初はこの治療法に抵抗しますが，それでもなお踏みとどまるよう本人を説得させることができれば，成功率は格段に上昇します。

これについては，私自身の経験から，身をもって証明することができます。私は，子供の頃から血を恐れていました。あれは，医学校でお互いに相手の腕から血液を採ることになった際のことでした。私はどうにもやる気になれず，結局，その時は医学校から逃げ出してしまったのです。その翌年，私は自分の恐怖を克服すべく，スタンフォード大学病院の臨床試験所で働く決意をしました。そこで私に与えられた仕事はただ1つ，人の腕から血液を採取することのみ。私は，1日中ひたすらそればかりをしなければならなかったのです。さすがに最初の数回は，血液を採取しなければならない，ということに不安になったものでしたが，そのような不安に陥ったのも最初のうちだけ，それさえ越えれば，あとはもう慣れてしまいました。それどころか，たちまち私は，自分のこの新たな仕事の虜になってしまったのです。私のこの経験は，遺伝的傾向のなかにも，少なくとも幾つかは，薬を用いずに行動療法で効果があるものがある，ということを示しています。

では次に，もっとずっと身近な例について見ていくことにしましょう。私たちは誰もがみな，ある特定のタイプの肉体をもつ傾向を受け継いでいます。大きい体格の傾向をもつ人もいれば，比較的小さな体格の傾向をもつ人もいます。しかし，大人になったときに，実際，私たちがどのようなタイプの肉体をもつことになるか，ということには，日常の食事や習慣が非常に大きくかかわっています。プロのボディビルダーのなかには，子供の頃，ガリガリに痩せていて，自分の容姿を恥じていた，という人が大勢います。幼い頃のこの思いが，彼らをジムへ通わせ，自らの身体を鍛え上げるように駆りたてる動機となるのです。そして，その激しい努力が，彼らの多くをチャンピオンにしたのです。彼らの遺伝子は，確かに彼らがもって生まれたものに多大な影響を与えたかもしれません。しかし，その最終的な結末を決定したのは，彼らの行動と決意だったのです。

一方，その逆もまた，確かです。うつ病の原因は全面的に環境にあり，遺伝的影響は皆無であることが明らかになったとしたら，抗うつ薬の潜在的価値は縮小することになるでしょう。たとえば，連鎖球菌性細菌は非常に伝染力が高いため，敗血性咽頭炎の人と接触すると，自分も敗血性咽頭炎になる可能性があります。この場合，自分の敗血性咽頭炎の原因は，ほぼ全面的に環境的なものであり，遺伝的なものではない，ということができます。にもかかわらず，この場合もやはり，抗生物質による治療が行なわれることにかわりはなく，行動療法によってではないのです！

双極性躁うつ病について考えた場合，その答えは，歴然です。この障害には，極めて強力な生物学的要因が関係しているように思われますが，ではその原因とは何か，というと，まだ正確にはわかっていません。にもかかわらず，リチウムやバルプロ酸（デパケン）などの気分安定薬を用いた治療が必須とされているのです。うつ病や重度の躁発作の最中には，これ以外の薬が用いられることもあるでしょう。しかしながら，双極性疾患の治療においては，優れた心理療法もまた，大きな貢献をします。私の経験では，リチウムやバルプロ酸などの薬に組み合わせて，認知療法を併用すると，認知療法だけの場合と比べ，飛躍的にその効果が増したのです。

実際的な観点から，私が臨床家として現在直面しているのは，次の疑問です。うつ病で苦しんでいる患者さんそれぞれに対し，その原因の如何にかかわらず，私はどうしたら最善の治療を行なうことができるのでしょうか？ 遺伝子が何らかの役割を果たしているかどうかはともかく，時として，薬が有効性を発揮することも，心理療法が効を奏すこともあります。また，心理療法と抗うつ薬の組み合わせが最善の方法であると思われることも，やはりあるのです。

薬か，もしくは
心理療法による治療のほうが
いいのでしょうか？

抗うつ薬による治療と，認知療法による治療，それぞれの効果については，これまで多くの研究によって比較されてきました[5-8]。概して，これらの研究は，治療の急性期，つまり患者さんが最初にうつ病の治療を求めた時期に，どちらの治療も共に十分，有効に作用するように思われることを示しています。しかし，いったん症状が回復すると，その状勢は少々異なってきます。幾つかの長期的研究から，認知療法を単独で，もしくは抗うつ薬治療と組み合わせて受けている患者さんの方が，抗うつ薬による薬物療法のみで，心理療法は一切受けていない患者さんと比べ，うつ状態を再発することもなく，より長く小康状態を保っていられることが窺がえるのです[5]。これはおそらく，認知的な治療を受けた患者さんは，将来たとえどのような気分障害を経験しようとも，対処できるよう，有効な対抗手段を多数，身につけたからでしょう。

薬と心理療法，双方の有効性を対比した，最近の研究について，より詳しくお知りになりたい方は，ネバダ大学のデイヴィッド・O・アントヌッチオ博士，ウィリアム・G・ダントン博士の両氏，及びクリーヴランドクリニックのガーランド・Y・ドネルスキー博士による，当問題をめぐるすばらしい論文を参照されるとよいでしょう[5]。彼らは，うつ病に対する心理療法と薬物療法，双方の有効性を対比した，世界的な研究文献を再検討し，これら２つの治療法について，一般的見解とは著しく異なる，かなり驚くべき結論を打ち出しました。うつ病の治療において，認知療法は，薬物療法と比べ，より効果的とまではいかずとも，少なくとも同等の有効性を発揮するように思われる，というのが，彼らの主張です。そして，疲労や性的関心の喪失など，多くの身体的な２次症状を伴うことから「生物学的なもの」と思われる，重症のうつ病についても，これはあてはまる，と結論します。と同時に，この論文では，製薬会社が，新しい抗うつ薬をテストする際に用いる手法についても疑問を投げかけています。この学究的で，挑発的ともいえる論文は，実に明解ですので，興味のある方は，是非ご参照ください。

私は自分自身の臨床経験から，薬のみを用いた純粋な「試験管治療」は，多くの患者にとって何の解決策にもならない，と確信してきました。たとえ運よく，抗うつ薬療法が効いたとしても，効果的な心理学的介入には，それなりの重大な役割があるように思われます。本書でご説明したような認知療法の自助技法を習得すれば，将来，たとえどのような気分障害が再び襲ってきても，きっと，よりよい準備をもって迎え撃つことができるでしょう。

私はこれまで常に，融合的アプローチに基づいて，自らの臨床業務を行なってきました。フィラデルフィアの私のクリニックでは，60％近くの患者さんが，薬は一切なしの認知療法を受け，40％近くの患者さんが，認知療法に抗うつ薬を併用した，混合治療を受けています。どちらのグループの患者さんも，経過は良好であることから，両タイプの治療手段は共に価値がある，と私たちは感じています。私たちのクリニックでは，患者さんを，心理療法は一切なしで薬のみで治療することはしません。なぜならば，この種のアプローチで，これまで満足いった試しがなかったからです。

ある特定のタイプのうつ病に対しては，治療プログラムを助けるために，適切な抗うつ薬を補足することで，純理論的な自助プログラムも，より抵抗なく受け入れられるようになり，治療を大幅にスピードアップすることができるかもしれません。先にもご説明しましたが，今私の頭に思い浮かぶのは，抗うつ薬を服用したとたん，非論理的で歪んだ否定的な思考について，より迅速に「心を改めた」ように見えた，多くのうつ病の患者さんの姿です。私自身の哲学とは――いかなるものであろうと，十分に安全で，みなさんの役に立つであろう手段こそを，私は求めたい！――ということです。

自分が受ける治療のタイプについて，自分自身はどのように感じているか，ということは，おそらくその結果に重要な意味をもつ，と私は信じています。たとえば，どちらかというと生物学的志向が強い人には，薬物治療のほうが，経過が良好かもしれません。逆に，心理学的志向が強い人には，心理療法のほうが良好な経過が得られるかもしれません。セラピストとの見解の不一致が原因で，自信を失い，治療に抵抗を覚えることもあるでしょうし，そのせいでせっかくの成功のチャンスが半減してしまうことにもなりかねません。また，治療の意図をよく理解できれば，希望も膨らみ，医師に対しても信頼と確信をより強く感じることができるでしょう。その結果，好ましい成果が生まれるチャンスも大きくなるでしょう。

また，ある種の否定的な姿勢や非論理的思考が，適切な薬物治療や心理療法的治療の妨げとなり得る例も目の当たりにしてきました。そこで今回，12 の有害な社会神話を一同にご紹介し，その実体を露にしていきたいと思います。最初の 8 つは，薬物治療に関するもの，後の 4 つは心理療法に関するものです。薬物療法については，どの薬を服用する際にも，きちんとした注意が十分与えられるに違いないと思いますが，生半可な真実に基づき，あまりに保守的になりすぎるのも，やはり同じくらい危険でしょう。これは心理療法についても同様です。ほどほどに疑い，ほどほどに警戒すべきかもしれません。かといって，悲観的すぎるのもやはり，せっかくの効果的な治療の妨げになるのです。

社会神話 No.1 「もしこの薬を飲んだら，本当の自分ではなくなってしまうんじゃないでしょうか。妙な行動を取り，異様な気分に襲われるのではないでしょうか」

これほど真実からかけ離れたものは，他にあり得ないでしょう。抗うつ薬によって，憂うつな気持ちを取り除くことはできるでしょうが，だからといってそのせいで，異常なまでに気分が高揚するなどということは，通常考えられませんし，稀なケースを除いて，異様，奇妙，または「ハイ」な気分になるということもありません。それどころかむしろ，抗うつ薬療法を受けた後のほうが，遥かに自分らしく感じる，と多くの患者さんが報告されています。

社会神話 No.2 「これらの薬は極めて危険である」

これも間違い。医学的な管理のもと，医師に協力的な姿勢をとっている限り，ほとんどの抗うつ薬を恐れる理由はないでしょう。有害反応が生じることはまれですし，実際生じたとしても，医師と一丸となって取り組んでいれば，たいてい安全で，効果的に対処できるはずです。抗うつ薬のほうが，うつ病それ自体よりも遥かに安全なのです。何といっても，うつ病というのは，治療されないままに放置されると――自殺という手段で――人の命を奪いかねない病なのですからね！

しかし，かといって抗うつ薬に対し，独り善がりに手放しで安心していていいか，というと，そうではありません――これについては，アスピリンも含め，どの薬についてもいえることです。さまざまな種類の抗うつ薬と気分安定薬の副作用と中毒作用については，この後の数章で学んでいくことにしましょう。現在，これらの薬の1つ，ないし2つ以上を服用していらっしゃる方は，本書の第20章をお読みになり，自ら学んでください。決して難しくはないはずですし，情報を得ることで，医師に処方された抗うつ薬を，より一層安全で，効果的に活かすことできるでしょう。

社会神話No.3　「でも，副作用は耐えがたいのではないでしょうか」

そのようなことはありません。副作用といっても，軽いものですし，1回の服用量を適切に調整することで，ほとんど自覚がないほど抑えることもできます。このように調整してみても，それでもまだどうしてもその薬に対し不快感が拭えない，という場合には，たいてい効果は同じくらいで，副作用の少ない別の薬に切り替えることが可能です。

いいですか，もう一度確認しておきますが，うつ病は治療しないままに放置しておくと，それ自体，実にさまざまな「副作用」をもたらすということを忘れないでください。倦怠感，食欲不振，睡眠障害，やる気やエネルギーの低下，性に対する興味の喪失など，いずれもそうです。抗うつ薬に対して好意的な姿勢で臨むことで，これらの「副作用」もたいてい消すことができるでしょう。

社会神話No.4　「でも，コントロールを失ったら，きっと，逆にこれらの薬を利用して自殺を図ろうとするに違いないわ」

確かに，抗うつ薬のなかには，一度に過剰に摂取したり，ある特定の他の薬と一緒に服用すると，死に至る危険性があるものもあります。しかし，何か気にかかることがある場合には，医師とよく話し合うようにすることで，この問題もあえて取り上げる必要はないでしょう。自殺観念に強く駆られる，という方は，一度にもらう量を数日分，もしくは1週間分以内にとどめるようにしてみるのもいいかもしれません。そうすれば，手元に致死量がある，という事態は避けられるでしょう。また，最近では，たまたまうっかりして，または故意に過剰に服用してしまった場合でも，従来のものと比べ，遥かに安全な新しい抗うつ薬も出てきていますから，そのような薬を使うという方法もあります。大丈夫ですよ，薬が効果を発揮してくるにつれ，そのような自殺観念も下火になってくるはずですからね。むしろ，自殺衝動がまったく消えてなくなるまで，外来か入院かの，いずれかの形でセラピストと頻繁に会い，集中的に治療を受けるほうが得策ではないでしょうか。

社会神話 №5 「ホームレスの麻薬常習者のように，薬に病みつきになり，依存的することになりはしないでしょうか。薬をやめようとすると，精神的にちりぢりに乱れ，結局，この杖を永遠に手放せなくなるんじゃないでしょうか」

これもやっぱり，誤り。睡眠薬，アヘン薬，バルビツール，そして抗不安薬（ベンゾジアゼピン）などとは異なり，抗うつ薬の依存性は極めて低いのです。実際，いったん薬が効いてきたら，その抗うつ薬の効果を維持するためにさらに服用量を増やす必要はありません。先にお話しましたように，認知療法技法を学び，再発防止に焦点を当てていくことで，薬を中止しても，再びうつ病がぶり返すことは，ほとんどありません。

薬をやめるべきときになったら，1週間，もしくは2週間以上かけて，徐々に量を減らし，段階的にやめていくのが賢明です。このようにすれば，突然薬を廃止することで生じる恐れがある，あらゆる不快感を和らげることができるでしょうし，再発が本格的になる前にその芽を摘み取り，防止する助けにもなると思います。

現在では，何度も再発を繰り返す重症のうつ病の患者さんに対して，多くの医師が，長期薬物療法を主唱しています。いったん回復した後も，さらに 1，2 年以上に亘り抗うつ薬を服用することで，予防効果が得られることが時折，あるからです。長年，うつ病の再発に悩んできた方にとっては，これは賢明な一歩となるかもしれません。しかし，これには，抗うつ薬が中毒になることは**決してない**，と納得し，安心することが必要です。私は，長年に亘り治療に携わってきましたが，実際，1 年以上抗うつ薬を手放すことができなかった患者さんは，本当にごくごくわずか，一握りでした。ましてや，無期限に抗うつ薬を服用しつづけた，という方はほぼ皆無でした。

社会神話 No.6「精神病の薬なんか飲んだら，自分は狂っている，ということを認めてしまうことになります。だから，絶対に飲むつもりはありません」

これは極めて誤解を招きやすい考え方です。抗うつ薬は，うつ病に対して処方されるものであり，「気が狂っている」からではありません。医師が抗うつ薬の服用を勧めたとしたら，それは，あなたに気分障害が認められることを確信した，ということです。あなたの気が狂っている，と考えてのことでは**決してない**のです。にもかかわらず，そう考え，抗うつ薬をや闇雲に拒んだとしたら，それこそあなたは，**どうかしている**，と言われても仕方ありません。なぜなら，それは自ら，より大きな悲劇と苦しみを招くことになるかもしれないからです。逆説的に思われるかもしれませんが，薬の力を借りたほうが，より迅速に，正常な気持ちになれることでしょう。

社会神話 No.7「でも，抗うつ薬なんか飲んだら，他の人から見下したような目で見られるんじゃないでしょうか。劣った奴だ，と思われるに違いありません」

このような懸念は，非現実的です。実際，薬を服用していても，それを口に出さない限り，他の人々に知られることはないでしょう――あなた自身の口から聞く以外，他に知りようがありませんからね。むしろ，あなたの口からそのことを打ち明けたほうが，周りの人々は安心してくれるのではないでしょうか。あなたは，自分の辛い気分障害を取り除くためによいことをしようとしているのですから，あなたのことを心配してくれている人なら，今まで以上に，あなたを大切に考えてくれるようになるでしょう。

もちろん，薬を服用することの是非については，他人から質問されることもあるでしょうし，ひょっとしたら，あなたの決断に異議を唱えられることもあるかもしれません。でもそれこそ，第6章でご紹介した方針にそって，そのような反対や批判の声への対応を習得していく絶好の機会かもしれません。いずれにせよ自分自身を信じ，自分のすることに対して他人がどういう態度を取るか，賛成してくれるんだろうか，批判されはしないだろうか，といちいちビクビクして，身動きが取れなくなる恐怖になど断固屈しまい，と決意しなければない日が訪れるのです。

社会神話 No.8 「薬を飲まなくてはならないなんて，屈辱的です。薬なんかに頼らなくても，自分自身の力でうつ病を克服できます」

世界中で行なわれた気分障害についての調査は，本書でその概略をご説明したタイプの，積極的で，構造的な自己プログラムに取り組むことで，多くの個人が回復できることをはっきり示しています[5, 9-13]。

しかしながら，心理療法がすべての人に有効なわけではない，ということ，うつ病の患者さんのなかには，抗うつ薬の助けを借りたほうが，迅速な回復を期待できる人もいる，ということも明らかです。加えて，先にもお話しましたように，抗うつ薬が当人の自助努力を促進し，よりスムーズに進んでいけるようになるケースも多いのです。

薬に頼らず，自分自身の力で何とかしなければならない，と断固譲らず，暗い気持ちで，いつまでもあてどなくさ迷い，苦しんでいることに本当に意味があるのでしょうか。薬の後ろ盾があるかないかにかかわらず――自分自身で何とかしようとする気持ちが必要なことは確かです。でも，より生産的に敵に対処していくためには，最初は，ほんのちょっと優位な立場でスタートを切ることが必要です。抗うつ薬は，そのための拍車を掛けてくれます。その後の自然な回復を促す，弾みを与えてくれるのです。

社会神話No.9　「それはそれは，酷いうつ病で，圧倒されそうなんです。もう薬しか，救い道はないんじゃないでしょうか」

薬と心理療法には，共に重症のうつ病治療に貢献する点がたくさんあります。しかし，薬が効果を発揮してくれるがままに任せるような，受身の姿勢は浅はかといえないでしょうか。薬を併用しているかどうかにかかわらず，自分自身のために何か，自分のできることをしよう，と積極的に臨む気持ちこそが，強力な抗うつ効果を生むことができることは，私自身の研究からも窺がえます。また，面談と面談の間に患者さん自身が完了させる自助活動によっても，回復の速度を早めることができるようです[14,15]。したがって，薬物療法を，優れた形態の心理療法と組み合わせれば，闘いに備え，よりいっそう多くの武器を充実させることができるでしょう。

先にもお話しましたが，私が，薬物療法によってのみ治療を行なった多くの患者さんは，完全には病状が回復しませんでした。

ところが，これらの患者さんに認知療法を加えたところ，その多くに改善が見られたのです。このことから私は，薬物療法と心理療法を組み合わせたほうが，薬剤だけの場合よりも，よりよく，しかもより迅速な効果が期待できると共に，多くの場合，結局，よりよい長期的な結果が得られる，と確信するようになりました。これは，軽症のうつ病の患者さんにも，重症の患者さんにも，同様にいえるようです。たとえば，私たちのスタンフォード大学病院では，大勢の重症のうつ病の患者さんに，グループ認知療法技法を用いた治療を行なっています。これらの技法は，本書でご説明しましたものと同様のものですが，グループ方式によることで，特に有効となるというのが，私たちの感想です。私はこれまで，これらの患者さんの多くが，このようなグループ治療の最中に，目覚しく症状が改善する姿を目の当たりにしてきました。しかも，多くの場合，実際の心理療法の最中に改善が表れます。患者さんが，自分の否定的な思考に対し，どのような説得力のある反論をしたらいいかわかった瞬間，感情と見解にたちまち強い高揚が起こることがしばしばあるのです。ここで忘れてはならないことは，これらの入院患者さんには，いずれも，担当の精神科医から処方された抗うつ薬が与えられていた，ということです。したがって，彼らのほぼ全員が，薬物療法と心理療法を組み合わせた治療を受けていたということで――こちらか，それともそちらか，といった，どちらか一方だけに方法を限定して専念する純正主義体制は，取られていないのです。

１人，非常に重症のうつ病の女性で，何か話をしてみようとされるのですが，その度に，ほぼ必ずといっていいほど，突然涙が溢れ出し，泣き崩れてしまう方がいました。彼女にとっては，誰かに自分の姿を見られただけでも，どうにも抑えることのできない号泣へと駆りたてる，十分な引き金となるようでした。私は彼女に，泣いているときには実際何を考えているのか，たずねました。すると彼女は，担当の精神科医から言われたことについて考えている，と答えました。彼女の精神科医は，彼女のうつ病が「生物学的」なものであり，遺伝的な原因による，と言ったのです。自分のうつ病が遺伝的なものだとしたら，それは，自分の子供や孫たちにもそれを受け継がせてしまったことを意味するのだろう，と彼女は判断したのです。実際，彼女の息子さんの 1 人は，ちょうどこのとき，人生の辛い時期を送っていらっしゃいました。そして彼女は，この原因を，彼の「うつ病遺伝子」にあると考え，彼の人生を台無しにしてしまった責任を自らに求めたのです。そもそも，何で自分は結婚なんかしてしまったんだろう，何で子供を生んでしまったんだろう，と散々自分を責めました。我が子は全員，永遠に恐ろしい苦しみに耐えていくことになるんだ，と揺るぎない確信を抱いていたのです。そして，自らそう説明する傍ら，またもやすすり泣き始めたのでした。

今，みなさんの目からご覧になると，彼女のこの自己非難は，信じ難いほど非現実的に感じられるかもしれません。彼女の子供さんも，お孫さんも，全員，いつ果てるともない撤回不可能な苦しみの人生を生きていくことになる，などという彼女の主張も同様に，非現実的に感じられるかもしれませんね。しかし，彼女にとっては，自分の自己批判は，いずれも至極尤もな正当な根拠に基づいたものであり，否定的な予言とはいえ，完全に理に適っている，と思われたのです。だからでしょう，彼女の自己嫌悪と苦しみは，実に信じ難いほど激しいものでした。

彼女がようやく泣きやんだ後，私は，やはり子供さんがいらっしゃる，もう 1 人の別のうつ病の女性に対しては，何と言うつもりか，とたずねました。彼女は，その女性に対しても，自分と同様，辛く当たるつもりだったのでしょうか。この質問は，うまくいきませんでした。彼女は，私が言った言葉を理解すらしていないようでした。私の質問に答えるどころか，全身を震わせ，涙が頬を伝ってポロポロと流れ落ちるなか，どうにも抑えきれない，といった様子で咽び泣いたのです。

しばらくして，彼女は再び泣きやみました。私は，他の患者さんのうち，誰か2人ほど，彼女を助ける役割練習を自らすすんでやってみようという人はいませんか，ともちかけてみました。これは，心のなかの否定的な思考を言語化することで，それらに対して反論できるようにする演習で，私は，「声の外在化」と呼んでいます。自分自身の否定的な思考に対し，どのように反論したらよいかを，自分に代わって他の患者さんに，目の前で実演して見せてもらうことで，彼女自身は，ただそれを眺めていればいいようにしよう，というのが私の狙いでした。そして彼女には，これらの女性たちのことを，自分と非常に似ている，と考えるように言いました。実際，これらの女性たちもうつ病で，お子さんも，お孫さんもいらっしゃいました。

最初の志願者は，彼女の心の否定的な部分を演じ，例のうつ病の女性が考えていた類のこと――「私のうつ病には，遺伝的な面があるというなら，それは，私の息子のうつ病は，私に責任がある，ということなんだわ」――を，声に出して言いました。2番目の志願者は，彼女の心の，より肯定的，現実的で，自分自身を愛している部分を演じました。この志願者は，先の否定的思考に対して次のような方向で反論しました――「私は，もう1人のうつ病の女性に対し，息子さんのうつ病を彼女のせいにして責めるつもりは毛頭ないわ。だから，私自身についても，自分の息子のことで自分を責めるなんて，そんなのまったくナンセンスだと思う。息子と何か衝突したり，彼が今，何か困っていることがあるなら，彼のために力になってあげられるよう，努力してやれる気がするわ。我が子を愛する母親なら誰だってそうなんじゃないかしら」その後，これら 2 人の女性たちは，この対話をさらに続け，例のうつ病の女性が，どうしたらこれ以外の自己批判的思考に対し，反論することができるか，幾つかの方法を実際に形にして見せてくれました。この 2 人の志願者は，その後，否定的思考と肯定的思考という，各自の役割を交替しました。

役割練習の終了後，私は，あの泣いている女性にたずねました。どちらの声が優勢で，どちらの声が少々おされ気味だったでしょうか。否定的な声でしょうか，それとも肯定的な声でしょうか。現実的で信頼できるのは，どちらですか。彼女は，否定的な声が非現実的で，肯定的な意見のほうが勝っていた，と言いました。私は，これらの役割を買って出てくれた 2 人の女性が，実際には彼女自身の自己批評を言語化し，声に出して表現してくれていたことを指摘しました。

このグループ演習が終了する頃までに，彼女のうつ病が劇的に改善してしまった，というわけには，さすがにいきませんでしたが，ほんの少しだけ，晴れ間が覗いてきたようでした。そして，その次に，ある演習で私が彼女の姿を見たときには，彼女の気分はもう既にすっかり明るくなっていました。非常に品のある様子で，入院以来，初めて泣かずに話をすることができました。彼女は，自分も役割演習の方法を身につけられるよう，グループ演習のなかで練習してみたい，と言いました。また，自分の大きな武器となりそうなことが明らかになりつつある，この演習をこれからも続けていけるよう，退院後は自宅近くの認知療法士を紹介してもらうつもりです，とも言いました。

この患者さんに役立った方法は，「二重基準技法」とも呼ばれます。この基盤にあるのは，私たちの多くは二重の基準に則っている，という考えです。私たちは，自分自身に対しては，過酷なまでに厳しい要求を突きつけ，辛らつで批判的な目で評価をしてしまうことがありますが，他人に対しては，より共感的で妥当な判断をすることができます。したがって，このような二重基準を廃止し，自分自身も含め，すべての人間を，真実と共感を下地にした１つの基準で判断することに同意すること，自分自身を批判するときのような，歪んだ，卑狭な，別々の基準を適用するのをやめること，それがこの考えなのです。

社会神話 No.10「心理療法なんか受けたら，精神的に脆弱か，精神病だ，ということになってしまって，恥ずかしい。でも，薬物療法なら，糖尿病のような医学的病気だ，ということになるから，そのほうが受け入れやすい気がします」

実際，恥ずかしいという感覚は，薬かもしくは心理療法の，どちらか一方による治療を受けていらっしゃるうつ病の患者さんに共通して見られます。このようなとき，ちょうど今，ご説明した，二重基準技法が効果を発揮することがしばしばあります。たとえば，みなさんの大切なお友達が，うつ病のために心理療法を受けてきて，しかもその治療を有効と感じていることを，あなたは今初めて知った，と想定してみましょう。さて，みなさんは，そのお友達に対して何と言うでしょうか，考えてみてください。「おいおい，心理療法っていうのは，まさしく君が，どれほど精神的に弱く，人並み以下の精神病者か，ということの証拠じゃないか。そんなものやめて，薬を飲むべきだったんじゃないか。君のしたことは，実に恥ずべき行為だよ」とでも，言うつもりですか。とんでもない，そのようなことを友達に言ったりしません。というなら，では，なぜ，自分自身にはこのようなメッセージを伝えるのですか。それこそ，二重基準技法の真髄なのです。

社会神話No.11「私の問題は現実的なものなんです。とてもじゃないですが，心理療法では歯が立たないと思いますよ」

とんでもありません，それどころか，認知療法は，末期癌や手脚の切断など悲痛な医学的問題や，破産，もしくは厳しい人間関係などの個人的問題も含め，生活上現実的な問題を抱えているうつ病の方々にこそ，最も効果があるように思います。多くのケースで，私は，このような問題を抱えた方々が，ほんの数えるほどの回数の認知療法面談で，みるみる症状が改善するのを目にしてきました。対照的に，これといってうつ病の引き金となるような，明らかな問題が何一つないにもかかわらず，慢性的なうつ状態にある方々のほうが，むしろ治療が困難な場合がしばしばあるのです。このような患者さんは，予後はすばらしくよいのですが，結局，よりいっそう徹底した治療を長々と続けていくことになってしまう可能性もまた，否定し得ないのです。

社会神話No.12「私の問題は，もうどうしようもないんです，だから心理療法だろうが，薬だろうが，私に効くものなんて，きっと，もう何もないんじゃないかと思います」

これはみなさんのうつ病が，そういってるだけ，現実ではありません。絶望は，うつ病によく見られることとはいえ，実に恐ろしい症状です。他の症状とまったく同様，その根底にあるのは，思考の歪みです。歪みの１つは，「情緒的推論」と呼ばれます。絶望的な気がする，だから，実際に絶望的であるにちがいないのだ。これが，うつ病の人の推論なのかもしれません。絶望感を導くもう１つの認知的歪みは，運勢判断――私は絶対によくならない，と否定的な予言をし，この予言が本当に事実である，と決めてかかるのです。もちろんこれだけではないでしょう。絶望感を導く恐れのある歪みは，他にもまだまだあります。たとえば，次に挙げるものもそうです。

- 全か無かの思考――完全に幸せか，それとも完全に憂うつか，どちらか一方として自分自身をとらえます。白でもなく黒でもない中間色の影は問題にされません。そのため，完全に幸せというわけではない，または完全にはまだ回復したわけではない，という場合，それは完全なうつ状態である，と判断され，望みはまったくない，ということにされてしまうのです
- 一般化のし過ぎ――現在の憂うつ感を，果てしない挫折と苦しみのパターン，ととらえます
- 心のフィルター――憂うつな気分だったときのことばかりを選り出すように挙げ連ね，結局，自分の人生は永遠に悪いままなんだ，と考えるようになります
- マイナス化思考――憂うつでなかったときのことに目を向ける必要を，頑なに否定します
- 『すべき』思考――憂うつな感情の克服に向けた，計画的な取り組みに自分のエネルギーを注ぐのではなく，憂うつであってはならない（または，もう二度と憂うつになるべきではなかったのに）と，自分自身に言い聞かせることに，全エネルギーを使い果たします。
- レッテル貼り――絶望的で，取り返しのつかないほど欠陥だらけだ，と自分に言い聞かせ，全人的な，幸せで価値のある人間である自分を，心底実感することは絶対あり得ない，と決めつけています。

この他にも，拡大解釈や，個人化などの認知的歪みも，やはり絶望感を導く恐れがあります。このような感情は，非現実的であ

るにもかかわらず，予言の自己成就同様の作用をしかねません。自ら諦めてしまったら，何も変わりはしません。本当に絶望するしかないんだ，と自ら結論することになります。

平素から日常的に絶望感に駆られている患者さんは，自分がとんだ思い違いをしていることに気づくことができません。彼らはほぼ必ずといっていいほど，これらの感情が完全に根拠のある妥当なもの，と妙に納得してしまっています。それでもあえて，そのような絶望感に異議を唱え，よくなろうと試みてみるよう説得できれば，彼らとて——たとえ，心のなかではそんなこと不可能だ，と感じていたとしても——たいてい，症状が改善し始めるはずです。最初はゆっくりですが，その後は徐々にスピードがアップし，いつか，随分と気分がよくなった，といえるほど回復することでしょう。

うつ病の患者さんが，このような絶望感に反撃し，闘うための決意を見出せるよう，力を貸すことは，どの心理療法士にとっても，最も重要な務めの 1 つです。この闘いは，しばしば凄まじいものとなります。簡単に決着がつくことなど滅多にありませんが，ほぼ必ずといっていいほど，結局，最後は報われることでしょう。

第19章　一般的に処方されている抗うつ薬について，心得ておくべきこと

本章では，抗うつ薬の使用について，実用的な一般情報をお伝えしたいと思います。どのような人が，抗うつ薬から最も利益を得られる――得られない――のでしょうか。抗うつ薬が，本当に有効に作用しているかどうか，どのように判断したらいいのでしょうか。薬によって，どれほどの気分の高揚が期待できるのでしょうか。さらに，薬はどれほどの期間，継続すべきなのでしょうか。そして，万一，薬が効かない場合には，どうしたらいいのでしょうか。これらの問題について，お答えしていくつもりです。また，副作用を確認し，最小限に抑えると共に，ドラッグストアや食料雑貨店で入手可能な非処方薬（処方箋なしで手に入れることができる一般用医薬品）はもちろんのこと，処方薬も含め，みなさんが服用する可能性のあるその他の薬と抗うつ薬との間で予想される，危険な相互作用を防止する方法についても，お伝えします。さらに，次の第20章では，現在流通し，広く使用されているそれぞれの抗うつ薬と気分安定薬に特に絞って，ご説明していくつもりです。

本章をお読みになる際に，心に留めておいていただきたいことは，抗うつ薬の使用は，いまだ芸術と科学の混合の域を越えてはいない，ということです。各医師は，それぞれ皆，微妙に異なる哲学をもって診療にあたっていますから，みなさんの掛かりつけの医師がお取りになる手法と私の取る手法は，必ずしも一致しないかもしれません。そこで，まずは，私自身の偏重的な傾向につ

いて，正直にお話しておきたいと思います。

第 1 に，抗うつ薬に何を求めるか，ということですが，この点に関し，私はかなり過酷な要求をしているといえるかもしれません。抗うつ薬療法の継続的な使用が，本当に正当化されるのは，それが非常に重大な，劇的な効果をもたらす場合に限る，と私は考えます。加えて，抗うつ薬を服用している患者さんは全員，少なくとも週 1 回は，第 2 章でご紹介したようなうつ病調査表による気分検査を受ける必要がある，とも確信しています。この調査表の得点（または，これ以外の適格なうつ病検査のいずれの得点についてもそうですが）は，抗うつ薬がどれほど有効に作用しているかを知る，非常に確実な手段となります。このテストの得点が，ほんのわずか下がったとしても（たとえば，30%か 40%の改善），それは単なる偽薬効果にすぎず，本物の薬の効果ではない，と私は声を大にして言いたいですね。この程度の改善なら，時間の経過，心理療法，さもなければ，この薬は絶対に効くという確信，いずれの原因も考えられるからです。気分に最小限の改善しか見られず，しかも当患者さんは，それまでに既に十分量の薬を十分な期間服用してきたという場合，私ならおそらくその方については，もうその薬を用いることはやめて，別の薬物療法に切り替えるか，さもなければ，薬物療法と心理療法の組み合わせ，もしくは心理療法のみの治療を試してみるようにお勧めすると思います。

このように申し上げると，本書をお読みの方々の中には，「でも，気分が 40%も改善するなんていったら，もう十分すばらしいように聞こえるんですけど。それは，本物の改善じゃないんですか。そんなにも改善したら，もう半分ぐらいよくなったといってもいいんじゃないかしら」と思われる方もいらっしゃるかもしれませんね。確かに，気分がよくなるならどのような改善であれ，望むところでしょう。しかし，本来何の作用もしないはずの偽薬でさえ，大きな抗うつ効果が生じることがあり得ることは，複数の調査研究から明らかです。40％の改善というのは，実際，典型的な偽薬反応であることは，既に証明されているのです。したがって，どのようなものであれ，抗うつ薬の服用が正当化されるのは，ただ一つ，その薬がその本来の務めを果たしている場合，この一点に尽きるでしょう。何はともあれ，治療の最終的な目標は，うつ病からの回復である，というのが私の考えです。ほとんどの患者さんは，ほんの微々たる改善でもなく，ほどほどの改善でもなく，すっかり元通りの気分になるまで完全に回復したい，と望んでいます。私なら，1つの抗うつ薬を，ある程度試してみて，それでもなおこの目標が達成されそうにない場合には，別の薬か治療方法に切り替えることをお勧めすると思います。

第2に，私の場合，薬物療法のみで患者さんの治療にあたる，ということは，決してありません。私が患者さんに抗うつ薬を処方する場合には，必ず薬物療法に心理療法も併せて行ないます。かつて，私がこの仕事をはじめてまだ日が浅かった頃，かなりの数の患者さんに薬物療法のみの治療を試みたことがありました。しかし，このような方法で満足がいったためしは，ほとんど一度もなかったのです。

たとえば，私がペンシルバニア大学での卒後研修を終え，博士課程修了後研究員だったときのことです。私は，フィラデルフィア在郷軍人病院で，リチウム診療科の指揮を執っていました。双極性躁うつ病を患う多くのうつ状態の退役軍人の方々に対し，リチウムに，他の抗うつ薬を組み合わせた治療を行ないました。この薬物療法は，一見，有効に見えたのですが，その結果は，あまり励みになるようなものではなかったのです。これらの気の毒な老兵患者さんの多くは，ほとんどひっきりなしに入退院を繰り返していました。建設的で，喜びに満ち溢れ，安定した生活を送っている人は，ほとんどいなかったのです。その後，私も経験を重ね，認知療法を学んだ際に，躁うつ病の患者さん全員に対し，薬物療法に心理療法を加えた併用療法的な治療方法を試みました。結果は，薬物療法のみの場合を遥かに上回っていました。それ以来，私が治療にあたった方で，躁病のエピソードが原因で入院が必要となった躁うつ病の患者さんは，今のところ，1人しかいなかったと思います。

うつ病の患者さんについても，結果は同様でした。やはり，私がまだこの仕事に就いて初期の頃でした。私は，うつ病の患者さんに，薬物療法単独で，もしくは薬物療法に伝統的な支持精神療法を組み合わせた治療を行ないました。第2章でご説明したものと同様のうつ病検査を，毎回，面談の度にすべての患者さんに対して実施しました。患者さんによっては，確かに抗うつ薬が非常に優れた効果を発揮した方もいましたが，多くの方々にとってはそうではないことを，如実に思い知ったのです。ほんのわずかな改善しか得られなかった，という患者さんがほとんどで，なかにはまったく何の改善もなかった，という方さえいました。その後，幾らかこの仕事に経験を積んだ頃，私は，当時学んでいた新しい認知療法技法を，抗うつ薬に組み合わせ始めました。すると，格段によい結果が得られたのです。こうして結局，私は，薬物療法のみの治療をやめたのです。

第3に，通常私は，1回に1種類の薬を用い，多くの異なる種類の薬を組み合わせて同時に用いることはしません。とはいえ，他のどの原則についてもいえることですが，これにも実際，多くの例外が存在することは確かです。多剤併用療法の考え方は，1つの薬剤で効果があるとするなら，2つ，3つ，もしくはそれ以上なら，さらに優れた効果が期待できるだろう，というものです。医師によっては，患者さんが現在服用している他の薬の副作用を抑えようとして，補助的に薬を用いる人もいます。多剤併用療法には，多数の弊害の可能性があります。ますます多くの副作用が出たり，薬剤の有害な相互作用の可能性が高まったりする，などもそうです。多剤併用については，第20章の最後に詳しくお話することにし，まずは，複数の薬の使用が正当と認められることもある，多数の特定の状況についてご説明することにしましょう。

結局，私は，患者さんに，回復後もそのまま引き続き，無期限に抗うつ薬を処方し続けることは，通常，やめることにしました。その代わり，患者さんが数カ月間，本当に気分のよい状態でいることができたなら，その後は，ゆっくりと抗うつ薬の量を減らしていきます。すると，いったん回復した患者さんが，そのまま薬なしでも再びうつ状態に陥ることなく，状態を維持していける例が多いことがわかったのです。ここで覚えておいていただきたいのは，私の患者さん方のなかには，抗うつ薬を一緒に受け取っていた方も，受け取っていなかった方もいらっしゃいますが，少なくとも認知療法は全員受けていた，ということです。これらの患者さん方は，認知療法によって，その後，一生涯に亙り，いつでも頼みにすることのできる手段を身につけ，そのおかげで，おそらくこのような長期に亙るよい結果を得られるのではないかと思います。

私と大きく異なる治療を行なっている医師は，多数います。彼らは，患者さんに，「脳の化学的不均衡」を正し，うつ病の再発を防止するためには無期限に抗うつ薬を服用し続ける必要がある，と言われるようです。再発というのは，確かに重要な問題です。しかし，必要なときにはいつでも使えるよう，患者さんに認知療法手段の訓練を行なうことで，回復後も改善した状態を維持していくことができるようようだ，と私は感じています。実際，十分に統制された長期に亙る，多くの追跡研究からも，このような方法によるほうが，薬よりも再発防止に有効なことが確かめられています。

以上，かいつまんで私の哲学をお話しましたが，いずれにしても，それ1つで，「正しい」といえる方法はない，ということを忘れはいけません。みなさんのお医者様の哲学が，私のものとは異なっていることもあるはずです。加えて，どの原則にも多くの例外はあるものですし，みなさんそれぞれの診断や，個人的経歴から，私が今ここで概略した方法とは異なる方法が処方されることもあるでしょう。ご自身の治療について疑問をもっておられる方は，その懸念を，ご自身の内科医とよく話し合われてみてはどうでしょう。私の経験からも，患者さんと医師のチームワーク，互いに尊敬し合う気持ちは，どのような治療の成功においても最も重要で不可欠なものなのです。

うつ病だとしたら，それは脳の「化学的均衡が崩れている」という意味なのでしょうか？

私たちの文化には，うつ病というのは，脳内の何らかのタイプの化学的，もしくはホルモン的不均衡が原因で生じるという，ほとんど迷信ともいえる確信があります。しかし，このような説は，いまだ証明されていませんし，実際，事実ではありません。第17章でお話しましたように，うつ病の原因はわかってはいませんし，抗うつ薬がどのように，またなぜ作用するのか，ということも明らかではありません。うつ病は化学的不均衡の結果生じるとする論は，少なくともここ2000年もの間唱えられてきましたが，これを裏づける証拠はいまだ何もありませんから，実際のところ，確かなことはわかっていないのです。しかも，特定の患者さんまたは患者集団に，何かうつ病を引き起こしている「化学的不均衡」が存在することを実際に証明できるような検査や臨床的症状も，一切ないのです。

うつ病だとしたら，それは
抗うつ薬を飲まなければならない，
という意味なのでしょうか？

うつ病になったら，抗うつ薬を服まなければならない，と信じている人も大勢います。しかしながら，必ずしもうつ病の患者さんのすべてが，抗うつ薬を服む必要がある，と断固主張するつもりは，私にはありません。とある評価の高い科学雑誌に発表された，数多くの十分に統制されたより最新の形態の心理療法が，抗うつ薬とまったく同等の，時にはそれ以上の効果を持ち得ることを示しています。

うつ病の患者さんで，これまで抗うつ薬による治療が成功してきたために，この薬を絶対的に信頼している方が大勢いらっしゃることは確かです。これらの薬は，実際，貴重な治療手段ですし，私も，これらを治療の武器としていつでも使用できるよう，手元に確保しておけることを，嬉しく思っています。しかし，抗うつ薬が役立つことが時としてあるにしても，それが絶対的な回答となることは，まずもって滅多にありませんし，実際必要でないことも多々あるのです。

抗うつ薬を服用すべきかどうか，どのように判断したらいいのでしょうか？

私は常に，最初の診断を行なう際に，抗うつ薬を服用するほうがいいと思うかどうか，患者さん自身に尋ねることにしています。患者さんが，抗うつ薬を使わない治療の方がいい，と強く感じている場合には，認知療法のみによる治療を行ない，たいていこれはうまくいきます。しかしながら，その患者さんが，それまでに既に6週間から10週間，懸命に治療に取り組んできたにもかかわらず，まったく何の改善も見られなかった，という場合には，いわば，「ハイオクタン」をガソリンタンクに注油するように，試しに抗うつ薬を加えてみてはどうか，とお勧めすることもあります。場合によっては，こうすることで，心理療法の効果がより一層高まるケースもあるからです。

逆に，最初の診断の際に，患者さん自身が抗うつ薬の処方をご希望される場合には，即，抗うつ療法と心理療法を組み合わせた治療を開始します。しかしながら，先にも触れましたように，私の場合，抗うつ薬のみで患者さんの治療にあたることは，まずほとんどないと，といっても過言ではありません。私の経験では，薬剤のみの治療方法で満足のいく成果が得られたことは，これまで一度もなかったのです。薬物療法に心理療法を組み合わせたほうが，薬剤のみで，単独で患者さんを治療した場合よりも，短期，長期のいずれにおいても，よりよい結果が得られるように思われます。

薬物療法の判断を患者さんの志向に委ねる，と申し上げると，非科学的に聞こえるかもしれませんし，確かに，患者さん本人のご意向にそぐわない方法を私のほうからご提案しなくてはならない，と感じざるを得ない例外的なケースもあります。しかし大抵の場合，患者さんが順調に回復するのは，本人が最も快適に感じる方法によって治療を受けた場合である，というのが私の実感です。

ですから，うつ病で抗うつ薬が自分に役立つ，という強い確信を患者さんご自身がお持ちだとしたら，まさしくそのことが，この種のいずれかの薬が効果を発揮する可能性を高めることになるのです。そして，薬を用いない形態の治療を受けるほうがいい，と患者さんご当人が強く感じていらっしゃるのなら，やはり，そのほうが結果的にもうまくいく可能性が高いといえるでしょう。とはいえ，柔軟な考え方を忘れないこと，これだけは是非お願いしたいですね。現在，薬物療法を受けている方は，認知的もしくは対人的心理療法によって，回復がきっと促進されるに違いありません。また，現在心理療法を受けているけれども，いま1つ，思うようなスピードで進展していかないという方は，抗うつ薬を用いてみることで，回復に勢いがつくかもしれません。

抗うつ薬は，誰でも服用できるものなのでしょうか？

ほとんどの方が服用可能ですが，適切な医学的管理が必要です。たとえば，てんかん，心臓や肝臓，腎臓の疾患，高血圧，または，その他のある一定の障害の経歴がある人の場合，特別な注意が必要となります。また，非常に幼い子供や，逆にかなりご高齢の方々の場合は，薬によって避けるべきものや，1回の服用量を少なくする必要があるものもあります。先にも触れましたが，抗うつ薬に加えて，何か他の薬を服用されている方の場合も，ときどき，特別な注意が必要となることがあります。適切な管理のものでなら，抗うつ薬は安全ですし，これによって命拾いすることもあるかもしれません。しかし，患者さんご自身が，自ら調整や管理をしようとしてはいけません。やはり，医学的管理が必要なのです。

万一，妊娠中の女性が抗うつ薬を服用してしまったら，どうでしょうか？ このような微妙な質問については，しばしば精神科医と産科医の間での協議が必要となります。ひょっとしたら，胎児に異常が現れる危険がないともいえませんから，薬によって得られるであろう利益，うつ病の程度，及び妊娠段階のすべてについて考慮しなければなりません。通常は，まず，別の治療法を試みてみるべきでしょうし，本書でご説明したタイプの，積極的な自助プログラムを行なうことで，薬の使用を避けることが可能かもしれません。発達期の子供を保護する，という点からすれば，もちろん，これに勝るものはないでしょう。その一方で，うつ病が相当深刻な場合は，抗うつ薬を用いるのが妥当，と判断されるケースもあるかもしれません。

抗うつ薬の利益を最も得られる―― 最も得られない ――人は，だれでしょうか？

適切な薬が効果を発揮する可能性が高まるのは，次のような場合です。

1. うつ病のせいで，日常の活動を続けることができない場合
2. 不眠症，心の動揺，知的発達の遅れなどの多くの器質的症

状，午前中の症状の悪化，肯定的な出来事にもかかわらず気持ちが晴れないこと等を特徴とするうつ病の場合
3. 重症のうつ病の場合
4. 始まりがかなりはっきりしているうつ病の場合
5. 症状が通常の感じ方とはかなり異なって感じられる場合
6. うつ病の家族歴がある場合
7. 過去に抗うつ薬が有効であった場合
8. 抗うつ薬の服用を本人が強く希望している場合
9. 本人の回復への動機づけが強い場合
10. 既婚者の場合

適切な薬が効果を発揮する可能性が低くなるのは，次のような場合です。

1. 非常に腹を立てている場合
2. 不満を訴え，他人のせいにする傾向がある場合
3. 薬の副作用に対し，過去に過剰に敏感になった経験がある場合
4. 倦怠感，胃痛，頭痛，または胸，背，腕，脚の痛みなど，医師の診断が不可能な複数の身体的病訴の経験がある場合
5. うつ病以前に，別の精神障害や幻覚を長く患った経験がある場合
6. 抗うつ薬の服用を望まない気持ちが本人に強い場合
7. 薬やアルコールを乱用していて，回復プログラムに自主的に参加しようという気持ちがない場合
8. うつ病に対し，現在，財政的補償を受給している場合，または受給を希望している場合。たとえば，うつ病に対して，障害手当てを受けていたり，訴訟を起こしてまでうつ病を

理由に財政補償の受給を希望しているような場合。どのような形態のものであれ，治療の進展が足踏み状態となることが予測されます。これは，回復してしまうと，お金を受給されなくなってしまうからです。利害関係が衝突しているのです
9. 以前に処方された他の抗うつ薬が無効であった場合
10. 何らかの理由で，よくなる，ということについて相反する感情を抱えている場合

これらのガイドラインは，あくまで一般的傾向を示したにすぎず，包括的で正確なものである，と申し上げるつもりはありません。ある薬または心理療法が，どのような人に対して最もよく効くかということを予言する，私たちの能力は，まだ極めて限界があります。明るい見通しを期待させる，プラス指標をすべて兼ね備えているにもかかわらず，抗うつ薬が効かない，という人も多いでしょうし，逆に，どうにも期待をもてそうにないマイナス指標がずらり勢揃いしていても，1回の服用で，初めから素晴らしい効果が表れることが多いことも考えられます。ちょうど，現在の抗生物質の使用がやっとそうなったように，願わくば，抗うつ薬についても，将来もっとより正確かつ科学的に使用できるようになれば，と思います。

仮にマイナス指標が多かったとしたら，やはりこれは，よくないことなのでしょうか？ 私はそうは思いません。多少，余計に時間がかかることも，時にはあるかもしれません。しかし，マイナス指標すべてに該当しつつも，治療が極めて順調にいく患者さんは大勢いらっしゃるはずです。加えて，再三強調してきましたように，本書でご説明した概略に沿って，薬物療法に適切な心理療法を組み合わせることで，抗うつ薬のみによる治療よりも，よ

り効果が高まることもあるのです。

抗うつ薬は，どれだけ速く，どのように作用するのでしょうか？

ほとんどの研究が，うつ病の患者さんのおよそ 60%から 70%は，抗うつ薬に反応を示すだろうとしています。うつ病の患者さんの 30%から 50%は，砂糖の丸薬（偽薬）にも反応することを考慮しても，抗うつ薬によって回復の見込みが高まることをこれらの研究は示している，といえるでしょう。

しかしながら，「反応する」というのと，「回復する」というのとは違うということ，これは忘れないでください。しかも，抗うつ薬による改善は，部分的にすぎないことが多いのです。言い換えると，第 2 章でご紹介したような気分検査の得点に，幾らか改善は見られるものの，それでもまだ，本当に幸せと見なされる範囲（5 未満）にまでは至っていないこともある，ということです。私がほぼ必ずといっていいほど，薬物療法に，本書でご説明したような認知行動療法の技法を組み合わせるのも，だからこそです。単なる部分的な改善になど，興味ない人がほとんどではないでしょうか。人々が求めているのは，本物なのです。朝起きて，「うーん，生きてるって素晴らしい！」，と言えるようになりたい，そう願っているのです。

これまでにも強調してきましたが，私が治療してきた，うつ病で不安な気持ちに駆られている人々のほとんどは，夫婦間の諍いや職業上の問題など，生活に問題を抱えています。そして，彼らのほぼ全員が，否定的な思考パターンで自分自身を散々痛めつけ，辛く当たります。私の経験では，薬物療法は，心理療法と組み合わせたときに，大抵，より効果的で――より満足のいくものになります。心理療法なしで，薬剤のみを処方する医師が多いのですが，この方法では満足のいく結果は得られない，というのが私の実感です。

どの抗うつ薬が最も効果があるのでしょうか？

目下，現在処方されている抗うつ薬は，効果の程度も，そのスピードも，ほとんどの患者さんに対し，ほぼ等しい傾向があります。既に数10年来有用とされてきた従来の薬よりも，より効果的で，効き目も速やかなことが明らかになった，新しいタイプの抗うつ薬は，今のところまだ何もありません。しかしながら，抗うつ薬のそれぞれのタイプによって，その費用や副作用には，大きな違いがあります。本質的に，新しい薬はまだ特許権が有効なため，値段は非常に高価です。にもかかわらず，これらの新薬の方が一般的によく用いられているのは，昔からのより低価格の薬よりも，通常副作用が少ないからです。身体にある種の内科疾患がある人の場合は，抗うつ薬によって安全性に差が出てくることもあるのではないか，と思います。この点については，第20章で，より詳細にお話することにしましょう。

ときどき，ある患者さんに対し，1つの抗うつ薬，ないし抗うつ薬と呼んでもほぼ差し支えないようなものが，とりわけよく効きそうに思われることがあります。しかし，残念ながら，個々の患者さんのために，前もってそれを予言するだけの能力は，私たちにはありません。だからこそ，試行錯誤しながら模索している医師がこんなにも多いのです。しかしながら，ある特定の種類の問題に対して，どの種類の抗うつ薬が最もよく効くか，ということについては，2，3，概論的にいわれていることはあります。たとえば，脳のセロトニンシステムに，より強く作用する薬は，強迫性障害（略してOCDと呼ばれます）の患者さんに，概して有効と考えられています。これらの患者さんは，非論理的な思考（ストーブが燃えて火事になり，家を焼いてしまう，という恐怖）を，頻繁に繰り返し，（ストーブが消えていることを繰り返しチェックして確かめるなど）決まりきった衝動的行動を形式的に繰り返し行ないます。OCDによく処方される薬としては，クロミプラミン（アナフラニール）を含めた，幾つかの三環系抗うつ薬，フルオキセチン（Prozac）や，フルボキサミン（ルボックス，デプロメール），などの選択的セロトニン再取り込み阻害薬（SSRI）の1つ，もしくはモノアミン酸化酵素阻害薬（MAO阻害薬）の1つトラニルシプロミン（Parnate）などがあります。

うつ病の患者さんに，パニック発作や，社会不安などの不安症状がみられる場合，SSRIやMAO阻害薬の抗うつ薬が，しばしば極めて効果的に思われることから，これらのうちの1つを医師が選択することも考えられます。また，休養が不安の軽減に役立つ，との考えから，トラゾドン（デジレル）やドキセピン（Sinequan）などの，より鎮静作用効果の高い抗うつ薬から，1つを選んで用いることもあるかもしれません。

私は，境界性人格障害（略してBPDと呼ばれます）として知られる，とりわけ困難なタイプの，慢性で重症のうつ病の患者さんを多数診察し，治療にあたってきました。この障害をもつ患者さんには，うつ状態や不安，怒りなど，否定的な気分の，激しく絶え間ない変動が見られます。また，BPDの患者さんは，対人関係でも動乱を経験することがしばしばあります。私のこれまでの経験上，BPDの患者さんで，MAO阻害薬抗うつ薬が劇的な効果を発揮したケースがかなりあったことから，これらの症状が見られる患者さんには，MAO 阻害薬を用いたい気持ちをますます強く感じています。もちろん，BPD の患者さんのなかには，衝動をうまくコントロールすることができないために，より新しく，安全性の高い新規抗うつ薬のなかから何か 1 つを選択して用いた方がよい場合もあります。MAO 阻害薬の場合，万一患者さんが，これらの薬を，第 20 章で詳しく説明する予定の，特定の禁じられた食品や薬を併用してしまった際に，極めて危険な事態になる恐れがあるからです。

この他にも，たくさんのガイドラインはあるでしょうが，実際，例外も非常に多くありますから，あまり厳密に，字義どおりに受け止めない方がよいようにも思います。要は，ほとんどどの抗うつ薬であろうと，適切な量を，適度な期間，処方するのであれば，優れた有効性を発揮する可能性は，どの患者さんにも十分あり得る，ということです。医師から，ある特定の抗うつ薬を勧められた場合には，その理由を尋ねてみてもいいでしょう。しかしながら，自分が使い慣れている抗うつ薬を処方する医師が多いのではないかと思います。これはよい方法だと思います。現在処方されているすべての抗うつ薬について，あらゆる詳細を十二分に熟知できる医師は，ほとんどいないのではないでしょうか。だからこそ，たいていの医師は，少なくとも，自分が最も頻繁に用いる，1 つ，ないし 2 つの薬剤については精通しよう，と努めるのです。こうして医師は，みなさん方患者さんに，自分が勧めようと思う薬については，最善の知識を身につけるのだと思います。

自分に処方された抗うつ薬が本当に効いているのかどうか，どうしたら知ることができるのでしょうか？

私自身は，1つの基準として，第2章でご紹介したような，うつ病調査表による検査の実施を原則としています。治療期間中は，週に1，2回は，この調査表を使って判定してください。これは本当に重要なことです。これによって，みなさんの症状が，実際改善したのかどうか，改善したとすれば，どの程度改善したのか，知ることができます。一向に調子がよくなっていかない，むしろ悪くなってきているとしたら，調査表の得点もそれを示すでしょう。逆に，得点が着実によくなっているとしたら，それはその薬がおそらく役立っていることを示しています。

残念ながら，患者さんに，ある治療面談から次の面談までの間に，第2章におけるような気分検査を完成させてくるよう求める医師は，ほとんどいないのが実状です。たいていの医師は，その代わり，自分自身の臨床的判断を頼りに治療の効果を評価しようとします。これは極めて遺憾なことです。なぜなら，患者さんの内面的な感じ方を，医師が的確に判断することができないことが多いということは，多くの研究からも指摘されているからです。

どれほどの気分の高揚が期待できるのでしょうか？

あくまで目標は，第2章のうつ病検査の得点が，正常で幸せであると判断される範囲内に収まるまで低めること，とすべきでしょう。これは，抗うつ薬による治療か，心理療法による治療か，それとも併用療法による治療か，にかかわらず，いえることです。得点が依然としてうつ病域にある限り，治療を完全な成功とみなすことはできないからです。

１つの抗うつ薬である程度効果があるとしたら，２つ，もしくはそれ以上の抗うつ薬を同時に用いれば，さらに一層，効果が高まるのでしょうか？

原則として，２つ，ないし，それ以上の抗うつ薬を同時の服用することは，通常必要ありません（効果があるわけでもありません）。それらの２つの薬が，予想外の相互作用を起こさないともいえませんし，実質的に副作用の危険が増すことも考えられます。もちろん，これには例外があります。たとえば，どうにも不安で，眠れないという人には，楽に夜の眠りに就けるよう，もう１つ別の，より鎮静作用の高い抗うつ薬を少量，夜に追加することもあるでしょう。または，最初の抗うつ薬の効果を高めるために，第２の抗うつ薬が補足されることもあるかもしれません。これは，「増強」療法と呼ばれています。この方法については，第20章でより詳細にご説明するつもりですが，一般的には，一度に１つの薬を用いるのが，通常は最も効果的です。

どれほどの期間，抗うつ薬を服用したら，気分がよくなると期待できるようになるのでしょうか？

抗うつ薬が気分の改善に効果を発揮し始めるまでに，典型的には，少なくとも，２，３週間は必要でしょう。なかにはもっと長くかかる薬もあるかもしれません。たとえば，Prozacは，効果が表れるまでに5週間から8週間かかるかもしれません。なぜ抗うつ薬の反応には，このように時間がかかるのか，ということについては，わかっていません（誰であろうと，その理由を突き止めた人は，おそらくノーベル賞の有力な候補となるでしょう）。多くの患者さんは，服用から3週間を待たずして，抗うつ薬を中止したい，という衝動に駆られるようになります。絶望的な気持ちに陥り，薬物療法が効きそうにない，と信じてしまうからです。これらの薬剤がただちに効果を発揮するようになるということは，通常考えられませんから，これは仕方のないことかもしれません。

抗うつ薬が効かなかったら，どうしたらいいのでしょうか？

1つ，もしくは多数の抗うつ薬に十分な反応を示さなかった患者さんを，私はたくさん目にしてきました。それどころか，フィラデルフィアの私の診療所では，さまざまな抗うつ薬はもちろん，心理療法を受けたにもかかわらず治療がうまくいかず，私のところに紹介されて来たという患者さんが，ほとんどです。認知療法や，その患者さんがまだ試したことのない他の薬物療法を組み合わせることが多いのですが，たいていの場合，そうすることで，最終的には素晴らしい抗うつ効果を得られるようになります。重要なことは，回復するまで粘り強く努力を続けることです。このためには，とことん治療に専念し信じることが必要なこともあるかもしれません。患者さんは，しばしば諦めたい気持ちに駆られるでしょうが，努力はほとんど必ずといっていいほど報われます。

失望感は，おそらくうつ病の最悪な一面であろう，ということを私は先に申し上げました。これらの感情は，時として，自殺企図へと至ることがあります。なぜなら，患者さんは，もはや物事がよくなることは決してあり得ない，と確信してしまうからです。これまでもずっとこうだった，無価値感や絶望感はこの先，永遠に続いていくんだ，と信じているのです。さらには，うつ病のエキスパートというような人まで登場します。患者さんが，自分のうつ病に関し，信じられないほど説得力ある口ぶりで語り出し，しばらくすると，医師や家族までが，かれらの話を信じ始めてしまうことがあるのです。この仕事を始めてまもなくの頃，私はこの問題に取り組み，とりわけ難しい患者さん方について，諦めてしまいたい気持ちに駆られたことがしばしばありました。しかし，どのような患者さんであろうと，希望がないと思い込み，諦めてしまう気持ちに絶対に屈してはいけない，と私を信頼してくれる同僚たちに，強く励まされたのです。私がこの仕事を始めて以来，ずっとこの信念は報われてきました。みなさんがどのようなタイプの治療を受けておられようと，信じて決して諦めないこと，これこそが成功の鍵となるはずです。これはどれほど強調しても，まだまだ足りないくらいです。

抗うつ薬が効いていないように感じられるとき，どれほどの期間，続けていったらいいのでしょうか？

薬剤の変更には，どのようなことであれ，必ずその前に医師に相談するのは当然ですが，概して，試しに4，5週間ほど使ってみれば十分ではないかと思います。はっきりとした，かなり劇的な気分の改善が認められないようなら，そのときには，他の薬に切り替える指示が出されることでしょう。しかしながら，この試用期間中に，薬の服用量が正しく調整されていることが重要です。なぜならば，服用量が多すぎても少なすぎても，効果が出ない可能性があるからです。ときどき，現在の服用量が当患者さんにとって適切かどうか確かめるために，血液検査の指示が，医師から出されることがあります。

医師が，最も犯しがちな過ちの1つは，患者さんが改善した，という明確な証拠が何1つないままに，何カ月（もしくは，何年）もの間特定の抗うつ薬を，同じ患者さんに処方し続けることです。これこそ私には絶対に理解できません！ しかしながら，重症のうつ病の患者さんで，それまでに同じ抗うつ薬による治療を何年間も継続してきて，その薬物療法から何の効果も得られた自覚がない，と報告された方々を，私はこれまで多数診察してきました。これらの患者さん方について，第2章のうつ病調査表の得点を見てみると，たいてい，彼らが依然として重症のうつ病であることを示しています。彼らに，なぜこれほど長期に亘り，その薬を服用していたのか理由を尋ねると，たいてい，あなたにはそれが必要だ，と医師から言われたから，もしくは，「化学的不均衡」のためにそれが必要だと言われたから，という答えが返ってきます。ある薬を服用してきて，いまだ気分が改善していないとしたら，その薬は明らかに効いていないように思えます。それなのに，なぜ，それを服用し続ける必要があるのでしょうか？ 第2章で説明しているような，うつ病調査表の得点に，明確で持続的な改善が認められるなど，かなり実質的なよい効果が示されないとしたら，通常，別の抗うつ薬への切り替えが適切といえるでしょう。

抗うつ薬が有効な場合は，この先どれほどの期間，服用を継続すべきでしょうか？

これは，患者さんと医師が一緒に決めていかなければならない問題でしょう。うつ病のエピソードは，今回が初めてだ，という方なら，おそらく6カ月から12カ月もすれば，その薬を手放しても，再び憂うつな気分に陥ることもなく，状態を維持していくことができるでしょう。私はこれまでに，わずか3カ月間でよい結果が得られ，抗うつ薬の使用を打ち切った例は何件もありましたが，6カ月以上治療が必要と感じた例は，稀にしかありませんでした。しかし，この問題については，それぞれの医師によって，意見はさまざまではないかと思います。調査研究において，再発を最も強く予測させるものの1つは，治療終結時における，改善の程度です。言い換えれば，気分がよく，うつ病から完全に解放され，しかもそれが，第2章のうつ病調査表における5を下回る得点によって裏づけられれば，そのままうつ病から解放された状態が続いていく可能性が高い，ということです。その一方で，部分的には改善したものの，うつ病得点がまだ幾分高めである場合，抗うつ薬の服用を継続するしないにかかわらず，将来うつ病が悪化もしくは再発する可能性がずっと高い，ということです。

これは，私が抗うつ薬と認知療法を組み合わせたいと思うもう1つの理由です。これによって，患者さん方の反応は，たいてい各段によくなりますし，私が個人的に診察している患者さんのなかで，回復後に症状が再発し，再治療が必要と思われた方は，ごく僅かしかいませんでした。

抗うつ薬を無期限に続けていく必要がある，と医師に言われた場合，どうしたらいいのでしょうか？

ある特定の種類のうつ病の患者さんは，ほとんど無期限に，といってもいいほど，長期間薬物療法を受ける必要が予想されます。たとえば，うつ状態だけでなく，抑制が不可能なハイ状態もみられる双極性障害（躁うつ病）の患者さんの場合，リチウム，バルプロ酸またはカルバマゼピンなどの気分安定薬を用いた長期の治療が必要かもしれません。

長い間うつ病が改善しない場合，またはうつ病発作が頻繁に再発を繰り返す傾向がある場合，より長期間の維持療法を真剣に考慮したい気持ちになるかもしれません。気分障害が再発しがちなことは，医師も気がつき始めていますから，長期的または予防的な抗うつ薬の使用は，今後ますます支持されていくことでしょう。

医師のなかには，糖尿病の患者さんは血糖を調整するために日常的にインシュリンを注射する必要がある，と主張するのとほぼ同様に，お決まりのごとく，抗うつ薬を用いた治療を無期限に勧める人もいます。また，このような維持療法によってうつ病の再発を減らすことができる，と示唆する研究が幾つかあることも確かです。しかしながら，本書でご説明した認知療法技法を用いた治療でも，うつ病の再発を減少させることができることが，調査研究から明らかにされているのです。加えて，これらの調査は，認知療法の予防効果が，抗うつ薬による予防効果を上回る可能性も示唆しています。認知療法の 1 つの重要な利点は，将来のうつ病を最低限に抑え，または防止するための新たな技術を身につけることができる，ということです。たとえば，ストレスに晒されているときに，自分自身の否定的な思考を書き記し，それに異議を唱えるという簡単な演習が，測りし得ないほど貴重なのです。

個人的診療で，私がこれまでに治療にあたってきた，うつ病の患者さん方の大多数は，回復後に抗うつ薬を無期限に続ける必要はありませんでした。彼らの多くは，将来再び精神的に動揺した際にはいつでも，自分が身につけた認知療法技法を使っただけで，薬は一切用いることなく，極めて順調にやってくることができたのです。これは非常に励みになることですし，現在のうつ病を治療するだけでなく，将来，重症で長引くうつ病に罹る可能性を縮小するためにも，自分にできることがかなりある，ということを示しています。またこれは，現在抗うつ薬を服用している人にとって，本書の方法を自ら学び，練習することが非常に役立つかもしれないことを示唆している，ともいえるでしょう。

本書でご紹介する技法を活用し，いったん自分の否定的な思考をどのように変えたらいいかがわかってしまえば，もう，抗うつ薬など一切用いなくとも，再びうつ状態に陥らずにいられるだろう，と実感できるのではないかと思います。しかし，これについては，自分の医師と話し合いたい，と感じることも確かでしょう。最初に医師とじっくり話し合うことなく，薬を勝手にやめてしまったり薬の量を変えることは，決して賢明とはいえません。

抗うつ薬を徐々に減らしていって，うつ病がますます酷くなってしまったら，どうしたらいいのでしょうか？

このようなことは実際，かなりよくあることですから，私自身は自分の診療のなかで，この問題をどのように対処してきたか，お話することにしましょう。第1に，私は，患者さんが徐々に薬を減らしていく間，週に少なくとも 1，2 回，第 2 章のうつ病検査を必ず，継続して実施するようにしています。そのうえで，抗うつ薬の量をゆっくりと減らして行くための計画を患者さんと一緒に立てていきます。このとき，患者さんには，薬を減らしていっている間に，再びうつ状態に陥ったと感じ始め，しかもそれがうつ病検査の得点の上昇という形で反映された場合には，そのきには，1，2 週間ほど，一時的に若干薬の量を引き上げる必要がある，ということを伝えます。一時的にこのような措置を取れば，たいてい再び気分は改善しますから，その後また，ゆっくりと薬の量を減少させていけばいいのです。このようにすれば，患者さんを管理することができますから，これは安心な方法といえるでしょう。こうした 2 回にわたる挑戦の後，たいていの患者さんは，再びうつ状態に陥ることもなく，抗うつ薬を手放すことができるようになります。

将来，うつ病が再発したら，どうしたらいいのでしょうか？

うつ病が再発しても，最初のうつ病の際に効果があった同じ薬が，再び効く可能性は大いにあります。それは，その患者さんにとっての，適切な生物学的「鍵」であるとも考えられますから，将来，どのようなうつ病のエピソードが起こっても，おそらく，再び同じ薬を用いることができるでしょう。しかも，当患者さんの血縁の方がうつ病に罹った際にも，この同じ薬がその方にとっても有効となるかもしれません。なぜならば，うつ病自体もそうですが，人が抗うつ薬に反応するかどうかは，明らかに遺伝的要因によって影響されると思われるからです。

同じ理屈は，心理療法技法に対しても当てはまります。これは私の実感ですが，ほとんどの人の場合，同じ種類の出来事（たとえば，権威ある人物からの批判）が，うつ病の引き金となる傾向がみられ，やはり同じ種類の治療技法が，その特定の患者さんにとって，たいていうつ病の回復に効果を発揮するのです。たいていのケースで，患者さんは，新たなうつ病のエピソードに際しても，再び抗うつ薬を求めるまでもなく，かなり迅速に，元通りに回復することができたのです。私は，自分の患者さん方には，将来，再びうつ状態に陥ってしまったときには，ちょっとした「調整」のために，是非また診察室の扉を叩いてくださいね，と励ましています。もちろん，このような「調整」は，治療面談を1，2回もすれば十分です。なぜなら，たいてい最初に私がこれらの患者さん方を治療した際に，非常に効果的だった同じ技法を再度用いることができるからです。

抗うつ薬の，最も一般的に見られる副作用は何ですか？

第17章でお話しましたように，うつ病，不安，及びその他の精神障害に処方されるいずれの薬にも，それぞれ異なる副作用を引き起こす恐れがあります。たとえば，比較的古いタイプの抗うつ薬（アミトリプチリン，商品名トリプタノールなど）の多くは，特に，口の渇き，眠気，目まい，体重増加など，かなり顕著な副作用を引き起こします。一方，比較的新しい抗うつ薬(フルオキセチン，商品名Prozacなど)の多くは，苛々，発汗，胃のむかつき，もしくはオルガスムが困難なことはもちろん，セックスへの興味の喪失などの原因となります。

すべての抗うつ薬について，第 20 章で，それ特有の副作用をご説明していくつもりです。ほとんどまったくといっていいほど副作用がない薬がある一方で，多くの副作用を引き起こすものもあることがおわかりになると思います。

92-95 ページの副作用チェックリストは，現在みなさんが服用している薬について，極めて正確な情報を，みなさん及びみなさんのお医者様に提供してくれるはずです。このチェックを週に 2 回行なうことにより，副作用が時間の経過にしたがってどのように変化していくかがわかると思います。

ただし，これらのいわゆる副作用は，たとえどのような薬物療法を受けていたとしても起こり得るということは，念頭に置いていてください。なぜならば，副作用のなかには，うつ病の症状と重なるものが多いからです。たとえば，倦怠感，夜眠れない，またはセックスに対する興味の喪失などは，そのよい例でしょう。どのようなものであれ，薬物療法を開始する際には，まずその前に，少なくとも 1，2 回，この副作用チェックリストを完成させることが非常に役に立つのも，このためです。このようにすることにより，副作用が始まったのは，薬を服用し始めた前なのか，それとも後なのかを知ることができるからです。いうまでもありませんが，薬を服用し始める前から同じ副作用があったとしたら，それはおそらく，その薬が原因ではないでしょう。

調査研究のなかで，偽薬（砂糖の丸薬）しか服用していないはずの患者さんが，多くの副作用を報告していることも，覚えておくとよいでしょう。これは，これらの患者さんが自分は本当の薬を服用しているんだ，と信じていることが原因です。したがって，ある特定の副作用が見られたとしても，それが必ずしも現在みなさんが服用している薬のせいだ，と証明するものは何もないのです。疑問がある場合には，医師と十分に話し合ってください。

副作用チェックリスト

説明：この数週間の間に，次のタイプの副作用があったかどうか，明らかにするために，各項目の後ろに，（ ✓ ）の印をつけてください。すべての項目に答えてください。

0—まったくない
1—幾らかある
2 –ほどほどにある
3—多くある
4—極めて多くある

	0	1	2	3	4
口と胃					
1. 口の渇き					
2. 喉が頻繁に乾く					
3. 食欲不振					
4. 吐き気，または嘔吐					
5. 胃の激痛，または胃の調子が悪い					
6. 食欲の増進，または食べ過ぎ					
7. 体重の増加，または減少					
8. 便秘					
9. 下痢					
目と耳					
10. 視野がぼやける					
11. 光に対して過剰に敏感					
12. 対象の周りに光輪が見えるなど，視野の変化					
13. 耳鳴り					

	0	1	2	3	4
肌					
14.　過剰な発汗					
15.　発疹					
16.　日光に晒した際の異常な日焼け					
17.　肌色の変化					
18.　出血や傷がつきやすい					
性					
19.　セックスに対する興味の喪失					
20.　性的に興奮し難い					
21.　勃起し難い（男性）					
22.　オルガスム困難					
23.　月経困難（女性）					
感覚刺激と神経過敏					
24.　感覚が刺激される					
25.　焦燥性興奮					
26.　不安，心配，または神経過敏					
27.　違和感，もしくは「朦朧とした」感じ					
28.　エネルギー過多					
睡眠障害					
29.　倦怠感，または疲弊感					
30.　エネルギー喪失					
31.　過眠					
32.　入眠が困難					
33.　浅い眠りまたは中途で覚醒する					
34.　早朝に覚醒する					
35.　白昼夢，または妙な夢をみる					

	0	1	2	3	4
筋肉及び筋肉の共同作用					
36.　筋肉のけいれん，または引きつり					
37.　発音が不明瞭					
38.　震え					
39.　歩行困難，またはバランスの喪失					
40.　減速感					
41.　腕，脚，または舌のこわばり					
42.　絶えず腕や脚を動かしていなければならないような落ち着かない気持ち					
43.　手を握り締める					
44.　常態的，規則的，律動的な脚の動き					
45.　顔，唇，舌の異常な動き					
46.　指や肩など，他の身体部分の異常な動き					
47.　舌，顎，または首の筋肉のけいれん					
その他					
48.　物事を思い出しづらい					
49.　目まい，頭がくらくらする，または気が遠くなる感じ					
50.　心臓の鼓動が速まる，または高鳴る感じ					
51.　腕や脚の腫れ					
52.　尿の出が悪い					
53.　頭痛					
54.　乳房の腫れ，または肥大					
55.　乳首からの乳汁分泌					

この他，上記に該当しない副作用は以下に記述してください：

____

____

____

____

____

それではここで，心というものが時折，いかに人を錯覚に陥れるのか，とりわけ鮮明な例を 1 つ，ご紹介することにしましょう。私はかつて，ある高校の先生をうつ病で治療したことがありました。彼女には，心理療法があまり効果がなかったことから，私は，トラニルシプロミン（Parnate）と呼ばれ，第 20 章でもご紹介している特定の抗うつ薬なら効くのではないかという予感がしました。しかし，彼女は少々頑固な方で，何だろうと，薬物療法に対して強い恐怖を抱いていました。副作用に耐えられそうにありません，彼女はそう訴えました。私は，処方量を少なめにすること，私の経験上，この薬で，しかも少量で多くの副作用が出た人はほとんどいないことを説明しました。しかし，私の努力はまったく報われそうにありませんでした――彼女は，薬の副作用に耐えられそうにないから，の一点張りで，処方箋を断固受け取ろうとしなかったのです。

そこで私は，本当にそうなのか，ちょっと実験してみるつもりはないか，と持ちかけてみました。彼女には，2 週間分の錠剤を，14 の別々の封筒に分けて渡すことを話しました。それぞれの封筒には，中の錠剤を彼女が飲むべき日付と曜日が貼られました。そして，これらの封筒の何枚かには，何の副作用も一切起こしようはずがない偽薬が入っているということ，錠剤の半分は黄色で半分は赤色だが，所定のどの日についても，その日彼女が服用するのが，はたして本物の薬なのかそれとも偽薬なのか，彼女には知らされない旨を説明しました。初日の封筒には黄色の錠剤が1錠，2日目の封筒には赤色が1錠入れられました。さらに3日目と4日目の封筒には，それぞれ黄色の錠剤が2錠ずつ入れられ，5日目と6日目の封筒には，それぞれ赤色の錠剤がやはり2錠ずつ入れられました。そして最後に，2週間目の各封筒には，黄色の錠剤か赤色の錠剤のどちらかが，それぞれ3錠ずつ入れられたのです。

彼女には，毎日副作用チェックリストを完成させ，その日付を記録するよう求めました。そして，この実験は，所定の日に彼女が経験した副作用が本物の薬の影響によるものなのか，それとも偽薬の影響によるものなのかを判断するうえで，どのように役立つかを説明しました。彼女はしぶしぶ承知したものの，あくまで自分の身体は薬に対して非常に敏感だと言い張り，この実験によって，私がどれほど間違っているかが，まさしく証明されるだろうと予言したのです。

薬を飲み始めてまもなく，彼女は，ほぼ毎日のように私に電話を掛けてくるようになり，酷い副作用について，あれこれと人騒がせな報告をしては，私をはらはらさせました。とりわけ，黄色の錠剤を飲むことになっている日には，酷かったように思います。彼女は，これらの副作用の影響は赤い錠剤を飲んだ日にまで及んだと言いました。私は，副作用というのはたいてい時間を追って弱まってくるものだからと説明し，とにかく頑張って続けてみようと励ましたのです。

日曜日の晩，彼女は，留守番電話サービスで，自宅にいる私を緊急で呼び出しました。副作用が弱まるどころか，逆にだんだん酷くなってきている，と言うのです。実際，そのあまりの酷さに，もうこれ以上正常に機能することは到底無理だ，と断言しました。目まいがし，混乱してげっそり疲れきっているし，喉が綿のようにカラカラに乾いている。歩こうとしてもよろめいてしまい，ほとんどベッドから出られない。酷い頭痛もする。そう訴え，もうこれ以上，薬を飲むのはどうしても嫌，どうして先生はこれほど苦しい思いを私にさせるのか知りたい，と言いました。

私は謝り，すぐに薬を中止するよう彼女に言うと，できるだけ早く月曜日の朝に緊急面談で，彼女に会う予約を入れました。そして，彼女にとっては明らかにとんでもない苦しみに違いないが，彼女の症状はいずれも生命を危険に晒すようなものではないようだ，と言って彼女を安心させました。さらに，毎日の副作用チェックリストを面談の際に持ってくるよう伝えると共に，翌朝，2人で一緒に例の暗号を解読し，彼女が偽薬を飲んだのはどの日で，本当の薬を飲んだのはどの日か明らかにすることを約束したのです。

次の日の朝，私は，彼女が飲んだ薬はすべて，私が病院の薬局から手に入れた偽薬であることを説明しました。単に，赤色の偽薬と黄色の偽薬があった，というだけのことで――どの封筒にもParnateは，一切入っていなかったのです。

これを知った彼女は驚き，ポロポロと涙が頬を零《こぼ》れ落ちました。まさか，心がこれほど強力な影響を身体に与え得るとは，正直言って，一度も信じたことがなかった，と認めました。そして，副作用が偽りではなく，本当であることを完全に納得したのです。こうして，彼女は低用量のParnateを服用するようになり，それから1，2カ月ほどで，彼女の気分はかなり改善しました。その一方で，彼女は，面談と面談の間に心理療法の宿題にも非常に熱心に取り組むようになりました。うつ病検査と副作用チェックリストについても，週に1回記入を続けましたが，あまり多くの副作用は報告されませんでした。

副作用はすべて心理的なものである，というつもりはありません。稀にそういうこともありますが，ほとんどの場合，副作用は正真正銘，極めて現実的なものですし，私の患者さんの大多数も，正確にそれを報告されます。副作用チェックリストを日常的に用いれば，みなさんがどのような症状を経験しようとも，みなさんとみなさんのお医者様が，そのタイプや程度を特定するうえで役立つでしょう。また，その際，副作用が過剰もしくは危険な場合には，薬を適切に調整することもできます。

なぜ抗うつ薬には
副作用があるのでしょうか？

第17章で，抗うつ薬には，神経が互いにメッセージを送るために用いる神経伝達物質の受容体を刺激または阻止する力がある，ということをご説明しました。第17章では，それが気分の調節に深くかかわっているように感じられる，という理由から，セロトニンに焦点を置いてお話しました。この20年間で最も重要で，有用な発見の1つは，抗うつ薬が脳内で幾つかの補足的な化学伝達物質の受容体と相互作用を引き起こす可能性もある，ということでした。そして，これらの相互作用こそが，抗うつ薬の副作用の多くの原因と思われるのです。

ここ最近，最も熱心に研究されてきたのは，ヒスタミン受容体，αアドレナリン受容体，及びムスカリン受容体と呼ばれる，3つの脳内受容体です。これらは，ヒスタミン，ノルエピネフリン及びアセチルコリンを化学伝達物質として使用する神経上に位置します。ヒスタミン受容体を遮断する薬は，「抗ヒスタミン薬」と呼ばれます。おそらくみなさんもよく耳にしたことがある用語ではないでしょうか。αアドレナリン受容体を阻止する薬は，「α遮断薬」，ムスカリン受容体を阻止する薬は，「抗コリン薬」とそれぞれ呼ばれます。

それぞれどのタイプの受容体かということが，ある特定の副作用を引き起こす原因となります。つまり，これら 3 つの脳のシステムそれぞれに，その薬がどれほど強力な影響を与えるかということを理解すれば，どの薬についても，その副作用を予測することができるということです。抗うつ薬が多くの副作用を引き起こすのは，それが，脳内及びもちろん全身の，神経の表面に位置するヒスタミン受容体，αアドレナリン受容体，及びコリン受容体（これは，「ムスカリン」受容体とも呼ばれます）を阻害するからです。「受容体」とはどんなものか思い出せない，という方は，単純に，その神経のスイッチを入れたり切ったりする神経の表面部分，と覚えておけばいいでしょう。ヒスタミン受容体は，ヒスタミンを化学伝達物質として使用する神経の上に位置し，αアドレナリン受容体は，ノルエピネフリンを化学伝達物質として使用する神経の上，同様にコリン受容体は，アセチルコリンを化学伝達物質として使用する神経の上，にそれぞれ位置するということです。これら 3 タイプの受容体のうち，どれかが遮断されると，その神経はスイッチが切られます。これら 3 つの受容体に，それぞれの抗うつ薬がどのような作用を及ぼすか，ということを考えることによって，その薬の副作用の多くを説明することができるのです。

たとえば，アミトリプチリン（トリプタノール）は，どちらかというと古いタイプの抗うつ薬で，多くの副作用を引き起こす可能性があります。比較的一般的なものを2，3挙げただけでも，眠気，体重増加，目まい，口の渇き，視野のかすみ，及び忘れっぽくなるなどの症状があります。これらの副作用の多くは，危険なものではありませんが，不快なことは確かです。それではここで，アミトリプチリンが例の3つの神経受容体に及ぼす作用を検証することにより，これらの症状が多少よく理解できるかどうか，考えてみることにしましょう。

アミトリプチリンが脳内のコリン，ヒスタミン及びαアドレナリン受容体を遮断することは，科学者らによって突き止められています。それではまず，その抗コリン作用について検証してみることにします。そもそも，これらのコリン作動性神経というのは，通常はどのような働きをしているのでしょうか？ これらは，特に口の中の潤滑度を調節しています。したがって，コリン作動性神経を刺激すると，両頬にある腺から口の中に流体が流れ込むことになります。

では，普段口内が滑らかになるようにしている，これらの神経のスイッチを切ってしまったら，はたしてどうなるでしょうか？ 口が渇いた感じがするようになることでしょう。

たとえば，酷く神経過敏になっているとき（口渇）や，長時間日光の下で水を一滴も飲まずに運動していたときに，口が渇いた，という経験をしたことがあるのではないでしょうか。コリン作動性神経は心臓のペースを緩める働きもあるため，逆に，アミトリプチリンなどの抗コリン薬は心臓のペースを速める働きをすることになるのでしょう。さらに，抗コリン薬によっても，忘れっぽくなる，混乱，視野のかすみ，便秘，及び尿の出が悪くなるなどの症状が起こることが予想されます。

アミトリプチリンも，ノルエピネフリンを伝達物質として使用する神経上に位置する，αアドレナリン受容体を遮断する働きをします。これらαアドレナリン受容体を刺激すると，通常，血圧が上昇します。逆にこれらを遮断すると，たいてい血圧は低下します。アミトリプチリンが，ある一定の個人において血圧低下の原因となる可能性があるのも，だからです。この問題は，たとえば，急に立ち上がった際に，血圧が低下し，目まいが起こることを考えるとよくわかります。起立時の目まいは，アミトリプチリンに限らず，他の多くの抗うつ薬にも一般的によく見られる副作用です。

先にもご説明しましたが，アミトリプチリンにも，脳内のヒスタミン受容体を遮断する働きがあります。これらの受容体を遮断する薬は，「抗ヒスタミン薬」と呼ばれます。みなさんもおそらく，アレルギーや鼻づまりの際に，抗ヒスタミン薬を服用したことがあるのではないでしょうか。ヒスタミン受容体を阻止する薬によって，眠くなったり空腹になったりすることが考えられます。これは，ヒスタミン受容体を遮断する他の多くの抗うつ薬同様，アミトリプチリンには，疲労や体重増加を引き起こす働きがあるからです。

比較的古い抗うつ薬の多くは，「三環系」抗うつ薬に分類されます。三環系抗うつ薬は，これら 3 種類の脳内受容体に比較的強い作用を及ぼすことから，かなりの数の副作用を引き起こす傾向があります。実際，第 20 章の 140 ページから 141 ページには，三環系抗うつ薬を一覧表にして掲載してありますので，これを見れば，各薬剤がこれら 3 タイプの脳受容体それぞれに及ぼす作用の強さがわかるでしょう。この情報は，さまざまな種類の副作用が，それぞれの薬剤によって，どれほど強いかを示しています。

対照的に，比較的新しい抗うつ薬（Prozac や，その他の SSRI）の多くは，概して，脳内のコリン，ヒスタミン及びαアドレナリン受容体に対して弱い作用しかもたらしません。結果的に，これら新しい抗うつ薬は，アミトリプチリンなどの比較的古い薬よりも，たいてい副作用は少ないといえます。たとえば，SSRIは，眠気，過剰な食欲，目まい，口の渇き，便秘などを引き起こす可能性は低いでしょう。また，心拍数及び律動に与える影響も少ないのです。

しかしながら，現在では，Prozac などの SSRI が，それ自身の，新しい，さまざまな副作用をもつことが明らかになりつつあります。たとえば，これらの薬を服用している患者さんの 30%から 40%もの多くの方々が，性的欲求の低下やオルガスムス障害などの性障害を経験しているのです。また，これらの薬によって，胃のむかつき，食欲不振，体重増加，神経質，睡眠障害，疲労，震え，及び過剰な発汗，その他多数の副作用が起きる可能性もあります。

これらの副作用を，予防または極小化するためには，どうしたらいいのでしょうか？

通常，副作用が起こる可能性，及び程度は，服用中の薬の量に因ります。一般的に，低用量から始めて徐々に量を引き上げていった場合，副作用を極小化することが可能です。加えて，多くの副作用には，時間を経るにつれて弱まっていく傾向があります。また，服用量を減少させることによって，抗うつ薬の効果を引き下げることなく，副作用を弱めることができることもあります。その一方で，別のタイプの抗うつ薬への変更が必要となることもあります。いずれにしても，医師と協力し，一緒に取り組んでいけば，たいていの場合は過剰な副作用を伴うことなく，気分によい効果をもたらすと思われる薬剤を見つけることができるでしょう。

抗うつ薬，もしくは気分安定薬の副作用を取り除くことができるよう，さらに別の薬が追加されることもあるかと思います。このようなことは，時として必要で正当な場合もありますが，必要ないこともあります。この問題については，第20章でより詳細にお話するつもりですので，ここでは，具体的な例を2つ挙げてみることにしましょう。

たとえば，躁うつ病で，現在リチウムを服用していると想定してみましょう。リチウムの一般的な副作用は手の震えです。自分の名前をはっきりと書きづらい，コーヒーカップを握ろうとすると手が震える，ということが起こるかもしれません。私の患者さんのなかにも1人，あまりの酷い震えに，実際カップから中のコーヒーがこぼれてしまうことがよくある，という方がいらっしゃいました。明らかに，このような酷い副作用は受け入れ難いといえるでしょう。

このような場合，震えを取り除くために，医師はβ遮断薬と呼ばれる薬の1つを追加するかもしれません。この目的のためには，プロプラノロール(インデラル)という薬がよく用いられます。しかしながら，β遮断薬は，心臓に強い作用を与えますし，それ自身の副作用も多数引き起こす可能性があります。しかもリチウムとこのβ遮断薬はいずれも，精神科医もしくは家庭医から処方されることも考えられる他の薬と有害な相互作用を引き起こす恐れがあるため，状況はたちまち複雑を極めることになります。私の心には，次々と疑問が生じます。この震えは強力な心臓病薬の追加が正当といえるほど酷く，障害となるものなのだろうか？この上さらに薬を追加する以外に，この副作用に対処する方法はないのだろうか？ 薬の量を減らすことが必要なんじゃないだろうか？ β遮断薬の追加が正当と考えられることもあるでしょうし，必要ないかもしれない場合もあるかもしれません。

同様の推論は，抗うつ薬にもあてはまります。副作用を除去するために，別の薬を追加する必要があることもありますが，多くの場合，それは最善の選択ではありません。たとえば，うつ病のためにSSRIによる治療を受けている，と想定してみましょう。Prozacの一般的な副作用としては，不眠症，不安，及び性障害の3つがあります。これらの副作用のそれぞれに，医師はどのように対応すると考えられるか，詳しく見てみることにしましょう。

- Prozacの刺激が強すぎて，睡眠に障害が出ているという場合，医師は，別のより鎮静作用の強い抗うつ薬の少量服用を，夜に追加するかもしれません。たとえば，50mgから100mgのトラゾドン（デジレル）が，しばしば用いられます。トラゾドンには依存性がない，という点で，たいていの睡眠薬と異なりますから，これはかなりよい方法といえるでしょう。しかしながら，この方法以外にもProzacの服用量を減らしたり，1日のもっと早い時間に服用することによっても，過剰な刺激を打ち消せるかもしれません。そうすれば，さらに別の薬を加えなくてもいいでしょうからね。ここで，もう1つ，心に留めておいていただきたいことは，Prozacの過剰な刺激は，初めて服用し始めた場合に起こりがちで，1，2週間もすれば，消えてしまう可能性もある，ということです。
- Prozacは，特に初めて服用し始めたときに，不安や興奮を引き起こす可能性があります。神経過敏になるのを打ち消すために，医師は，クロナゼパム（ランドセン，リボトリール）やアルプラゾラム（コンスタン，ソラナックス）などのベンゾジアゼピン（抗不安薬）を加えたい，と思うかもしれません。しかし，ベンゾジアゼピンは，3週間以上，毎日服用すると，依存症になる恐れがありますし，不安はこれら薬剤のどれか1つを追加しなくても，通常対処可能です。Prozacの服用量を減らすことで効果があることも，しばしばあるでしょう。ProzacなどのSSRI抗うつ薬の効果は，服用量によって左右されることはないようですから，不快になりすぎる程の量を服用する根拠は，ほとんどないのではないでしょうか。また，Prozacが原因による不安は，最初の数週間を越えれば，縮小ないし消滅していくようですから，時間の経過が解決してくれることもしばしばあるかもしれません。

患者さんの中には，Prozacを数週間，または数カ月間服用してきた後に，第2波の神経過敏と落ち着きのなさを経験する人がいます。ときどき，このような興奮のパターンは，「アカシジア」――腕と脚がどうにも落ち着かなくなり，じっと座っていることが到底できなくなる症候群――と呼ばれることがあります。この非常に不快な副作用は，統合失調症の治療に用いられる抗精神病薬に極めてよく見られるものですが，それよりはかなり発生率が低いものの，抗うつ薬においても，ほとんどのものについて起こります。しかし，Prozacは非常にゆっくりとしか血液中から排出されないため，服用し始めて最初の5週間の間に，血中濃度はぐんぐん増していきます。ある特定用量のProzac，たとえば，1日に20mgもしくは40gmなどの量は，最初の時点では適切な量だったとしても，1カ月そこらすると，その同じ量が，当人にとって，多すぎるということになる場合もあるのです。もしかしたら，薬の用量を劇的に減らすことで，抗うつ効果をまったく引き下げることなく，副作用をかなり減少させることができるかもしれません。しかし，それでもやはり，アカシジアが相当酷く，耐え難いほどになってしまったために，Prozacを中止し，別の薬に切り替えざるを得なくなる患者さんが多いように思われます。医師によっては，アカシジア軽減のために，一時的に，さらに別の薬を追加することもあるかもしれませんが，アカシジアの徴候が現れた際には，やはり，Prozacの投与量を引き下げるか，もしくは完全に投薬を中止することが，賢明なようです。

- 先にも申し上げましたが，Prozac（他のSSRI抗うつ薬も同様に）を服用中の男女の40%もの人々に，オルガスム困難はもちろんのこと，セックスに対する興味の喪失など，性的な問題が生じます。このような性に関する副作用を取り除くために，目下，一般的に用いられている幾つかの薬（ブプロピオン，ブスピロン，ヨヒンビン，もしくはアマンタジン）の中から，いずれか1つの追加が検討されるかもしれません。しかし，ここでもやはり，これらの薬剤から見込まれる便益とその危険を照らし合わせ，比較検討することが当然必要でしょうし，何か代わりの対策を検討することもできるのではないかと思います。私の場合，患者さんにSSRIを無期限に服用しつづけていただくことは，仮にあったとしてもごく稀ですから，私の患者さんのほとんどは，あくまでこれが長期的な問題とはならないことを承知のうえで，この副作用に耐えることを自ら選択なさっています。SSRIが，実際，気分に劇的な変化をもたらしつつあり，しかも今のところ副作用は性に関するものだけで他には一切ないとしたら，たとえ数カ月間セックスに対する興味が失せてしまったとしても，交換条件として承服できるかもしれません。とはいえ，もちろんこれは主観的な問題ですから，みなさんは，それぞれご自分の考えを医師とよく話し合ったうえで，この件についてのご自身の決断を下す必要があるしょう。

次章では，抗うつ薬を服用なさっている多くの患者さんために，複数の薬を組み合わせた治療に対する注意をお話しするつもりです。一度に複数の薬を服用されている方は，薬の相互作用による危険性が増します。加えて，さらに別の薬をつけ加えることで，新たな別の副作用が生じるかもしれません。たいていの場合，みなさん患者さんと，医師が協力して取り組み，少しばかりの常識を加味すれば，補足的な薬を加えるまでもなく，抗うつ薬の副作用に対処できることでしょう。

抗うつ薬と，一般用医薬品も含めた他の薬との間で，危険が予測される相互作用を防ぐためには，どうしたらいいのでしょうか？

ここ数年，ある特定のタイプの薬が互いに，危険な相互作用を引き起こす可能性について，医師の自覚が高まってきました。ある2つの薬について，それぞれを別々に服用すれば極めて安全で，副作用もほとんど，またはまったくないかもしれないにもかかわらず，その2つの薬を同時に服用すると，薬の相互作用によっては，深刻な結果を引き起こすことにもなりかねないのです。

このような薬の相互作用に関する問題は，最近数年間の間に，2つの理由からますます重要になってきました。第1に，精神科医の間で，患者さんの多くに，同時に複数の精神治療薬を処方する傾向が高まってきているということがあります。これは，私にとってはどう考えても納得のいく方法とはいえないのですが，にもかかわらず，一般的に広く行なわれているのです。新たな薬それぞれが，薬の相互作用を引き起こす可能性が高まってきているのは，相互作用の異なる精神治療薬が，危険が予測される仕方で互いに相互作用をすることが考えられるためです。しかも，最終章でもお話しますが，長期間，ひょっとしたら無期限に抗うつ薬を（他のタイプの精神治療薬も併せて）服用させられている患者さんが，ますます多くなってきています。これも，やはり私にとっては，快く承服し得る方法とはいえませんし，うつ病の長期薬物療法は，たいていの患者さんにとって必要ではない，と私は感じています。しかし，実際，多くの精神科医が長期間薬を処方しているのです――それが，今流行のお医者さん，というわけです。しかも，長期に亘って精神治療薬を服用している間には，何か別の医学的な問題で，別の医師から 1 つ，または複数の処方箋を受け取ることも，おそらくあることでしょう。たとえば，アレルギー，高血圧，痛み，もしくは感染症などで，医師から薬を処方されるかもしれません。加えて，風邪，咳，頭痛，または胃の調子がおかしいなど，処方箋なしの薬を飲むこともあるのではないでしょうか？　このような場合，薬の相互作用の可能性を考慮する必要が生じます。なぜなら，これらの薬が，それまで服用してきた精神治療薬と相互作用を引き起こすかもしれないからです。

もちろん，精神治療薬が，コカインやアンフェタミンなどのいわゆる麻薬は当然のこと，タバコやアルコールとも相互作用を引き起こす恐れがあることはいうまでもありません。場合によっては，これらの相互作用が極めて危険で，致命的なものとさえなりかねないのです。抗うつ薬のなかには，処方箋なしの薬も含め，一般的に流通している薬と，非常に危険な相互作用を起こすものがあります。何も私は，ここでやたら人騒がせに，事を荒立てようとしているつもりはありません。ただ，少しばかりの知識と医師とのよいチームワークがあれば，抗うつ薬を安全に服用することができるということです。

本章では，薬の相互作用が，なぜ，またどのようにして起こるかということについてお話したいと思います。さらに第20章では，現在服用中の方もいらっしゃるであろう各薬剤もしくは種類別に，問題となる薬物相互作用をご説明することにしましょう。ただし，ここで1つ心に留めておいていただきたいことがあります。このような薬物相互作用についての知識は，今まさに急速な進展の真っ只中にあります。ほとんど毎日のように，新しい情報が明らかになってきつつあるのです。したがって，みなさんが服用する薬について，現在服用中のものはもちろん，処方箋なしの薬（一般用医薬品）も含めたあらゆる薬について，1つ残らず網羅した正確なリストを，みなさんが診ていただく医師それぞれが，各自必ず手元に控えているようにしていただきたいのです。何か問題となることが考えられ得るような薬物相互作用があるかどうか，医師に確認してください。薬剤師にも同じ質問をしてください。この件について，両者がはっきり把握していないようなら，あなたに代わってきちんと確認してくれるよう要請する必要があります。大量の新しい情報が，次から次へと明らかになってきていますから，起こり得る可能性のある薬物相互作用について，すべてみなさん自身が記憶に留めておくことは，事実上不可能です。このようなときこそ，危険な薬物相互作用を一覧表にして記載した参考文献やコンピュータープログラムが，すぐに必要な情報を提供し力を発揮してくれるでしょう。自分が服用している薬の相互作用について，よりよい立場で医師と知的に話し合うためにも，自らの意見を適切に主張し，この問題に関する知識を多少なりとも，身につけていただきたいと思います。

現在服用中の方もいらっしゃると思われる特定の抗うつ薬や気分安定薬に関し，薬物相互作用を一覧表にして詳細に記載したものをご用意しましたので，第20章でご覧ください。たとえば，Prozacを服用中の方なら，この薬の薬物相互作用を記載している表をご確認ください。ほんの1，2分もあれば，十分なはずです。

危険な薬物相互作用についてすべて承知し，患者に何も悪いことは起こらないと保証するのは医師がすべきことであるから，このような表を患者の自分が学ぶ必要などないはずだ，と思われるかもしれません。しかし，そのような方針による論法には幾つか問題があります。第1に，みなさんの医師は非常に造詣の深い見識ある方かもしれませんが，やはり人間です。どれほど聡明な方でも，次々と現れる新たな情報をすべて把握し，遅れずについていくことは不可能でしょう。第2に，たとえ医師からみなさんに，考えられ得る限りの薬物相互作用について話があったとしても，はたしてみなさんは，そのすべてを記憶していられるでしょうか，到底無理ですよね！ そして第3に，現在の管理医療の時代において，医師は，日々ますます多くの患者さんに対処していかなければなりませんから，症状や薬の服用量について，薬を処方している医師と再度確認しようとしても，確保できる時間はほんの2，3分，しかも飛び飛びの間隔でしかありません。患者さんが心得ておくべき，考えられ得る薬物相互作用についてすべて，話し合うための十分な時間などまったくないのです。

どのようにして，また，なぜ，このような薬物相互作用は起きるのでしょうか？

二薬剤間の相互作用として，基本的に 4 つの形が考えられます。1 つ目の作用の仕方として，たとえ両方の薬を「通常」量しか服用していなくても，一方の薬が原因で，もう一方の薬の血中濃度が——ときには危険な程度にまで——増大する可能性があります。薬の血中濃度が突然増大すると，どのような結果となるのでしょうか？　第 1 に，より多くの副作用が出ることが考えられます。なぜなら，副作用というのはたいていの場合，用量と関係があるからです。第 2 に，精神治療薬の多くは，量が多すぎても少なすぎても効果を失います。そして第 3 に，どのような薬であれ，血中濃度があまりにも高くなりすぎると中毒となり，致命的な反応を引き起こすことさえあります。

薬物相互作用の第 2 のタイプは，第 1 のものとまったく逆です。一方の薬が原因で，もう一方の薬の血中濃度が下がる可能性があるのです。これによって，第 2 の薬は，通常量を飲んでいたとしても，効果がなくなります。本当は血中濃度が低すぎることが問題であるにもかかわらず，患者さんや医師はこれを，薬が効いていないと誤って判断してしまうことがあるのです。

第 3 のタイプの相互作用は，2 つの薬がそれぞれ，互いに相手の作用を強めるという同様の効果，もしくは副作用をもっている場合です。たとえば，現在高血圧の治療を受けていて，その後やはり血圧を下げる効果を副作用としてもつ精神治療薬を服用し始めた，と想定してみましょう。その結果，突然血圧が低下し，ひょっとしたら急に立ち上がった際に目まいさえするかもしれません。

第４の，より不吉なタイプの相互作用は，血中レベルには関係なく，単純にある特定の薬の組み合わせによる，中毒作用に関わるものです。言い換えれば，別々に服用した際には安全な２つの薬が，一緒に服用すると極めて危険な相互作用をもたらすことがあるということです。

それでは，最初の２タイプの薬物相互作用について，もっと詳しく見てみることにしましょう。なぜ，１つの薬がもう１つの薬の濃度を，劇的に上げたり下げたりすることがときどきあるのでしょうか？ これを簡単に考えるとすれば，そうですね，今あなたは，バスタブにお湯をいっぱいにしようとしていると想像してみてはどうでしょう。栓を抜くと，お湯は入ってくるのと同じ速さで抜けていく傾向があります。その結果，バスタブのお湯の量は，どれほど長く蛇口を開きっぱなしにしておいても，一向にお風呂に入るに十分なまでにはなりません。対照的に，バスタブに栓をし，しかもお湯を止めずにどんどん入れたら，バスタブは溢れてしまうでしょう。

では，みなさんの身体を，このバスタブになぞらえてみてください（申し上げておきますが，みなさんがバスタブのような体形をしている，という意味ではありませんよ！）。みなさんが毎日服用する薬は，バスタブに入ってくるお湯のようなものです。肝臓の，ある特定の酵素システムをバスタブの底の穴にたとえることができます。肝臓の，これらの酵素が薬を化学的に変化させ，腎臓がより簡単に排出できる別の物質（「代謝産物」と呼ばれます）に変えるのです。この過程は「代謝」と呼ばれます。こうして，みなさんが服用する薬の代謝産物は，普通，最後は尿の中に排出されるのです。

ところが，さらに別の薬を追加して服用すると，肝臓が最初の薬を代謝する速度が遅くなります。これは，バスタブの底の穴を栓でとめることにたとえることができるでしょう。このとき，最初の薬を引き続き服用し続けると，血中レベルは高くなりすぎてしまいます。ちょうどバスタブの中のお湯の量が多くなりすぎて，結局脇から溢れてしまうようにです。さもなければ，追加して服用するもう 1 つの薬が，バスタブの底の穴をもっとずっと大きくする，という反対の作用をすることも考えられます。この場合，肝臓の代謝のスピードが増し，ずっと速い速度で最初の薬を身体から排出するようになります。こうなると，最初の薬を 1 日に同じ量服用し続けても，血中濃度は逆に低すぎるままになり，期待されていたはずの抗うつ効果がでなくなってしまうのです。これは，入って来るのと同じ速度で，お湯がバスタブから抜けていくことになぞらえて考えることができるでしょう。

これはあくまで，基本原則といってもいいでしょう。互いに相互作用を引き起こしやすいのは，肝臓の「チトクローム P450」酵素システムによって代謝される薬です。このような代謝システムにはたくさんのものがあり，異なる種類の薬はそれぞれ別の酵素システムによって代謝されます。ある特定の薬，または薬の組み合わせに限って，たまたまこれらの酵素システムのいずれかを促進または阻害するのでしょう。精神治療薬が，別の精神治療薬または抗生物質，抗ヒスタミン薬，もしくは鎮痛薬などの，精神治療薬以外の薬剤と相互作用を引き起こすこともあり得ます。言い換えれば，精神治療薬が，医師が処方するであろう他の薬（たとえば，降圧薬など）に及ぼす作用の可能性は，精神治療薬以外の薬が現在服用中のいかなる精神治療薬に及ぼす作用の可能性と，まったく同じだということです。要するに，現在服用している薬に加えて他の薬も同時に摂取すると，どのような薬であろうと，最初の薬の濃度が高くなりすぎる，または低くなりすぎることが考えられ得るのです。

それではここで，このような薬物相互作用の具体的な例を幾つかご紹介させてください。まず，みなさんは今，パロキセチン（商品名 パキシル）と呼ばれる，新しい選択的セロトニン再取り込み阻害薬の1つを服用していると想定してみましょう。この薬は，Prozacに非常によく似ています。それではここで，現在このパロキセチンがあまりよく効いていないと想定してみましょう。実際，このようなことはときどきあるのです。そして，患者さんの憂うつな気分は依然として消えていないとします。このようなとき，医師は別の薬を追加することにするかもしれません。そして，このとき，医師がデジプラミン（商品名 Norpramin）を選んだとしたら，現在，服用中のパロキセチンは，いわば，「バスタブに栓をする」のと同様の作用をもたらすことになります。こうなると身体は新しい薬（デジプラミン）をなかなかうまく代謝することができなくなります。その結果，デジプラミンの血中濃度は，本来の想定量の3倍から4倍にまで跳ね上がります。この薬の相互作用については，たいていの精神科医が承知していますから，患者さんがパロキセチンなどのSSRIを服用している場合には，低用量のデジプラミンを処方するなどの配慮がされると思われます。しかし，万一，精神科医師がこの特定の薬物相互作用についての自覚がなく，「通常量」のデジプラミンを処方する判断をしたとしたら，血中のデジプラミン濃度は有毒なレベルにまで達する恐れがあります。

はたしてこれは，忌々しき事態なのでしょうか？　もちろんです。可能性としては，3つの問題が考えられます。第1に，デジプラミンは血中濃度が高くなりすぎると効果がなくなります。第2に，高濃度の場合，より多くの副作用が起こることが予想されます。そして第3に，これは稀なケースではありますが，デジプラミンの血中濃度が過剰になると，それが引き金となって，心臓の律動が乱れ，ときには死に到る危険さえあるのです。

このようなタイプの薬物相互作用は，実際には稀なのでしょうか？ いいえ，そうでもありません。広く用いられている処方薬もしくは非処方薬を，事前に再度よく検討せずに服用し，それを抗うつ薬と併用した場合，抗うつ薬の濃度がときどき，極めて劇的に上昇または下降する可能性があります。第20章の表は，みなさんが服用していることが予想される，あらゆる抗うつ薬について，その最も重要な相互作用を詳細に示しています。

最後に1つ，有毒で危険な相互作用の必ずしもすべてが，服用量や血中濃度に関係しているわけではない，という点についてご説明したいと思います。たとえばProzacなど，比較的新しい抗うつ薬の多くは，脳のセロトニン系に強力な作用を及ぼします。モノアミン酸化酵素阻害薬（MAO阻害薬）も脳のセロトニン系に作用しますが，これとは別のメカニズムによります。抗うつ薬トラニルシプロミン（商品名Parnate）は，このようなMAO阻害薬の1つです。ProzacとParnateを同時に服用した場合，その取り合わせが引き金となり，極めて危険な反応が起こることがあります。これが，「セロトニン症候群」として知られるものです。この症候群では，熱，筋肉の硬直，血圧の急速な変化が見られ，興奮，せん妄，発作，昏睡，及び死を伴います。明らかに，この薬の取り合わせだけは何としても避けなければなりません！

第20章をご覧になれば，MAO阻害薬を服用中には，多くの薬が危険となる可能性があることがおわかりいただけると思います。併用禁忌薬リストには，多くの抗うつ薬の他，幾つかの鬱血除去薬（特に，風邪薬の一般的成分である，デキストロメトルファンが含まれている場合），抗ヒスタミン薬，局所麻酔薬，幾つかの抗けいれん薬，メペリジン（Demerol）などの幾つかの痛み止め鎮痛薬，シクロベンザプリン（Flexeril）を含む鎮痙薬，及び体重減少薬などが挙げられます。これらの薬の中には，先ほどご説明したセロトニン症候群を引き起こすことが予想されるものや，「高血圧発作」として知られる，別の危険な反応を引き起こすことが考えられるものもあります。極端なケースでは，高血圧発作において，脳出血，麻痺，昏睡状態などの症状が現われ，死に至ることもあります。また，「チーズ」など，ある特定の一般的食品も，MAO阻害薬のうちの1つを服用している最中には，やはり高血圧発作を引き起こす可能性があるため，「禁止」リストに挙げられることになります。

このような有害な相互作用に対する懸念から，多くの医師はMAO阻害薬の処方を控えます。実際，みなさん方も「より安全な薬をのみましょう。それなら，心配する必要がありませんから」と思われるかもしれませんね。確かに，これは十分理に適っています。なぜなら，何もMAO阻害薬を用いなくても，もっと安全な薬が幾つも手に入るのですからね。しかしながら，一般的に処方されている多くの抗うつ薬にも，危険な相互作用を引き起こす可能性はないわけではないのです。たとえば，ネファゾドン（商品名Serzone）とフルボキサミン（商品名ルボックス，デプロメール）は，いずれも広く用いられている抗うつ薬ですが，これらは幾つかの一般的な処方薬と組み合わせての服用は避けるべきです。なぜなら，これらの特定の組み合わせが引き金となって心律動の異常が生じ，結果的に突然死に到る恐れがあるからです。このような薬としては，テルフェナジン（商品名をSeldaneといい，アレルギーの治療に使われます），アステミゾール（商品名Hismanal，アレルギーの治療に使われます），またはシサプリド（商品名アセナリン，胃腸機能調整薬）などがあります。

抗うつ薬の服用は危険だ，という印象を植えつけようというつもりは毛頭ありません。むしろ逆です。抗うつ薬は，通常極めて安全で効果的であり，私が今ご説明したような，相互作用の中で破壊的な薬となり得るものは，幸いにも稀なのです。加えて，多くの精神科医は何としてでも最新の知識を身に付け，副作用と薬物相互作用についての新しい情報に遅れずについていこうと努めています。しかし，私たちが生きているこの現実世界には，完璧な医師はいません。起こり得るあらゆる薬物相互作用すべてについて，幅広い知識をもつことのできる医師は1人もいないのです。たとえば，精神科医が処方した，ある新しい抗うつ薬について，プライマリケア医が精通していない，ということもあるかもしれません。だからこそ，みなさん方，患者さんの側のちょっとした下調べが役立つことでしょう。啓発された消費者として，ご自身が服用中のいずれの抗うつ薬についても，本書の第20章及び，米国医薬品便覧（Physician's Desk Reference-PDR）など，その他の，比較的手に入りやすい参考文献をお読みいただければと思います。このような参考文献は，どの図書館，書店，薬局でも見つけることができますし，PDRなら医師の診察室にもあるはずです。また，薬の添付文書を再度よく読み直してもいいでしょう。この程度の情報なら，確認しなおすにしても5分もあれば十分です。それで，詳しい情報を踏まえた質問をし，医師から最善のものを引き出すことができるのです。チームワークこそが，抗うつ薬をめぐる，より安全でよりよい経験を可能にします。治療よりも予防が大切，これは明らかにその一例なのです。

第 20 章　抗うつ薬療法のための完全な消費者ガイド(注)

本章では，現在入手可能な抗うつ薬と気分安定薬すべてにわたり，その価格，服用量，副作用についての実用情報をご提供します。本章は，一気に理解するには，実際，あまりにも多くの詳細な情報を満載していますから——一度にすべてを読もうとなさらず，参照源としてのご利用をお勧めします。みなさんご自身，もしくはご家族の方が服用されていらっしゃる特定の薬についてお知りになりたい場合は，120-121 ページの抗うつ薬一覧表をご利用なされば，みなさんの必要な情報が，本章のどこにあるのかを突き止めるのにお役に立つのではないかと思います。たとえば，現在，フルオキセチン（Prozac）を服用中であると想定してみましょう。まずは，157 ページからの SSRI 抗うつ薬の項をお読みください。加えて，同ページからの薬の価格の項ならびに 296 ペー

(注)　スタンフォード大学メディカルスクールの精神薬理学の同僚，ジョー・ベレノフ博士，スタンフォード大学の上級精神科医 グレグ・タラオフ氏には，本章の改訂中，有益なご提案をいただき，感謝申し上げます。加えて，アラン・F・シャツバーグ博士，ジョナサン・コール博士，及びチャールズ・デバティスタ博士による，すばらしい著書『Manual of Clinical Psychopharmacology，第 3 版』からは，役立つ情報を豊富に得させていただきました（ワシントン：アメリカ精神医学会出版部—Washington : American Psychiatric Press, 1997）。本書は，学問的ながらも，非常に読みやすく，大変貴重な参考文献です。感情障害の治療において現在用いられている薬について，さらなる情報を求めていらっしゃる個人の方々にも，本書を強くお勧めします。

抗うつ薬一覧表

抗うつ薬のクラス	一般名	（商品名）[a]	参照ページ
三環系抗うつ薬	アミトリプチリン	（トリプタノール）	133
	クロミプラミン	（アナフラニール）	
	デジプラミン	（Norpramin, Pertofrane）	
	ドキセピン	（Adapin, Sinequan）	
	イミプラミン	（トフラニール）	
	ノルトリプチリン	（ノリトレン）	
	プロトリプチリン	（Vivactil）	
	トリミプラミン	（スルモンチール）	
四環系抗うつ薬	アモキサピン	（アモキサン）	133
	マプロチリン	（ルジオミール）	
選択的セロトニン再取り込み阻害薬（SSRI）	シタロプラム	（Celexa）	157
	フルオキセチン	（Prozac）	
	フルボキサミン	（ルボックス，デプロメール）	
	パロキセチン	（パキシル）	
	サートラリン	（Zoloft）	
モノアミン酸化酵素阻害薬（MAO阻害薬）	イソカルボキサジド	（Marplan）	180
	フェネルジン	（Nardil）	
	セレギリン	（エフピー）	
	トラニルシプロミン	（Parnate）	

抗うつ薬のクラス	一般名	（商品名）[a]	参照ページ
セロトニン拮抗薬	ネファゾドン	（Serzone）	222
	トラゾドン	（デジレル，レスリン）	
その他の抗うつ薬			231
	ブプロピオン	（Wellbutrin）	231
	ベンラファキシン	（Effexor）	238
	ミルタザピン	（Remeron）	243
気分安定薬			246
	カルバマゼピン	（テグレトール）	275
	ガバペンティン	（Neurontin）	288
	ラモトリジン	（Lamictal）	288
	リチウム	（リーマス）	246
	バルプロ酸	（デパケン）	267
	ジバルプロエックスナトリウム	（Depakote）	

a　抗うつ薬の多くは，米国では一般名（ジェネリック医薬品として）で現在入手可能です（表 20-1 参照）。本表では，当初の商品名のみを挙げています。

ジからの情報についても，もちろんすべての読者にとって，一般的にご参照いただけるのではないかと思います。

抗うつ薬の価格

しばしば，価格が高額であればあるほどよい，と考えがちですが，抗うつ薬に関しては，必ずしもそうではありません。実際，それぞれの抗うつ薬によって，劇的ともいえるほどの著しい価格の違いはあるものの，必ずしもそのすべてが薬の効果に反映されるわけではありません。ということは，言い換えれば，非常に安価な薬でも，その40倍もしくはそれ以上の価格の別の薬と同等，またはそれを上回る効果を発揮することがときどきある，ということです。したがって，薬の価格が悩みの種という人にとって，ちょっとした知識で，大きな費用の節約となるかもしれません。最も一般的に処方される，抗うつ薬と気分安定薬の価格と服用量は，127ページから132ページの表20-1に一覧表にして挙げてあります。表20-1では，各抗うつ薬の最安卸値を引用し見積もっていることにご注意ください。同じ薬であっても，薬局で支払う小売値は，これよりもおそらく高いでしょう。同じ薬の別の商品名を選んだ場合も，やはりこれより高いことが予想されます。このことは，薬の価格についての以後の説明のすべてにおいて，心に留めておいてください。

さまざまなタイプの薬の価格と，それぞれの服用量を比較すると，かなり興味深い情報が得られることでしょう。たとえば，比較的古い，三環系薬と四環系薬の多くは，現在商標登録の適用を受けずに入手可能です。薬というのは，最初に製造された時点では，製薬会社が 17 年間の特許権を取ることで，それを独占的に販売することができます。特許権によってまだ保護されている，より新しい薬は，比較的高価格で販売されることで，その研究，開発，及び試験の費用を賄うことができるのです。特許期限が切れた後は，他の製薬会社が競ってその薬の製造に乗り出すため，値段は劇的に下がるのです。

表 20-1 をご覧になると，これらのいわゆる「ジェネリック（後発）医薬品」が，まだ特許権のもとにある比較的新しい薬と比べ，格段に低価格であることがおわかりいただけるでしょう。たとえば，うつ病に対し，医師が 1 日に 150mg の用量のイミプラミンを処方した，と想定してみましょう。50mg の錠剤 3 錠分の価格は，1 日につき 10 セント未満，大雑把に見積もって，1 カ月に 3 ドルです。これは，イミプラミンが現在ジェネリック医薬品として入手可能だからです。対照的に，医師が，1 日に 20mg の Prozac を 2 錠，処方したとしたらどうでしょうか。費用は，1 日に 4.5 ドル，1 カ月に 135 ドル近くにまでのぼり ――イミプラミンの 40 倍を越えることになります。さらには，仮に，Prozac が 4 錠――最大服用量――処方されたとしたら，実に，1 カ月につき価格は 270 ドルにまで跳ね上がることになるのです。これは，大方の人にとって法外な価格です。しかも忘れてはならないことは，これらがあくまで卸値だということ――実際の支払い金額は，これよりもさらに多くなるかもしれないのです。

では，Prozac はイミプラミンの 40 倍から 100 倍も効果的なのでしょうか？ 断じて，そのようなことはありません。ゆくゆくおわかりになるかと思いますが，抗うつ薬のほとんどについて，その効果に大きな違いはない傾向が見られます。調査研究からも，Prozac がイミプラミンよりも幾らかでも効果がある，という確証は得られていません――それどころか，実際には重症のうつ病に対しては，やや効果が劣る可能性すらあります。しかしながら，Prozac には，イミプラミンよりも副作用（たとえば，口の渇きや眠気など）が少ない，という大きな長所があるのです。これは，人によっては極めて重要なことであり，値段が違うだけのことはある，といえるかもしれません。その一方で，Prozac には，患者さんの 30%から 40%，ひょっとしたらそれ以上に，性機能不全（オルカズムの達成困難）など，それ自身の副作用が幾つかあることもおわかりになることでしょう。この特定の副作用が気に入らないという人には，より安価な薬のほうが実際好まれるかもしれません。

表 20-1 からは，特定の薬品をより大量に含む錠剤が，より少量しか含まない錠剤よりも，必ずしも高価格であるとは限らないこともおわかりいただけるのではないでしょうか。これは，まだ特許下にある比較的新しい薬の 1 つを服用中という場合に，特にそういえますから，より大量に含む薬を購入することで，費用の節減につながるかもしれません。たとえば，表 20-1 をご覧になると，ネファゾドン（Serzone）100 錠の価格は，100mg サイズのもので 83.14 ドルです。より大きなサイズ（150 m g から 250mg）を 100 錠でも，値段はまったく同じです。したがって，大量に服用している，たとえば 1 日に 500mg などの場合，100mg の錠剤を 5 錠（費用は 1 日に 4.16 ドル）服用するか，さもなければ 250mg のものを 2 錠（1 日に 1.66 ドル）服用するか，いずれかの方法によることが可能です。

加えて，より大きなサイズの薬を購入して，1 錠を半分に割って服用することで，しばしば費用を節約することができます。したがって，このまま同じ例を続けると，250mg の錠剤を服用すれば，その費用は 500mg の錠剤を購入して，それを半分に割って服用した場合のほぼ半額ですむことになるのです。

ところが，ジェネリック医薬品の場合は，事情が異なってきます。この種の薬は，概して全体的に低価格で，服用量に応じて値段が決められているため，1回分の用量がより多くてもさほど抜本的に格安となるわけではありません。加えて，これらの薬は非常に多くの異なる会社によって製造されていますから，それぞれの用量毎の値段は，必ずしも完全に矛盾なく一貫しているわけではなく，ときには，用量の少ないもののほうが，より用量の大きなものよりも価格が高いということも予想されるのです。たとえば，127ページの，三環系抗うつ薬デジプラミン（商品名Norpramin）の価格構造をご覧ください。10mgの錠剤100錠で，値段が15.75ドルであるのに対し，25mgの錠剤100錠では，7.14ドルですむことがおわかりいただけるかと思います。つまり，より用量の大きな錠剤のほうが，実際低価格なのです。これは，それぞれ別の会社が，2つのサイズの薬を製造しているという理由によります。

さらにいっそう困惑させてしまうかもしれませんが，これとは別で，1回の用量がより大きなほうが実質的に高価格であることから，より小さなサイズのものを服用することで費用を節約できる，というケースもあるのです。たとえば，127ページのデジプラミンの価格をもう一度ご覧ください。75mgのデジプラミン100錠の価格は12.42ドル，150mgのデジプラミン100錠では109.95ドルであることがおわかりいただけるでしょう（これも，それぞれ製造会社が異なることによります)。したがって，150mgの錠剤を1錠ではなく，75mgの錠剤を2錠服用することにより，大幅に費用を節約することができるのです。これもやはり，それぞれ異なる会社が，75mgと150mgの2つのサイズを製造していることが理由です。妙な感じに思われるかもしれませんが，価格構造がまったく矛盾している例は，ままあるのです。

みなさんご自身，もしくはご家族の方が抗うつ薬を服用されている場合には，必ず表 20-1 で調べ，これらの価格問題について薬剤師にご相談ください。みなさん方，患者さんの側で，手っ取り早く簡単な下調べをちょっとしておくことで，結局大きな節約につながるかもしれないのです。

もう 1 つ，具体的に表からはわかりませんが，重要な点があります。それは，ジェネリック医薬品の場合，非常に多くの異なる会社によって製造されるため，同じジェネリック医薬品で，用量も同じであるにもかかわらず，値段に大きなばらつきがある可能性があるということです。表 20-1 では，いずれも，各錠剤について最も低価格のジェネリック医薬品を掲載してあります。つまり，同じ錠剤のより高価格なものについては，ここには挙げられていないということです。たとえば，HCFA FFP という製薬会社によって製造された 50mg のイミプラミン 100 錠なら，わずか 3.08 ドルの費用ですむでしょう。なぜなら，これが表 20-1 に掲載した，最も低価格のジェネリック医薬品だからです。対照的に，別の製薬会社であるノヴァルティスによって製造された同サイズのイミプラミン 100 錠だと，その価格は 74.12 ドル――さらに 20 倍以上になります。医師が抗うつ薬を化学名（表 20-1 に挙げたもの）で処方した場合，薬剤師はそれが入手可能である限り，最も低価格のジェネリック医薬品を自由に提供してよい，ということを心に留めておいてください。

なんであろうと，いずれか 1 つの薬または種類を推薦するのが，私の目的ではありません。どの抗うつ薬にも長所がありますし，やはりどの薬にも欠点はあります。要は，価格が高ければ高いほど必ずしもよい，というわけではないということです。これらの薬の価格を再度よく検討してみることによって，医師や薬剤師と協力して，みなさんご自身にとって最も適切な，薬とブランドを

表 20-1　抗うつ薬の名称，用量，価格

一般名[a]	商品名[b]	製剤（mg）と100錠当りの最安卸値[c]		1日投与量の幅[d]	ジェネリック薬[e]
三環系抗うつ薬					
アミトリプチリン	トリプタノール	10 mg	1.73 米ドル	75-300 mg	あり
		25 mg	1.85 米ドル		
		50 mg	2.78 米ドル		
		75 mg	3.53 米ドル		
		100 mg	4.28 米ドル		
		150 mg	2.09 米ドル		
クロミプラミン	アナフラニール	25 mg	78.29 米ドル	150-250 mg	なし
		50 mg	105.57 米ドル		
		75 mg	138.97 米ドル		
デシプラミン	Norpramin	10 mg	15.75 米ドル	150-300 mg	あり
		25 mg	7.14 米ドル		
		50 mg	10.91 米ドル		
		75 mg	12.42 米ドル		
		100 mg	40.89 米ドル		
		150 mg	109.95 米ドル		
ドキセピン	Sinequan	10 mg	3.98 米ドル	150-300 mg	あり
		25 mg	4.43 米ドル		
		50 mg	6.60 米ドル		
		75 mg	8.93 米ドル		
		100 mg	11.25 米ドル		
		150 mg	14.96 米ドル		

一般名[a]	商品名[b]	製剤（mg）と100錠当りの最安卸値[c]		1日投与量の幅[d]	ジェネリック薬
塩酸イミプラミン	トフラニール	10 mg	1.88 米ドル	150-300 mg	あり
		25 mg	2.33 米ドル		
		50 mg	3.08 米ドル		
イミプラミン・パモエート	Tofranil-PM	75 mg	103.67 米ドル	150-300 mg	なし
	（徐放性）	100 mg	136.29 米ドル		
		125 mg	169.95 米ドル		
		150 mg	193.73 米ドル		
ノルトリプチリン	ノリトレン	10 mg	11.55 米ドル	50-150 mg	あり
		25 mg	15.90 米ドル		
		50 mg	19.43 米ドル		
		75 mg	24.83 米ドル		
プロトリプチリン	Vivactil	5 mg	46.46 米ドル	15-60 mg	なし
		10 mg	67.36 米ドル		
トリミプラミン	スルモンチール	25 mg	64.08 米ドル	150-300 mg	なし
		50 mg	108.14 米ドル		
		100 mg	157.20 米ドル		
四環系抗うつ薬					
アモキサピン	アモキサン	25 mg	32.87 米ドル	150-450 mg	あり
		50 mg	53.44 米ドル		
		100 mg	89.16 米ドル		
		150 mg	43.87 米ドル		

マプロチリン	ルジオミール	25 mg	19.43 米ドル	150-225 mg[f]	あり
		50 mg	29.10 米ドル		
		75 mg	40.88 米ドル		
選択的セロトニン再取込み阻害薬（SSRI）					
シタロプラム	Celexa	20 mg	161.00 米ドル	20-60 mg	なし
		40 mg	168.00 米ドル		
フルオキセチン	Prozac	10 mg	218.67 米ドル	10-80 mg	なし
		20 mg	224.54 米ドル		
フルボキサミン	ルボックス, デプロメール	50 mg	198.67 米ドル	50-300 mg	なし
		100 mg	204.37 米ドル		
パロキセチン	パキシル	10 mg	189.33 米ドル	10-50 mg	なし
		20 mg	189.20 米ドル		
		30 mg	214.80 米ドル		
サートラリン	Zoloft	50 mg	176.23 米ドル	25-200 mg	なし
		100 mg	181.33 米ドル		
モノアミン酸化酵素阻害薬（MAO阻害薬）					
フェネルジン	Nardil	15 mg	40.24 米ドル	15-90 mg	なし
セレギリン	エフピー	5 mg	215.90 米ドル	20-50 mg	なし
トラニルシプロミン	Parnate	10 mg	45.80 米ドル	10-50 mg	なし
イソカルボキサジド	Marplan	10 mg	入手不能	10-50 mg	入手不能
セロトニン拮抗薬					
ネファゾドン	Serzone	100 mg	83.14 米ドル	300-500 mg	なし
		150 mg	83.14 米ドル		
		200 mg	83.14 米ドル		
		250 mg	83.14 米ドル		

一般名[a]	商品名[b]	製剤（mg）と100錠当りの最安卸値[c]		1日投与量の幅[d]	ジェネリック薬[e]
		セロトニン拮抗薬			
トラゾドン	デジレル，レスリン	50 mg	5.03 米ドル	150-300 mg	あり
		100 mg	11.70 米ドル		
		150 mg	58.43 米ドル		
		その他の抗うつ薬			
ブプロピオン	Wellbutrin	75 mg	62.17 米ドル	200-450 mg	なし
		100 mg	82.96 米ドル		
ベンラファキシン	Effexor	25 mg	105.53 米ドル	75-375 mg	なし
		37.5 mg	108.68 米ドル		
		50 mg	111.93 米ドル		
		75 mg	118.66 米ドル		
		100 mg	125.78 米ドル		
	Effexor XR	37.5 mg	193.88 米ドル	75-375 mg	なし
	（徐放性カプセル）	75 mg	217.14 米ドル		
		150 mg	236.53 米ドル		
ミルタザピン	Remeron	15 mg	198.00 米ドル	15-45 mg	なし
		気分安定薬[g]			
リチウム	リーマス	150 mg	7.63 米ドル	90-1500 mg[h]	あり
		300 mg	5.25 米ドル		
		600 mg	13.23 米ドル		
	Lithobid, Eskalith CR	300 mg	15.53 米ドル		
	（徐放性）	450 mg	35.80 米ドル		

カルバマゼピン	テグレトール	100 mg	14.67 米ドル	800-1200 mg	あり
		200 mg	10.08 米ドル		
バルプロ酸	デパケン	250 mg	12.98 米ドル	750-3000 mg	あり
ジバルプロエックス•ナトリウム	Depakote[i]	125 mg	30.95 米ドル	750-3000 mg	なし
		250 mg	60.76 米ドル		
		500 mg	112.08 米ドル		
ラモトリジン	Lamictal	25 mg[j]	—	50-150 mg[k]	なし
		100 mg	175.54 米ドル		
		150 mg	184.43 米ドル		
		200 mg	193.33 米ドル		
ガバペンチン	Neurontin	100 mg	37.80 米ドル	900-2000 mg	なし
		300 mg	94.50 米ドル		
		400 mg	113.40 米ドル		

a 医師が処方箋に薬の化学名もしくは一般名を記載した場合，薬剤師は，商品名のついた薬よりも遥かに低価格の可能性がある，安価なブランドで代用できることがしばしばあります。

b オリジナルの薬の商品名のみを掲載してあります。これらの薬の，ジェネリックのものにはそれぞれ，独自の商品名がつけられています。

c これらは，すべて米国での価格です。価格については次の資料によります。Mosby's GenRx，1998(第8版):The Complete Reference Guide for Generic and Brand Drugs. St. Louis : Mosby。入手可能な最も安価なブランドの，100錠あたりの平均価格を掲載してあります。これは，みなさんの地元の小売薬局店が，特別な割引なしに，製品に支払う必要がある価格です。そのため，みなさんに実際にかかる費用は，これよりも高く，薬局店によって付けられる正札によることになります。

d 服用量は，うつ病のエピソードに対する治療に想定される使用量を記載しています。患者さんによっては，通常の範囲よりも多い，または少ないほうがよいこともあります。また，回復後も引き続き，治療を延長する必要がある場合は，用量を少なくしても十分かもしれません。いずれにしても，用量を変更する前に，必ず医師に相談してください。

e これらは，1998年の時点において，ジェネリックで入手可能な薬です。現在流通している抗うつ薬のなかでも，今後，オリジナル薬の特許権が切れれば，ジェネリックで入手可能となるものが増えてくるでしょう。

f マプロチリンは，服用を延長して続ける場合は，1日に175mgを越えるべきではありません。製造者側からは，6週間の間に最大で225mgを越えるべきではない，と指示されています。

g 気分安定薬のなかにも幾つか，血液検査によって用量を監視していく必要があるものもあります。したがって，現在，服用中の他の薬についてはもちろんのこと，患者さんの年齢，性別，体重，診断，及び各個人の新陳代謝の違いによっても，服用量はそれぞれ個人的に大きく異なってくるでしょう。

h 躁病のエピソードの最中は，身体のリチウム代謝速度が速まると思われることから，急性期躁病の際には，その間，薬を増量する必要があるかもしれません。

i これは，Depakote Sprinkle (125mg) としての入手も可能です。この Depakote Sprinkle は，食べ物に振り掛けることができます。

j Lamictal 25mg の価格は，Mosby's GenRx (1998 版) には，掲載されていませんでした。

k これは，てんかんに対してバルプロ酸と共に処方された場合に勧められる用量範囲です。単独で処方される場合，てんかんに対して勧められる用量範囲は，1日に300mgから500mgです。

選択することができるのです。

抗うつ薬の具体的な種類

三環系抗うつ薬と四環系抗うつ薬

120 ページの抗うつ薬一覧表に最初に挙げられているのは,「三環系 tricyclic」抗うつ薬と「四環系 tetracyclic」抗うつ薬と呼ばれる薬です。三環系抗うつ薬と四環系抗うつ薬は，それぞれ化学構造が若干異なります。「tri」は 3 を意味し,「tetra」は 4 を意味します。「cyclic」は円または輪を表しています。三環系化合物は, 3 つの結合分子の輪で構成されているのに対し，四環系は 4 つの輪から構成されています。

抗うつ薬一覧表には，三環系抗うつ薬が 8 つ，四環系抗うつ薬が 2 つ挙げられているのがおわかりになるかと思います。8 つの三環系薬には，アミトリプチリン（トリプタノール)，クロミプラミン（アナフラニール)，デジプラミン（Norpramin)，ドキセピン(Sinequan)，イミプラミン（トフラニール)，ノルトリプチリン(ノリトレン)，プロトリプチリン（Vivactil）及びトリミプラミン(スルモンチール) が含まれます。これら 8 つの三環系薬は，かつて最も一般的に処方されていた抗うつ薬でした。現在でも，あらゆる抗うつ薬の中で，最も効果的な部類に含まれることに変わりはありませんし，その多くは，ジェネリック医薬品として入手が可能になったことから，最も安価でもあります。しかしながら，三環系薬は，より新しい薬と比べて副作用が多い傾向があることから，最近ではかつてほどの人気はなくなりました。それでもやはり，数十年間処方されてきただけあって，非常に有効で安全であるという長い実績をもっています。

一方，表中の2つの四環系抗うつ薬は，アモキサピン（アモキサン）と，マプロチリン（ルジオミール）と呼ばれます。三環系薬が，ある程度の期間使われてきた後に，これら2つの四環系が合成され，市販が開始されたのです。ある特定のタイプのうつ病に対する効果が上がった，もしくは副作用が減少したといういずれかの理由から，これらの薬に，治療の重大な進展を象徴してほしいという願いがあったのでしょう。

しかし，残念ながらこのような期待された進展は，実際には実現しませんでした。これら8つの三環系抗うつ薬と，2つの四環系抗うつ薬の効果，作用メカニズム，及び副作用は，大部分極めてよく似ているのです。

三環系抗うつ薬と四環系抗うつ薬の服用量

127-132ページの表20-1には，8つの三環系抗うつ薬と2つの四環系抗うつ薬について，価格と用量が記載してあります。先にもご説明しましたように，これらの多くはもはや特許権が切れていますから，値段は高くありませんし，ジェネリックのものが手軽に手に入ります。くれぐれも，安い抗うつ薬は効果が低いなどという思い違いはしないでください。実際，Prozacなどのより新しい抗うつ薬の多くよりも，これらのほうが若干効果的かもしれないと多くの研究が示しているのです。

医師が犯しがちな最もよくある過ちは，三環系抗うつ薬の用量を少なく処方しすぎてしまうことです。服用量は可能な限り少なくすべきだと感じていらっしゃる方にとっては，このような話は意に反して聞こえるかもしれません。しかし，三環系薬の場合，処方量が少なすぎると薬の効果がなくなってしまうのです。あくまで少なすぎるほどの用量を服用することにこだわっていては，時間を無駄にすることにもなりかねません。それではせっかく服用しても何の甲斐もありませんよね。その一方で，表20-1で推奨されている服用量を越えると，危険となる恐れもありますし，うつ病をさらに悪化させることにもなりかねません。

このように申し上げたうえで，敢えて言わせいただきたいのが，表に挙げた分量よりも少ない量で薬が効くケースもある（特に，ご年配の方）ということ，逆に，より多くの用量が必要となるケースもあるということです。この理由は，1つに，人によって抗うつ薬の代謝速度にかなり大きな違いが考えられ得る，ということがあります。このような違いは，特に遺伝子に関係し，以前にもご説明しましたように，肝臓中のある特定酵素の量に原因があります。「代謝速度の速い人」の場合は，効果が期待しうる血中濃度を維持するために，より多くの用量が必要になるでしょうし，逆に「代謝速度の遅い人」の場合は，より少ない量でいいでしょう。さらにこの他，三環系薬の血中濃度を引き下げ，その効果を失わせたり，逆に濃度を引き上げ，中毒になる可能性を高めてしまう薬もあります。これらの薬については，後々ご説明していくつもりです。

現在服用中の薬の用量が，不当に多すぎる，もしくは少なすぎるのではないかと疑いを抱いている方は，表20-1の用量範囲を再度確認し，ご自身の懸念ついて医師とよく話し合ってください。三環系抗うつ薬のほとんどについて，手軽に血中濃度検査を行なうことが可能ですから，現在の服用量が当患者さんにとって多すぎることも少なすぎることもないことを確かめるために，血液検査の指示が医師から出されるかもしれません。

三環系薬の服用を始めるにあたって最もよい方法は，まずは少量から始め，通常の治療用量範囲に達するまで，1日毎に徐々に増量していく方法です。このように増量していくことで，たいてい1，2週間で通常量まで達することができます。たとえば，表20-1に挙げた，最も一般的に処方される三環系抗うつ薬の1つ，イミプラミンの典型的な毎日の服用スケジュールとしては，次のようなものが考えられるでしょう。

1日目……就寝時に50mg；
2日目……就寝時に75mg；
3日目……就寝時に100mg；
4日目……就寝時に125mg；
5日目……就寝時に150mg；

患者さん，及びその主治医の先生共々，もう少し段階的に用量を引き上げていったほうがいい，とお思いになられることもあるかもしれません。1日あたり最大でも150mgの用量なら，1日に1回，夜に手軽に服用できるでしょう。抗うつ薬の効き目は終日もつでしょうし，最も厄介な副作用も，これなら夜，つまり1日で一番気づきにくい時間帯に起こることになると思われます。1日あたり150mgを超える量が必要とされる場合は，追加分を何回かに分割して日中に服用するようにするといいでしょう。

より鎮静作用の大きい三環系抗うつ薬の場合は，最大指示量の半分を上限として，1日に1回，就寝前に服用することになるかと思います。この分量で睡眠は促進されることでしょう。三環系抗うつ薬のなかには，デジプラミン，ノルトリプチリン，及びプロトリプチリンも含め，刺激作用をもつものが幾つかあります。このようなものは，午前中と正午に分けて服用してもいいでしょう。1日のあまり遅い時間に飲むと，睡眠の妨げになる恐れがあります。

三環系抗うつ薬の用量を減らす場合，もしくは服用を中止しようという場合は，服用量を徐々に減らしていくのが最もよい方法です。突然，ぷっつりと止めることだけは断じて避けてください。抗うつ薬の突然の中止は，副作用という結果を招く恐れがあるからです。胃の不調，発汗，頭痛，不安，ないし不眠などがそうです。三環系抗うつ薬は，通常 1，2 週間以上の期間をかけて，徐々に用量を減少させていくことで，安全で快適にやめることができます。

三環系抗うつ薬の副作用

三環系抗うつ薬の最も頻繁に起こる副作用については，140-141 ページの表 20-2 をご覧ください。三環系抗うつ薬のすべてに極めて多数の副作用があることが，この表からおわかりになると思います。実に，これこそがこれらの薬の最大の欠点といえるでしょう。最も一般的に見られる副作用には，眠気，口の渇き，軽い手の震え，突然立ち上がった際の一時的な立ちくらみ，及び便秘などがあります。また，これらの副作用が原因で，過剰な発汗，セックス困難，夜に眠りに陥った際の筋肉の引きつり，またはけいれん，及び表 20-2 に挙げました，その他の多数の副作用が起こることも考えられます。これらの副作用のほとんどは，危険なものではありませんが，わずらわしいものであることは確かでしょう。

抗うつ薬の副作用というのは，これらの薬が脳内のヒスタミン受容体，αアドレナリン受容体，及びムスカリン受容体（これは，コリン受容体とも呼ばれます）を阻害する強さがわかれば，予言することができるということは，先にご説明したとおりです。表 20-2 をご覧になると，各抗うつ薬が，脳内のこれら 3 つの受容体システムに及ぼす作用によって，それぞれ異なる副作用像をもつことがおわかりになるでしょう。

脳のヒスタミン受容体が遮断されると，空腹や眠気が生じます。表 20-2 は，三環系抗うつ薬のうち４つ（アミトリプチリン，クロミプラミン，ドキセピン及びトリミプラミン）が，ヒスタミン受容体にかなり強い影響を及ぼすことを示しています。その結果，これら４つの抗うつ薬は，空腹や眠気をより一層強く引き起こすように思われます。睡眠に問題を抱えている人にとっては，この副作用はかえって好都合となるでしょうが，現在，既に気だるさややる気のなさを感じている人の場合は，これらの薬のせいでますます症状が悪化する恐れがあります。また，うつ病が原因で体重が減ってきている場合には，食欲増進をはかることが役立つことでしょう。しかしながら，体重が過剰気味な方の場合，体重増加は士気を殺ぐことにもなりかねませんから，食事により注意を払い，運動量を増やして，増加防止を心掛ける必要があるかもしれません。現在では，体重増加を引き起こさない抗うつ薬が多数手に入りますから，それらの１つに切り替えるほうが賢明かもしれません。表 20-2 からは，三環系薬のうち３つ（デジプラミン，ノルトリプチリン，及びプロトリプチリン）が，ヒスタミン受容体に弱い影響しか与えないことわかります。これらの抗うつ薬は，空腹や眠気を引き起こす可能性も弱いようです。この他，別の種類の抗うつ薬の中にも，眠気を引き起こさない抗うつ薬は多数あります。

また，脳の α アドレナリン受容体が阻止されると，血圧の低下が起こるということを思い起こされる方もいらっしゃるかもしれません。これは，結果的に，突然起立した際に一時的な立ちくらみ，もしくは目まいを引き起こすことがあります。脚の静脈がより弛緩し，血液が一時的に脚に滞ってしまうことが原因で，心臓は，一時的に脳へ汲み上げるための十分な血液を確保できなくなり，視界が暗くなり，数秒間ほど目まいやふらつきを感じる結果になるのです。したがって，脳のαアドレナリン受容体に比較的強い影響を与える抗うつ薬は，突然の起立時に目まいを引き起こす可能性が高いと予想されるでしょう。表20-2からは，三環系薬の中には，αアドレナリン受容体に強い影響をもつものが多いものの，そのうち2つ（デジプラミンとノルトリプチリン）は弱い影響しか与えないことがおわかりになるかと思います。結果的に，これらの2つの薬は，目まい，もしくは血圧低下を引き起こす可能性も低いと思われます。

最後は，脳のムスカリン受容体が阻止された場合についてです。この場合，口の渇き，便秘，目のかすみ，尿の出が悪い，及び安静時でさえ心臓の鼓動が速まる，などの副作用が生じます。このように心臓に影響を与えることから，表20-2の中でも，これらムスカリン受容体に非常に強い影響力をもつ三環系薬は，心臓に問題のある患者さんに適切とはいえないかもしれません。強力な抗うつ作用をもつ薬は，記憶に支障を及ぼす可能性もあります。このような薬を服用すると，自分が使おうと思っている単語が思い出せない，人の名前を忘れてしまう，とおっしゃられる患者さんが多いのです。記憶への影響は服用量と関係があるため，薬の服用をやめると消えてしまうはずです。

表20-2の三環系薬のうち，2つ（デジプラミンとノルトリプチリン）は，比較的，抗うつ作用が弱いことがおわかりになるでしょう。これら2つの薬は，口の渇きや物忘れなど副作用を起こす可能性が最も低いように思われますし，ヒスタミン受容体，αアドレナリン受容体への影響も他と比べ弱い傾向があります。これらは，副作用の数が少ないことから，三環系抗うつ薬の中でも最も人気のあるものの部類に含まれます。

これら3つの脳内受容体系に与える，抗うつ薬の影響から，そ

表 20-2　三環系抗うつ薬の副作用[a]

特記：この表は包括的なものではありません。一般に，患者の5～10%またはそれ以上に発現する副作用，そして稀であるものの危険な副作用などを記載してあります。

副作用[b] 脳内受容体	鎮静と体重増加[c] ヒスタミン（H_1）受容体	頭がくらくらし，めまいがする αアドレナリン（α_1）受容体	かすみ目，便秘，口渇，動悸，排尿困難 ムスカリン（M_1）受容体	一般的または問題となる副作用
アミトリプチリン（トリプタノール）	＋＋＋	＋＋＋	＋＋＋	めまい，動悸，心電図異常，口渇，便秘，体重増加，排尿困難，かすみ目，耳鳴り，発汗，脱力感，頭痛，振戦，倦怠感，不眠，錯乱
クロミプラミン（アナフラニール）	＋＋から＋＋＋	＋＋＋	＋＋から＋＋＋	めまい，動悸，心電図異常，口渇，胃の不快感，食欲減退，便秘，体重増加，排尿困難，月経異常，性機能不全，かすみ目，発汗，脱力感，けいれん，振戦，倦怠感，不眠，不安，頭痛，発疹，発作
デジプラミン（Norpramin, Pertofrane）	＋	＋	＋から＋＋	口渇，発疹，激越，不安，頭痛，不眠，刺激
ドキセピン（Adapin, Sinequan）	＋＋＋	＋＋＋	＋＋から＋＋＋	めまい，動悸，口渇，便秘，体重増加，かすみ目，発汗，眠気

イミプラミン（トフラニール）	＋＋	＋＋から＋＋＋	＋＋から＋＋＋	めまい，動悸，心電図異常，口渇，便秘，体重増加，排尿困難，かすみ目，発汗，脱力感，頭痛，倦怠感，不眠，不安，刺激，発疹，発作，光過敏症，眠気
ノルトリプチリン(ノリトレン)	＋から＋＋	＋	＋＋	口渇，便秘，振戦，脱力感，錯乱，不安または刺激
プロトリプチリン（Vivactil）	0から＋	＋から＋＋	＋＋＋	めまい，血圧の上昇または降下，心電図異常，悪心，便秘，かすみ目，発汗，脱力感，不眠，刺激，頭痛
トリミプラミン（スルモンチール）	＋＋＋	＋＋から＋＋＋	＋＋から＋＋＋	めまい，血圧の上昇または降下，心電図異常，口渇，便秘，体重増加，かすみ目，発汗，脱力感，頭痛，振戦，眠気，混乱，暑さ寒さの過敏症

a ＋から＋＋＋までの評価は，特定の副作用が現れる確度。実際に発現する副作用の強度には個人差があり，用量によっても異なります。用量を引き下げることにより，有効性を減じることなく副作用を抑制できる可能性があります。

b 副作用が問題となる場合，そのほとんどは用量を下げることにより極小化が可能です。副作用は服用開始後数日間がもっとも強く，徐々に減少してゆく傾向があります。

c 鎮静作用の強い薬剤ほど，抗不安作用も強くなります。つまり服用により，鎮静され神経過敏が緩和されることを意味します。夜間の服用は不眠症の軽減に役立ちます。

の薬の副作用すべてについて完全に説明することはできません。表の右側の欄に，それぞれの薬の，比較的よく見られる，もしくは重要な副作用の多くを挙げてあります。たとえば，これらの薬の多くが肌の発疹を引き起こす恐れがあることがおわかりになるでしょう。三環系薬の中には発作を引き起こす恐れのあるものもあります。その最も顕著なものが，クロミプラミン（アナフラニール）で，したがって，この薬はてんかんの持病がある人には適切な選択とはいえないでしょう。

表 20-2 に掲載の抗うつ薬の中から，どれか 1 つを主治医の先生と共に選択しようという場合には，やはり副作用の輪郭も判断材料に加えたいと思われるのではないでしょうか。ここに挙げられた薬は，いずれも優劣つけがたく効果的なものばかりですから，この中からどれかを決定するとすれば，その副作用こそが，患者さんにとって最も重要な判断基準になると思われるからです。したがって，夜眠れなくて困っているという方なら，より鎮静作用の強い抗うつ薬の 1 つが有効かもしれません。このような鎮静作用薬は，幾らか気分を安定させる働きもありますから，不安を感じていらっしゃる方の役に立つかもしれません。

表 20-2 に掲載された三環系抗うつ薬の副作用の多くは，服用開始後，最初の数日間の間に起きます。口の渇きと体重の増加は例外として除き，その他の副作用は，多くの場合，薬に慣れてくるにつれて軽減してきます。単純に我慢できれば，その多くは数日後には消えていくでしょうし，その副作用があまりに強く不快になるほどであれば，主治医の先生が薬の用量を減らす判断をなさるでしょう。通常はこれで効果があります。

副作用によっては，現在の服用量が多すぎることが判断の目安になるものもあります。たとえば，排尿困難，目のかすみ，困惑，重度の震え，かなり酷い眩暈，または発汗量の増加などがそうです。このような症状に対しては，薬の減量が絶対的に求められます。便秘の症状が現れた場合には，便軟化剤や下剤が役立つかもしれません。先にもお話しましたが，突然の起立時に最もよく起こりがちなのが，立ちくらみです。これは，脳への血液の流れが一時的に減少するからです。眩暈感がするかもしれませんが，たいてい数秒ほどで治まります。これも，起き上がる際に少々気をつけ，ゆっくり身体を起こすようにする，もしくは立つ前に脚を動かす（その場で足踏みするように，脚の筋肉をぎゅっと堅くした後，力を弛める）ようにすれば，さほど大きな問題にはならないはずです。脚を動かすことによって，脚の筋肉が血液を脳へ「ポンプのように汲み上げる」ようにすることができるのです。

三環系抗うつ薬を最初に服用し始めたときに，数日間ほど「妙な感じがした」，「意識がぼーっとした」，「現実ではない感じがした」とご説明される患者さんもいらっしゃいます。私の経験では，三環系薬の 1 つで，ドキセピン（Sinequan）と呼ばれる薬が，このような「意識がぼーっとした感じ」を引き起こす傾向が強いように思われます。抗うつ薬服用の初日または 2 日目に，患者さんが違和感を訴えられた際には，たいてい私は，とりあえずもう少し続けてみましょう，とアドバイスしています。ほとんどすべてのケースで，このような感じは数日以内に完全に消えてしまいます。

患者さんに，ご自身は抗うつ薬と信じていらっしゃるけれども，実際は砂糖丸薬（偽薬）を与えても，抗うつ薬を服用しているときに報告したのと同じ副作用を報告されるでしょう。たとえば，ある調査で，クロミプラミンを服用している患者さんの 25%が睡眠困難を報告していることから，この薬は，これを服用する人の 4 分の 1 に不眠症を引き起こすと結論されるかもしれません。しかしながら，この同じ研究で偽薬のみを与えられた患者さん方の

15%も，やはり不眠症を報告しているのです。したがって，実際にクロミプラミンが原因で不眠症が起こる確率は，25%から15%または10%を差し引いた確率となるでしょう。明らかに，この副作用は「現実」です。しかし，それが起こる確率は，最初に予想したよりもやや低いといえるでしょう。

このような研究からは，多くの「副作用」が実際には，現在服用中の薬が原因によるものではないかもしれないことが窺がえます。中には，薬に対する恐怖が原因のもの，うつ病自体が原因のもの，または夫婦喧嘩など生活上のその他の問題が原因のものなど，薬自体ではなく，むしろそれ以外の原因から起こる副作用もあることが考えられるのです。

四環系抗うつ薬の副作用

146ページの表20-3をご覧になると，四環系抗うつ薬の副作用は，三環系抗うつ薬のものと似通っていることがおわかりになるかと思います。しかしながら，四環系薬には，そのうちの1つを服用している場合には，考慮しておくべき，それ特有の副作用もあります。たとえば，マプロチリン（ルジオミール）は，殊のほか厄介な副作用である発作を，三環系の8つの抗うつ薬と比べ，引き起こしやすいように思われます。実際，発作が起きる確率は低いとはいうものの，以前に発作もしくは頭部に外傷を負った経歴のある方は，やはりこの薬は避けるべきでしょう。最近の研究からは，マプロチリンが原因で発作が起こる確率は，服用量をあまりに急激に増やした場合や，勧められる量（1日225mgから400mgまで）を上回る量を6週間を超えて服用し続けた場合に著しく増大することが窺がえます[16)]。このことから製薬会社は，マプロチリンを服用し始めたら，非常にゆっくりと用量を引き上げていくようにすると共に，6週間を超えてこの薬を服用する場合は，1 日あたりの用量をわずか 175mg に抑えるべきである，と提案しています。

もう 1 つのアモキサピンは，他の抗うつ薬の多くとは相容れない，まったく別個の厄介なタイプの副作用を引き起こします。これは，その代謝産物の 1 つが脳内のドーパミン受容体を阻害するからで，統合失調症の治療に用いられるクロルプロマジン（ウインタミン，コントミン）他，多くの抗精神病薬ととてもよく似ています。したがって，アモキサピンを服用する患者さんには，抗精神病薬を服用する患者さんに生じるのと同じタイプの副作用が現れることが稀にあります。たとえば女性の場合，乳漏症（乳房からの乳汁の分泌）が起こることが考えられます。また，幾つかのいわゆる「錐体外路」反応のうち，いずれが起こっても不思議はありません。そのうちの 1 つ，アカシジア（静座不能）と呼ばれるものは，運動不安症候群です。これは，筋肉の「かゆみ」の珍しい種類で——腕または脚がどうにも落ち着かない感じがし，じっとしていられなくなるものです。うろうろと動き回ったり，行ったり来たりし続けずにはいられない衝動を感じるのです。アカシジアは，不快ではありますが，危険なものではありません。

稀に，アモキサピンが原因で，パーキンソン病に似た症状が現れることもあります。受動的不活発，安静時に親指と他の指をすりあわせ「丸薬を丸めるような」震えを起こす，歩行時に腕の振りが減る，硬直，猫背の姿勢などの症状がそうです。このような症状が現れたら，ただちに主治医の先生に連絡してください。おそらく，その薬の服用を停止し，代わりの薬を試してみるように，指示が出されると思います。慌てさせておいてなんですが，これらの症状は，実のところ危険なものではなく，アモキサピンの服用を中止すれば消えてしまうはずです。

しかしながら，アモキサピンには（他の多くの抗精神病薬同様），

表 20-3 四環系抗うつ薬の副作用[a]

特記：この表は包括的なものではありません。一般に，患者の5～10%またはそれ以上に発現する副作用，そして稀であるものの危険な副作用などを記載してあります。

副作用 脳内受容体	鎮静と体重増加 ヒスタミン（H_1）受容体	頭がくらくらし，めまいがする αアドレナリン（α_1）受容体	かすみ目，便秘，口渇，動悸，排尿困難 ムスカリン（M_1）受容体	一般的または問題となる副作用
アモキサピン（アモキサン）	＋＋	＋＋	＋から＋＋	めまい，動悸，口渇，胃の不調，便秘，排尿困難，かすみ目，発疹，振戦，倦怠感，不眠，EPS[b]，乳汁分泌，不安，過度の刺激，遅発性ジスキネジア，乳汁漏出症，NMS[c]
マプロチリン（ルジオミール）	＋＋	＋	＋	口渇，便秘，体重増加，かすみ目，発疹，眠気，発作，刺激，光過敏症，浮腫（くるぶしのむくみ）

a ＋から＋＋＋までの評価は特定の副作用が現れる確度。実際に発現する副作用の強度には個人差があり，用量によっても異なります。用量を引き下げることにより，有効性を減じることなく副作用を抑制できる可能性があります。

b EPSとは，錐体外路症状（Extrapyramidal Symptoms）の略で（詳細は文中参照），アカシジア，ジストニー反応，遅発性ジスキネジアを含みます。

c NMSとは，悪性症候群（neuroleptic malignant syndrome）の略で，潜在的に致死性の反応です。抗精神病薬（神経遮断薬）の服用によっても生じる可能性のある反応で，発熱，筋硬直，精神状態の変容，心拍や血圧の異常，動悸，異常発汗，心律動異常などを含みます。

もっと重大な副作用があります。それは，「遅発性ジスキネジア」というものです。遅発性ジスキネジアの患者さんは，顔，特に唇と舌に，不随意で反復的な動きが見られるようになります。異常な動きは腕や脚にも及びます。遅発性ジスキネジアは，いったん始まると，不可逆的もしくは治療困難になることもあります。発生の危険性は，高齢の女性において最も高いように思われますが，どの患者さんにもその可能性はあります。また，薬を服用してきた期間が長ければ長いほど，遅発性ジスキネジアの危険は高まりますが，ほんの短期間の治療で，しかも低用量の服用であったにもかかわらず，その後発症する可能性はあり得ます。

これだけみなさんを怯えさせておきながら，まだ足りないのか，とお思いになられるかもしれませんが，最後にもう1つ，アモキサピンが原因で稀に発症する恐ろしい合併症についてお話したいと思います。それは，悪性症候群－NMSとして知られるものです。NMSでは，血圧や，心臓の速度，リズムの変化に伴い，高熱，せん妄，及び筋肉の硬直が見られ，時には死に至ることもあります。これらの危険についてはいずれも，アモキサピンに期待されるあらゆる利点と照らし合わせ，慎重な検討が必要なことは明らかです。これに匹敵する効果をもち，より安全な薬が非常にたくさん，しかも容易に手に入るときに，敢えてこの薬を使うことが，正当とはいえないこともあるかもしれません。

三環系，四環系抗うつ薬（TCA）の相互作用

薬物相互作用の問題については，第19章でご説明しました。手短に申し上げると，複数の薬を服用している際に，それらの薬同士が，有害な形で互いに作用し合う可能性があるということです。1つの薬が原因で，もう1つの薬の血中濃度が上がる，または下がることがあるかもしれません。その結果，第2の薬が過剰

な副作用を引き起こす（血中濃度が高くなりすぎた場合），または薬の効果がなくなる（血中濃度が下がった場合）可能性があります。加えて，2つの薬の相互作用が，極めて危険な中毒反応を導くことも考えられます。

三環系，四環系抗うつ薬の多数の薬物相互作用については，149-156ページの表20-4に掲載しています。この表は包括的なものではありませんが，比較的一般的，もしくは重要な相互作用の多くは網羅しているはずです。TCAと併せて，何かの他の薬を服用している場合には，それが何であろうと，この表で再度よく確認しておくことが賢明でしょう。多くの精神治療薬や非精神治療薬はもちろんのこと，処方薬と非処方薬の両方を列挙していることに着目してください。加えて，現在服用中の薬の間で，何らかの薬物相互作用が起こる可能性がないのかどうか，主治医の先生と薬剤師に確かめてみるべきでしょう。

表20-4をご覧になると，喫煙と飲酒がいずれもTCAの血中濃度を引き下げ，その結果，薬が効く可能性を低める恐れがあることがおわかりになるはずです。血中レベルが適切かどうか確かめるために，医師は血液検査を行なう必要があるかもしれません。加えて，アルコールは三環系抗うつ薬の鎮静作用を促進させる可能性もありますから，これは車の運転や危険な機械の操作をしている際には，重大な危機を招きかねない組み合わせといえるでしょう。

抗うつ薬の中には，特定の内科疾患のある人にとって，特に危険となり得るものがあります。特に，三環系薬は，心臓発作の既往歴，心律動の異常，または高血圧を含む心血管系疾患の個人に危険となる可能性があります。したがって，自分の抱える医学的問題については，どのようなものであれ，抗うつ薬を処方する医師に必ず知らせておいてください。そうすれば，医師も適切な予

表 20-4　三環系及び四環系抗うつ薬（TCA）の薬物相互作用ガイド[a]

特記：左側のコラムに記した薬物はTCAと相互作用する可能性があります。右側のコラム（コメント）では相互作用の種類を説明してあります。このリストは完全なものではありません。薬物相互作用については日々新たな情報が発表されています。TCAと他の薬剤を併用する場合は，医師または薬剤師に薬物相互作用の有無について確認してください。

抗うつ薬	
薬　物	コメント
三環系及び四環系抗うつ薬（TCA同士の相互作用）	デジプラミンは他の TCA と併用すると↑となり，結果的に心律動異常が引き起こされる場合がある
SSRI	TCA のレベルは↑（2 ～ 10 倍）となる可能性がある。心律動の異常が引き起こされる場合がある。SSRI のレベルも↑となる可能性がある
MAO阻害薬	セロトニン症候群[b]［特にクロミプラミン（アナフラニール）］，低血圧，高血圧反応
セロトニン拮抗薬 トラゾドン（デジレル）及びネファゾドン（Serzone）など	ネファゾドンは低血圧を引き起こす可能性がある
ブプロピオン（Wellbutrin）	発作の可能性が↑につき，十分な注意が必要
ベンラファキシン（Effexor）	多分大丈夫。理論的には，TCA はベンラファキシンの血中濃度を↑する可能性がある
ミルタザピン（Remeron）	情報未入手

抗　生　物　質	
薬　　　物	コ　メ　ン　ト
クロランフェニコール（クロロマイセチン）	TCAレベルと毒性は↑の可能性がある
ドキシサイクリン（ビブラマイシン）	TCAレベルと有効性は↓の可能性がある
イソニアジド（INH，Nydrazid）	TCAレベルと毒性は↑の可能性がある

抗　真　菌　薬	
薬　　　物	コ　メ　ン　ト
イミダゾール フルコナゾール（ジフルカン），イトラコナゾール（イトリゾール），ケトコナゾール（ニゾラール），ミコナゾールなど	TCAレベルは↑の可能性がある。特にノルトリプチリンに著明
グリセオフルビン（Fulvicin）	TCAレベルは↓の可能性がある

糖　尿　病　治　療　薬	
薬　　　物	コ　メ　ン　ト
インシュリン製剤	予想以上の血糖値の低下
経口血糖降下薬	予想以上の血糖値の低下

内　科　症　状	
症　　　状	コ　メ　ン　ト
緑内障	抗コリン作動性の強いTCAでは，狭隅角緑内障を引き起こす可能性がある。症状としては，眼痛，かすみ目，暈輪など
心臓疾患	心律動の異常を引き起こす可能性がある。十分な注意を払ってTCAを服用すること
肝臓疾患	肝臓の代謝機能が障害される可能性があるため，血中濃度の過度な上昇，副作用や中毒作用の増強を伴う。注意してTCAを服用すること

発作障害	注意して TCA を服用すること。TCA は発作を↑する可能性がある（TCA は発作「閾値」を下げる）
甲状腺疾患	甲状腺疾患の患者または甲状腺疾患治療薬を服用中の者は，注意して TCA を服用すること。心律動の異常を引き起こす可能性がある

抗　不　整　脈　薬

薬　　物	コ　メ　ン　ト
ジゾピラミド（リスモダン）	心律動の異常
エピネフリン	TCA が薬の作用を増強し，動悸，心律動の異常，そして血圧上昇を引き起こす可能性がある
キニジン	キニジン及び TCA ともに血中濃度が↑の可能性がある。心律動の異常や心筋が弱まることにより，うっ血性心不全を引き起こす可能性がある

降　圧　薬

薬　　物	コ　メ　ン　ト
β遮断薬 プロプラノロール（インデラル)など	β遮断薬は抑うつ症状を悪化させる可能性がある。TCA は予期せぬ血圧降下をもたらす可能性がある
クロニジン（カタプレス）	TCA［例えばデジプラミン（Norpramin）など］は，クロニジンの血中濃度を↓ためにその有効性を減じる可能性がある
Ca拮抗薬	血圧降下が予想を超える可能性がある
グアネチジン（Ismelin）	TCA［例えばデジプラミン（Norpramin）など］との併用で降圧作用減弱の可能性がある

降　圧　薬	
メチルドパ（アルドメット）	併用［特にアミトリプチリン（トリプタノール）］によって血圧降下が予想を超える可能性がある。特定のTCA［例えばデシプラミン（Norpramin）など］との併用では、その降圧作用を減じる可能性がある
プラゾシン（ミニプレス）	プラゾシンのレベルが↓により、血圧↑の可能性がある
レセルピン（アポプロン）	予想以上の血圧降下の可能性がある。過度の刺激を引き起こす可能性がある
サイアザイド系利尿薬 ヒロドクロロチアジド（ダイクロトライドなど）	予想以上の血圧降下の可能性がある。TCAの作用は増強される可能性がある
昇　圧　薬（ショック状態の治療薬）	
薬　　物	コ　メ　ン　ト
エピネフリン	TCAがその作用を増強し、動悸、心律動の異常、血圧の↑などを引き起こす可能性がある
気分安定薬及び抗けいれん薬	
薬　　物	コ　メ　ン　ト
カルバマゼピン（テグレトール）	TCA及びカルバマゼピンの血中濃度が↓となる可能性がある。TCAは発作の発現頻度を高くする可能性がある
リチウム（リーマス）	抗うつ作用を増強する可能性がある
フェニトイン（アレビアチン）	TCAの血中濃度が↑または↓となる可能性がある。TCAは発作の発現頻度を高くする可能性がある

バルプロ酸（デパケン）	アミトリプチリン（トリプタノール）及びバルプロ酸の血中濃度が↑となる可能性がある
鎮痛薬及び麻酔薬	
薬　　物	コ メ ン ト
アセトアミノフェン（カロナール）	TCA のレベルは↑，アセトアミノフェンのレベルは↓となる可能性がある
アスピリン	TCA のレベルは↑となる可能性がある
ハロタン（フローセン）	TCA のレベルは↑となる可能性がある。強い抗コリン作用をもつ TCA は心律動異常を引き起こす可能性がある
シクロベンザプリン（筋けいれん治療に用いる筋弛緩薬）	心律動異常を引き起こす可能性がある
メタドン（Dolophine）	予想を超える麻酔作用を生じる可能性がある。例えばデジプラミン（Norpramin）はメタドンの血中濃度を倍増させる可能性がある
メペリジン（Demerol）	予想を超える麻酔作用を生じる可能性がある。メペリジンの服用量を下げるかまたは他の鎮痛薬を使用する
モルヒネ（MSコンチン）	予想を超える麻酔作用と鎮静作用を生じる可能性がある。TCA レベルは↓となる可能性がある
パンクロニウム（ミオブロック）	強い抗コリン作用をもつ TCA は心律動異常を引き起こす可能性がある

鎮静薬及び抗不安薬	
薬　　物	コ　メ　ン　ト
アルコール	鎮静作用を増強する可能性がある。運転中あるいは危険を伴う機械操作中には要注意。TCAのレベルを↓する可能性がある
バルビツール（フェノバルビタールなど）	静作用を増強する。TCAのレベルを↓する可能性がある
ブスピロン（BuSpar）	上述したように鎮静作用を増強する
抱水クロラール（Noctec）	TCAのレベルは↓の可能性がある
エスクロルビノール（Placidyl）	アミトリプチリン（トリプタノール）との併用で一時的精神錯乱が引き起こされた症例報告がある。他のTCAでも同様な症状が起こる可能性がある
抗精神病薬（神経遮断薬）	TCA及びフェノチアジン系神経遮断薬［クロルプロマジン（ウインタミン，コントミン）など］のレベルが↑となる可能性があり，結果としてより多くの副作用と力価の増強があり得る。チオリダジン（メレリル），クロザピン（Clozaril），ピモジド（オーラップ）などとの併用では心律動異常の観察例報告がある
抗不安薬（神経遮断薬）	鎮静作用を増強する

精神刺激薬及び麻薬	
薬　　物	コ　メ　ン　ト
アンフェタミン（スピードまたはクランクと呼ばれている薬物） コカイン ベンゼドリン ベンズフェタミン（Didrex）	これらの薬物は特定のTCA［例えばイミプラミン（トフラニール），クロミプラミン（アナフラニール），デジプラミン（Norpramin）など］の血中濃度と作用を増強する可能性がある。その逆にこ

デクストロアンフェタミン（Dexedrine） メタンフェタミン（ヒロポン） メチルフェニデート（リタリン）	れらのTCAがこれら薬物の血中濃度と作用を増強する可能性もある。心律動の異常，血圧の上昇などが，コカインの併用で観察された例があるが，可能性としてはいかなる精神刺激薬とTCAの併用も同様の症状を発現させ得る

体重減少薬及び食欲抑制薬

薬　　物	コ　メ　ン　ト
フェンフルラミン（Pondimin）	クロミプラミンとの併用ではセロトニン症候群発現の可能性がある。TCAのレベルは増大する

その他の薬剤

薬　　物	コ　メ　ン　ト
抗ヒスタミン薬	眠気の増加。鎮静作用の強くない抗ヒスタミン薬のほうが安全
アセタゾラミド（ダイアモックス）	TCAの血中濃度は↑の可能性がある。血圧は低下する可能性がある
経口避妊薬及びエストロゲンを含む他のホルモン剤	TCAの血中濃度は↑となり，副作用は増強される可能性がある。エストロゲンの服用量が多いほどTCAの作用が減弱される
カフェイン（コーヒー，紅茶，ソーダ，チョコレートなどに含まれる）	TCAの血中濃度は↑の可能性がある
炭素の錠剤	TCAの血中濃度は，胃や腸管からの吸収が低下するため↓の可能性がある
コレスチラミン（クエストラン）	TCAの血中濃度は↓の可能性がある
シメチジン（タガメット）	TCAの血中濃度は↑の可能性がある（副作用の増強）

ジスルフィラム（Antabuse）	TCAの血中濃度は↑の可能性がある。また重大な副作用として，ジスルフィラムとアミトリプチリン（トリプタノール）との併用が，精神錯乱と失見当識を伴う重篤な脳障害（器質性脳症候群）を惹起したとの報告が2例ある
エフェドリン（点鼻薬，及びその他の喘息治療薬や風邪薬に含まれる）	TCAは，通常の場合エフェドリンによる血圧の↑を阻害する可能性がある。エフェドリンのレベルと作用は↓の可能性がある
繊維質を多く含む食物	TCAの血中濃度は，胃や腸管からの吸収が低下するため↓の可能性がある
リオチロニン（T3，チロナミン）	TCAの作用を増強する可能性がある。心律動異常発現の可能性がある。TCAの血中濃度は↑の可能性がある
プロクロルペラジン（ノバミン）	TCAの血中濃度は，副作用と中毒作用の増強を伴い↑の可能性がある
シリウム［オオバコの種子］	TCAの血中濃度は，胃や腸管からの吸収が低下するため↓の可能性がある
スコポラミン（ハイスコ）	TCAの血中濃度を↑させる可能性がある
L-ドーパ（ドパストン，ネオドパストン，ネオドパゾールなど）	胃腸管からのTCAの血流への吸収は↓の可能性がある。TCA及びL-ドーパ双方の作用は↓の可能性がある
テオフィリン（ネオドパゾール）	TCAの血中濃度は↑となる可能性がある
タバコ（喫煙）	TCAの血中濃度は↓となる可能性がある

a 本表作成にあたっては，Manual of Clinical Psychopharmacology[1] 及びPsychotropic Drugs Fast Facts[17] 他の資料を参考にしました。これらの資料は多くの方々に推薦できる良質の参考文献です。

b これは，生命徴候（バイタルサイン）の急激な変化（発熱，血圧の上下），発汗，悪心，嘔吐，筋硬直，ミオクローヌス，激越，せん妄，発作そして昏睡などの症状を特徴とする潜在的に致死性の危険な症候群です。

防措置を取ることができます。

先にも触れましたが，三環系，四環系抗うつ薬の中には，稀に，発作を引き起こす原因となるものが幾つかあります。クロミプラミン，イミプラミン，及びマプロチリンによって，1%から3%もの高い確率で発作が起こることが報告されています[17)]。これらの推定は，高すぎるといえるかもしれません。いずれにしても，決して服用量が過剰になりすぎないよう気をつけ，増量する際には段階的に引き上げていくようにすることによって，危険を引き下げることが可能です。それでもやはり，万一これらの薬を，発作障害，頭部外傷，及び発作に関係するその他の神経学的障害の病歴がある個人に用いる際には，注意すべきでしょう。加えて，これらの薬を，抗精神病薬（神経遮断薬）など，発作閾値を低下させる恐れのある他の薬と組み合わせる際にも，注意が必要です。また，アルコール，抗不安薬，及びバルビツールなどの鎮静薬をいきなりやめると，発作を起こす引き金となることがありますから，これらの薬剤と組み合わせて，クロミプラミン，イミプラミン，及びマプロチリンを用いる際には，くれぐれも注意をすべきです。

選択的セロトニン再取り込み阻害薬（SSRI）

目下，最も人気のある抗うつ薬は，選択的セロトニン再取り込み阻害薬，すなわちSSRIです。現時点で，アメリカでは5種類のSSRIが処方されています[(訳注)]。シタロプラム（Celexa）は，1998

（訳注）　日本では，2004年時点で2種類

年にアメリカで発売された最も新しいSSRI。フルオキセチン(Prozac)は，1988年に発売された最初のSSRI。そしてフルボキサミン（ルボックス），パロキセチン（パキシル）及びサートラリン(Zoloft)，この5つがそうです。これらのSSRIが脳に及ぼす影響は，先にご説明した比較的古い三環系，四環系よりもずっと特異的，選択的です。脳内の多くの異なるシステムと相互作用をする代わりに，これらの薬はセロトニンを伝達物質として使う神経に選択的な影響を与えます。

Prozacが初めて市場に登場したとき，この薬をめぐり，大きな興奮が湧き上がりました。なぜなら，これは，それまでの古い抗うつ薬と化学的にまったく異なっていたからです。三環系，四環系の抗うつ薬とは異なり，Prozacは，脳内のセロトニン作動性神経に特異的に作用するのです。セロトニンの欠乏は，うつ病の原因であると仮定されたことから，特異的に作用するProzacのほうが，脳内の実に多くのさまざまなシステムに非特異的に作用する三環系，四環系の薬よりも，劇的に効果があるだろう，と期待されました。また，Prozac（及び，他のSSRI）は，三環系，四環系の薬よりも，副作用が少ないだろう，という期待もありました。これは，Prozacがヒスタミン，αアドレナリン，及びムスカリンの，それぞれの受容体にさほど強い作用を及ぼさないからです。

しかしこれら2つの期待のうち，実際その通りになったのは，一方だけでした。Prozacと，その他の4つのSSRIは，確かに三環系，四環系薬よりも副作用は多くありませんでした。たとえば，眠気，体重の増加，口の渇き，目まいなどは，比較的起こし難いようです。また，心臓への有害作用もさほどないようですから，遥かに安全といえますし，意図的かどうかはともかく，患者さんが，万一過剰量を服用したとしても，死に至る可能性はずっと低いと思われます。この点で，これらの新しい薬を開発した生化学者は，称賛に値するといえるでしょう。

しかし，残念ながら，SSRIは他の薬と比べ，さほど効果的というわけではありません。うつ病患者さんの60%から70%が，SSRIによる治療で改善が期待できますが，この確率は，他の薬とほぼ同等で，これといって優れているというほどでもないのです。特に，慢性的うつ病の患者に対しては効果が低いようですし，重症のうつ病の患者さんの場合も，SSRIは，それ以前の三環系抗うつ薬と比べて若干効き目が劣るように思われます。加えて，総体的にみても，その改善は，しばしば部分的なものに留まり，うつ状態は軽減したものの，十分な自尊心と楽しい日常生活を取り戻すまでには至らないことが多いようです。これは，SSRIに限った問題ではなく，すべての抗うつ薬についていえることです。ただ，SSRIの場合，従来の薬と大して効果が変わらないにもかかわらず，驚くほど値が張るのです。しかも，追々ご説明していきますが，SSRIにはその発売当初には公表されていなかった，幾つかの新しいさまざまな副作用があることがわかったのです。

とはいえ，SSRIは，安全性の確率，副作用の減少が評判を博し，抗うつ薬市場を一手に掌中に収めたことは確かです。1995年のProzacの売上金額（25億ドル）は，1991年に他のすべてを含めた，抗うつ薬全体の売上（20億ドル）を上回っています。このような急激な人気の高まりには，1つに，SSRIが非常で安全であることから，現在ではプライマリケア医が安心して抗うつ薬を処方することができるようになったということがあります。結果として，精神科医もしくは心理学者を訪れる気持ちにはならないとする多くのうつ病の患者さんが，家庭医からSSRIを受け取るようになったのです。

SSRIは，現在非常に広く使われていますし，マスメディアからも大変な注目を浴びたことから，多くの人々はそれが信じられないほど強力で，ほとんど魔法のように効果的であると信じています。しかし，先ほども申し上げましたように，単純にそうとばかりはいえないのです。うつ病の患者さんのなかには，SSRIが非常に優れた効果を発揮する方もいます。その一方，やや効果的としかいえない人も大勢いらっしゃいます。しかも，まったく何の抗うつ効果がないようにさえ思われることもしばしばあるのです。同じことは，現在入手可能な抗うつ薬のすべてにいえます——これらは，うつ病と闘うための有効な武器ではありますが，完全な回答ではないことも多いですし，私たちの苦しみを一切消してくれるような万能薬でないことは確かです。

SSRIが従来の薬と比較してさほど効果的ともいえないことから，科学者は，本書の第17章でご説明した，うつ病の「セロトニン」仮説を改めて考え直すようになりました。この仮説によると，脳内のセロトニン不足がうつ病を引き起こす原因であることから，セロトニンが増加すれば症状は回復するはずだ，ということになります。仮にこの仮説が有効だとすれば，SSRIによって，うつ病の患者さんは，ほとんどたちどころにうつ病が解消されるはずです——しかし，Prozacは，効果が出るまでに5週間から8週間もかかるのです。しかし，何がうつ病を引き起こす原因なのか，なぜ抗うつ薬は効果があるのかということにかかわらず，SSRIが多くのうつ病の方々に役立ってきたことは確かです。

SSRIの服用量

SSRIの用量は，129ページの表20-1に掲載しているとおりです。従来の抗うつ薬は，少なすぎるほど低用量を処方されることが多いのですが，SSRIは，逆に不必要なほど多く処方されることがしばしばあります。副作用がほとんどないことから，医師は高用量の処方に際しても安心し，本当に必要な量以上に処方してしまうのかもしれません。たとえば，最初は1日に20mgから80mgの用量範囲のProzacが勧められたとしても，その後，多くの患者さんの場合，1日に10mgを1回服用すれば十分になるでしょう。いったん気分がよくなり出したら，1日に5 mg，もしくはそれ以下でも足りる患者さんが多いのです。これほどの低用量なら，かなり格安になりますし，副作用もさらに少なくなるでしょう。

Prozacがこのような低用量で効果があるのは，他の大方の薬とくらべ，この薬が遥かに長期間——数週間も——体内に留まっているからです。Prozacは，いったん服用すると，非常にゆっくりとした速度でしか体内から排出されないため，血中濃度は毎日上昇しつづけます。その後しばらくすると，血中濃度は極めて高くなります。Prozacをすでに数週間以上服用してきていると，もはや，ほんのわずかな用量でこと足りるようになるのは，このためです。

このことをもっとよく理解するために，薬物相互作用についてご説明する際に，第19章でご紹介した，バスタブの例にもう一度，戻ることにしましょう。現在，服用中のProzacは，バスタブの中に入っていく水のようなものだと想像してください。ただし，バスタブの底の穴は小さいと考えます。時間が経つと水位は上昇します。なぜなら，バスタブに入ってくる水のほうが出ていく量よりも多いからです。水位は，血液中のProzacの濃度にたとえることができます。4週間から5週間後，水位はついに適切な治療用範囲にまで達します。ここまでくれば，バスタブの水位がこれ以上上昇し続けて溢れ出さないように，蛇口を少し閉めてもいいでしょう。これは，Prozacを数週間服用した後に，用量を引き下げることに似ています。逆説的なようですが，現在の服用量は最初にProzacを服用し始めたときよりも遥かに少ないにもかかわらず，血中濃度は逆に各段に高くなっているはずです。

専門的にはこれを「定常状態」に達した，といいます。定常状態というのは，血中濃度が大体一定しているということで，これは1日の服用総量が，身体が1日に排出する総量とほぼ一致しているからです。Prozac以外の，他の4つのSSRIの場合は，Prozacよりもずっと速い速度で体内から排出されるため，このような特性はありません。したがって，数週間後に用量を引き下げることは通常不可能です。

Prozacが，非常に低用量で効果があることは，今では精神病の専門家の間では周知の事実ですが，私がこれを患者さんから聞いて知ったのは，Prozacが市場に出てまもなくの頃でした。Prozacを服用し始めて1，2カ月もすると，もうほんのごく少量で十分な気がすると報告された患者さんが大勢いたのです。1日に10分の1錠でいい，とおっしゃられる場合が多かったのですが，なかには，それ以下でもいい，とおっしゃられることもありました。はじめ私は，これらの患者さんがあまりにも想像力を逞しくしすぎているのではないかと思っていましたが，まもなく多くの患者さんが，みなさん，口々に同じことを報告されるようになったのです。私は，このような方々に，Prozacを1錠すり潰して粉にし，水かジュースに溶かして冷蔵庫に保管するように勧めました。そうして，毎日その水またはジュースの一定量を飲んで，Prozacの量を調整してはどうかとアドバイスしたのです。たとえば，ある量のアップルジュースに20mgの錠剤を1錠溶かし，毎日そのジュースの10分の1を飲んだとしたら，これで1日あたり2mgの量に相当することになります。しかし，是非これを試してみようと思われる方は，そのジュースにはっきりと名札をつけ，決して誰もそれを朝食に飲んだりしないようにしてください！ また，そのジュースを主治医の先生のところへ持参して，必ず先生の承認を取ってください。

Prozac は非常にゆっくりとした速度で体内から排出されますから，服用をやめた後も，まだしばらくは体内に留まっていることを承知しておくことも大切です。排水溝が詰まっているために，詮を抜いた後も，空になるまでにはまだ相当時間がかかるバスタブのようなものと考えればいいでしょう。もはや Prozac の服用をやめているにもかかわらず，薬が完全に体内から排出されるまでには，それからまだ 5 週間以上も，血液中には相当な濃度で残っているのです。Prozac と一緒になると危険な薬はたくさんあります。このような特定の薬は，Prozac が完全に抜けるまで，少なくとも 5 週間は服用してはいけません。たとえば，トラニルシプロミン（Parnate）は，後々お話しますが，MAO 阻害薬として知られる抗うつ薬です。トラニルシプロミン（他の MAO 阻害薬同様）は，Prozac と混ぜ合わされると，危険で致命的ともなりかねない反応を起こす可能性があります。トラニルシプロミンの安全な服用を始めるためには，Prozac の服用中止後，少なくとも 5 週間から 8 週間の猶予が必要でしょう。

その他の SSRI，たとえばシタロプラム（Celexa），フルボキサミン（ルボックス），サートラリン（Zoloft），及びパロキセチン（パキシル）は，Prozac と比較すれば，かなり速い速度で体内から排出されるとはいえ，それでも代謝速度は，非常にゆっくりです。たとえば，これらの薬のいずれかの服用を中止すると，体内に残っている全量の半分を身体が排出するのに，およそ半日ほどかかります。薬がすべて身体から抜けるためには，ほぼ 4 日から 7 日かかるでしょう。これは，Prozac よりもかなり速いといえます。したがって，これら他の SSRI 薬の場合，数週間以上服用し続けていた後も，さほど血中濃度が高くなることはありません。これらの薬はより速い速度で体内に入り，そして出て行きますから，Prozac なら 1 日 1 回の服用でいいのに対し，これらの場合は，たいていい1日に数回服用することになります。

SSRIを服用しようという際には，年齢によっても必要な服用量は変わってきます。たとえば，シタロプラム（Celexa），フルオキセチン（Prozac），及びパロキセチン（パキシル）の場合，若い人と比べ，年配の方（年齢65歳以上）ではその濃度がおよそ2倍になります。したがって，65歳以上の方がこれらの薬のいずれかを服用される場合，必要とされる用量はより少ない，ということです。サートラリン（Zoloft）の場合も，その血中濃度差はそれほど大きくはないものの，ご年配の方ではより高くなります。対照的に，フルボキサミン（ルボックス）の血中濃度は，年齢による影響は受けないようです。

ときどき，性別によっても同様な違いが現れることがあります。たとえば，フルオキセチン（Prozac）の血中濃度は，女性と比べ，男性では40%から50%低くなります。同様に，若い男性の場合，若い女性と比べ，サートラリン（Zoloft）の血中濃度が平均して30%から40%低くなるのです。男性の場合，これらの薬の必要量が比較的多く，それに対して女性では比較的少ない用量でいいといえるかもしれません。

また，健康状態によっても，必要な用量に違いが生じることがあります。肝臓，腎臓，及び心臓に障害のある方は，SSRIの排出速度が遅くなることが考えられますから，必要な用量はより少なくなる可能性があります。肝臓，腎臓，または心臓の病気で治療を受けている最中の方は，必ず主治医にこの件について尋ねるようにしてください。

SSRIの副作用

5種類のSSRIの最も頻繁に生じる副作用を，165-166ページの表20-5に挙げています。先にもお話しましたように，SSRIの副作

表 20-5　選択的セロトニン再取りみ阻害薬（SSRI）の副作用

特記：本表の作成に当たり，プレスコーン先生[23]の承諾を得て拝借したデータ，そしてシタロプラムの処方資料を参考にしました。各薬剤の最も一般的な副作用のみを掲載してあります。表中の数字は各薬剤で治療中に副作用を訴えた患者のパーセントから偽薬治療群で同じ副作用を訴えた患者のパーセントを引いた値です。例えば，Prozac治療患者の20%に神経過敏症が副作用として報告されていて，偽薬治療群の10%にも同じ症状が副作用として報告されている場合，表中には10%という数値が記載されます。これがProzacによって実際に引き起こされた「本当の」神経過敏症と算定されます。副作用のそれぞれの項目では最も大きい数値が（1つまたは複数）太字で記載されています。

	フルオキセチン (Prozac)	フルボキサミン (ルボックス)	パロキセチン (パキシル)	サートラリン (Zoloft)	シタロプラム (Celexa)
実薬による治療患者数	1730	222	421	861	1063
偽薬による治療患者数	799	192	421	853	466
一般的な症状					
頭痛	5 %	3 %	0 %	1 %	—a
めまい	4 %	1 %	8 %	5 %	—
神経過敏	10 %	8 %	5 %	4 %	1 %
倦怠感	6 %	17 %	14 %	8 %	8 %
睡眠障害	7 %	4 %	7 %	8 %	1 %
筋肉の脱力感または疲労感	6 %	6 %	10 %	3 %	—
振戦	6 %	6 %	6 %	8 %	2 %

	フルオキセチン (Prozac)	フルボキサミン (ルボックス)	パロキセチン (パキシル)	サートラリン (Zoloft)	シタロプラム (Celexa)
実薬による治療患者数	1730	222	421	861	1063
偽薬による治療患者数	799	192	421	853	466
口腔，胃及び腸管					
口渇	4 %	2 %	6 %	7 %	6 %
食欲の減退	7 %	9 %	5 %	1 %	2 %
悪心または胃の不調	11 %	26 %	16 %	14 %	7 %
下痢	5 %	0 %	4 %	8 %	3 %
便秘	1 %	11 %	5 %	2 %	—
その他の副作用					
過度の発汗	5 %	0 %	9 %	6 %	2 %
性的副作用					
性欲の減退，オーガズムの遅延または欠如	SSRIの性的副作用に限定して比較したデータは入手不可能。しかしながら，SSRIによる治療患者の30～40%は，なんらかの性的副作用を経験していると思われる[b]。				

a —（ダッシュ）は副作用の発現が偽薬よりも少ないことを意味します。

b 当初の臨床試験研究では，被験対象患者に対して性的副作用に関する質問は明示的に行われていません。結果として，米国医薬品便覧（PDR）に掲載されている性的副作用の発現は実際よりも低く算定されています。

用は，それ以前の薬よりも軽く，これこそがこれらの薬の絶大な人気の理由です。三環系抗うつ薬と比べ，口の渇き，便秘，もしくは目まいを起こさないようです。服用開始当初に，食欲を刺激することもありません。仮に何かあるとすればむしろ逆で，SSRIを服用中の患者さんのなかには，最初の頃，体重が減少する方もいらっしゃいます。しかし，残念ながらSSRIは，服用期間が長期に及ぶと，ときどき副作用が増すことがあるのです。たとえば，これらの薬を服用中の患者さんで，最初は体重が減ったとしても，しばらくすると食欲が増進し，体重の増加を報告される方もいらっしゃるのです。

SSRIの最も一般的で，しかも厄介な副作用には，吐き気，下痢，激しい腹痛，胸焼け，及びその他の胃の不調を示す症状などがあります。SSRIについての最も初期の研究では，患者さんのおよそ20%から30%の方が，これらの症状を報告していらっしゃいます[18)]。表20-5からは，フルボキサミン（ルボックス）が，最も便秘を引き起こしやすい一方で，サートラリン（Zoloft）は，下痢をより引き起こしやすいことがおわかりになるでしょう。パロキセチン（パキシル）とサートラリン（Zoloft）を服用中の患者さんは，これらの薬の抗うつ効果が原因で，口の渇きを訴える傾向がより強いようです。パロキセチン（パキシル）を服用中の患者さんの20%の方が口の渇きを報告されたことを示す研究もあります。(ただし，先の表では偽薬効果を差し引いたことから，これよりもかなり低い割合になっています。)

胃腸管に及ぶこのような影響の多くは，服用を開始して最初の1，2週間に現れ，その後身体が薬に順応するにつれて，消えていきます。加えて，最初はまず低用量でSSRIの服用を始め，その後徐々に用量を増やしていくようにすると，これらの副作用はより起きにくくなるようです。食事と一緒に薬を服用することも，助けになるでしょう（前章でお話した，三環系，四環系の薬についても，やはり食事と一緒に服用することで，胃腸管に対する有害作用を軽減することができます）。

SSRIは，服用を開始した当初に，ときどき頭痛を引き起こすことがあります。表20-5では，頭痛が起こる割合が最も高いのは，フルオキセチン（Prozac）とフルボキサミン（ルボックス）で，対照的に，シタロプラム（Celexa），パロキセチン（パキシル），及びサートラリン（Zoloft）が原因による頭痛の割合は，偽薬を服用した患者さんによる報告とまったく同じであることがわかります。また過剰な発汗についても，特にパロキセチン（パキシル）で報告されていますが，これはたいていの場合深刻なものではありません。SSRIの高用量を服用している患者さんが，震えを訴えることもあります。この副作用は，どのSSRI薬でもすべて等しく見られるようです。

最初は「稀な」副作用として報告されたのですが，SSRIを服用中の男女は，極めて多くの場合，オルガズムに到達するまでの時間が長引くことが現在では明らかになりました。中には，セックスへの興味の喪失や勃起不能を訴える患者さんもいらっしゃいます。これらの副作用は，市販前臨床試験では患者さんの5%未満の発現しか報告されていませんでした。しかしながら，薬が広く使われるようになった現在，これらが実際には臨床試験で報告されたよりも遥かに一般的に見られ，患者さんの30%以上に起こり得る副作用であることが明らかになったのです。当薬によってうつ病が克服できるのなら，性的な副作用は，仕方のない妥協といえなくもないかもしれません。ただし，セックスへの興味の喪失は，うつ病それ自体の症状である可能性もあり得ることは心に留めておいてください。しかも，薬を無期限に服用している必要はおそらくないでしょう。気分が回復し，SSRIの服用をやめればすぐに，性的機能は正常に戻るはずです。

なぜこれらの副作用が市販前臨床試験で指摘されなかったのか，不思議に思われるかもしれませんね。1998年のスタンフォード精神薬理学会議で，講演者の1人が冗談でこんなことを言っていました。製薬会社は，性的副作用も含め，ある特定の種類の副作用について「知りません，聞いてません」の方針のようだ，と。要するにこれは，知らなければ大丈夫という姿勢ではないでしょうか。しかし，これは残念な方針です。なぜなら，米国食品医薬品局（及び消費者となる可能性のある人々）は，新薬の有効性，副作用プロフィール，及び安全性について，過度に有望視された情報を与えられることになるのですから。そして数年の間，広く使用されてきた後になって，それとは異なる状況が明らかになることが多々あるのです。

性機能への作用はかなりのところ予想可能です。そのため，これらの薬の1つパロキセチン（パキシル）は，現在では，早漏の男性（セックスの最中，オルガズムへの到達が早すぎる）の効果的な治療法と考えられています。ただし，SSRIを服用してもオルガズムの遅れを経験しない人もいますし，経験したとしても気にしないという人もいます。実際，それを利点ととらえる人さえいるのです。要は，これが自分にとって問題であるように感じられたら，自分自身の判断で薬を中断するのではなく，その前にまず主治医に相談し，よく話し合うことが大切なのです。抗うつ作用を失うことなく服用量を引き下げることが，ひょっとしたら可能かもしれません。

性障害の治療には，SSRIに幾つかの薬を組み合わせることができます。次にご紹介する4つの薬，ブプロピオン（Wellbutrin，服用量は1日に最高で225mgから300mg），ブスピロン（BuSpar，1日に15mgから30mg），ヨヒンビン（毎日5mgを3回），及びアマンタジン（シンメトレル，毎日 100mg を 3 回）は，いずれも可能性が期待できるものです。

シタロプラム（Celexa）は，アメリカ市場で最も新しい SSRI の 1 つですが，これは，他の SSRI と比べて性機能への副作用が少ないかもしれません。表 20-5 をご覧になると，他の 4 つの SSRI よりも概して副作用が少ないことがおわかりいただけるかと思います。加えて，重症のうつ病の患者さんに対する効果も，これら 4 つの SSRI を上回ることが期待できます。シタロプラム（Celexa）がある程度の期間，広く使用された後で，これがより有効で，しかも実際に副作用が少ないかどうか確かめると，興味深いでしょう。薬が最初に発売された時点での宣伝広告上の主張が，結局，臨床経験や独立した第三者の調査者によるその後の研究で裏づけられなかったということは，ときどきあるのです。

賦活作用（刺激性）という点について，フルボキサミン（ルボックス）とさほど大きな違いはないとはいえ，SSRI の中では，やはりフルオキセチン（Prozac）が，最もこの副作用が強いように思われます。フルオキセチン（Prozac）は，その刺激性ゆえに，就寝時よりも，むしろ午前中と正午に与えられることがあります。刺激は，疲労や停滞感，及びやる気のなさを感じているうつ病の患者さんにとっては，しばしば有利に働きます。その一方で，フルオキセチン（Prozac）とフルボキサミン（ルボックス）は，実に 10%から 20%もの患者さんに，不安や神経過敏を引き起こす原因となる可能性があるのです。このような副作用は，既にこの種の症状が見られるうつ病の患者さんに，さらなる問題を引き起こすことにもなりかねません。

フルオキセチン（Prozac）の刺激作用は，不安感を抱える患者さんにとってさえ，必ずしも悪いものではありません。不安感とうつ病は，ほぼ必ずといっていいほど，ある程度相伴って現れますから，両方の問題に対する治療が必要な患者さんが多いのです。フルオキセチン (Prozac) の服用当初に，ますます神経過敏になったと訴える患者さんには，もともと慢性的心配，パニック発作，もしくは広場恐怖症など，問題となる重大な不安を抱えている患者さんを多く見かけます。これらの患者さんに対しては，その神経過敏な感じというのは，実はよいものなのです，脳内で薬が効いてきている証拠ですからねと申し上げ，もうしばらく頑張って薬を続けてみましょう，なぜなら数週間かひょっとしたらそれより早く，不安だけでなくうつ病にも大きな改善が現れるかもしれませんからね，と励ましています。こうして，不安を抱える患者さんの多くが，フルオキセチン（Prozac）を頑張って続けてくることができましたし，多くの場合，予想された改善が実際に現れています。これは，患者さんが薬の副作用を克服するうえで，前向きな姿勢がいかに役立つか，ということをよく示しています。

SSRI のいずれも，睡眠障害を引き起こす可能性はありますが，すべてが，フルオキセチン（Prozac）ほど刺激が強いということではありません。実際には，パロキセチン（パキシル）とフルボキサミン（ルボックス）の場合，むしろ患者さんによっては，極めて強い鎮静作用をもたらすことさえあるくらいです。言い換えれば，これらの薬はフルオキセチン（Prozac）のように刺激をもたらすのではなく，その代わり，リラックスさせる，もしくは疲労させる傾向が予想される，ということでしょう。実際，パロキセチン（パキシル）は，通常の就寝時間に最も眠くなるように，就寝時間の 2 時間前に与えられることもあります。不眠症がうつ病の主な症状である方にとっては，パロキセチン（パキシル），またはフルボキサミン（ルボックス）はよい選択といえるかもしれません。しかしながら，パロキセチン（パキシル）を服用している患者さんは，筋肉の脱力感，もしくは疲労感を訴える傾向がやや強いということは，心に留めておいてください。シタロプラム（Celexa）とサートラリン（Zoloft）は，だいたい中間ぐらいといったところでしょうか――一般的には，過剰な刺激も鎮静作用ももたらすことはなく，この点においてはより中立的といえます。

以下の段落では，セロトニン拮抗薬についてお話していきたいと思いますが，その中で，トラゾドン（商品名デジレル，レスリン）と呼ばれる抗うつ薬についてご説明していくつもりです。この薬には，心を落ち着かせ，鎮静させる性質があるのです。トラゾドン，SSRIを服用中の患者さんに，少量（就眠前に50mgから100mg）与えることが可能です。この薬には，可能性として3つの利点が考えられます――(1) トラゾドンの鎮静作用は，SSRIが原因による神経過敏を和らげてくれることが予想されます。(2) トラゾドンは，就寝時に服用することで眠りを促すことができます。(3) トラゾドンは，SSRIの抗うつ作用を増強し，回復の可能性を高めることがあります。

このような利点があるのですが，通常，私は，一度に使う薬はなるべく1つにして患者さんの治療にあたるようにしています。こうすることで，余計な副作用を一切避けることができますし，有害な薬物相互作用についてもその可能性を最低限に抑えることができるのです。私の経験では，このように一度に1つの薬を使っての治療でたいていうまくいきます。どのSSRIにしろ，服用量を減らせば，多くの場合別の薬を新たに加える必要なく，副作用を最低限に抑えることができるのです。同時に複数の薬を使用することの問題点については，本章の終わりで中心的に取り上げていきたいと思っています。

たとえば，フルオキセチン（Prozac）の服用を始めたところ，神経過敏，不眠症，もしくは胃の不調に困っているという場合，とりあえず最初は用量を減らし，その後徐々に引き上げていくことができます。加えて，フルオキセチン（Prozac）を既に数週間以上服用してきているという場合は，用量を減らせる可能性は十分考えられますし，劇的に減少できる場合が多いでしょう。これで，大概当薬の抗うつ作用を妨げることなく，副作用は最低限に抑えられるはずです。先にも申し上げましたが，これはある程度期間が経つと，フルオキセチン（Prozac）の濃度が上昇するからで，そのまま同じ用量を服用すると，血中濃度がさらに高くなり，より多くの副作用をもたらすことにもなりかねません。低用量でも高用量とまったく同等の効果が得られることは明らかなのですから，どのSSRIについても，高用量もしくは過剰なまでに高い血中濃度となるほど服用する必要はまったくないのです。

SSRIの薬物相互作用

SSRIの数多くの一般的な薬物相互作用については，175-179ページの表20-6に掲載しています。表20-6をご覧いただくと，抗うつ薬，抗精神病薬，抗不安薬，及び気分安定薬を含めた，実に多くの他の精神治療薬が，SSRIと相互作用を引き起こす可能性があることがおわかりになるでしょう。精神治療薬以外の薬との重要な相互作用についても挙げてあります。SSRIと，1つないし複数の別の薬を同時に服用される場合は，この表を再度確認されることが賢明でしょう。また，何であれ心得ておくべき薬物相互作用があるかどうか，主治医の先生と薬剤師に必ずお聞きしてください。店頭で販売されている非処方薬はもちろん，処方薬についても同様です。

おわかりかと思いますが，SSRIには，他の抗うつ薬の血中濃度を引き上げる傾向があります。第19章でご説明しましたように，これは，SSRIがこれら他の薬の肝臓における代謝速度を緩めることが原因です。時として，これが危険となるケースもあります。

たとえば，SSRIと三環系抗うつ薬との組み合わせは，潜在的に，心律動の異常を引き起こす危険が考えられます。このような合併症の発現は稀でしょうが，心臓に与える影響は深刻なものともなりかねません。SSRIとブプロピオン（Wellbutrin）との組み合わせは，発作の危険を高める可能性があります——一般的ではありませんが，ブプロピオンの重大な副作用です。しかしながら，先にもお話しましたように，ブプロピオンは，SSRIの性機能への副作用を和らげるために，低用量で，SSRIに加えられることがしばしばあります。たいてい，何ら問題なく安全なはずです。しかし，頭部外傷，発作の既往歴がある方の場合，この組み合わせでの併用は，お勧めできないことも考えられますので，必ずその旨を主治医の先生に知らせてください。

第19章で申し上げましたように，SSRIとMAO阻害薬抗うつ薬との相互作用は，両者の用量如何にかかわらず，極めて危険です。第19章でもご説明しましたが，これによって，結果的に，致命的ともなりかねない「セロトニン症候群」に至る恐れがありますから，この組み合わせは避けるべきです。加えて，SSRIとMAO阻害薬はいずれも，服用を中止した後，体内から完全に排出されるまでにかなりの期間が必要となる可能性があることを覚えておいてください。Prozacの服用を中止し，その数週間後にMAO阻害薬の服用を開始した場合，それが引き金となって，セロトニン症候群が起こることが考えられます。これは，Prozacがまだ，血流中に存在していたことが原因です。同様に，MAO阻害薬の服用中止後，2週間以内にProzacを開始したとしても，やはりセロトニン症候群を引き起こす引き金となることがあります。とはいえ，MAO阻害薬の作用は1，2週間ほどしか続きませんから，MAO阻害薬からSSRIへ切り替える際には，これとは逆に，SSRIからMAO阻害薬への切り替えの際ほど長く待つ必要はないでしょう。

表 20-6　選択的セロトニン再取込み阻害薬（SSRI）の薬物相互作用ガイド[a]

抗うつ薬	
薬　物	コメント
三環系及び四環系抗うつ薬	SSRI は TCA のレベルを↑の可能性がある。心律動の異常が引き起こされる可能性がある
SSRI	通常併用されることはない。SSRI の血中濃度は↑の可能性がある
MAO阻害薬	セロトニン症候群[b]
セロトニン拮抗薬 トラゾドン（デジレル）及びネファゾドン（Serzone）	ネファゾドンまたはトラゾドンとその代謝産物（mCPP）の血中濃度は↑となり，不安を引き起こす可能性がある
ブプロピオン（Wellbutrin）	発作の危険性が↑。十分な注意が必要
ベンラファキシン（Effexor）	ベンラファキシンのレベルが↑となる可能性がある
ミルタザピン（Remeron）	情報未入手
抗ヒスタミン薬	
薬　物	コメント
テルフェナジン（Seldane）及びアステミゾル（Hismanal）	フルボキサミン（ルボックス）は，テルフェナジンとアステミゾルのレベルを↑の可能性がある。致死性の心律動を引き起こす可能性がある
シプロヘプタジン（ペリアクチン）	SSRI の作用を逆転させる可能性がある

糖尿病治療薬	
薬　　物	コ　メ　ン　ト
トルブタミド（トルブタマイド，ジアベン）	フルボキサミン（ルボックス）はトルブタマイドのレベルを↑の可能性がある。結果として低血糖となる可能性がある
インシュリン製剤	フルボキサミン（ルボックス）は血糖値を↓させる可能性がある。インシュリンレベルの調整が必要となる可能性がある

心臓疾患治療薬及び昇圧・降圧薬	
薬　　物	コ　メ　ン　ト
ジゴキシン（ジゴシン，ジゴキシン）及びジギトキシン（ジギトキシン）	ジギトキシンの血中濃度と潜在的毒性を↑し，精神錯乱を引き起こす可能性がある
降圧薬	メトプロロール（セロケン）及びアンギナにも用いられるプロプラノロール（インデラル）などのβ遮断薬のレベルを↑し，過度に心臓機能を抑えてECG異常を引き起こす可能性がある。ニフェジピン（アダラート）やベラパミル（カラン）などのCa拮抗薬も↑の可能性があり，結果として血圧への作用がより強力となる
抗不整脈薬	フレカイニド（タンボコール），エンカイニド，メキシレチン（メキシチール），プロパフェノン（プロノン）などの抗不整脈薬との併用で，SSRIは心律動異常の危険性を↑させる可能性がある

その他の精神治療薬	
薬　　物	コ　メ　ン　ト
ベンゾジアゼピン（抗不安薬） アルプラゾラム（コンスタン，ソラナックス），ジアゼパム（セルシン，ホリゾン）ほか	ベンゾジアゼピンのレベルは↑となる可能性がある。過度の眠気と錯乱。ベンゾジアゼピンの用量引き下げが必要となる可能性がある。フルボキサミン（ルボックス）が最も強い作用を有するが，フルオキセチン（Prozac）との併用でも問題発生の報告がある。クロナゼパム（リボトリール）やテマゼパム（Restoril）のほうが，アルプラゾラム（コンスタン，ソラナックス）やジアゼパム（セルシン）よりも安全と思われる
ブスピロン（BuSpar）	SSRIの作用を増強する可能性がある。しかしフルオキセチン（Prozac）はBuSparの有効性を減弱させる可能性があるため，この2剤を併用する強迫性障害患者の中には症状の増悪を経験する可能性がある
リチウム	レベルが↑または↓となる可能性がある。通常のリチウムレベルでリチウム毒性が引き起こされる可能性がある
L-トリプトファン	激越，不安，胃の不調，セロトニン症候群などを引き起こす可能性がある
抗精神病薬（神経遮断薬） ハロペリドール（セレネース），ペルフェナジン（ピーゼットシー），チオリダジン（メレリル）など	抗精神病薬の血中濃度が↑し，副作用が増強する可能性がある。フルボキサミン（ルボックス）が併用に最も安全なSSRIと思われる。リスペリドン（リスパダール）やクロザピン（Clozaril）はSSRIの抗うつ作用を阻害する可能性がある

その他の精神治療薬	
メタドン（Dolophine）	フルボキサミン（ルボックス）は血中濃度の↑を引き起こす可能性がある
気分安定薬及び抗けいれん薬	SSRI－特にフルボキサミン（ルボックス）やフルオキセチン（Prozac）－は，カルバマゼピン（テグレトール）やフェニトイン（アレビアチン）などのレベルを↑させる可能性がある。SSRIとフェニトインの併用はフェニトイン毒性を引き起こす可能性がある

その他の薬剤

薬　　物	コ　メ　ン　ト
アルコール	眠気を増強する
カフェイン（コーヒー，紅茶，ソーダ，チョコレートなどに含まれる）	フルボキサミン（ルボックス）によってレベルが↑となる可能性がある。過度の神経過敏が引き起こされる可能性がある
シサプリド（アセナリン，リサモール）	フルボキサミン（ルボックス）によってシサプリドのレベルが↑となる可能性がある。致死性の心律動異常が起こる可能性がある
サイクロスポリン（Sandimmune；Neoral）（臓器移植手術に用いられる免疫抑制薬）	サイクロスポリンのレベルは↑の可能性がある
デキストロメトルファン（一般用医薬品に咳止めとして含まれている）	フルオキセチン（Prozac）との併用で幻覚を引き起こした症例が報告されているが，他のSSRIとの併用でも起こりうる
タクリン（Cognex）	フルボキサミン（ルボックス）によって血中濃度は↑の可能性がある

タバコ（喫煙）	フルボキサミン（ルボックス）のレベルは↓となる可能性がある
テオフィリン（デオドール）	フルボキサミン（ルボックス）によって血中濃度は↑となり，神経過敏を含む中毒作用が生じる可能性がある
ワーファリン（ワーファリン）（抗凝固薬）	フルボキサミン（ルボックス）はワーファリンのレベルを↑し，出血が増加する可能性がある。出血はプロトロンビン検査（ワーファリンの投与量をモニターするための出血検査）の結果とは無関係に増加する。これはSSRIが血小板に作用して血液の凝固を妨げるためで，一方のワーファリンは凝固蛋白に作用するからである

a 本表作成にあたっては，Manual of Clinical Psychopharmacology[1] 及びPsychotropic Drugs Fast Facts[17] 他の資料を参考にしました。これらの資料は多くの方々に推薦できる良質の参考文献です。

b これは，生命徴候（バイタルサイン）の急激な変化（発熱，血圧の上下），発汗，悪心，嘔吐，筋硬直，ミオクローヌス，激越，せん妄，発作そして昏睡などの症状を特徴とする潜在的に致死性の危険な症候群です。

表に挙げた，その他多くの重要な相互作用の中では，風邪，インフルエンザ，糖尿病，高血圧，アレルギーなどで，多くの人々が服用されると思われる，一般的な薬についても触れています。たとえば，デキストロメトルファンは，多くの市販の風邪薬に含まれている鎮咳薬です。しかしデキストロメトルファンは，SSRIと一緒に服用すると，幻視を引き起こす恐れがあります。現在のところ報告されているのは，フルオキセチン（Prozac）についてですが，理論的にはどのSSRIにも起こり得ると考えられます。その他，2つの一般的な抗ヒスタミン薬，テルフェナジン（Seldane）とアステミゾル（Hismanal）は，ある特定のSSRIと組み合わさると，致命的ともなりかねない変則的な心律動異常を引き起こす可能性があること，シプロヘプタジン（ペリアクチン）と呼ばれる3つ目の抗ヒスタミン薬は，SSRIの抗うつ効果を阻害する可能性があることがおわかりになるでしょう。

SSRIを服用される際には，必ず，この表を確認するようにしてください。また，疑問がある場合には，主治医や薬剤師の先生方によくご相談されるとよいでしょう。SSRIは，これを服用する圧倒的多数の方々にとっては安全な薬です。主治医の先生と多少なりともうまくチームワークを図ることで，SSRIを有効に活用することができるのです。

モノアミン酸化酵素阻害薬（MAO阻害薬）（訳注）

120-121ページの抗うつ薬の表には，モノアミン酸化酵素阻害

（訳注）　2004年時点で，パーキンソン病の治療薬であるセレギリンを除いて，日本では発売されていない

薬（MAO阻害薬-MAOI）として知られる，4つの薬を挙げています。イソカルボキサジド（Marplan），フェネルジン（Nardil），セレギリン（エフピー），及びトラニルシプロミン（Parnate）です。より新しく安全な薬が開発されて以来，MAO阻害薬は，比較的使用されなくなった，と第17章でご説明したことを思い出される方もいらっしゃるかもしれません。これらの薬は，数多くの一般食品（チーズなど）や薬（風邪，咳き，花粉症などの，多くの一般的な市販薬を含む）と一緒に摂取すると，極めて危険性が増大する恐れがあることや，それを処方する医師側にかなり高度な医学的技能が求められるなどの理由から，現在十分には活用されていないように思われます。

しかし，ここ数年，MAO阻害薬の人気は，かなり当然ともいえる人気の再浮上を遂げつつあります。なぜならば，この薬は他の種類の抗うつ薬が効かない患者さんに，注目すべき効果を発揮することがしばしばあるからです。このような患者さんのなかには，あまりにも長い歳月慢性的なうつ病を抱えてきたために，病気が，ありがたくない生活スタイルそのものになってしまっている方が大勢いらっしゃるのです。そのため，MAO阻害薬の有効性が，極めて印象的に映ることがあるのでしょう。

MAO阻害薬は，以下のタイプの症状を特徴とする「非定型うつ」に特に効果的である可能性もあります：

- 過食（典型的なうつ病の食欲減退とは対照的）；
- 倦怠感と過眠（不眠ではなく）；
- 苛々，または敵意（抑うつ状態に加えて）；
- 拒絶に対して極度に過敏

このような型のうつ病の場合，患者さんは，ときどき「鉛様の麻痺」に加え，慢性的倦怠感を強調されることがあります。これが，実はうつ病の亜型を意味しているのか，それともうつ病の患者さんなら誰でも経験するような，特定の症状群のことをいっているだけなのか定かではありません。

それでもやはり，コロンビア大学で実施された研究からは，MAO阻害薬が，このような類の症状がある患者さんに対して，三環系や四環系抗うつ薬よりも，実際に有効性に優れる可能性が窺がえるのです。MAO阻害薬はまた，うつ病，恐怖症（社会恐怖など），パニック発作，もしくは心気症的病訴なども含めた重症の不安が伴うような場合にも目を見張る効果を発揮することがあります。強迫的思考の反復や，衝動的で儀式的な意味のない行為（繰り返し手を洗う，何度もドアの鍵を確かめるなど）が見られる患者さんも，MAO阻害薬を用いた治療で，病状が軽減するかもしれません。

MAO阻害薬は，うつ病に，慢性的怒りや衝動的自己破壊行動が伴う場合にも有効となることがあります。このような特徴が見られる患者さんは，ときどき「境界性人格障害」であると診断されることがあります。これらの方々の治療は，極めて難しい場合があるのですが，私はこれまでに，MAO阻害薬によって劇的に効果があった方々を，多数目にしてきました。もちろん，MAO阻害薬を服用される方は全員，食事制限と服薬のガイドラインにきちんと従うことに同意しなければなりません。患者さんが当てにならない場合や，これに同意するお気持ちがない場合には，代わりに他のタイプの薬剤を用いるべきです。

MAO阻害薬の作用メカニズムは，他の抗うつ薬のメカニズムとは異なります。第17章では，たいていの抗うつ薬は神経の端末で，神経伝達物質のポンプを阻害することによって作用することをご説明しました。この結果，セロトニン，ノルエピネフリン，もしくはドーパミンなどの化学伝達物質の濃度が，シナプス領域で上昇することになるのです。対照的に，MAO阻害薬は，神経内部における化学伝達物質の崩壊を防ぐことによって，機能するように思われます。その結果，セロトニン，ノルエピネフリン，及びドーパミンの濃度は，神経端末の内側で上昇します。そして，これらの伝達物質は，神経の発火時にさらにいっそう高い濃度となってシナプス領域へと放出され，結局シナプス接合部の反対側で，神経をより強く刺激することになるのです。

MAO阻害薬の服用には，注意深い医学的管理と医師との親密なチームワークが必要です。この薬は，ほかの薬が効かなかった場合でさえ，大きな気分の変容をもたらすことがありますから，努力する甲斐は十分あるといえるでしょう。その一方で，血圧の上昇を招く危険があることから，年齢が60歳を超える方や心臓に障害がある方には，通常お勧めしません。加えて，脳卒中や動脈瘤などの，重症の脳血管系障害がある方，もしくは脳腫瘍のある方の場合もたいてい処方しません。しかし，逆説的ではありますが，このMAO阻害薬は，普通は血圧を低下させることから，ときどき，高血圧の方に使われることもあり得るのです[19)]。やはり，他の降圧薬や昇圧薬との危険な相互作用が一切ないことを確認するためには，心臓病専門医への相談は必要不可欠でしょう。

他の抗うつ薬同様，MAO阻害薬の場合も，効果が出るまでには，たいてい少なくとも2，3週間は必要です。おそらく医師は，この種の薬の服用を始める前に，まずは内科的診断をしたい，と，望むでしょう。この診断には，身体検査，胸のエックス線，心電図，血球数測定，血液化学検査，及び尿検査などが含まれます。

MAO阻害薬の服用量

MAO阻害薬の用量は，129ページの表20-1に挙げています。

うつ病と不安に最も一般的に処方されるのは，トラニルシプロミン(Parnate) とフェネルジン（Nardil）の2つの薬です。MAO阻害薬の1つ，イソカーボキサジド（Marplan）は，もはや米国では手に入りませんが，カナダなど，他の幾つかの国では今でも手に入れることができます。また，セレギリン（エフピー）は，うつ病に使用されることは稀ですが，パーキンソン病の治療では，低用量(1日5mgから10mg) でよく用いられます。表20-1からもおわかりのように，パーキンソン病の場合よりも高用量とはいえ，うつ病やその他の幾つかの精神障害に対する，MAO阻害薬の使用は，まだ始まったばかりなのです。米国食品医薬品局(FDA)はまだ，精神障害へのセレギリンの使用を承認していませんが，最近の研究は，これが，慢性的で重症のうつ病の患者さんはもちろんのこと，非定型うつ病の患者さんにも効果的となり得ることを示唆しています。

MAO阻害薬に関してよくある処方の過ちは，あまりに多すぎる量を，あまりに性急に与えてしまうことです。たとえば，129ページの表20-1をご覧になると，トラニルシプロミン（Parnate）の通常服用範囲は，1日10mgから50mgであることが，おわかりいただけるでしょう。ところが，これを上回る用量を処方する医師もいるのです。しかし，私はこれまで，1日にわずか1，2錠で効果があった患者さんを多く拝見してきました。MAO阻害薬には幾つかの中毒性副作用がありますから，まずは低用量から始め，その後ゆっくりと用量を引き上げていき，増やしすぎとなるほどまで押し上げないことが賢明ではないかと思います。私の場合，たいてい患者さんには，最初の週はまずMAO阻害薬を1日わずか1錠服用することから始めていただきます。その後，1日2錠に引き上げます。妥当な量，たとえばトラニルシプロミンまたはフェネルジンを1日3，4錠服用しても，まだ効果がない場合は，通常，それ以上用量を引き上げることはせず，代わりに，別の心理療法手段に併せて，代わりの薬を試してみることにしています。

MAO 阻害薬が効いていないように思われるとき，はたしてどれほどの期間，服用を続けるべきでしょうか？ 第 2 章の気分検査の得点を，毎週確認してみて 3，4 週間してもさほど劇的な効果が見られなかったとしたら，おそらくその薬についてはもう十分試してみた，と判断していいのではないかと私には思えます。ひょっとしたら別のタイプの薬や，本書でご説明した認知療法テクニックのほうがもっとよい効果を発揮するかもしれません。

MAO 阻害薬で，好ましい効果が得られている場合には，どのくらいの期間この薬の服用を続けるべきでしょうか？ どの抗うつ薬の場合もそうですが，この点については主治医の先生とよく話し合う必要があるでしょうし，現在では，実に多様なアプローチが流行し，人気となっています。「化学的不均衡」を正すためには，無期限に抗うつ薬を服用する必要があると信じている医師もいるようですが，私は，MAO 阻害薬に限らず，他の抗うつ薬についても，無期限に服用を続ける必要を感じたことは，通常ありません。むしろ，まずまずの期間，気分のよい状態が続いたならば，その後，MAO 阻害薬を中断しても，ほぼ必ずといいっていいほど順調にやっていける，というのが私の感想です。ほどほどの期間といっても，わずか 3 カ月程度のこともあるでしょうし，6 カ月から 12 カ月に及ぶこともあるかもしれません。

ほとんどの抗うつ薬についていえることですが，MAO 阻害薬の場合も，離脱作用を避けるために徐々に減らしていくべきでしょう。急に停止したために，突然躁病のような反応が出た患者さんもいらっしゃいます。セレギリンの場合は，突然停止すると，吐き気，目まい，及び幻覚症状を引き起こす可能性がありますので，特に注意してゆっくりと減らしていく必要があります。

MAO阻害薬をやめた後，将来，うつ病が再発した場合は，どうしたらいいでしょうか？ 過去にMAO阻害薬で効果があった方なら，将来再び同じMAO阻害薬を服用した場合，より迅速な効果が得られることが考えられます。私の経験では，あるMAO阻害薬（たいていトラニルシプロミン）でよい効果が得られ，その後，薬の服用をやめた後も憂うつな気分に陥らない状態が長年に亙り続いた患者さんが大勢いらっしゃいました。結局，再びうつ状態に陥り，「調整」の予約をお求めになった方は数人でした。私は常にそのような方には，できるだけ早く予約をお入れしています。うつ状態が相当深刻なようであれば，薬を再開するようお話します。と同時に，心理療法の宿題，特に自分の否定的な思考を書き記し，変えていく演習をもう一度始めてみるようお勧めします。それから数日後にお会いすると，多くの方々は既に気分が回復しているのです。なかには，2度目にMAO阻害薬を服用したとき，わずか1日，もしくはそれ以下で改善し始めたとおっしゃる方もいました。このような早い回復には，認知療法はもちろんのこと，薬も貢献していると信じています。

このような迅速な反応は，他のタイプの抗うつ薬では見たことがありませんし，MAO阻害薬によって，なぜときどきこのようなことが生じるのかはわかりません。MAO阻害薬，とりわけトラニルシプロミン（Parnate）による快適な刺激を，身体がたちどころに「認識」するようだ，と説明された患者さんが数人ほどいらっしゃいました。これによって，憂うつな気分でない，というのはどのようなものであるのか「思い出す」ことができたのだそうです。また，最初に錠剤を飲んで1，2時間以内に気分の改善が見られたケースも何件かありました。たいていのケースでは，1，2回ほどの認知療法で，うつ病の再発は回復できるように思われました。

MAO阻害薬の副作用

最も頻繁に見られる副作用については，190-191ページの表20-7に挙げています。先にもお話しましたように，トラニルシプロミン（Parnate）は，中枢神経を刺激する傾向があります。トラニルシプロミン（Parnate）の刺激作用は，疲労，無気力，やる気のなさを感じているうつ病の方に特に有効です。トラニルシプロミン（Parnate）は，このような方々に是非とも必要な，「やる気」を与えてくれるのかもしれません。トラニルシプロミン（Parnate）は，その刺激作用のため，不眠症の原因となることもあります。不眠症を軽減するために，午前中に1日1回，全量を服用するか，もしくは午前中と正午に分けて服用することもできます。トラニルシプロミン（Parnate）は，遅くとも午後6時までには服用すべきでしょう。フェネルジン（Nardil）は，トラニルシプロミン（Parnate）ほどの刺激作用はありませんから，トラニルシプロミン（Parnate）では刺激が強すぎると感じている患者さんには，魅力的な選択といえるかもしれません。

MAO阻害薬のその他の副作用は，先にご説明した，三環系，四環系薬の副作用と似ていますが，MAO阻害薬のほうがたいてい軽いですし，MAO阻害薬を低用量で服用した場合は，特にそうです。表20-7からおわかりのように，MAO阻害薬は，ムスカリン受容体（これらが，コリン受容体とも呼ばれることを覚えていますでしょうか）には，強力な影響は与えません。その結果，口の渇き，目のかすみ，便秘，もしくは尿の出の悪さを引き起こす原因にはならないようです。体重の増加もこれらの薬についてはさほど問題とはならないようですが，患者さんによっては食欲が増進する方もいます。トラニルシプロミン（Parnate）については，フェネルジン（Nardil）ほど，体重の増加は問題にはならないように思われます。トラニルシプロミンには刺激作用がありますから，フルオキセチン（Prozac）など幾つかのSSRIと同様，実際には食欲を減退させる可能性があります。

患者さんによっては，急に起立した際に立ちくらみがする方もいますが，これは，これらの薬がαアドレナリン受容体に比較的強い作用を与えることが原因です。目まいがするような場合には，先にもご説明しました，次のような対策を図ってみるといいかもしれません。たとえば，(1) 用量を引き下げることができないかどうか，医師に相談する——用量を減らしても抗うつ効果を維持できる場合が多いからです。(2) 立ち上がる際には，ゆっくりと身体を起こし，その場で歩くように脚を動かす。(3) サポートストッキングを履く。(4) 身体の電解質を維持できるよう，水分を十分に摂ると共に，塩分を含む食品を十分に摂取するよう心がける。

私自身は，まだ実際に目にした覚えはありませんが，ほとんど抗うつ薬と同様，MAO阻害薬も発疹を引き起こすことがときどきあります。便が緩くなることや便秘になることもあります。胃の不調を訴える患者さんもいらっしゃいます。食事と一緒に薬を服用することで，これらの症状を軽減することができます。筋肉のけいれんが起こる患者さんもいらっしゃいますが，たいてい危険なものではありません。筋肉の痛み，けいれん，もしくは指の疼きがみられる場合——このような副作用は，私はこれまで一度も目にしたことがありませんが——ビタミンB 6（ピリドキシン）を毎日50mgから100mg服用すると効果があるかもしれません。これは，MAO阻害薬が，ピリドキシン代謝を阻害することが原因と考えられますので，ピリドキシンを余分に多く摂ることで，この影響を補うことができると思われます。医師によっては，MAO阻害薬の服用中には，日常的にビタミンB 6を摂取するよう勧める方もいます。

MAO阻害薬は，比較的高用量の場合は特に性機能に支障を及ぼすことが考えられます。セックスに対する興味が減退し，勃起の維持やオルガズムへの達成が困難になる患者さんもいます。この点に関し，MAO阻害薬は，先にご説明したSSRIに非常によく似ています。性的副作用は，これらの薬が脳内のセロトニン受容体に及ぼす影響の結果と考えられますが，はっきりとはわかっていません。性的副作用に戸惑いを覚えることは確かでしょうが，この薬のおかげで，気分によい効果がもたらされるのであれば，十分その価値のある交換条件といえるかもしれません。しかも，この性的副作用は用量に依存することから，MAO阻害薬を服用しなくなれば通常消えてしまいますので，ご安心ください。

私が治療にあたったある若い男性は，実際にはこの性的副作用を役立つと感じていました。彼はそれまでいつも，早漏に悩まされていました。ところが，トラニルシプロミン（Parnate）を服用し始めたとたん，問題は一気に解消されてしまったのです。それどころか，早期にオルガズムに至ってしまう危険が一切なくなり，たっぷり時間をかけてセックスを楽しめるようになったと言うのです。彼のガールフレンドは，これをすばらしい魔法と考えているそうです。そして何と彼は，この製薬会社の株を買ってはどうかと私にアドバイスまでしたのです！

MAO阻害薬には，1つ嬉しい副作用があります。この薬は，過剰ともいえるほど効きすぎてしまうのです。言い換えると，うつ病が改善するだけでなく，多幸感もしくはハイな気分にまで至ってしまう患者さんが非常に多いのです。これは必ずしも悪いことではないかもしれませんが，極端になりすぎるあまり，軽い躁病の症状が出てしまうケースもあるのです。稀に，双極性躁うつ病の病歴のある患者さん（薬やアルコールが原因ではない，極度の気分の高揚と低迷を以前に経験したことがある患者さん）の場合，

表 20-7 モノアミン酸化酵素阻害薬（MAO 阻害薬）の副作用[a]

特記：この表は包括的なものではありません。一般に，患者の5〜10%またはそれ以上に発現する副作用，そして稀であるものの危険な副作用などを記載してあります。

副作用 脳内受容体	鎮静と体重増加 ヒスタミン（H_1）受容体	頭がくらくらし，めまいがする αアドレナリン（α_1）受容体	かすみ目，便秘，口渇，動悸，排尿困難 ムスカリン（M_1）受容体	一般的または問題となる副作用[b]
イソカルボキサジド（Marplan）	＋	＋＋＋	0から＋	頭痛，心律動及び心拍数の変化，過活動または躁病，振戦，苛立ち，錯乱，記憶障害，不眠症，浮腫，脱力感，発汗，胃の不調，オルガスムス遅延
フェネルジン（Nardil）	＋	＋＋＋	0から＋	めまい，頭痛，倦怠感，入眠困難，脱力感，振戦，筋肉の引きつり，口渇，胃の不調，便秘，体重増加，オルガスムス遅延，苛立ち，多幸感，排尿困難，むくみ，発汗，発疹
セレギリン（エフピー）	0	＋	＋	（入手できる情報はわずか）[c]。悪心，体重減少，オルガスムス遅延，錯乱，口渇，めまい，その他の副作用

トラニルシプロミン (Parnate)	0から＋	＋＋＋	0から＋	過度の刺激，多幸感または躁病的感覚，落ち着きのなさ，不安，入眠困難，倦怠感または脱力感，筋肉の引きつり，振戦，けいれん，胃の不調，食欲減退，便秘，下痢，頭痛，オルガスムス遅延，しびれまたは疼き，むくみ，動悸，かすみ目

a ＋から＋＋＋までの評価は特定の副作用が現れる確度。実際に発現する副作用の強度には個人差があり，用量によっても異なります。用量を引き下げることにより，有効性を減じることなく副作用を抑制する可能性があります。

b MAO阻害薬の副作用の多くは服用量を少なくすることで減弱あるいは消失します。通常MAO阻害薬は副作用の発現が非常に稀で，低用量から優れた有効性を発揮します。

c この理由は，この薬剤が通常他にも多くの薬を併用しているパーキンソン症候群の患者に処方され，また疾患により，患者に数多くの症状が現れるためです。そのため抑うつ症状の患者に，どの程度の頻度でセレギリンによる副作用が現れるのかを特定するのは困難です。高用量での服用では，セレギリンの副作用はおそらく他のMAO阻害薬と非常によく似ていると思われます。

MAO阻害薬が引き金となり，全面的な躁のエピソードへと至ってしまうことも考えられます。しかし実際には，これはほとんどの抗うつ薬についていえることで，MAO阻害薬に限ったことではありません。

実際，異常ともいえるほど幸せな気分になり始めたら，このような感情が手におえなくなることがないよう，薬を処方している医師に連絡を取り続けることが賢明でしょう。私の経験では，通常，これが深刻な問題となることはありません——むしろ，多幸感のおかげでうつ病から解放され，ほっと一息つくことができますし，このような感情は，1，2週間ほどで和らぐことが多いようです。多幸感も薬の用量を減らすことで効果があります。

アラン・シャツバーグ博士と彼の同僚[1)]は，患者さんによって，MAO阻害薬を服用した際に，うっとりとした様子もしくは酔ったような状態になることが考えられると指摘しています。気分が混乱し，まとまりがつかなくなる患者さんもいらっしゃいます。このような有害反応は，用量を引き上げすぎた場合に起こる傾向が強いようです。このような中毒性作用が現れたら，ただちに用量を減らす必要があることは明らかでしょう。私自身は，これまでMAO阻害薬を異常なほど高用量へ押し上げたことは，一度もありませんので，これらの影響を実際に目にしたことは，いまだかつてありません。

MAO阻害薬のうち，フェネルジン（Nardil）とイソカルボキサジド（Marplan）の2つは，肝臓に否定的な影響を与える可能性があります。したがって，医師は，肝臓の機能を反映するある種の酵素の量を確認するために，これらの薬の服用開始前と，その後，服用中にも，再度数カ月毎に血液検査を実施したい，と希望されるかもしれません。肝臓に疾患がある場合，もしくは検査で肝臓機能に異常が見られた場合には，トラニルシプロミン

(Parnate) も含め，通常は，MAO阻害薬の服用は一切控えるよう勧められます。

アラン・シャツバーグ博士と彼の同僚[1)]は，セレギリン（エフピー）は，少なくとも低用量では，他のMAO阻害薬と比べ，比較的副作用が少ないと考えられる，と指摘しています。セレギリンは，低用量なら起立時の目まい，性障害，もしくは睡眠障害を引き起こしにくいようです。しかしながら，セレギリンは他のMAO阻害薬よりも遥かに値段が高いですし，ほとんどケースで，他のMAO阻害薬もセレギリンに何ら劣らないほどの効果が期待できます。加えて，MAO阻害薬抗うつ薬は，いずれも，用量を引き下げれば副作用が極小となる傾向があります。私の経験では，多くの患者さんが低用量のMAO阻害薬で好ましい成果を得られていますから，セレギリンには，他の比較的古く値段も安い2つの薬を上回るようなすばらしい長所など，実際のところ何もないのかもしれません。

次にご説明するように，いずれのMAO阻害薬についても，患者さんが禁じられた食品を摂取した際に，危険な血圧の上昇を引き起こす恐れがあります。セレギリンは，比較的このような作用を起こしにくいようですが，それも服用量が少ない（1日に10mg以下）ときに限ります。精神障害に対して必要とされるセレギリンの用量は，実際にはもっと高用量なことが多いのです。このような高用量では，セレギリンであろうとも，MAO阻害薬とも同じように，食事上での注意に従う必要があります。これは残念なことです。なぜなら，当初うつ病の患者さんは，セレギリンを服用しながら食事療法にさほど厳格に従わなくてもいいだろう，と期待されていたからです。

高血圧危機及び異常高熱危機

MAO阻害薬は正しく使用されないと，稀に2つのタイプの重大な中毒反応をもたらすことがあります。だからこそ，これほど多くの医師がこの薬の使用を避けるのです。十分な知識と予防治療薬があれば，MAO阻害薬を安全に投与することは可能ですが，それでもやはり，MAO阻害薬を服用される方は，この節でご説明することを特に念入りに学習される必要があるかと思います。

危険な反応の1つは，「高血圧危機（hypertensive crisis）」と呼ばれます。「hyper」は高いという意味，「tensive」は血圧を表します。したがって，高血圧危機とは血圧が突然上昇することをいいます。血圧の上昇は普通は危険ではありませんし，薬を服用中でなくても，通常の多くの状況でも起こり得ることです。たとえば，ウエイトリフティングの最中，バーベルを上げようとして，身体をまっすぐにし，最大まで力を振り絞った瞬間，血圧は一気に急上昇し，180/100の域まで到達することでしょう。しかしながら，MAO阻害薬を服用中に摂取を禁じられた食品を食べると，血圧は危険なレベルまで上昇し，そのまま1時間以上，上がりっぱなしのまま下がらなくなってしまうのです。MAO阻害薬と相互作用を引き起こす，禁忌の食品をさらにそのまま食べ続けたとしたら，遅かれ早かれ，脳内の血管は物理的圧力によって破裂する可能性があります。これが引き金で，脳卒中が起こることも予想されます。抗うつ薬の服用に支払う代償としては，これはあまりにも大きすぎることは明らかでしょう。

脳内の血管に破裂や漏出が生じると，最初は耐え難いほどの頭痛，首の凝り，吐き気，嘔吐，及び発汗などの症状が現れます。さらに出血が続くと，麻痺，昏睡状態，終には死亡するケースもあります。高血圧反応の危険に備え，医師は面談のたびに患者さんの血圧を確認すると思います。脳卒中の危険は，年齢が60歳を超えるとより高くなります。これは，私たちの動脈は年齢と共に弾力性がなくなり，血圧の急激な上昇による圧力に晒された際に破けたり破裂したりする可能性が高まるからです。しかし，年齢にかかわらず，MAO 阻害薬を服用する際には，血圧の状態を確認し，食事に十分注意する必要があるでしょう。

これらの高血圧危機は，ときどき「ノルアドレナリン作用発作」と呼ばれることもあります。それは，これが，ノルエピネフリンの過剰な放出が原因で起こると考えられているからです。ノルエピネフリンは，脳内や身体の神経によって使用される伝達物質です。高血圧発作は，チラミンと呼ばれる物質を含む，ある特定の禁じられた食品を摂取した場合や，次にご説明する禁じられた薬を服用した場合に，通常起こります。注意することによって，重大な高血圧発作の危険はかなり小さくなります。

MAO 阻害薬に対して起こる，もう 1 つの危険な反応は，「異常高熱危機（hyperpyretic crisis）」と呼ばれます。「pyretic」は，火，または発熱を表します。異常高熱危機は，高熱に加え，光に対する敏感さ，血圧の急激な変化，呼吸の早まり，発汗，吐き気，嘔吐，筋肉の硬直，引きつり，けいれん，混乱，動揺，せん妄，発作，ショック，昏睡，さらには死亡の可能性すらある数多くの危険な症状を伴う恐れがあります。異常高熱危機は，ときどき「セロトニン症候群」と呼ばれることもあります。それは，脳内のセロトニンの量が，異常で危険なまでに上昇するからです。異常高熱危機は，MAO 阻害薬との組み合わせを避けなければならない，併用を禁じられた特定の薬を服用したときに起こります。これらMAO 阻害薬は，脳内のセロトニン量を上昇させる可能性があります。異常高熱危機に陥った場合は，ただちに MAO 阻害薬の服用を中断すると共に，救急治療が必要なことは明らかです。静脈内輸液や，セロトニン拮抗薬，シプロヘプタジン（ペリアクチン）

4mgから14mgを1日用量とした治療などが考えられます。

今から数十年前，MAO阻害薬が初めて利用できるようになったとき，医師は，チラミンを含む食品の摂取や，後にご説明する類の薬の服用が原因で生じる血圧の上昇に気づいていませんでした。そのため，このような高血圧反応は，今よりももっと一般的で深刻でした。現在では，医師も患者さんも当問題を遥かに自覚するようになり，危険はずっと小さくなりました。実際，極度の高血圧反応や異常高熱反応はかなり稀です。私自身は，ボストンで同僚が診察にあたって患者さんで，MAO阻害薬を服用中に，高血圧危機（ノルアドレナリン症候群）が原因で発作を起こされた方を，唯一1人だけですが個人的に存じ上げています。私は，ここ数年以上の間に，およそ5人ほどの患者さんから，突然，血圧が上昇したという理由で，電話で呼び出されたことがあります。これらの患者さん方には，それぞれ，地元の病院の救命救急室へ行き，様子を見てもらうようにお伝えしました。しかし，これらの方々で，逆反応が見られた方は1人もいらっしゃいませんでした。また，MAO阻害薬の服用中に異常高熱危機（セロトニン症候群）が起きたという患者さんには，私自身はこれまで一度もお目にかかったことがありません。

これは，これらの2種類の反応を引き起こす原因，及びその回避の仕方については，非常によく解明されているからです。MAO阻害薬を服用されている方は，以下の章をよくお読みになり，ご自身で学ぶ姿勢が求められます。自らの安全を確保するために，特定の種類の薬については，その服用を避け，食事についても多少の自己規制を課すことが必要となるでしょう。自分の身を守るために特別な努力を払うことがいかに価値あることか，お気づきになることでしょう。

高血圧危機，異常高熱危機をどのように避けたらいいか

MAO 阻害薬を服用している場合に，高血圧危機や異常高熱危機を防ぐための鍵は，2 つあります。第 1 に，血圧計を手に入れ，自分自身の血圧を注意深く確認する必要があります。第 2 に，このような反応の引き金となることが予想される，特定の食品や薬（幾つかの街頭薬，ストリートドラッグも含む）を慎重に避けることも必要です。そのような禁断の食品と薬については，後ほど詳しくご説明するつもりです。高血圧危機を引き起こす恐れのある物質と，異常高熱危機を引き起こす恐れのある物質が，幾分異なることにお気づきになるでしょう。

地元の薬局で血圧計を手に入れれば，いつでも好きなときに，自分自身の血圧を測ることができます。血圧計を使う練習をしてください。最初は少し扱いにくく，戸惑ったりするかもしれませんが，数回ほど練習すれば，自分の血圧を測ることが至極簡単に感じられるようになるでしょう。私の診療所では，MAO 阻害薬を服用中の患者さんには全員に，そうするようお願いしてきました。稀に，わざわざ血圧計を手に入れ，その使い方を覚えるような面倒は嫌だとおっしゃる患者さんもいましたが，私は，そのような方には MAO 阻害薬の処方をお断りしてきました。

血圧の測定は，最初は 1 日に 1 回でいいですが，ご自身がそうしたいと強く思われるのなら，1 日に 2 回でも結構です。その後，MAO 阻害薬を 2 週間服用したら，もうそれほど頻繁に血圧を確認する必要はないでしょう。1 週間に 1 回で十分ではないでしょうか。うっかりして，禁じられた食品を食べてしまった場合には，血圧を確認するとよいでしょう。目まいや吐き気がする場合，もしくは耐え難いほどの激しい頭痛がする場合にも，確認したほうがよいと思います。誰でもときどき頭痛がすることはありますし，頭痛がしたからといって，本当にそれが発作の徴候であるという

ことは滅多にありません。しかしながら，血圧計をもっていれば，自分の血圧を確認し，それが危険な上昇ではないことを確かめることができます。

血圧が危険なレベルまで上昇してしまったら，主治医の先生か，救命救急室に電話をすべきです。では，どれほどの上昇が危険なのでしょうか？ 血圧は 2 つの数値からなっています。高いほうの数値は，「収縮」血圧と呼ばれ，低いほうの数値は「拡張期」血圧と呼ばれます。たとえば，120 / 80 という値は，たいていの人の場合，正常と考えられます。これらの数値が上の値が 190 から 200，下の値が 105 から 110 の範囲にまで達しない限り，ほとんどの救命救急室の医師は，特に心配はしないでしょう。血圧が上昇しても，たいていの場合，治療を行なわずとも徐々に下がってくると考えられるからです。しかし，血圧がぐんぐん上昇を続ける場合，血圧を安全域に戻すために，救命室の医師が何らかの対策（フェトラミン，またはプラゾシン）をとってくれるでしょう。

血圧を測る最も適した時間は，薬を服用後，1 時間から 1 時間半ほどした頃です。私の患者さんのうち，ほぼ 25％の方々は，199-200 ページの表 20-8 の禁じられた食品や，206-212 ページの表 20-9 の薬を，摂取していなかったとしても，この時間に緩やかな血圧の上昇があることを指摘していらっしゃいます。これらの上昇は，通常さほど急激でも危険なでもありませんでした…収縮血圧の 20 から 30 の上昇が典型的でした。それでも，これらのケースでは，患者さん方が MAO 阻害薬の血圧への影響に，過剰に神経質になっていらっしゃるようだったため，私は薬の服用をやめるようお勧めしました。実際，他にもこれとまったく同じくらい効果的な抗うつ薬はあったのですから，何も心配する必要も敢えて危険を冒すだけの価値もなかったのです。

表 20-8　モノアミン酸化酵素阻害薬（MAO 阻害薬）服用時に摂取を避けなければならない食物と飲み物[a]

完全に避けなければならない食べ物
チーズ，特に匂いが強く熟成の進んだチーズ（コッテージチーズやクリームチーズは可）
ビール及びエール。特に生ビール，小規模な醸造所で製造したビール，強いエールなど
赤ワイン。特にキャンティワイン
醸造所が作る酵母菌錠剤または酵母エキス（パンまたは酵母を調理した食べ物は安全。健康食品販売店などの酵母エキスは危険。酵母エキスはスープの中や，粉末プロティンなどのダイエット・サプリメントに含まれている場合がある）
ソラマメまたはイタリアングリーンビーンと呼ばれる豆の鞘（通常のグリーンビーンは安全）
下記を含む肉や魚の燻製と干物，発酵した肉や魚，冷蔵していない肉や魚，腐敗した肉や魚など ・サラミ，モータデラなどの発酵あるいは空気乾燥したソーセージ（ボローニャ，ペパロニ，サマーの各ソーセージ，コーンビーフ，レバーソーセージなどは安全とする専門家もいる）[17] ・酢漬けあるいは塩漬けのニシン ・牛または鶏のレバー。とくに古くなった鶏レバー（新鮮な鶏レバーは安全）
熟れ過ぎたバナナまたはアボカド（ほとんどのフルーツは安全）
ザウアークラウト（訳注：塩漬けにして発酵させた千切りキャベツ）
ある種のスープ。例えばビーフブイヨンを用いたものまたは味噌汁などのアジア風スープストックを用いたスープ。（缶詰スープまたは袋入りのスープは，ブイヨンまたは肉エキスを用いたもの以外であれば安全と思われる）

大量に摂取すると問題となるであろう食物と飲み物
白ワインまたは無色のアルコール。例えばウォッカ，ジンなど
サワークリーム
ヨーグルト。低温殺菌したものに限る。製造後5日以内ならば安全
醤油
ニュートラスイート（人工甘味料）
チョコレート
カフェイン（コーヒー，紅茶，ソーダなどに含まれるもの）及びチョコレート

以前は摂取すると問題となるとされ 現在はおそらく少量ならば安全と思われる食物と飲み物
いちじく（熟れすぎたいちじくは避ける）
軟らかくした肉
キャビア，エスカルゴ，缶詰の魚，パテ
レーズン

a B. マッケイブと M.T. ツァンによる Journal of Clinical Psychiatry43(1982):178-181 に掲載された "Dietary Consideration in MAO Inhibitor Regimens" から修正して転載。

避けるべき食品

高血圧危機は，チラミンという，物質を含む食品（表 20-8 参照）を摂取した場合に，起こる可能性があります。MAO 阻害薬を服用中は，チラミンの量が多くなりすぎて，血圧を調整する脳の能力に支障が出ることが考えられるのです。チラミンは，神経に作用し，それらをシナプス後神経と分けているシナプス領域へ，より多くのノルエピネフリンを放出させます。ところが，これらのシナプス後神経は，ノルエピネフリンの放出があまりにも多すぎると過剰に刺激されすぎてしまうことがあります。そして，これらの神経が血圧の調整を助ける働きをしていることから，これら，余分に放出されたノルエピネフリンは，危険で突然の血圧上昇を引き起こすことになりかねないのです。第 17 章で，シナプス前神経内部にはモノアミン酸化酵素（MAO）と呼ばれる酵素が存在しているということをお話したことを覚えていらっしゃいますでしょうか。この酵素は，通常これらの神経内部に増加する余分なノルエピネフリンを分解し，これらの神経が発火時に必要以上のノルエピネフリンを放出しないようにするのです。ところが，MAO 阻害薬はこの酵素を阻害するため，これらの神経内部のノルエピネフリン濃度が相当上昇することになってしまうのです。チラミンを含む食品を摂取すると，余分なノルエピネフリンはすべてシナプス領域へと突如溢れ出し，血圧を調整する神経にかなり強力な刺激を与えることになります。

食事に十分気をつければ，好ましくない影響をもたらす血圧の上昇を一切起こさずにすむ可能性は大いにあります。血圧の上昇を招く引き金として，最も一般的なのはチーズです。特に，匂いの強いチーズがそうです。MAO 阻害薬を服用中は，ピザやグリルドチーズサンドは，しばしお預けということになるでしょう。禁じられた食品のほとんどには，たんぱく質が分解されて生じた物質が含まれています── チラミンもそうです。したがって，たとえば，調理したばかりの鶏肉は，まったく何の問題もなく安全といえますが，調理されて2日ほど経った残り物の鶏肉は，肉が腐敗した際にチラミンが形成されるため，危険となる恐れがあります。私の患者さんの1人で，トラニルシプロミン（Parnate）服用中の方がいらっしゃいました。彼は，数日間程冷蔵庫に入れっぱなしになっていた残り物の鶏肉を食べたのです。すると，まもなく血圧が著しく上昇しました。これは，バクテリアの作用で鶏肉が部分的に腐敗していたことが原因でした。幸いにも，彼に害はありませんでしたが，この経験は，注意が必要という有効な警告として役立ったのです。匂いの強いチーズだけでなく，匂いの強いソーセージや燻製の魚など，表20-8に掲載の，発酵ないし部分的に分解した肉は，総量的にかなりのチラミンを含んでいると考えられるので，特に危険です。また，MAO阻害薬を服用中は，中華料理の食事を控えるように助言する専門家もいます。これは，醤油，グルタミンソーダなどの材料を使用しているからです。

どれほどの量のチラミンで，高血圧反応は起きるのでしょうか？ これは，人によってかなりの差があります。フェネルジン（Nardil）を服用中の場合は，平均的に，少なくとも10mgのチラミンを含んでいる食品で，十分高血圧危機を引き起こす可能性があります。トラニルシプロミン(Parnate)なら，わずか5mgのチラミンでも十分といえるかもしれません。では，これほどの量のチラミンを含んでいる食品には，どのようなものがあるのでしょうか？ たとえばビールの場合，たいていチラミンは1.5mg未満ですし，1mg未満のものも多いですから，何本も飲まない限り重大な危険を冒すほどにはならないでしょう。しかし，エール（訳注）

（訳注）　ビールの一種：アルコール度がやや高く，苦味が強い

の中には，1 人前の分量で，チラミンを 3mg 含んでいるものもありますし，樽ビールの中にも，特に危険なものがあります。たとえば，クローネンバーグ，ロッテルダムズラガー，ロッテルダムズピルスナー，及びアッパーカナディアンラガーには，それぞれ 1 人前で，9mg から 38mg のチラミン[17]が含まれています。したがって，これらのビールをグラスに 1 杯飲んだだけでも，危険になり得るのです。

チーズの場合も，種類によってかなり差があります。プロセスアメリカンチーズには1人前で1mgほどのチラミンしか含まれていませんが，リーダークランツ，ニューヨークステイトチェダー，イングリッシュスティルトン，ブルーチーズ，スイスチーズ，熟成した白チーズ，及びカマンベールチーズには，いずれも 1 人前で 10mg を超える量が含まれています[17]。

たとえば，ついうっかりして禁じられた食品の 1 つを食べてしまい，その後血圧を測ってみたら，上昇していないことがわかったと想定していましょう。これは，どういう意味でしょうか？禁じられた食品の影響を受けやすいかどうかには，個人によって，かなり敏感に差があるのです。たまたま血圧の上昇という形では，顕著なまでに反応しにくいタイプだったという人もいるのです。しかしながら，だからといって，一人よがりに満足するのはいかがなものでしょう。あくまでこれらの高血圧反応は予想不可能だからです。禁じられた食品を，ときどきごまかして食べたとしたら，それこそまさしくロシアンルーレットをしているようなものです。たとえ，しばしの間は難を逃れられたとしても，その後，思い知ることになるかもしれません。試しに 1 回だけのつもりだったのが，少々図に乗りやりすぎてしまった，と。それぞれ別の機会に 9 回，ピザを 1 切れずつ食べ，1 度も血圧の上昇が見られなかったとしたら，自分はピザを食べても大丈夫だと判断してしまうかもしれません。しかし，これは非常に紛らわしい落とし穴，といえるかもしれません。なぜなら，10回目にピザを1切れ食べたときに，突然酷い血圧の上昇が起こる可能性がないとはいえないからです。なぜこのようなことが生じるかは定かではありませんが，MAO阻害薬を服用中には，いかに自制が重要であるか，甘く考えすぎていることは確かでしょう。

避けるべき薬

206-212ページの表20-9には，MAO阻害薬と組み合わせられると，高血圧危機，異常高熱危機を引き起こす可能性のある数多くの処方箋薬，非処方箋薬，及び街路薬を一覧表にして挙げています。これらの反応は特に危険ですから，これらの薬は慎重に避ける必要があります。MAO阻害薬と相互作用はするものの，このような深刻な反応は，実際引き起こさない薬もあります。たとえば，カフェインを摂取すると，普段よりも神経が過敏になり苛々するかもしれません。しかし，適度の量のカフェインなら十分安全です（カフェインというと，薬よりもむしろ食品として思い浮かべるかもしれませんが，これも軽い刺激薬なのです）。

MAO阻害薬と相互作用する薬には，たとえば，次のようなものがあります：

- ほとんどの抗うつ薬――実質的には，そのどれもが危険となり得ます
- 多くの喘息薬
- 交感神経作用薬（後で，詳しくご説明します）またはデキストロメトルファンを含む，多くの一般的な，風邪，咳アレルギー，蓄膿症薬，鼻づまり薬，及び花粉症の薬，または咳止め。多くの市販薬には，これらの物質が含まれてい

ますから，ラベルを注意深く確認する必要があります。
- 糖尿病の治療に用いられる薬── MAO 阻害薬服用中は，通常よりも，効能が増すことが考えられ，予想以上に血糖を低下させる可能性があります
- 低血圧，高血圧の治療に用いられる幾つかの薬 ── どちらのタイプの薬も，MAO 阻害薬と組み合わさると，血圧を上昇させる場合があります
- 気分安定薬と抗けいれん薬
- 局部，全身麻酔を含めた，幾つかの鎮痛薬
- 鎮静薬(アルコールも含む)と安定薬 ── MAO 阻害薬服用中は，通常よりも明白な作用をもつことが考えられます。車を運転中は，眠気が増すと危険となる恐れがあります
- L- トリプトファン── 天然アミノ酸
- 多くの減量（食欲抑制）薬
- カフェイン，これはコーヒー，紅茶，多くのソーダ水，ココア，及びチョコレートに含まれています。また，カフェルゴットの座薬や錠剤，多くの風邪薬や痛み止め
- ジスルフィラム（Antabuse），アルコール依存症の治療に用いられます
- レボドパ，パーキンソン病の治療に用いられます

交感神経作用薬として分類される薬は，風邪などの一般的な体調不良のための多くの市販薬に含まれることから，特に危険です。そもそもこれらの薬が，交感神経作用薬と呼ばれるのは，これが交感神経系という血圧のコントロールに関わる神経系統に似た作用をする傾向があるからです。

交感神経作用薬は，処方薬，市販の風邪薬，咳止め，鼻づまりの薬，及び花粉症薬など，実に多くの薬に含まれていることがわ

表 20-9　モノアミン酸化酵素阻害薬（MAO 阻害薬）との併用を避けなければならない処方薬及び一般用医薬品[a]

特記：この表は包括的なものではありません。薬物相互作用については日々新たな情報が発表されています。MAO阻害薬と他の薬剤を併用する場合は，医師または薬剤師に薬物相互作用の有無を確認してください。

抗うつ薬	
薬　物	コメント
三環系抗うつ薬[b] 特にデジプラミン（Norpramin, Pertofrane）及びクロミプラミン（アナフラニール）	特定の三環系（例えばクロミプラミンなど）は異常高熱発作または発作を起こす可能性がある。その他（例えばデジプラミン）では高血圧発作を起す可能性がある
四環系抗うつ薬 特にブプロピオン（Wellbutrin）	高血圧発作（ノルアドレナリン症候群）
SSRI（すべて非常に危険）	異常高熱発作（セロトニン症候群）
その他の MAO 阻害薬	異常高熱発作（セロトニン症候群）。高血圧発作（ノルアドレナリン症候群）
セロトニン拮抗薬 トラゾドン（デジレル），ネファゾドン（Serzone）など	異常高熱発作（セロトニン症候群）
ミルタザピン（Remeron）	高血圧発作（ノルアドレナリン症候群）
ベンラファキシン（Effexor）	高血圧発作（ノルアドレナリン症候群）

喘息治療薬	
薬　物	コメント
エフェドリン マラックス，カドリナルなどの喘息治療薬に含まれる気管支拡張薬	高血圧発作

吸入薬 アルブテロール，メタプレテレノールまたはその他のβアドレナリン作動性気管支拡張薬	血圧の上昇と動悸。ベクロメタゾン及びその他の局所用吸入ステロイド薬は一般に安全
テオフィリン（テオドール） 喘息治療薬に一般的に含まれる成分	動悸と不安

感冒薬，鎮咳薬，抗アレルギー薬，鬱血除去薬，点鼻薬，花粉症治療薬（錠剤，点鼻薬，スプレーなど）

薬　　物	コ　メ　ン　ト
抗ヒスタミン薬 テルフェナジン（Seldane-D）	MAO阻害薬の血中濃度を上昇させる可能性がある
デキストロメトルファン 感冒薬や咳止め，特にブロマレストーDM／ーDX，ジメタンーDX咳止めシロップ，ドリスタン・コールドアンドフルー，フェネルガン（デキストロメトルファン入り），ロビツシンーDM，タイレノール風邪薬，その他多くの風邪薬で名前にDMあるいはTussとつく薬剤に含まれる	異常高熱発作（セロトニン症候群）。精神病の軽いエピソードあるいは奇妙な行動を引き起こす可能性もある
エフェドリン ブロンカイド，プリマテーン，ヴィックス・ヴァトロノール点鼻薬，及びその他の喘息治療薬や風邪薬に含まれる	高血圧発作（ノルアドレナリン症候群）
オキシメタゾリン（ナシビン） 鼻腔内鬱血除去に使用する点鼻薬やスプレー	高血圧発作（ノルアドレナリン症候群）

感冒薬，鎮咳薬，抗アレルギー薬，鬱血除去薬，点鼻薬，花粉症治療薬（錠剤，点鼻薬，スプレーなど）	
薬　　物	コ　メ　ン　ト
フェニルフリン ジメタン，ドリスタン鬱血除去薬，ネオ・シネフリン点鼻薬及びスプレー，その他多くの同様薬剤，そしていくつかの点眼薬に含まれる	高血圧発作（ノルアドレナリン症候群）
フェニルプロパノラミン アルカセルツァー・プラスコールドまたは夜間服用風邪薬，アルレスト，コンタック鬱血除去薬，コリシディンD鬱血除去薬，デキサトリム食欲抑制薬，ジメタンDC鎮咳シロップ，オーネイド・スパンスル，ロビツシンCF，シナレスト，セントジョゼフ風邪薬，タイレノール風邪薬，その他多くの薬剤に含まれる	高血圧発作（ノルアドレナリン症候群）
スードエフェドリン アクティフェド，アルレスト・ノードラウジネス，ベナドリル，コアドヴィル，ジメタンDX鎮咳薬，ドリスタン強力風邪薬，ロビツシンDACシロップ，ロビツシンPE，セルデインD錠，シナレスト・ノードラウジネス，シニュタブ，スダフェド，トリアミニック・ナイトライト，タイレノールの各種アレルギー，点鼻薬，風邪薬，ナイキルなどヴィックスの製品その他多くの薬剤に含まれる	高血圧発作（ノルアドレナリン症候群）

糖尿病治療薬	
薬　　物	コ　メ　ン　ト
インシュリン製剤	予想以上に血糖値が下がる可能性がある
経口血糖降下薬	同上

昇圧薬（ショック患者の治療薬）	
薬　　物	コ　メ　ン　ト
交感神経様作用アミン ドーパミン（イノバン），エピネフリン（アドレナリン），イソプロテレノール（Isuprel），メタラミノール（アラミン），メチルドーパ（アルドメット），ノルエピネフリン（ノルアドレナリン）などを含む	高血圧発作（ノルアドレナリン症候群 - これらの薬剤が血管を収縮させるため）
降　圧　薬	
薬　　物	コ　メ　ン　ト
グアンドレル（Hylorel） グアンエチジン（Ismelin） ヒドララジン（アプレゾリン） メチルドーパ（アルドメット） レセルピン（アポプロン）	これらの高血圧治療薬は MAO 阻害薬と併用された場合には奇異的血圧上昇を引き起こす可能性がある
β遮断薬	MAO 阻害薬と併用された場合には力価が増強され，予想以上の血圧降下や立ちくらみを引き起こす可能性がある
Ca 拮抗薬	MAO 阻害薬との併用でも十分安全と思われる。医師に確認し血圧を注意深くチェックする。予想以上の血圧降下に注意する
利尿薬	予想以上の血圧降下に注意する。MAO 阻害薬の血中濃度を上昇させる可能性がある
気　分　安　定　薬	
薬　　物	コ　メ　ン　ト
カルバマゼピン（テグレトール）	異常高熱発作（セロトニン症候群）。MAO 阻害薬はカルバマゼピンのレベルを減弱するため，てんかんの場合は発作の可能性がある
リチウム（リーマス）	動物実験では異常高熱発作（セロトニン症候群）を引き起こす可能性が確認されている。

鎮痛薬及び麻酔薬	
薬　　物	コ　メ　ン　ト
全身麻酔薬	麻酔科医にMAO阻害薬服用中と告げること。可能であれば待機的手術の2週間前からMAO阻害薬の服用を中止する サクシニルコリンやチュボキュラリンなどの筋弛緩薬は，より著明かつより長時間にわたり作用が継続する可能性がある。ハロタンなどの全身麻酔薬は興奮及び脳の過度の機能低下または異常高熱反応などを引き起こす可能性がある
局所麻酔薬	薬剤によってはエピネフリンなどの交感神経様作用薬を含有している可能性があるので，歯科医などにはMAO阻害薬服用中であることを告げること
シクロベンザプリン（Flexeril） 筋肉のけいれんに使用する筋弛緩薬	異常高熱発作（セロトニン症候群）または重篤な発作
メペリジン（Demerol）	1本の注射で発作，昏睡，そして死亡の可能性がある（セロトニン症候群）。他の多くの麻薬－モルヒネやコデインなど－はMAO阻害薬と安全に併用されている

鎮静薬及び抗不安薬	
薬　　物	コ　メ　ン　ト
アルコール	特にフェネルジン（Nardil）との併用で鎮静作用を増強する可能性がある。運転中あるいは危険を伴う機械操作中には要注意
バルビツール フェノバルビタールなど	上述したように鎮静作用を増強する

ブスピロン（BuSpar）	上述したように鎮静作用を増強する
抗精神病薬（神経遮断薬）	上述したように鎮静作用を増強する。神経遮断薬によってはMAO阻害薬との併用で血圧が降下する可能性がある
抗不安薬 アルプラゾラム（コンスタン，ソラナックス），ジアゼパム（セルシン）その他のベンゾジアゼピン	上述したように鎮静作用を増強する
睡眠薬	上述したように鎮静作用を増強する
L-トリプトファン	異常高熱発作（セロトニン症候群）。血圧の上昇。失見当識，記憶障害，その他の神経学的変化
精神刺激薬及び麻薬	
薬　物	コ メ ン ト
アンフェタミン（スピードまたはクランクと呼ばれている薬物） コカイン ベンゼドリン ベンズフェタミン（Didrex） デクストロアンフェタミン（Dexedrine） メタンフェタミン（Desoxyn） メチルフェニデート（リタリン）	高血圧発作（ノルアドレナリン症候群）発現の可能性。メチルフェニデートはアンフェタミンよりも幾分安全と考えられる
体重減少薬及び食欲抑制薬	
薬　物	コ メ ン ト
ペモリン（Cylert）	ヒトでは薬物相互作用試験は行われていない。併用に当たっては十分な注意が必要。専門家によるいくつかの報告書には，MAO阻害薬とペモリンとの併用例がある[1)]。
フェンフルラミン（Pondimin）	異常高熱発作（セロトニン症候群）

体重減少薬及び食欲抑制薬	
薬　　物	コ　メ　ン　ト
フェンジメトラジン（Plegine）	高血圧発作（ノルアドレナリン症候群）
フェンテルミン及びその他の一般用医薬品	高血圧発作（ノルアドレナリン症候群）
フェニルプロパノラミン（Acutrim）	高血圧発作（ノルアドレナリン症候群）
精神刺激薬（上掲）	高血圧発作（ノルアドレナリン症候群）
MAO阻害薬のその他の相互作用	
薬　　物	コ　メ　ン　ト
カフェイン（コーヒー，紅茶，ソーダ，チョコレートなどに含まれる）	適度な量であればおそらく安全。大量摂取は避ける。血圧上昇，動悸，不安などが引き起こされる可能性がある
ジスルフィラム（Antabuse-抗酒薬）	MAO阻害薬との併用では重篤な反応が引き起こされる
L-ドーパ（Sinemet－パーキンソン病治療薬）	高血圧発作（ノルアドレナリン症候群）

a 本表作成にあたっては，Manual of Clinical Psychopharmacology[1)] 及び Psychotropic Drugs Fast Facts[17)] 他の資料を参考にしました。これらの資料は多くの方々に推薦できる良質の参考文献です。

b 十分な観察の下に行われたMAO阻害薬と三環系抗うつ薬との併用治療では多数の成功例があります。しかしこのような併用治療は危険であり，高度に専門化された管理を必要とします。

かります。これらには，エフェドリン，フェネルフリン，フェネルプロパノラミン，エフェドリン類似の薬が含まれます。

たとえば，エフェドリンは，鼻点滴薬，及びその他の幾つかの風邪や喘息用の薬の中に見つけることができます。フェネルフリンは，鼻づまり薬，鼻用スプレー液や鼻用点滴薬，及びその他の多くの同様の調剤の中に見つかります。また，フェネルプロパノラミンは，コンタック鼻づまり薬，食欲抑制剤，シロップ剤，その他多くの風邪薬にも含まれています。エフェドリン類似の薬は，たくさんの風邪薬に認めることができます。

デキストロメトルファンは，幾つかの風邪薬や咳の薬の中にも含まれています。これは，交感神経興奮薬ではなく，咳止めです。デキストロメトルファンが，禁じられた薬のリストに挙げてあるのは，この薬が異常高熱を引き起こす可能性があるからです。デキストロメトルファンは，もちろん，これ以外の多くの調剤の中にも含まれていますが，名前に「DX」もしくは「Tuss」という接尾語がついた薬なら，いずれの中にも見つけることができます。たとえば，幾つか例を挙げると，ブロマレスト-D M, - D X，ジメタン- D X咳止めシロップ，ドリスタン・コールド アンドフルー，デキストロメトルファン入りのフェネルガン，ロビツシン-DM，幾つかのタイレノール風邪薬，咳，及びインフルエンザ用調剤，その他，多くの薬の中にも見つかります。

交感神経興奮薬とデキストロメトルファンは，これほど多くの一般的な市販薬に含まれていますから，これらを1つ残らず，常に把握し続けていることは，ほとんど不可能です。ということは，わが身を守る最善の方法は，とにかく何であろうと，MAO 阻害薬と一緒に服用する際は，まずその前にそれらの薬に添えられている注意書きを読み，医師か薬剤師に確認することです。

糖尿病の患者さんで，MAO 阻害薬を服用されている方は，幾つかの低血糖症作用薬同様，MAO 阻害薬がインシュリンの血中濃度を上げる可能性があることを承知している必要があります。このような作用の結果，血糖が予想以上に下がることが考えられるからです。そうなると脳は血液から十分な糖を得られなくなり，眩暈，失神，発汗などを伴う低血糖反応を引き起こす可能性があります。そのため，患者さんが MAO 阻害薬を服用している場合，医師は糖尿病薬の量を調整する必要があるかもしれません。

いずれのMAO阻害薬にも，血圧を下げる可能性がありますから，利尿剤やβ遮断薬など，それ以前に医師から処方されていた，他の血圧薬の効果を更に強める場合があります。MAO阻害薬は，また，多数の血圧薬の血液濃度を上昇させることも考えられます。このことも，これらの薬の効果を強める傾向となります。先にもお話ししましたように，血圧薬のなかには，MAO阻害薬を服用中の方が服用すると，血圧が上昇する，という逆説的な影響を及ぼすものもあります。したがって，MAO阻害薬を服用中の方は，必ずその旨を主治医に伝えてください。主要な抗精神病薬のなかにも，血圧を下げる作用があるものは多数ありますが，MAO阻害薬には，この作用を強める可能性もあります。

鎮痛薬のなかにも，MAO阻害薬を服用中は避ける必要があるものがあります。たとえば，メペリジン（Demerol）という鎮痛薬は，MAO阻害薬を服用中の患者さんの場合，注射を1本しただけでも，脳卒中，昏睡を引き起こし，死亡する可能性もあることで知られています。その他の鎮痛薬は，モルヒネも含めより安全であると考えられています。アスピリンや，タイラノールなど，たいていの軽い非処方薬鎮痛薬も，カフェインを含んでいない限り安全であると思われます。しかしながら，シクロベンザプリン（Flexeril）は，局部的な筋肉のけいれんの治療に広く一般的に用いられていますが，これについては，熱や脳卒中，死を招く危険がありますので，完全に避けるべきでしょう。

局部麻酔薬，全身麻酔薬の多くも，MAO阻害薬と相互作用を引き起こすことが考えられます。局部麻酔薬のなかには，高血圧反応を引き起こす恐れのある，エピネフリンやその他の交感神経興奮薬を含むものがあります。したがって，MAO阻害薬を服用中の方は，歯科医にその旨を伝えください。そうすれば，歯科医が，そのような方に安全と思われる局部麻酔薬を選んで使用してくれるはずです。MAO阻害薬服用中に，外科手術が必要となった場合は，手術前1，2週間は，MAO阻害薬の服用を中断するのがベストでしょう。ハロタンなど，全身麻酔によっては，MAO阻害薬と一緒に組み合わさると，異常高熱反応だけでなく，興奮または過剰な鎮静作用を引き起こす恐れのあるものがあるからです。麻酔科医によって用いられるサクシニルコリンやツボクラリンなどの筋肉弛緩薬は，その効力が強まる可能性があるので，MAO阻害薬を服用中の場合は，その旨を麻酔科医に必ず伝えください。

鎮静薬は，アルコール，主要な抗精神病薬及び弱い精神安定薬，バルビツール，睡眠薬など，いずれもMAO阻害薬との相互作用の可能性が考えられます。フェネルジン（Nardil）については，特にその可能性が高いといえます。フェネルジンには，それ自体鎮静作用がありますから，何であろうと，他の鎮静薬と一緒に用いられると，その効果を高めることが考えられるのです。したがって，自動車や危険な機械の運転中は特に，眠気が生じると危険ですから，MAO阻害薬と鎮静薬との組み合わせは避けるようにすべきでしょう。

その他，L-トリプトファンも，MAO阻害薬と組み合わさると，異常高熱危機（セロトニン症候群）の引き金となる恐れがありますから，この組み合わせは避けるべき鎮静薬です。L-トリプトファンは，肉や乳製品などの特定の食品中に存在する必須アミノ酸です。かつては健康食品店でも手に入れることが可能でしたから，現在に至るまで自然の鎮静薬として，不眠症の人々の助けとなってきました。また，これはうつ病の治療にも用いられてきました。とはいえ，抗うつ薬としての効能はせいぜいよくみても，現在のところ満足な証拠は挙がっていないのが現状です。L-トリプトファンは，摂取後速やかに脳内に蓄積され，脳内でセロトニンに変換されます。L-トリプトファンの服用量が十分であれば，眠くなり始めるはずです。ところが，MAO阻害薬を服用中の場合，脳セロトニンの増大幅が大きくなりすぎてしまう可能性があるのです。これは，MAO阻害薬を服用していると，脳は過剰なセロトニンを代謝することができないからで，その結果，セロトニンの量は危険なレベルにまでじわじわと増大し，セロトニン症候群の引き金となることもあります。

しかし，MAO阻害薬治療をより効果的にしようという試みで，1日2グラムから6グラムのL-トリプトファンを故意にMAO阻害薬に加えて，うつ病の患者さんの治療に用いた研究者もいます。このような強化療法増加策の目的は，薬に反応しない患者さんを反応するようにすることにあります。幾つかの研究から，このような組み合わせを用いたほうが，MAO阻害薬を単独で用いるよりも，治療効果が高いことがわかったのです。しかし，このような治療は，幾分危険を伴いますから，おそらく専門家の投与に依るべきでしょうし，あくまで，治療が相当に困難で一向に効果が見られないうつ病の患者さんに対して用いるべきではないかと思います[20]。ジョナサン・コール博士と彼の同僚は，それまでに既に数週間以上に亘り，MAO阻害薬を服用してきた患者さんに対し，3グラムから6グラムのL-トリプトファンを処方しました[1]。しかし，これらの患者さん方にセロトニン症候群の初期徴候が観察されたことから，このような薬の組み合わせから期待される利益は，敢えて危険を冒すほどのものではないようにも思われます。

動物研究によると，リチウムとMAO阻害薬との組み合わせによってもセロトニン症候群が生じる可能性があることが示されています。これは，リチウムによって，L-トリプトファンがより速やかに脳内へ入るようになるからです。L-トリプトファンは私たちが食べる食品中に存在しており，十分な1回の食事でL-トリプトファンを 1 グラムも含んでいることも考えられます。リチウムも，MAO 阻害薬と組み合わせると，食後脳内のセロトニンが大幅に増大する可能性がありますが，医師によっては MAO 阻害薬の抗うつ効果を引き上げる目的で L- トリプトファンを加えるのとちょうど同じ要領で，MAO 阻害薬の成果が思うように現れない場合に，リチウムを加えて処方する方もいます。しかし，このように MAO 阻害薬に加えてリチウムも受け取っている患者さんは，熱，震え，筋肉のけいれん，または混乱など，セロトニン症候群の徴候が一切現れていないことを確かめるために，注意深く状態を確認する必要があるでしょう。

MAO 阻害薬がしばしば，リチウムを組み合わせて用いられることには，もう 1 つ別な理由があります。うつ状態に加えて，挿話的に異常な気分の高揚が見られる双極性の患者さんの場合，以下にご説明しますように，無期限にリチウムもしくは別の気分安定薬で状態を維持していることがしばしばあるのです。また，このような双極性の患者さんの中には，その周期のうち，うつ病段階にある最中に，うつ病の回復のためにリチウムだけでなく，抗うつ薬が必要となる方が多くいることが予想されます。MAO 阻害薬も，その他のさまざまな種類の抗うつ薬同様，このような際に安全で有効に使われてきました。しかしながら，双極性の患者さんが抗うつ薬を服用した場合，稀に躁病のエピソードが生じることがありますので注意が必要なことに加え，MAO 阻害薬の使用にあたっては，異常高熱危機についても，その徴候を警戒し，慎重に状態を見守っていく必要があります。

MAO 阻害薬と組み合わせて用いると特に危険なのが，刺激薬，精神刺激薬，及び体重減少薬です。これらの薬のなかには，交感神経興奮剤として分類されているものもあり，高血圧危機を引き起こす可能性があるものもあります。たとえば，メチルフェニデート（リタリン）は，子供や大人の注意欠陥障害の治療にも広く用いられていますが，このような危険な作用も考えられ得る，交感神経興奮剤なのです。一般的に乱用されていることも多い，街路薬や，処方薬のなかにも，幾つか，交感神経興奮薬として分類されるものがあります。たとえば，ベンゼドリン，Dexedrine，及びメセドリン（「スピード」や，「クランク」としても知られています），コカインなどがそうです。アンフェタミンは，かつては減量のために処方されていましたが，乱用の可能性が非常に高いことから，現在では，この目的で処方する医師はほとんどいません。しかしながら，多数のより新しい民間の減量薬も，MAO阻害薬と一緒に用いると，極めて危険となる恐れがあります。たとえば，フェンテルミン（Adipex；Fastin）は，高血圧危機を引き起こすことが考えられますし，フェンフルラミン（Pondimin）は，最近流行し，議論の的となりがちな減量薬ですが，これは異常高熱危機を招く恐れがあります。

ご存知のように，カフェインも軽い刺激薬です。MAO阻害薬を服用中は，カフェインによっても，心臓の煽り，鼓動の乱れ，もしくは血圧の上昇が起こる可能性があります。コーヒー，紅茶，ソーダ水，及びチョコレートは，すべてカフェインを含んでいますが，これらについては，その作用が通常軽いことから，さほど厳格には禁じられませんし，ほどほどの量であればなおさらです。それでも，大量のカフェインとなると高血圧危機の引き金とならないとも限りませんから，やはり避けるべきでしょう。1日に最大でも，コーヒーや紅茶ならカップ2杯，ソーダ水なら2本を限度にすべきであると勧める専門家もいます。加えて，先にもお話しましたように，自分所有の血圧計で自分の血圧を確認すれば，朝の愛すべき1杯もしくは2杯のコーヒーが，実際に血圧の上昇を引き起こしているのかどうか確かめることができます。そして，確かにそうであるとなれば，そのときは，MAO 阻害薬の服用中は，カフェインの量を減らすか，もしくはきっぱりと断念すべきかもしれません。

レボドパは，パーキンソン病の治療に用いられる薬ですが，表 20-9 をご覧になると，これもまた，MAO 阻害薬と組み合わされると，血圧の上昇を招く可能性があることがおわかりになるかと思います。しかしながら，他の薬同様，MAO 阻害薬 セレギリンが，パーキンソン病の患者さんの治療に用いられることもあるのです。これらの患者さんに，レボドパと併せて，MAO 阻害薬が与えられる場合には，レボドパはまずごく少量から始め，その後ゆっくりと増量していく必要があります。そして，その一方で血圧の確認も併行して行なってくべきでしょう。

先にもご説明しましたように，禁じられた薬のほとんどには，抗うつ薬と一緒に組み合わせて用いられると危険となる場合もある旨を記した注意書きが貼ってあります。MAO 阻害薬を服用中は，何であろうと新たな別の薬を服用する際には，事前に注意深くその注意書きを確認すると共に，薬剤師もしくは医師に必ず確認してください。MAO 阻害薬を服用中の患者さんに高血圧反応を引き起こす薬について，詳しいリストをお求めの場合は，ジェロルド・S・マックスメン博士，ニコラス・G・ウォード博士の両氏による，Psychotropic Drugs Fast Facts [17] の 157-160 ページをご参照ください。Physician's Desk Reference（PDR- 米国医薬品便覧）[21] もまた，服用の可能性があると思われる処方薬との危険な薬物相互作用を，一覧表にして掲載しています。どの図書館，薬局，医院でも閲覧できます。

禁じられた食品，薬のリストに少々戸惑いを覚えた方，もしくは圧倒されてしまった方もいらっしゃるかもしれません。MAO 阻害薬の処方にあたっては，患者さんがお財布に入れて携帯できるよう，避けるべき食品と薬を一覧表にしたカードが医師から渡されるはずです。疑わしいときは，そのカードで随時確認することができるでしょう。また，MAO 阻害薬を服用中の患者さんには，万一事故に遭った際や，意識不明で発見され救急処置が必要となった際に，MAO 阻害薬を服用していることが救急救命室の医師にわかるように書いたカードを携帯するように勧める専門家もいます。このようなカードを所持していれば，救急救命室の医師は，麻酔薬の投与やその他の薬の処方にあたり，適切な注意を払うことができます。

MAO 阻害薬の化学的影響は，服用を停止した後も 1 週間から 2 週間も依然として体内に残っていることを心に留めておいてください。MAO 阻害薬を最後に服用してから少なくとも 2 週間は，引き続き薬と食事の注意に従う必要があるのもそのためです。しかし，私としてはもう少し長く余裕をみてはどうかと思います。そうして十分待ったうえで，チーズなど禁じられていた食品を食べられてはどうでしょう。始めは少量からとし，食後に血圧を確認してみて血圧に影響がないようであれば，食べる量を徐々に増やし，通常の食事量に戻していけばいいのです。同様に，MAO 阻害薬から別の抗うつ薬に切り替える際も，MAO 阻害薬を最後に服用後 2 週間は，薬を完全に断った状態で待ち，その後，新たな抗うつ薬の服用を始めていくようにする必要があるでしょう。

同じことは，それまで別の薬を服用してきて，その後 MAO 阻害薬を新たに始めるという場合にもあてはまります——どれほど待つべきかは，それまで服用してきた薬によって変わりますが，ある程度の期間は待たなくてはならないでしょう。たとえば，Prozac をやめた後，MAO 阻害薬を始めるまでに少なくとも 5 週間の間隔を置く必要がある，とご説明したことを覚えていらっしゃいますでしょうか。これは，Prozac がいつまでも血液中に留まり，なかなか排出されないことが原因です。他のSSRIは，ほとんどがProzacよりも，速やかに体外へ一掃されますから，通常は2週間も待てば十分です。抗うつ薬のなかには，ネファゾドン（Serzone）やトラゾドン（デジレル）などのように，よりいっそう速やかに体外へ排出されるものもありますから，このような薬を服用されていた場合には，1週間ほど待つだけで，MAO阻害薬の服用を始めることができるかもしれません。いずれにせよ，薬を変更する際には，必ずその前に，主治医の先生に相談してください。

このように申し上げると，これほどまでに複雑で，危険とも思われるMAO阻害薬のような薬を敢えて服用することに，本当にそれだけの価値があるのだろうか，と疑問を感じられるかもしれません。これは，とりわけ近年においては的を得た質問といえるでしょう。なぜなら，最近は非常に多くのより新しくより安全な薬が利用できるのですから。通常，私はMAO阻害薬の前に，少なくとも2種類は別の薬を試すことにしています。特に，SSRI薬は，以前にMAO阻害薬が効いた経験があるという方と同じタイプの患者さんに役立つことがよくあります。しかしながら，あくまで私の経験では，MAO阻害薬の安全な投与は，通常可能であるということは，強調して申し上げたいのです。私はこれまで多くの患者さんに，長年に亘りこの薬を処方してきました。用量がほどほどに保たれていれば，副作用も最小限に抑えられる傾向があります。しかも，そのうえでMAO阻害薬が，実際有効に働く場合，その効果はまさしく驚くべきものとなるはずです。

それどころか，私がこれまで薬を用いて見事，成功した例の中には，MAO阻害薬を用いたもの，特にトラニルシプロミン（Parnate）による場合が幾つかあったのです。しかも，私がこれらの薬を用いてきたのは，それ以前に心理療法はもちろん，幾つもの薬物治療を経験されてきたにもかかわらず，いずれも成功しなかった難しい患者さん方です。このような患者さん方に実際に改善が見られるとき，その改善ぶりは実に飛躍的なものとなることがあります。MAO 阻害薬をめぐるこのような好ましい経験に，私は大きな感銘を受けたのです。MAO 阻害薬を使用される医師の方々が熱中されるのも，確かに当然だと思います。主治医の先生からこのタイプの治療を勧められたら，確かに余分な労力（毎日血圧を測る）や，犠牲（ピザは一切ご法度！），及び自制（特定の食品や薬を避ける）が必要でしょうが，結果的にはそれだけの価値は十分あると思います。

最後に1つ，お伝えしておくべきことがあります。それは，モクロベマイドという，より安全な新しい MAO 阻害薬が，カナダやヨーロッパ，そして南アメリカなど，世界の他の地域では市場に出回りつつある，ということです。先にご説明した MAO 阻害薬と異なり，このモクロベマイドの作用は，服用を停止した後も長々と続くことはありません。加えて，食事の中に含まれるチラミンとの相互作用も，MAO 阻害薬とほぼ同程度まではないように思われます。アラン・シャツバーグ博士と彼の同僚[1)]は，モクロベマイドが，明らかに副作用が非常に少ないように思われるということ，重大な薬物相互作用の危険が比較的低いことを指摘しています。精神科医らは，モクロベマイド，もしくはブロファロミンと呼ばれる，別の新しい MAO 阻害薬が，合衆国でも最終的には市場に出回るようになるように願っています。

セロトニン拮抗薬

120-121 ページの表中の，2つの抗うつ薬は，「セロトニン拮抗薬」と分類されます。トラゾドン（デジレル）とネファゾドン（Serzone）というものです。これらの作用メカニズムは，他のほとんどの抗うつ薬と幾分異なっているように思われます。トラゾドンとネファゾドンは，シナプス神経における，セロトニンの再取り込みを阻害することで，それを押し上げる作用があり，先にご説明した SSRI と非常によく似ています。しかしながら，セロトニンポンプに対して，これらの薬が及ぼすと期待される効果は，SSRI ほどではありませんし，比較的従来からある三環系抗うつ薬と比べてさえも低いことから，おそらくこれらの薬の作用は，これとは違うのではないか，と思われるのです。

第 17 章でご説明しましたように，トラゾドンと，ネファゾドンは，シナプス後神経膜上にあるセロトニン受容体の幾つかを阻害する，少なくとも 15 種類のそれぞれ異なるセロトニン受容体が，脳内に発見されています。そのうち，トラゾドンとネファゾドンによって阻害されるのは，5-HT_{2A} 受容体と 5-HT_{2C} 受容体と呼ばれる 2 つの受容体です。5-HT というのは，単なるセロトニンの略した言い方です。そして，この 5-HT の後の数字と文字は，受容体の具体的なタイプを示しています。トラゾドンとネファゾドンは，5-HT_{1A} 受容体と呼ばれる別のタイプのセロトニンを，間接的に刺激します。この受容体は，憂うつや不安，暴力に重大な意味をもつと考えられています。ある理論によると，これらの 5-HT_{1A} 受容体の興奮から，トラゾドンとネファゾドンの抗うつ効果を説明できるかもしれません。しかも，トラゾドンとネファゾドンは効果的な抗不安薬でもあるのです。うつ病の方の多くがそうであるように，神経質で不安になりがちな傾向がある方には，これらは特に有効な薬となるかもしれません。

トラゾドンとネファゾドンの服用量

トラゾドンは，まず1日50mgから100mgの用量から始めます。たいていの患者さんは，1日150mgから300mgでかなり効果があります。一方，ネファゾドンは，50mgの1日2回の服用から始めます。どちらの薬も，最大量の1日600mgまで，数週間をかけ，非常にゆっくりと量を引き上げていくことができます。

ネファゾドンとトラゾドンは，半減期の短い薬です。半減期というのは，体内にある薬の半分を身体が排出するのに要する時間です。半減期が短い薬は，かなり速いスピードで血液中から排出されるため，1日2回もしくは3回服用する必要があります。対照的に，Prozacのような，半減期が極めて長い薬は，ゆっくりと体内から排出されるため，1日1回服用するだけでいいのです。

どの抗うつ薬についてもいえることですが，トラゾドンとネファゾドンの服用中は，第2章でご紹介しているようなテストで，気分状態を確認する必要があります。このようなテストを行なうことで，その薬が本当に効いているのかどうか，また効いているとしたら，それはどの程度なのか明らかにすることができるでしょう。

服用後，3，4週間しても実質的な改善が見られないようなら，他の薬に切り替えるのが賢明かもしれません。ネファゾドンとトラゾドンに関しては，禁断症状は極めて稀ですが，それでもやはり突然やめるのではなく，ゆっくりと量を減らしていくほうがよいでしょう。これは，どの抗うつ薬についてもよきアドバイスとなるかとと思います。

トラゾドンとネファゾドンの副作用

これらの2つの薬に最もよく見られる副作用は，226ページの表20-10に掲載しています。一般的な副作用の1つは，胃の不調

（吐き気など）です。これは，SSRI の他，脳内のセロトニンシステムに刺激を与える薬などにも共通して見られる副作用です。胃の不調は，空腹の状態でネファゾドンやトラゾドンを服用した場合に比較的起こりやすいことから，SSRI の場合と同様，食べ物と一緒に服用することが助けになるでしょう。

患者さんによっては，トラゾドンとネファゾドンが原因で口の乾きが生じる場合もあります。また，これらの薬は両方とも起立時に一時的な血圧の低下を起こす可能性があり，その結果，眩暈や頭がぼーっとするなどの症状が出ることも考えられます。これらの問題を引き起こす可能性は，ネファゾドンよりもトラゾドンのほうが遥かに高いのです。また，高齢の方は比較的眩暈や失神が生じやすいですから，これらの方々に対しては，ネファゾドンのほうがふさわしい選択となるかもしれません。先にご説明しましたように，この問題の軽減策として幾つかの方法が考えられます。たとえば，起き上がる際にはゆっくりと身体を起こす；起き上がったら正しい位置に足を着けて歩き，脚から心臓へ血液が「ポンプによって汲み上げられる」ようにする；サポートストッキングを使用する；脱水症状を防ぐために十分な量の水分と塩分を摂るなどです。眩暈やその他の副作用に関し，何か困ったことがある場合は，主治医の先生に相談してください。薬の用量を減らすことが可能かもしれません。

トラゾドンのもう 1 つの主な副作用は，眠くなるということです。夜に服用するのが最もよいのもこのためです。他にも何か別の抗うつ薬を服用している場合，眠気を促すために就寝時に少量のトラゾドンを併せて処方されることがあります。これは，Prozac や MAO 阻害薬など，抗うつ薬の中には，刺激となり眠気を妨げがちなものがあるからです。トラゾドンには依存性がありませんから，幾つかの睡眠薬のように依存や中毒を引き起こすこ

表 20-10　セロトニン拮抗薬の副作用[a]

特記：この表は包括的なものではありません。一般に，患者の5～10%またはそれ以上に発現する副作用，そして稀であるものの危険な副作用などを記載してあります。

副作用 脳内受容体	鎮静と体重増加 ヒスタミン（H_1）受容体	頭がくらくらし，めまいがする αアドレナリン（α_1）受容体	かすみ目，便秘，口渇，動悸，排尿困難 ムスカリン（M_1）受容体	一般的または問題となる副作用
ネファゾドン（Serzone）	＋から＋＋	＋＋	＋	口渇，喉の渇き，頭痛，倦怠感，不眠，悪心，便秘，脱力感，めまい，かすみ目，視覚の異常，錯乱
トラゾドン（デジレル）	＋＋＋	＋＋から＋＋＋	0	めまい，口渇，喉の渇き，胃の不調，便秘，かすみ目，頭痛，疲労感，眠気，錯乱，不安，持続勃起（稀に発症。文中参照）

a　＋から＋＋＋までの評価は特定の副作用が現れる確度。実際に発現する副作用の強度には個人差があり，用量によっても異なります。用量を引き下げることにより，有効性を減じることなく副作用を抑制する可能性があります。

とはないと思います。トラゾドンの，興奮を和らげ気分を落ち着かせる効果は，不安を減らす助けにもなります。心配性でかなり苛々しがちな方にとっては，これは嬉しい薬となるかもしれません。ネファゾドンは，トラゾドンと比べるとかなり鎮静作用が弱いですから，不眠症の薬としては有効ではないでしょう。それどころか逆に，この薬のせいでそわそわと落ち着きがなくなり，SSRI とかなりよく似た症状が見られることもあり得るのです。

トラゾドンにはもう 1 つ，持続勃起症と呼ばれる副作用があります。持続勃起症というのは，無意識のペニスの勃起です。幸いにも，この副作用はかなり稀で，男性患者の 6000 人にほぼ 1 人の確率で起きます。これまでに，まだ数百例ほどの症例しか報告されていません。個人的には，私自身はまだ 1 度も持続勃起症のケースを目にしたことはありませんが，トラゾドンを服用される男性は，たとえその確率はかなり低いとはいえ，起き得る可能性があることは承知しておくべきでしょう。なぜなら，持続勃起症が生じたら，ただちに治療しないとペニスに損傷を与え，永久にインポテンツ（勃起不能）に陥る恐れがあるからです。持続勃起症を治すために，外科的手術が必要となる患者さんもいらっしゃいます。発見がかなり早ければ，エピネフリンなどの薬をペニスに直接注射し，反作用的に持続勃起症に対応することが可能な場合もあります。珍しいとはいえ，このような副作用が実際に起きてしまった場合，もしくは勃起がどうしても元に戻らないことに気づき始めたら，ただちに主治医に連絡を取るか救命救急室に駆け込んでください。一方，持続勃起症はネファゾドンによっては起きません。

このように申し上げると，持続勃起症はいかにも恐ろしいものに聞こえますが，何も私は，男性方にこの薬の服用を思いとどまっていただこう，というつもりなのではありません。米国医薬品便覧（Physician's Desk Reference-PDR）を注意深くお読みになれば，アスピリンも含め，ほとんどどの薬を服用するにしろ，危険な副作用が生じる可能性は，ごくわずかにすぎないことがおわかりになるでしょう。持続勃起症は，トラゾドンの非常に稀な副作用ですし，その症状が最初に現れたときに，迅速に行動すればどの救命救急室でも治療は可能です。

これらの薬を服用している患者さんのなかには，動いている対象を見ているときに，視覚的な痕跡，すなわち残像を報告される方もいらっしゃいます。この副作用も極めて珍しく，LSDの使用者が報告する視覚イメージに似ている点もありますが，危険なものではありません。これらの視覚的痕跡は，どちらかというと，トラゾドンよりもネファゾドンに比較的よく見られ，ネファゾドンを服用されている患者さんの10%を若干上回る方々に起こります。ただし，多くは時間が経てば改善します。

トラゾドンとネファゾドンの薬物相互作用

以前にもご注意申し上げましたが，薬の組み合わせによっては，一方の薬が，もう一方の薬の血中濃度を過剰に引き上げてしまうことから，危険となりうるものがあります。ネファゾドンには，多くの薬の血中濃度を上げる作用があります。このような影響を受けるものとしては，アルプラゾラム（コンスタン，ソラナックス），トリアゾラム（ハルシオン），ブスピロン（BuSpar）など，比較的弱い多くの精神安定薬も含め，不安に対して一般的に処方される薬もあります。結果的に，これらの薬をネファゾドンと組み合わせると，過剰に眠くなりすぎる恐れがありますから特に注意が必要です。

トラゾドンは，それ自体眠気をもよおす作用がありますから，他の鎮静薬の鎮静効果をさらに高めることが予想されます。したがって，トラゾドンとネファゾドンは，いずれも，アルコール，バルビツール，睡眠薬，鎮痛薬，一部の主要な抗精神病薬（neuroleptics），及び一部の抗うつ薬など，眠気を誘う，あらゆる薬の鎮静効果を強める可能性があるということになります。そのため，いずれの鎮静作用薬であれ，ネファゾドンまたはトラゾドンと組み合わせるときは，車や危険な機械の運転中は特に，十分，注意をしてください。

ネファゾドンは，特にアミトリプチリン（トリプタノール），クロミプラミン（アナフラニール），及びイミプラミン（トフラニール）などの，三環系抗うつ薬の血中濃度を引き上げる可能性がありますので，これらの薬については，ネファゾドンと一緒に用いる際に，通常よりも用量を少なくする必要があるかもしれません。

ネファゾドンを，SSRIの1つと組み合わせると，mCPP（m-chlorophenylpiperazine）と呼ばれる，ネファゾドンの代謝産物が，血液中に蓄積する可能性があります。これは，動揺，パニックや不幸の感情をもたらすこともあり得る物質です。このmCPPは，SSRIからネファゾドンへの切り替えの最中にも蓄積する可能性があります。なぜなら，SSRIの服用をやめた後も，数週間はSSRIの効果が体内で続いていることが考えられるからです。トラゾドンとネファゾドンは，いずれも，MAO阻害薬抗うつ薬と組み合わせると，先述のセロトニン症候群（異常高熱症）の引き金となる恐れがありますので，この組み合わせは避けるべきです。

ネファゾドンを服用している方は，ご自身が服用している血圧薬について，必ず精神科医に知らせていただかなくてはなりませんし，一般の内科医にもやはりその旨をお伝えください。なぜなら，ネファゾドンを血圧薬と組み合わせると，予想以上に血圧が低下することが考えられるからです。実際，血圧が低下しすぎると，突然立ち上がった際に眩暈がすることがあるかもしれません。精神病薬の中には，多くの主要な抗精神病薬（neuroleptics）はもちろん，三環系抗うつ薬も多数含め，血圧を低める可能性があるものが少なくないのです。したがって，これらの薬をトラゾドン，もしくはネファゾドンと組み合わせる場合には，血圧の低下が宣告されるかもしれません。

トラゾドンは，また，心臓病の薬である，ディゴギシン（Lanoxin）だけでなく，抗けいれん薬である，フェニトイン（アレビアチン）の血中濃度をも上昇させる可能性があります。これらの組み合わせによって，フェニトインやディゴキシンの血中濃度が中毒レベルにまで至ってしまうこともあり得るのです。このように，過剰なほど高濃度になりすぎると危険ですから，トラゾドンを服用する場合は，フェニトイン，またはディゴギシンの血中濃度を，必ず主治医に確認していただくようにしてください。

血液シンナー，ワーファリンに対するトラゾドンの影響は，予想不可能です。ワーファリンの濃度は，上昇することも，下降することも考えられます。ワーファリン濃度が上昇すると，非常に出血しやすくなりますし，逆にワーファリンが減少すると，かなり凝血しやすくなるかもしれません。医師は，血液検査によってどのような変化も確認し，必要ならばワーファリンの用量を調整してくださるでしょう。

以前にもご説明しましたが，さらにいっそう危険なのが，ネファゾドンと，アレルギーに対して一般的に広く処方されている，2つの抗ヒスタミン薬（テルフェナジン，商品名Seldaneと，アステミゾール，商品名Hisminal）との間の相互作用です。ネファゾドンは，これら2つの抗ヒスタミン薬の濃度を上昇させ，結果的に死亡する恐れもある，心臓リズムの変化を引き起こす可能性があります。また，同様の理由——結果的に，突然の心不全が起こる可能性――から，ネファゾドンとシサプリド（商品名アセナリン，胃腸管に対する刺激薬）との組み合わせも避けなければなりません。

ブプロピオン（Wellbutrin）

120-121ページの抗うつ薬一覧表には，この他に3つのタイプの抗うつ薬を挙げています。ブプロピオン（Wellbutrin），ベンラファキシン（Effexor）及びミルタザピン（Remeron）がそうです。これらは，お互い同士も若干，異なっていますし，既にご説明した抗うつ薬ともやや異なる点があります。

ブプロピオンが合衆国に紹介されたのは，おそらく1986年だと思われますが，この薬で治療された過食症（後に嘔吐を伴う，めちゃ食い）の患者さんが，発作を起こしたことから，発売は1989年まで延期されました。

その後のさらなる調査から，発作の危険はブプロピオンの量に関係があるということと，摂食障害でない患者さんの場合は，危険はずっと低いことがわかり，再度発売されることになったのです。ブプロピオンによって発作の危険が高まることから，製薬者は，てんかんや，主要な頭部外傷，脳腫瘍，過食症，もしくは拒食症の病歴がある人には，この薬を処方しないように提唱しています。

ブプロピオンは，脳内のセロトニンシステムには影響しません。その代わり，ノルエピネフリンシステムとの相互作用によって，効果を発揮するように思われ，デジプラミン（ノルプラミン）と呼ばれる三環系抗うつ薬とよく似ています。また，ブプロピオンが脳内のドーパミンシステムを刺激すると思われる証拠も幾つか挙がっていますが，このような作用はかなり弱いため，はたしてこれがブプロピオンの抗うつ効果に貢献しているのかどうかは，明らかではありません。にもかかわらず，ブプロピオンはそのノルエピネフリンとドーパミンシステムへの影響から，ときどき，「ノルアドレナリン-ドーパミン抗うつ薬」として分類されることがあります。

ブプロピオンは，かつてはうつ病の程度に関わらず，すべてを網羅する形で，外来，入院のうつ病患者さんの治療に用いられていました。予備研究からは，これが，禁煙，社会恐怖症，及び注意欠陥障害など他の数多くの問題にも有効である可能性が窺がえます。このように，ブプロピオンの影響は広範囲にわたりますが，かといってこの薬は特別であるという意味ではありません。ほとんどすべての抗うつ薬が，うつ病やあらゆる不安障害，摂食障害，怒り，暴力，慢性的痛み，及びその他多数の問題も含め，ずらり勢揃いした一連の問題に，少なくとも部分的に効果があることが報告されています。これらの発見について 1 つ考えられ得るのは，これらの薬が，実はうつ病に特効的に作用するというわけでなく，もしかしたら脳全体にあまねく影響を及ぼすのではないかという解釈です。

ブプロピオンの新たな活用法として，SSRI 抗うつ薬の効果を高める，という使われ方がなされるようになっています。たとえば，現在 Prozac のような薬を服用しているのだけれども，十分な効果が得られない，と仮定してみましょう。このような場合，医師は別の薬に切り替える代わりに，Prozac の効果を高める試みとして，少量のブプロピオンを加えるかもしれません。現在では，1 日 225mg から 300mg のブプロピオンが，リビドーの喪失や，オルガズムの達成困難といった，SSRI の性的な副作用に対する対抗策として，SSRI 抗うつ薬に加えられる形で使われています。

しかし，私の臨床経験では，このような薬の組み合わせの効果は，結局期待外れに終わることが多かったように思います。私は通常，1 つの薬が効かない場合は複数の薬を組み合わせるのではなく，むしろ別の薬に切り替え，新たに試みてみるほうがよいと思ってきました。私個人としては，雪だるま式に薬の数や量を増やしていくことに少々熱心になりすぎている医師に，患者さんが圧倒されているケースもあるのではないかと懸念しています。私自身は，心理的介入にかなりのウエイトを置いて臨床活動に携わっていますから，薬だけから単独で何か解決の道を見出さなくては，というプレッシャーはさほど感じていません。そのため，1 つもしくは複数の薬を用いて効果がなかったとしても，それほど大きく心配することもないのです。単純に別の薬に切り替え，さまざまな新しい心理療法や，最もうまくいきそうに思える組み合わせの試みを続けていきます。

ブプロピオンの服用量

127-132 ページの表 20-1 をご覧になると，ブプロピオンの通常用量は，1 日 200mg から 450mg であることがおわかりになるかと思います。1 日 450mg 未満であれば，脳卒中の危険性はおよそ 1000 人に 1 人の確率程度に抑えられるようです。ところが，1 日 450mg を超えると，危険性はその 10 倍に跳ね上がり――100 人中 4 人の患者さんに発作が起こることが予想されます。したがって，脳卒中の可能性を最小限に留めるために，可能な限り用量を低用量域内で維持していくのがよいでしょう。また，1 回の服用量が 150mg を超えることは断じてないようにしてください。

ブプロピオンの副作用

ブプロピオンの最も一般的に見られる副作用は，234-235 ペー

表 20-11 その他の抗うつ薬の副作用[a]

特記：この表は包括的なものではありません。一般に，患者の5～10%またはそれ以上に発現する副作用，そして稀であるものの危険な副作用などを記載してあります。

副作用	鎮静と体重増加	頭がくらくらし，めまいがする	かすみ目，便秘，口渇，動悸，排尿困難	一般的または問題となる副作用
脳内受容体	ヒスタミン（H_1）受容体	αアドレナリン（α_1）受容体	ムスカリン（M_1）受容体	
ブプロピオン（Wellbutrin）	0から＋	0から＋	0から＋	口渇，喉の痛み，胃の不調，食欲の減退，胃痛，むくみ，頭痛，不眠，落ち着きのなさ，振戦，不安，発汗，めまい，発疹，耳鳴り，発作
ベンラファキシン（Effexor）	0	0	0	めまい，口渇及び喉の渇き，胃の不調，食欲減退，便秘，発汗，頭痛，眠気，不眠，不安，脱力感，振戦，かすみ目，オルガスムス障害，性欲の減退，異常夢，血圧の上昇
ミルタザピン（Remeron）	＋＋＋	＋＋	＋から＋＋	口渇，食欲の増進と体重増加，便秘，不眠，めまい。警告：感染症の症状（発熱など）が現れた場合は医師に相談すること。これは危険かつまれな白血球減少に起因する場合がある。コレステロール及

				びトリグリセリドの血中濃度上昇の可能性もある

a ＋から＋＋＋までの評価は特定の副作用が現れる確度。実際に発現する副作用の強度には個人差があり，用量によっても異なります。用量を引き下げることにより，有効性を減じることなく副作用を抑制する可能性があります。

ジの表 20-11 に挙げています。三環系の薬と異なり，ブプロピオンが原因で，口の渇きや便秘，眩暈，もしくは疲労が生じることはありません。また，食欲も刺激されませんので，体重増加に悩んでこられた方にとっては，むしろ思わぬおまけといえるかもしれません。しかしながら，人によっては胃の不調（吐き気）を訴えられた患者さんもいました。

ブプロピオンには，また，若干の活性化作用があることから，不眠症を引き起こすことも考えられます。したがって，疲労や無気力，やる気のなさを感じがちなうつ病の患者さん方には，比較的高い効果が現れることがあります――刺激作用によって，やる気が出てくるかもしれません。こん点に関しては，三環系抗うつ薬（デジプラミンなど），SSRI（Prozac など），MAO 阻害薬（トラニルシプロミンなど）の一部の薬に似ているともいえるでしょう。

ブプロピオンの薬物相互作用

ブプロピオンは，脳卒中の危険性をかなり増大させる可能性がありますから，やはり脳卒中を引き起こしやすくさせると考えられる，他の薬との併用は避けるべきです。たとえば，三環系，四環系抗うつ薬，SSRI，2 つのセロトニン拮抗薬（トラゾドンとネファゾドン）など多くの精神病薬，及び多くの主要な抗精神病薬が，これに該当します。また，アルコール中毒者が，突然ぷっつりとお酒をやめた場合や，それまで抗不安薬（ベンゾジアゼピン系），バルビツール，または睡眠薬を服用していた方が，突然，服用を中止した場合にも，脳卒中の危険はかなり高まることが考えられます。したがって，普段はアルコールを手放さないアルコール中毒者や，常日頃規則正しく鎮静薬や精神安定薬を服用している人にとって，ブプロピオンは，特に危険性が高い，といえるでしょう。

非精神病薬のなかにも，脳卒中の危険を高めるもの（たとえば，コルチコステロイドなど）が多数あります。したがって，これらの薬のいずれかとブプロピオンが併用され，しかもブプロピオンが高用量である場合は特に，厳重な注意が必要です。ブプロピオンと，何か他の薬を併用しようという場合は，それがどのような薬であろうと，薬剤師もしくは薬局の販売者に薬の相互作用について確認してください。

ブプロピオンの服用中に考慮が必要な薬物相互作用は，この他にもまだ，次のようなものがあります：

- バルビツールによって，血液中のブプロピオンの濃度が下がることがあり，これが原因で，ブプロピオンの効かなくなることも考えられます。
- フェニトイン（アレビアチン）も，ブプロピオンの濃度を下げることから，ブプロピオンの効果が低下する可能性があります。しかしながら，フェニトインは，てんかんに対する最も一般的な薬ですから，フェニトインを服用中の患者さんには，ブプロピオンを処方することはあまりないようです。
- シメチジン（タガメット）は，ブプロピオンの血中濃度を上昇させることがあります。これが，脳卒中も含めた，副作用や有害な影響が発生する確率を高めることになります。
- ブプロピオンと MAO 阻害薬との併用は，高血圧危機の危険性がありますので，厳禁です。
- レボドパは，ブプロピオンの副作用を高めますので，これらの薬と併用する際は，注意が必要です。

ベンラファキシン（Effexor）

この薬は，他の抗うつ薬とはまったく別の部類に属する，比較的新しい抗うつ薬です。1994年に発売され，「二重吸収阻害薬」もしくは「混合吸収阻害薬」，と呼ばれています。このように呼ばれる意味は，実に単純です。つまり，この薬はシナプスに放出された，2種類の化学的メッセンジャー（神経伝達物質と呼ばれます）を，再びシナプス前神経へ輸送するポンプを阻害することで，脳内におけるこれらの物質を増加させる働きがある，ということなのです。

第17章で覚えている方もいらっしゃるかと思いますが，このように，2種類の異なる化学物質の濃度を増加させる効能は，何も目新しいものではありません。トリプタノール（アミトリプチリン）などの三環系抗うつ薬にも，このような作用はあります。ベンラファキシンに関するもっと重要な違いは，疲労や眩暈，口の渇きなどを引き起こす原因であるヒスタミン，αアドレナリン，及びムスカリン脳受容体を，この薬が刺激しないことから，副作用が比較的少ないということです。しかしながら，以下の説明からおわかりいただけますように，ベンラファキシンには，それ自身，実に多くの副作用があります。吐き気，不眠症，及び性的困難など，SSRI抗うつ薬の副作用と似ているものもありますし，三環系抗うつ薬の副作用と似ているもの（疲労）もあります。

ベンラファキシンは，セロトニンとノルエピネフリンの両方の受容体に二重効果を及ぼすことから，薬の効果が早く現れるのではないかといわれてきましたが，実際にはそうでもないようです。なぜならば，その他のより古い三環系抗うつ薬も同様に，セロトニンとノルエピネフリンの両方に二重効果を及ぼすのですが，即効的な抗うつ効果をもつわけではないからです。ベンラファキシンが本当に，幾らかでも即効性があるのかどうかを明らかにするために，現在研究が進められています。

より即効性のある抗うつ薬の開発は，貴重な大躍進の象徴といえるでしょうが，これについては，おそらくあまり楽観的になりすぎるのもどうかと思います。なぜなら，新しい抗うつ薬のより優れた特性について主張されつつも，実際その薬がしばらく市場に出回った後に，慎重で組織的な独立した研究によってその主張が実証されたことは，これまであまりなかったからです。加えて，次でご説明しますように，ベンラファキシンの場合，副作用の発生を抑えるために最初は低用量で始め，かなりゆっくりと時間をかけて量を引き上げていく必要があります。たいていの患者さんの場合，このせいでこの薬の即効的な抗うつ効果が妨げられることになってしまうのです。

二重作用のある薬は，はたして本当にある特定の患者さん，特に重症のうつ病で入院中の患者さんに対し，SSRIよりも強力な抗うつ効果をもつのでしょうか。現在，このより大きな問題の究明へ向けて研究が進められています。このような研究が重要な理由は，SSRI（Prozacなど）が，現在かなり人気があり，広く用いられているにもかかわらず，このような重症の患者さんに対しては，特に効果があるというわけではないからです。ある研究によれば，「憂うつな」うつ病で入院中の患者さんに対する治療では，ベンラファキシンのほうが，Prozacよりも効果があったのです。「憂うつな」うつ病とは，早く目が覚めすぎてしまう，食欲，性衝動の喪失など，多くの器質的特徴を伴うより重症のうつ病を意味します。憂うつなうつ病の場合，究極的もしくは妄想的にさえなりかねない罪悪感に併せ，失感情症が見られることがあります。

失感情症とは，喜びや満足感を感じることができなくなることをいいます。

すべての抗うつ薬同様，ベンラファキシンも，うつ病以外の数多くの他の障害に対して用いられ始めています。ただし，ここで1つ心に留めておいていただきたいのは，ほぼすべてといっていいほど，どの抗うつ薬も実にさまざまな障害に用いられており，ベンラファキシンに限ったことではないということ，また，ベンラファキシンが慢性的な痛みや注意欠陥障害（ADD）に対して，とりわけ優れた効果を発揮するわけでもないということです。

ベンラファキシンの服用量

吐き気の発症を極力抑えるために，薬の製造者が勧める開始量のわずか半分にすぎない 18.75mg のベンラファキシンを，1日2回という量から始めるように提唱する専門家もいます。毎日の服用量は，その後，2日置きに 37.5mg ずつ，ゆっくり引き上げ，1日の総量が 150mg 以上に達するまで増量することができます。1日の総量が 75mg に達すると，たいていの患者さんに効果が現れます。薬の用量が多ければ多いほど，効き目が大きくなる傾向がありますが，その半面，より多くの副作用を伴うことにもなります。

以前，SSRI のお話をした際に，薬の半減期についてご説明しました。ベンラファキシンの場合，この半減期が短く——せいぜい数時間ほどで身体から出てしまいます。したがって，血流中に常に十分な量を維持しておくためには，1日2，3回薬を服用しなければならないということになります。

最近では，1日1回だけ服用すればよい排出時間を延長したタイプ（徐放薬）が市場化されるようになりました。130ページの表20-1をご覧になると，徐放カプセルは，より割高なようにも見えますが，それは，実際のところ誤解です。たとえば，75mg入りのEffexorカプセル100錠の卸値は，118.66ドルであるのに対し，75mgの徐放カプセル100錠では217.14ドル，とほぼ2倍の値段であることが表からおわかりになると思います。最初これらの数字を見たときには，私も徐放カプセルは通常の価格の2倍である，とごく自然に解釈しました。

しかし，現実の生活の場にこれを置き直してみるとどうなるでしょうか。1日75mgを服用すると想定してみましょう。朝，通常の型の37.5mg錠を1つと，夕方その日2つ目の37.5mgを1つ服用して，1日の総費用を2.17ドルとしてもいいですし，1日1回，75mgの徐放薬を1錠服用してももちろん結構です。先にお話しましたように，75mgの徐放薬でも，これで1日の費用は2.17ドルになります。いずれの方法によるにせよ，Effexorは，毎日の服用量が1日375mgほど，という高用量になることも予想されますから，非常に大きな出費となることに変わりはありません。Effexorがいかに高価格であるかということは，1日10セント足らずで同等の効果と利便さを手に入れることができる一般的な三環系抗うつ薬の多くの価格と比較すると歴然です。

どの抗うつ薬でもそうですが，ベンラファキシンの場合も，量を減らしていく際には，ゆっくりと時間をかけることがベストです。少なくとも2週間はかけるよう勧められますし，患者さんによっては，4週間も必要となることがあります。

ベンラファキシンの副作用

ベンラファキシンの副作用については，234-235ページ，表20-11に挙げています。おわかりになるように，先にご説明したSSRIの場合とよく似ています。ベンラファキシンに最も一般的に見られる副作用は，吐き気，頭痛，眠気，不眠症，異常な夢，発汗，神経質，及び震えです。ベンラファキシンは，性的関心の喪失やオルガズムの達成困難など，SSRIと同じタイプの性的困難を引き起こす可能性があります。

これらの性的副作用は，SSRIの場合とまったく同様，極めて一般的に起こりがちです。ベンラファキシンは，より古い三環系抗うつ薬と比べて副作用が少ないといわれますが，にもかかわらず，患者さんによっては口の渇きや眩暈の原因となることもあります。眩暈は，特に薬をあまりにも性急にやめようとした場合に起こりやすくなります。

他とは異なるベンラファキシン特有の副作用は，血圧の上昇です。といっても，血圧の上昇が典型的に見られるのは，比較的高用量（1日225mg以上）の場合に限ります。それでもやはり，血圧に問題を抱えている方の場合は，患者さんご自身と主治医の先生共々慎重に血圧をチェックすべきですし，そもそもそのような方には，この薬は適切な選択とはいえないかもしれません。服用量が1日に200mg未満であれば，血圧の上昇が起こる確率は，わずか5%ほどになります。

ベンラファキシンの薬物相互作用

ベンラファキシンは比較的新しい薬であるため，他の薬との相互作用に関する情報は，まだ割りと限定されています。ベンラファキシンは，みなさん方が服用されている他の薬と拮抗する形で相互作用を起こすことは，あまりなさそうに思われます。次に挙げるような幾つかの薬は，ベンラファキシンの血中濃度を上昇させる可能性がありますので，そのような際はベンラファキシンの用量を減らすことが必要かもしれません。

- 幾つかの三環系抗うつ薬

- SSRI抗うつ薬
- シメチジン（タガメット）

ベンラファキシンは，幾つかの主な精神安定薬の血中濃度を上昇させることもあります。トリフロペラジン（Stelazine），ハロペリドール（セレネース），及びリスペリドン（リスパダール）などがそうですので，これらの薬の用量を減らすことが必要となるかもしれません。理論的には，逆にこれらの薬が，ベンラファキシンの血中濃度を上昇させる可能性も考えられます。

ベンラファキシンは，MAO阻害薬と一緒に用いると，174ページでご説明した，セロトニン症候群（異常高熱症）を起こす危険がありますので，この組み合わせは避けなければなりません。MAO阻害薬の影響が身体から完全に消えるまでには，2週間もかかりますので，MAO阻害薬の服用を中止後，ベンラファキシンの服用を開始する場合には，いずれの薬も服用しない猶予期間が2週間必要であるということを心に留めておいてください。対照的に，ベンラファキシンの服用をやめ，その後でMAO阻害薬の服用を開始する場合には，1週間も猶予期間を置けば十分でしょう。なぜなら，ベンラファキシンの場合は，身体からの排出がかなり迅速だからです。

ミルタザピン（Remeron）

ミルタザピン（Remeron）は，合衆国では1996年に発売されました。この薬も，ノルエピネフリンとセロトニンの両方の活性を高めますが，そのメカニズムは，ベンラファキシンと異なります。市場化前の調査からは，ミルタザピンが軽いうつ病の外来患者さんはもとより，重症のうつ病で入院中の患者さんにも効果が期待できることが窺がえます。うつ病の患者さんで，非常に不安が強く，神経質な場合に特に有効となるかもしれません。

ミルタザピンの服用量

ミルタザピンの服用範囲は，1日15mgから45mgです。まずは，1日の総量をもっと少なく（1日7.5mg）から始め，その後ゆっくりと1回の服用量を引き上げていく場合が多いでしょう。ミルタザピンは，この薬の服用者の50%を越えて，眠気を引き起こすため，1日1回就寝時に，通常1日15mgから45mgが処方されます。直観的な予想とは裏腹に，ミルタザピンの場合，服用量を引き上げると眠気が起こりにくくなるようであると報告する医師もいます。この薬は，用量が増えるとある種の刺激効果をもつ可能性があるからかもしれませんが，本当にそうであるかを確かめるためには，この薬に関してもう少し臨床経験が積まれるまで，今しばらく待つ必要があるでしょう。

ミルタザピンの副作用

ミルタザピンの副作用については，234-235ページの表20-11をご覧ください。この薬が，ヒスタミン，α-アドレナリン，ムスカリン，及びムスカリン受容体を阻害し，より古い三環系抗うつ薬と非常によく似た働きをすることがおわかりいただけるかと思います。このことから，ミルタザピンは，副作用についても三環系薬，特にアミトリプチリン，クロミプラミン，ドキセピン，イミプラミン及びトリミプラミンと非常によく似ているといえるでしょう（表20-2参照)。比較的よく見られる副作用としては，先述の疲労（患者さんの54%)，食欲の増進（17%)，体重の増加(12%)，口の渇き（25%)，便秘（13%)，及び眩暈（7%）などがあります。ただしこれらの数値には，偽薬が考慮されていませんから，実際よりも幾分高めであることをご承知ください。たとえば，体重の増加についてですが，偽薬を服用した患者さんのうち，2%の方々もこの症状を報告されていますから，実際にミルタザピンが原因と考えられる体重増加は，12%から2%を引いた10%，ということになるでしょう。ミルタザピンは，Prozacなどの SSRI によく見られるような，胃の不調，不眠症，神経質及び性的問題の原因になることはなさそうです。

ミルタザピンには，他の抗うつ薬にはない，独自の副作用が，幾つかあります。たとえば，稀なケースではありますが，白血球の数を減少させる可能性があります。白血球は伝染病の撃退に関わる細胞であることから，これが減少するとさまざまな伝染病に感染しやすくなります。この薬の服用中に発熱した場合には，必ず主治医の先生にすぐ連絡し，完全な血液検査を受けるようにしてください。ミルタザピンは，ときどきコレステロールや中性脂肪などの血中脂肪の量を増加させることもあります。これは，体重が過剰気味の方や心臓に持病がある方，またはコレステロールと中性脂肪の量が既に多い方などには，問題となる可能性があります。

ミルタザピンの薬物相互作用

ミルタザピンは比較的新しい薬ですから，薬物相互作用については，まだ非常に限られた情報しかありません。ただし，MAO阻害薬抗うつ薬との併用は，セロトニン症候群（異常高熱症）の危険がありますので避けなければなりません。この薬には，かなり強い鎮静作用がありますので，やはり鎮静作用がある他の薬の効果を高めることが予想されます。アルコールや，主流・非主流の精神安定薬，睡眠薬，抗ヒスタミン薬の幾つか，バルビツール，多くの他の抗うつ薬，及び抗不安薬であるブスピロン(BuSpar)などもこれに該当します。これらの物質をミルタザピンと一緒に用いると眠気が強まり，それが原因で身体の動きがぎこちなくなる，物事に集中できなくなる，などの問題が現れることも考えられます。このようなことが自動車や危険な機械の運転中に生じると，事故に至ることにもなりかねません。

気分安定薬

●リチウム

1949年に，ジョン・ケイドというオーストラリアの精神科医は，リチウム，すなわち一般の塩が，モルモットを鎮静させる作用があることに気づきました。

そこで，躁症状のある患者さんにリチウムを処方してみたところ，劇的な鎮静効果が得られたのです。他の躁患者さんのリチウム効果検査においても，同様の結果が得られました。それ以来，リチウムは世界中で徐々に人気を博してきたのです。現在に至るまで，次のような数多くの症状に対して用いられ，効果をもたらしてきたのです：

- 急性躁状態に対して。リチウムは，重症の躁病患者さんの治療に用いられますが，通常このような患者さんには，深刻な躁状態が幾分落ち着くまでの間，より強力で即効性のある薬を併用して，治療が行なわれます。リチウムと一緒に用いられる薬としては，クロルプロマジン（ウインタミン，コントミン）などの抗精神病薬（強力精神安定薬としても知られています），クロナゼパム（リボトリール），またはロラゼパム（ワイパックス）などのベンゾジアゼピン（「抗不安薬」とも呼ばれます）などがあります。これらの追加的薬は，躁病がコントロールできるようになるまで用いられます。深刻な躁状態がいったん落ち着けば，これら他の薬の併用は中止し，その後は，リチウムの服用を継続して，将来の気分の揺れを防止していくことになります。

- 双極性躁うつ病の患者さんに見られる，反復的な躁とうつの気分の揺れに対して。リチウムには，非常に優れた予防効果があることから，将来，躁のエピソードが起こる可能性を低めることができるのです。
- うつ病の単発的なエピソードに対して。抗うつ薬の効き目が現れないときに，その効果を上げるために，ときどき，少量のリチウムを加えることがあります。これについては，その他の強化療法と併せ，本章で後ほど，ご説明するつもりです。
- 躁病の気分の揺れは見られない患者さんにおける，反復的なうつ病のエピソードに対して。回復後もリチウムの服用を継続していくことで，うつ病の再発防止に効果があることがあります。長期のリチウム治療による予防効果が，イミプラミンなどの抗うつ薬を用いた，長期的治療の効果と似ていることを窺がわせる研究もあります。しかしながら，うつ病に対するこのような予防効果は，すべての患者さんに有効というわけではないようです。リチウムはおそらく，双極性（躁うつ）病の明らかな家族歴をもつ患者さんのうつ病を防止する可能性が高いようです。
- 挿話的怒り，苛々，もしくは暴力的な怒りの爆発が見られれる患者さんに対して。

- 統合失調症の患者さんに対して。リチウムの場合，抗精神病薬との併用が可能ですし，むしろ，併用することで抗精神病薬を単独で用いる場合よりも効果が高まることがあります。躁病，またはうつ病の症状が見られた経歴がある統合失調症の患者さんにも，また，そのような症状は，それまで一切現れたことのない患者さんにも，改善が期待できるようです。

これらの病状すべてにおいて，リチウムが何らかの助けになることは確かにあるかもしれません。しかし，実際に効果が発揮されることはごく稀なのです。薬というのは大概そうですが，リチウムの場合も，1つの有効な手段ではあるものの，万能薬ではないということでしょう。

先にも申し上げましたが，躁うつ病は，ときに双極性障害と呼ばれることがあります。「双極」とは，単純に，「2つの極」を意味します。双極性の患者さんの場合，深刻なうつ病と交互に現れる，コントロール不可能な挿話的気分の揺れが，しばしば見られます。躁病相を特徴づけるのは，極端に熱狂的な多幸症の気分，程度を逸した自信と誇大性，ひっきりなしに喋り続け，留まるところを知らない過剰な活動性，性行動の亢進，睡眠に対する欲求の低下，苛々と攻撃性の高まり，及び無謀ともいえる浪費的馬鹿騒ぎなど，自己破壊的な行動です。これらの異常な病状は，通常，興奮と落胆を繰り返す慢性的パターンの中で生じます。しかも，このパターンは，生涯を通じ突如発生する可能性があることから，残りの人生，ずっとリチウム（または別の気分安定薬）の服用を続けるように主治医の先生から勧められることもあるかもしれません。

うつ病に伴い，異常な気分の高揚を感じた場合には，リチウム，もしくはそれと同等の気分安定薬が処方されることは，ほぼ確実といっていいでしょう。うつ病で，しかも躁病の家族歴があることが明らかな方の場合，たとえご本人は，躁状態に陥った経験は1度もなかったとしても，リチウムが効果を発揮する可能性があることを窺がわせる研究もあります。とはいえ，まずはやはり，標準的な抗うつ薬を処方し，慎重に経過を見守る医師がほとんどではないかと思います。抗うつ薬がうつ病の患者さんに多幸症や躁病を引き起こすということは通常はないのですが，双極性躁うつ病の患者さんの場合，たまにそのような影響が現れることがあるからです。抗うつ薬を服用開始後，24時間から48時間というスピードで躁病が発病することもあり得るのです。

私の臨床経験上では，抗うつ薬の服用開始後，突如危険な躁病の症状が現れたことは，双極性の病気の患者さんであってさえも，極めて稀です。それでもやはり，患者さんご本人またはご家族の方に躁病歴がある場合には，このような副作用が出る可能性は否定できませんから，必ずその旨を主治医の先生に伝えると共に，実際に抗うつ薬の服用を開始した後は，慎重なフォローアップを受けられるようにしてください。そしてご家族の方も，このような可能性があることを承知しておくべきだと思います。患者さんご自身が事態を自覚するより先に，ご家族の方が躁病のエピソードが発生したことに気がつくことが多いですから，そのような場合，ご家族の方から問題の発生を医師に伝えることもできるからです。通常の幸福と躁病の始まりの区別は，患者さん自身には判然としません。しかも，躁病の場合，最初は非常に気分爽快に感じられることから，まさかそれが，現在自分が服用している薬の危険な副作用であるとは，気がつかないことがあるのです。

リチウムの服用量

表20-1からおわかりになるかと思いますが，リチウムは，1回量300mgで売られていますので，通常1日3錠から6錠を，何回かに分けて服用することが必要です。主治医の先生から指示があるでしょうが，最初は，1日3回ないし4回を服用することになるかもしれません。しかし，リチウムを服用し状態がいったん安定すれば，その後は1日の総量を半分に分け，朝と就寝前にそれぞれ半分ずつ服用することも可能かもしれません。このように，1日2回のスケジュールのほうが便利ではないかと思います。

450mg入りの，徐放薬カプセルもあります。こちらの型は胃と胃腸管でゆっくりと吸収されますから，通常のものより副作用が少ないかもしれませんし，服用回数も少なくてすむのでより便利でもあります。しかしながら，一般的なリチウムの型と比べ値段が高価だからといって，それを飲む正当な理由にはならないでしょう。しかも，実際のところ安価で一般的なリチウムでも，より高価な徐放薬のリチウムとまったく変わらない，と報告される患者さんが多いのです。

気分障害の治療に用いられる他の薬同様，リチウムの場合も，効き目が現れるまでには通常2週間から3週間かかります。期間を延長して服用することで，臨床効果はよりいっそう高まるようです。したがって，長年に亙って服用すれば，ますます大きな助けとなるかもしれません。

残念ながら，リチウムを服用して調子がよくなったことから，いったん服用をやめたものの，その後再びその徴候が現れるようになったため服用を再開したところ，前回ほどの効果がなかった，という方々が，一部いらっしゃることは明らかなようです。リチウムに限らず，他のどの薬についてもいえることですが，主治医の先生にまず先に相談せずに薬の服用をやめるべきでないのは，

1つにこのような理由があるからなのです。

リチウムの血液検査

血液中のリチウムの量が多すぎると，危険な副作用が起こる可能性があります。対照的に，血中濃度が低すぎると薬の効果は期待できません。リチウムは「門戸」が狭い薬なのです。多すぎもせず少なすぎもせず，適量を確実に維持していくためには血液濃度検査が不可欠です。最初は，適量の見定めのために，頻繁に血液検査が指示されるでしょう。しかし，薬の用量と症状が安定してしまえば，その後は，それほど頻繁な検査は必要なくなるはずです。

外来の患者さんで，躁病の症状がさほど深刻でないならば，最初の2週間は週に1，2回，その後は月1回，最終的には3カ月に1回リチウムの血液検査を受ければ十分でしょう。

しかし，より深刻な躁病のエピソードで治療中の方の場合，より多くの検査が必要となります。深刻な症状のコントロールには，通常，より高濃度のリチウムが必要だからです。しかも，躁病のエピソードの最中は，比較的速いスピードでリチウムは身体から排出されますから，適切な血中濃度を維持するためには，より多くの服用が必要なことがあるのです。先にもご説明しましたように，躁病のエピソードの最中は，症状が徐々に治まってくるまで最初の数週間，ほぼ必ずといいっていいほど，リチウムに加えて，より強力な効能をもつ薬が併用されるかと思います。

採血は，リチウムを最後に服用後8時間から12時間後に行なうことが必要です。何はさておき，朝，真っ先に血液検査を行なうようにするのが一番だと思います。血液検査を行なう予定だった朝に，うっかりして検査前にリチウムを飲んでしまったら，もうその日は検査を行なってはいけません。検査は，別の日に改めて行なってください。さもないと，その検査結果は主治医の誤解を招くことにもなりかねないからです。

体格，腎臓機能，天候状態，及びその他の要因によっても，リチウムの必要所要量に影響が出る可能性がありますので，リチウムの服用によって，身体の状態維持を図ろうという場合には，定期的に血液検査を行なうべきでしょう。おそらく，1cc あたり 0.6mg から 1.2mg の間での血中濃度維持が求められるかと思いますが，これは患者さんの症状の程度によっても変わってくるでしょう。たとえば，急性躁病のエピソードの最中は，おそらく治療範囲の比較的上限近くでの血中濃度維持が期待されることが予想されます。その一方で，たとえ 1cc あたりわずか 0.4mg から 0.6mg という低用量でも，患者さんの気分がよい状態であるなら，うつ病や躁病のエピソードの防止効果がある，と感じている医師もいます。

慢性的な苛々や怒りを抱える患者さんの場合，たとえこれといってはっきりとした躁うつ病の症状が見られなくても，やはり，比較的低い血中濃度のリチウムで効果が期待できるかもしれません。このように濃度が低ければ，その分副作用も少なくなるという利点があります。

その他の医学的検査

治療に先立ち，身体の健康診断と一連の血液検査，及び尿検査の指示が，主治医の先生から出されるかと思います。血液検査としては，通常完全な血球数測定，甲状腺と腎臓の機能，電解質，及び血糖の検査なども含まれます。甲状腺の機能については，リチウムを服用している間，6 カ月もしくは 1 年間隔で検査すべきです。なぜなら，リチウムを服用中の患者さんに，甲状腺種（甲状腺上の隆起，すなわち腫れ物）が現れる場合があるからです。

また，リチウムを服用中の患者さんに腎臓の異常が報告されることもあることから，腎臓機能についても，ときどき評価が必要です。リチウムの服用を始める前に，主治医の先生から，心電図(ECG)の指示が出されることもあります。特に，患者さんの年齢が50歳を超えていらっしゃる場合や，心臓に何か問題がある方の場合は，その可能性が高いと思います。また，患者さんが服用する可能性がある他の薬については，いかなるものについても主治医が承知している必要があるでしょう。なぜなら，薬によってはリチウムの血中濃度を上昇させることが考えられるからです。イブプロフェン，ナプロキセン，およびインドメタシンなどの幾つかの抗炎症薬はもちろんですが，特定の利尿薬についてもその可能性があります。また逆に，リチウム濃度を引き下げる作用がある薬もありますので，これについては，以下でご説明していくことにしましょう。

リチウムの副作用

リチウムの副作用については，256-257ページの表20-12に掲載し，次にご説明するその他の2つの気分安定薬と，副作用を比較しています。おわかりになりますように，リチウムには多くの副作用をもつ傾向がありますが，その多くは多少不快であるといった程度で，さほど深刻なものではありません。

まずは，筋肉，神経系への影響に始まり，リチウムが30%から50%の患者さんに，手や指の微細な震えを引き起こす可能性があることがおわかりいただけるかと思います。この震えは，手を静止しているときに現れることが予想されますが，手を使った何らかの目的のある行為を使用とした際に症状が悪化する場合がしばしばあります。たとえば，このような震えが原因で，コーヒーカップを握る，字を明確に書く，などの行為が難しくなることも考えられます。震えの程度は服用量に関係します。やはり震えを引き起こす可能性がある，三環系抗うつ薬とリチウムが一緒に用いられると，症状が酷くなることがあります。

患者さんによっては，この震えが主な原因で，リチウムの服用を断念されてしまう方もいます。震えが特に酷く，問題となる場合は，プロプラノロール（インデラル）と呼ばれる抗振戦薬（震えどめ）を処方することもありますが，できる限り追加的な薬の処方は避けたいというのが，あくまで私の方針です。薬の用量を減らすことでも，症状の軽減に効果が期待できることがあるのです。

それでも，実際にプロプラノロールを処方する場合には，リチウムによる震えの軽減を目的とする通常用量，1日20mgから160mgを何回かに分けて服用することになります。まずは少量から始め，徐々に量を増やしていくのがベストです。効果のあるギリギリ最小限に抑えておくのが何よりでしょう。なぜならば，プロプラノロールには，心臓の鼓動の減速，血圧低下，虚弱及び疲労，精神的混乱，さらに胃の不調など，他の影響を及ぼす可能性があるからです。また，プロプラノロールが原因で呼吸困難が起こる可能性もありますので，喘息の患者さんへの処方は禁物です。レーノー病の患者さんに対しても，やはり禁忌といえます。リチウムが原因による震えへの対応としては，他に，プロプラノロールに似た薬，メトプロロール（25mgから50mg），もしくはナドロール（20mgから40mg）が従来使われてきました。

リチウムによって，最初の頃，倦怠や疲労が見られることがありますが，これらの影響は，時間と共に徐々に消えていくでしょう。特に，比較的若い患者さんで，精神的緩慢さや健忘症を訴える方もいます。健忘症は，記憶テストによっても確認されています。トリプタノールなど，抗うつ特性をもつ他の抗うつ薬によっても，健忘症が起こる可能性はあります。これらの精神的変化にまつわる体調の乱れは非常に一般的で，多くの患者さんがリチウムの服用を中止する原因となっています。記憶困難は，予想されるように，リチウムの血中濃度が高ければ高いほど，訴えも多くなりますし，用量を減らすと多くの場合，症状は改善するようです。

同じ路線で，かなり酷い虚弱と疲労を訴える患者さんもいらっしゃいます。これらの症状はリチウム濃度の過剰を示唆していることが多いですから，用量を引き下げる必要があるかもしれません。精神的混乱を伴う極度の眠気，統合失調，もしくは不明瞭な話しぶりは，リチウム濃度の危険なまでの上昇が窺がえます。このような症状が現れたら薬を中止し，すぐに医師の手当てを受けてください。

リチウムを服用し始めると創造性が失われるのではないか，と懸念する患者さんもいます。高揚と落胆という精神的変動を糧とする，苦しいまでのインスピレーションを手にすることで，自らを創造的表現へと駆り立ててきた芸術家や作家にとって，これは捨て置けない問題なのでしょう。何世紀にも亙る間には，躁うつ病に苦しんだ有名な画家や詩人が大勢いたことは確かですし，そのときどきの気分が，彼等の作品に色濃く影を落としていることは事実です。しかしながら，リチウムを服用している患者さんの，実に 4 分の 3 はこの薬が原因で創造性が低下することはなさそうだ，と報告していますし、逆に向上するケースすらあるのです[1)]。

では次に，消化器系に目を向けてみましょう。リチウムは胃の不調や下痢を引き起こすことがあります。これらの副作用は，治療開始後，最初の数日間が最も酷く，通常時間と共に消えていくと思います。リチウムを食べ物と一緒に服用する，1 日のなかで 3，4 回に分けて服用する，などの方法を取ることで，大量の薬が

表 20-12　気分安定薬の副作用[a]

分　類	リチウム	バルプロ酸	カルバマゼピン
筋肉及び神経系	振戦 協調運動障害 疲労感 感情の鈍麻 記憶障害	振戦 協調運動障害 疲労感 脱力感	めまい 協調運動障害 疲労感 脱力感
胃及び消化管	胃の不調 体重の増加 下痢	胃の不調 体重の増加 肝機能異常 膵炎	胃の不調 肝機能異常 口渇
腎臓	腎原発性尿崩症 （過剰な排尿とのどの渇き） 間質性腎炎 （通常中等度の）腎機能障害につながる		抗利尿ホルモン不適合分泌症候群 （SIADH）
皮膚	発疹 脱毛 座瘡	発疹 脱毛	発疹
心臓	ECGの変化		心律動の異常
血液	白血球の増加	出血に伴う血小板の減少	出血に伴う血小板の減少 骨髄機能不全（稀）

ホルモン	甲状腺機能不全症	月経不順	甲状腺ホルモン（T3及びT4）のレベルの低下

a 本表作成にあたっては，Manual of Clinical Psychopharmacology[1] 及びPsychotropic Drugs Fast Facts[17] 他の資料を参考にしました。これらの資料は多くの方々に推薦できる良質の参考文献です。

一気に胃を直撃することもなくなり，症状が和らぐ場合があります。また，リチウムの増量スピードを緩め，よりゆっくりと時間をかけて行なっていくことも助けとなるでしょう。稀に，リチウムが下痢だけではなく嘔吐までも引き起こすケースがあります。紛れもない水分不足が原因で，脱水状態になるのかもしれません。このような状態は，リチウムの血中濃度を上げ，毒性を強めることになりますし，さらにはそれがますます吐き気や下痢を引き起こすことになり，悪循環にもなりかねません。こうなってしまったら，症状が治まるまでの間，十分な水分量を確保できるように医師の治療が必要かもしれません。

残念ながら，リチウムを服用する患者さんの多くに体重の増加が見られ，これは，患者さん方がこの薬の服用を中止するもう1つのよくある理由となっています。アラン・シャツバーグ博士[1)]は，現時点で既に体重が過剰な方の場合，これはよりいっそう大きな問題となるだろうと指摘しています。体重の増加は食欲が刺激された結果ですが，実際これは，どうにもコントロールし難いものであることが多いのです。運動量を増やし，食べる量を減らせば体重増加を防げますし，逆に減量も可能なことは明らかです。とはいえ，こればかりは，口で言うだけなら簡単でも，いざ実行するとなると遥かに難しいのです！ 体重の増加が常軌を逸している，もしくは到底手に負えないような場合には，カルバマゼピンなど，代わりの気分安定薬に切り替えるのが得策かもしれません。

リチウムの服用中には，喉の渇きが強まり，尿の回数が多くなることがあります。場合によっては，リチウムの服用を中止しなければならなくなるほど尿が頻繁になり，量もおびただしくなるケースもあります。さらには，これが激しい喉の渇きを引き起こすこともあります。この状態は，腎性尿崩症（NDI）として知られ，腎臓に対するリチウムの影響が原因です。リチウムの服用を中止すれば，たいてい回復可能です。ある種の利尿薬を加えることが役立つケースもあります。しかしながら，これらの利尿薬は，血漿リチウム濃度を上昇させる可能性がありますので，慎重にリチウムを監視する必要があります。より軽い頻尿は，おそらく，リチウムを服用中の 2 分の 1 から 4 分の 3 に起こるか，と思われます。

リチウムは，「間質性腎炎」と呼ばれる一種の腎臓障害を引き起こす恐れがあります。この名称は，単純に組織の炎症，すなわち過敏症を意味しています。最初に報告されたとき，精神科医は，この合併症に非常に驚きました。その後の経験から，この問題は，長年リチウムを服用している患者さんの 5％以上に生じる可能性があるものの，腎臓の障害の程度は通常軽いことがわかりました。それでもやはり，リチウムを服用中は，主治医の先生から腎臓機能の定期的なチェックが求められるでしょう。クレアチン検査と尿素窒素（BUN）と呼ばれる，2 種類の血液検査の指示が，年に 1，2 回出されると思われます。これらの検査は，通常のリチウム血液検査を受ける際に，同時に行なうことができます。検査の結果から腎臓機能の変化が認められる場合には，泌尿器科医と相談のうえ，24 時間のクレアチン‐クリアランス検査を受けるよう，主治医の先生から指示されるかもしれません。これは，より精密な腎臓機能検査で，臨床試験所から渡される特別の瓶に24時間の尿をすべて溜める，というものです。この検査の結果は，患者さんがこのままリチウムの服用を継続しても安全かどうか，主治医が判断する助けとなります。

時折，発疹が現れる患者さんがあります。乾癬の患者さんが，リチウムを服用された場合に，突発的に症状が現れることが多いようです。このような場合には，皮膚科医と相談し，別の種類のリチウムに切り替える，一時的にリチウムの服用を中断する，もしくは何か別の気分安定薬に切り替える，などの措置が必要かもしれません。リチウム治療の間は，にきびも悪化することがあります。これは，抗生物質などで治療することができますが，場合によってはリチウムの服用を中止する必要があるかもしれません。脱毛を訴える患者さんもいらっしゃいますが，リチウムの服用を継続するしないにかかわらず，髪の毛は通常また生えてきます。リチウム関連の脱毛が主に女性に生じることは，一考に価するかもしれません。また，脱毛は全身のどこでも起き得るはずです。脱毛は甲状腺機能不全症（以下参照）の徴候であることがときどきありますので，問題が長引く場合は，主治医の先生から甲状腺血液検査の指示が出されるかもしれません。

リチウムは，心電図（ECG）にさまざまな変化をもたらすことが考えられますが，これらは通常深刻なものではありません。先にも申し上げましたが，心臓に持病のある方はもちろん，ご高齢の患者さんも，リチウムの服用を開始する前に，予めECGを受けておくべきです。リチウムを服用し，状態がいったん安定したら，心臓リズムに何か心配の種となるような変化があるかどうか確かめるために，再度ECGを受けてみてもいいでしょう。表20-12をご覧になると，リチウムが白血球の濃度を上昇させる可能性があることがおわかりいただけるかと思います。白血球は，本来感染を抑える細胞です。白血球の正常な数は，6000から1万の範囲内です。リチウムを服用中の患者さんの場合は，白血球の数が典型的に1ccあたり1万2000から1万5000にまで増加しますが，この程度の増加なら危険とは見なされません。しかしながら，何かの病気で病院にかかるときには，リチウムを服用中であること，及びそのせいで一時的に白血球の数が増加しているかもしれないことを，念のため必ず医師にお伝えください。さもないと，実際にはそうでないにもかかわらず，深刻な感染を引き起こしている，と誤って医師が診断する恐れがあります。

最後になりますが，リチウムは20%にも及ぶ患者さんの甲状腺機能に影響を与えることが考えられます。先にも触れましたように，一般的によく見られる影響の1つとして，機能には何ら変化がないにもかかわらず，甲状腺が肥大化する（「甲状腺腫」と呼ばれます）ということがあります。その他，甲状腺刺激ホルモン（TSH）が上昇する患者さんもいます。これは，身体が甲状腺をより強く刺激しようとしていることの表れです。リチウムを服用中の患者さんの実に5%もの方に，甲状腺機能不全が起こることが予想されます。このような場合，チロキシンを用いた（1日0.05mgから0.2mg），甲状腺ホルモン補充療法が必要となるかもしれません。甲状腺機能不全は，男性よりも女性に，より一般的に見られます。

リチウムの薬物相互作用

264-265ページの表20-13をご覧いただくと，リチウムが多くの他の薬と相互作用を起こすことが，おわかりいただけるかと思います。リチウムを服用すると同時に，他の薬も一緒に服用している方は，必ず主治医の先生とこのリストを再度よく確認してください。

表の最上部付近の薬は、リチウムの血中濃度を引き上げることが考えられます。リチウム濃度の上昇は，リチウムの毒性を高めることも含め，より多くの副作用を招く恐れがあります。適切な範囲内で血中濃度を維持するために，リチウムの服用量を下げることが必要かもしれません。リチウムの濃度を上昇させる薬には，いわゆるACE阻害薬や，カルシウムチャンネル遮断薬，及びメチルドーパ（アルドメット）など，高血圧の治療によく用いられる幾つかの薬があります。特に，カルシウムチャンネル遮断薬は，リチウムの毒性を強め，震えや，運動器官の統合性の喪失，吐き気と嘔吐，下痢，及び耳鳴りなどの症状をもたらすことがあります。これらの薬と一緒にリチウムを用いる場合は，注意が必要です。

イブプロフェン（商品名ブルフェン他）などの，一般的な非ステロイド抗炎症薬（NSAID）も，リチウム濃度を上昇させる可能性があります。幾つかの抗生物質も，一般的な抗真菌性メトロニダゾール（フラジール）と同様，リチウムの濃度を上昇させます。抗真菌性メトロニダゾールは，膣の感染の治療にしばしば用いられる作用薬です。また，表20-13の最上部には，抗けいれん薬も幾つか挙げています。これらの薬のいずれかを服用している場合は，リチウムの用量を下げる必要があるかもしれません。

高血圧の治療でも，利尿薬が用いられることがあります。利尿薬のなかにも，リチウムの濃度を上昇させるものがあります。表20-13中では，ループ利尿薬とK保持性利尿薬とも，リチウム濃度を上昇させますが，同表中のサイアザイド系利尿薬ほどではありません。とはいえ，すべての利尿剤がリチウムの濃度を上昇させるわけではありません。たとえば，表20-13をご覧いただくと，浸透性利尿薬は逆にリチウムの濃度を低下させ，まったく正反対の作用があることがおわかりいただけるかと思います。この利尿薬は，他とは少々異なる働きをするものです。

高血圧の場合，低塩食が処方されることがあります。ところが，この低塩食がリチウム濃度を上昇させることが考えられるのです。これは，腎臓が塩分を保存しようとして，その排出を控えようとすることが原因です。リチウムも，科学的に食卓塩と非常によく似た塩であるため，腎臓はリチウムの排出を抑えようとするのかもしれません。これと同様の理由から，夏の数カ月間の間に，非常に大量の汗をかいても，体内の塩分が激減し，リチウムの濃度を上昇させるという同じ結果を招くことになります。この場合もやはり，腎臓が塩分はもとよりリチウムも保存しようとすることが原因と思われます。したがって，大量に汗をかいた場合は，失われた塩分を補うために，十分な塩分摂取を確保するように心してください。

その一方で，まったく正反対の影響が生じる可能性もあります。表 20-13 をご覧いただくと，塩分を摂りすぎた場合に，リチウムの濃度が低下することがおわかりになるかと思います。これは，腎臓が血液中に塩分が多すぎることを察知し，排除しようとするからです。その際，余分な塩分と一緒にリチウムまでもより多く排出してしまうのでしょう。

対照的に，表 20-13 の中央に掲載の薬には，リチウムの濃度を下げるというまったく正反対の作用があります。その結果，リチウムの効果が失われることが考えられます。喘息の治療に用いられる幾つかの薬にも，血清リチウム濃度を下げる働きがあることがおわかりになるでしょう。カフェインにも同じ作用がありますので，普段コーヒーを大量にお飲みになる方は，コーヒーの量を控えるか，さもなければリチウムの服用量を増やす必要があるかもしれません。コルチコステロイドは，アレルギーなどの多くの病状に使われますが，この薬もリチウム濃度を下げることが考えられます。これらの薬のいずれかを服用中の場合は，リチウムの血中濃度を適切な範囲内に保つために，服用量を引き上げる必要があるかもしれません。

その他にも，表 20-13 には，多数の薬物相互作用を挙げられています。かつては，リチウムをある特定の抗精神病薬，特にハロペリドールと一緒に用いると，悪性症候群と呼ばれる有毒な作用の危険性が非常に高まると精神科医は考えていました。悪性症候

表 20-13 リチウムの薬物相互作用[a]

特記：このリストは完全なものではありません。薬物相互作用については日々新たな情報が発表されています。リチウムと他の薬剤を併用する場合は，医師または薬剤師に薬物相互作用の有無について確認してください。

リチウムの血中濃度またはリチウム毒性を増強する薬剤

ACE（アンジオテンシン変換酵素）阻害薬 •ベナゼプリル(チバセン) •カトプリル(カトプリル) •エナラプリル(Vasotec) •フォシノプリル(Monopril) •リシノプリル（ロンゲス，ゼストリル) •キナプリル(コナン) •ラミプリル(Altace)	アルコール 抗生物質 •アムピシリン(Omnipen) •スペクチノマイシン(Trobicin) •テトラシクリン(アクロマイシン) 抗けいれん薬 •カルバマゼピン(テグレトール) •フェニトイン(アレビアチン) •バルプロ酸(デパケン)	抗真菌薬 •メトロニダゾール(フラジール) Ca拮抗薬 •ジルチアゼム(ヘルベッサー) •ニフェジピン(アダラート) •ヴェラパミル(Isoptin) ループ利尿薬 •エタクリン酸(エデクリル) •フロセミド(ラシックス)	サイアザイド系利尿薬 •クロロチアジド(Diuril) •ヒドロクロロチアジド(Alsoril) K保持性利尿薬 •アミロリド(ミダモール) •スピロノラクトン(アルダクトンA) ケタミン 減塩食	マジンドール(サノレックス) メチルドーパ(アルドメット) 非ステロイド抗炎症薬 •ジクロフェナク(ボルタレン) •イブプロフェン(ブルフェン) •インドメタシン(インダシン) •ケトプロフェン(オルヂス) •ピロキシカムン(フェルデン) •フェニルブタゾン(Butazolidin)

リチウムの血中濃度またはリチウム毒性を低下させる薬剤

アセタゾラミド(ダイアモックス) 気管支拡張薬 •アルブテロール(Proventil) •アミノフィリン(ネオフィリン) •テオフィリン(テオドール)	カフェイン(コーヒー，紅茶，ソーダ，チョコレートなどに含まれる) コルチコステロイド •ヒドロコルチゾン(コートソル) •メチルプレドニゾロン(メドロール)	浸透圧利尿薬 重炭酸ナトリウム 塩分の多い食事 尿素

リチウムのその他の薬物相互作用

薬　剤	作　用	薬　剤	作　用
抗精神病薬 •クロルプロマジン(ウインタミン,コントミン) •ハロペリドール(セレネース) •チオリダジン(メレリル)	リチウムの毒性を増強または悪性症候群(NMS)の発現頻度を高くする可能性がある(稀)。	ジギタリス(Crystodigin, Lanoxin)	心律動の異常と心臓機能の低下
		ヒドロキシジン(アタラックス)	心律動の異常
		三環系抗うつ薬	振戦の発現頻度増加の可能性

a　本表作成にあたっては、Psychotropic Drugs Fast Facts の 213-215 ページ[17] の資料を一部参考にしました。この資料は多くの方々に推薦できる良質の参考文献です。

群というのは，体温が上昇し，汗が止めどなく流れ，血圧は上昇，鼓動と呼吸の速度は速まり，物を飲み込むのが困難になる，腎臓，肝臓の機能に異常が見られるなどの症状に併せ，酷い筋肉の硬直と精神的混乱が起こる症候群です。

しかしながら，最近の臨床経験からは，抗精神病薬を服用中の患者さんのすべてに，悪性症候群を発症する危険が多少なりともあるのに対し，抗精神病薬をリチウムと一緒に服用したからといって，悪性症候群の発症率は，ほんのわずか高まるにしかすぎないことが窺がえます。実際，現在ではリチウムが抗精神病薬と一緒に用いられることはよくありますし，先にもお話ししましたように，リチウムによってむしろこれらの薬の効果が高まる場合すらあるのです。

ほとんどの精神病薬と同様，リチウムも妊娠中の女性はできることなら服用を避けるべきです。なぜなら，妊娠中のリチウムの服用は，従来胎児の心臓にかかわる先天的欠陥との関連が疑われてきたからです。とはいえ，これは全か無かの問題ではありませんし，予想される利益と害を天秤にかけるとどうしても利益のほうが不利な立場に置かれることは避けられないでしょう。エプスタイン異常として知られる心臓欠陥の危険性は，リチウムを服用する母親では通常の 20 倍にも跳ね上がりますが，それでもなおその発症率は，1％を遥かに下回るというのが現実なのです。その他にも，特に，妊娠の最初の 3 カ月間の間にリチウムを服用すると，やはり先天性の欠陥が生じる恐れがあります。加えて，リチウムは（他の精神病薬も同様），人間の乳に分泌されることから，授乳中の母親は避けるべきでしょうし，逆にリチウムが必要というなら，授乳を控えるべきでしょう。

リチウムについては（以下にご説明する気分安定薬も同様），患者さんご自身もしくは主治医の先生で，何か疑問に思う点がある方は，Madison Institue of Medecine, Madison, Wisconsin のリチウムインフォメーションセンターに質問されてはどうでしょう。きっと力になってくれると思います[22]。

●バルプロ酸

バルプロ酸は，通常，てんかんの治療に用いられますが，最近では，双極性障害，特に急性躁病の治療用としてFDA の認可を得ました。131 ページの表 20-1 からは，この薬には 2 つの形態――バルプロ酸（デパケン），もしくはそれよりも若干高価なジバルプロエックス・ナトリウム（Depakote）―― がある，ということがおわかりいただけるかと思います。これらの 2 つの形態は，効果に変わりはありません。バルプロ酸をリチウムと比較した研究からは，これらの 2 つの薬が等しく効果的で，いずれも偽薬と比べて 2 倍の効果が期待できることが窺がえます。バルプロ酸も，リチウム同様，将来の躁病の症例を予防もしくは減少させる効果があるようです。

この薬は特に，病相頻回型躁うつ病（ラピッド・サイクラー）に有効といえるかもしれません。双極性障害のより一般的な形態の患者さんはもとより，躁病とうつ病が同時に現れる（いわゆる「混在状態」）患者さんにも効果的です。しかし，うつ病の予防と治療に関しては，躁病の予防と治療ほどには，おそらく期待できないかと思われます。

バルプロ酸の服用量

副作用を縮小するために，バルプロ酸の服用は，段階的に始めていくのがベストです。第 1 日目の服用量は，食事と一緒に 250mg が与えられることになるかと思われます。最初の 1 週間の間に，1回250mgを1日3回まで，段階的に服用量を引き上げていくことができます。どのような薬についてもいえることですが，患者さんの体格，性別，及び臨床的症状によって処方される用量に若干の違いが出てくることがあります。たとえば，体重160ポンド（約72kg）の男性の場合，500mgを1日2回から始めることになるかもしれません。

第2週，第3週は，服用量の増加速度をさらに緩めることが考えられます。たいていの患者さんは，最終的に1日の総量を1200mgから1500mgの範囲内にし，それを数回に分けて（たとえば，400mgを1日3回）服用することになります。個人によって，服用量にかなりのばらつきがあるはずです。1日わずか750mgで効果がある患者さんもいますし，1日3000mgも必要な方もいます。いずれの薬もそうですが，通常の範囲外の用量が必要となる場合もあります。

治療上の血液濃度に達して2週間以内には，きっと何らかの改善が認められるはずです。薬が効くようであれば，そのまま期間を延長してバルプロ酸の服用を続けるように主治医の先生から勧められるかもしれません。これは，リチウムの場合とまったく同じです。

血液検査

バルプロ酸の服用量を調整するために，主治医の先生から血液検査の指示が出されるかと思います。最初，服用量と血液濃度が安定するまでは，週に1回，血液検査を受けるように言うかもしれません。しかし，その後は，毎月もしくは2カ月ごとに1回の検査で十分でしょう。

採血は，リチウムの場合とまったく同様，最後の服用からだいたい24時間後に行ないます。バルプロ酸は，1日2回に分けて服用される患者さんがほとんどです。その場合，採血はその日の1回目の分量を服用する前に，朝行なうとよいでしょう。1mlあたり50マイクログラムから100マイクログラムの血中濃度が，治療上適切であると考える医師がほとんどですが，急性躁病の患者さんの場合は特に，1mlあたり125マイクログラムまで血中濃度を引き上げても心配はないと考える方もいます。もちろん，血中濃度が高まれば，副作用も多くなることは申し上げるまでもありません。

治療に先立ち，おそらく肝臓の酵素を確認するための血液検査，出血検査，及び完全な血球数測定（血小板数の測定も含みます）について，主治医の先生から指示が出されるでしょう。これらの追加的な血液検査は，稀にバルプロ酸が，出血の問題はもとより，肝炎を引き起こす可能性があることから必要なのです。バルプロ酸をしばらく服用後，再びこれらの検査を繰り返し，何の変化もないかを確かめることになることも，ときどきあるでしょう。血液数測定と肝臓酵素の検査は，6カ月毎から12カ月毎に1回という高頻度でおそらく必要であろう，と多くの医師は感じています。これについては後に改めてご説明したいと思いますが，肝臓の炎症を示す徴候ないし症状が現れたら，ただちに報告するように求められている患者さんの場合は，特にそうです。出血があまりに酷い場合や，打撲傷が目立つことに気づいた場合にも，やはり主治医の先生に相談すべきです。

肝臓酵素の一時的な増加は、治療開始後3カ月間の間に，15%から20%もの患者さんに報告されています。深刻と見なされるケースはほとんどありません。しかし，実施に肝臓の酵素に何らかの変化が生じた際は，おそらく，バルプロ酸の量を減らし，引き続き肝臓酵素を確認していくなどの措置が主治医によって取られるかと思います。また，患者さんは，肝炎の症状が現れたら，ただちに医師に連絡が取れるよう，症状についての教育を受けるように求められるでしょう。その典型的な症状として挙げられるのが，黄疸《おうだん》です。黄疸になると，尿の色が濃くなり，肌と目は黄色に状態になります。加えて，便通が悪くなります。肝臓が炎症を起こすと，本来便通を引き起こす作用がある色素が血液中に戻ることから，目や肌，尿に色がつくのです。その他，肝炎では，疲労，吐き気，食欲不振，倦怠，虚弱などの症状が表れます。しかしながら，幸いにも肝炎が原因で，バルプロ酸による治療が困難になることはごく稀ですし，肝炎は，通常治療がうまくいきます。症状が表れたら，ただちに主治医の先生に連絡すれば特にそうです。

肝臓の炎症といっても，軽症の場合がほとんどですが，理論上は致命的な肝臓不全に進行する可能性がないともいえませんから，先ほどの症状を警戒し，慎重に見守ることが大切です。この合併症は，従来幼児に観察されてきたもので，大人に認められることは稀にしかありません。他の抗けいれん薬を同時に服用されている方に通常起こります。実際，抗けいれん薬だけを単独で服用されている大人の患者さんに認められたことは，現在に至るまで一度もないと断言する専門家もいるほどです[17)]。

バルプロ酸の副作用

バルプロ酸の副作用については，256-257ページの表20-12に挙げています。リチウムと比べ，バルプロ酸のほうが副作用が少ないため，平均的に患者さんもバルプロ酸のほうが，通常よく耐えることができるようです。主な副作用は眠気です。就寝前の夕方に，1日の服用量の比較的多くを摂取するようにすることで，多くの場合，眠気が問題となるのを防ぐことができるでしょう。バルプロ酸が胃の不調を引き起こし，吐き気，嘔吐，急激な腹痛，もしくは下痢などの症状が表れることがあります。胃腸管へのこのような影響は，胃薬などの薬を 1 日 2 回服用することで抑えることができ，効果が期待できます。J•S• マックスメン博士と N•G• ウォード博士両氏は，ジバルプロエックス•ナトリウムの腸溶錠（10%）よりも，バルプロ酸（15%から 20%）を用いたほうが胃の不調がより頻繁に起きると指摘しています。したがって，これらの症状が問題となる場合は，ジバルプロエックス・ナトリウム腸溶錠への転換を検討してみるものいいかもしれません[17]。

表 20-12 をご覧いただくと，バルプロ酸も震えの原因となる可能性があることがおわかりいただけるかと思います。リチウム同様，バルプロ酸の場合も，服用量を減らすか β 遮断薬（リチウムによる震えに関する，先の説明参照）の 1 つを加えることで，このような副作用を抑えることが可能な場合もあります。その他，一般的というほどでもありませんが，統合性の喪失や体重増加などの服用が稀に見られます。

患者さんの 5 %に，バルプロ酸が原因の発疹が表れる可能性があります。これは表 20-12 に掲載の他の 2 つの気分安定薬による場合と非常によく似ています。脱毛を報告される患者さんもいらっしゃいます。髪の毛は，一度抜けてしまうと再び生えてくるまでに数カ月間かかりますので，このような症状が表れたら，やはり薬の服用は中断すべきでしょう（主治医と相談のうえであることはいうまでもありません）。脱毛が起きるのは，バルプロ酸に亜鉛とセレンの代謝を妨げる働きがあるからではないかと考えられています。アラン・シャツバーグ博士と彼の同僚は，この対策としてビタミンの補給を勧めています[1]。

実に 20%もの女性が，バルプロ酸の服用中に月経不順が起こることを報告しています。これは，バルプロ酸が関連ホルモンの血中濃度を低下させ，その結果，排卵が抑制されることが原因ではないかと思われます。しかし，バルプロ酸によって，ある種の経口避妊薬の効果が失われることも考えられることから，逆説的ではありますが，理論的には，この薬によって妊娠の可能性が高まるともいえるのです。経口避妊薬を服用している場合は，この可能性について，医師と必ずよく話し合っておいてください。

バルプロ酸は，多数の他の抗けいれん薬と同様，先天性の欠陥をもたらす恐れもありますので，妊娠中の女性は，通常，服用を避けるべきです。口唇裂，凝血異常，脊椎分離症，などの奇形が考えられるのです。妊娠後期（第3期）において，バルプロ酸が発育中の胎児の肝臓に有害な影響を与える恐れがあり，血中濃度が1 ml あたり 60mcg を超えた場合は，特にその危険性が高まります。この薬を服用している最中に妊娠する可能性があるような方は，必ず，医師にその旨をお伝えください。

バルプロ酸を用いた長期の治療を受けている，20歳未満の女性の方々には，特に注意すべきことがあります。このような女性は，卵巣多発のう胞の発症と，男性ホルモンが上昇する可能性が高いことを示す研究が幾つかあるのです。とはいえ，このような合併症の実際の発症については，現在のところまだ明らかではありません[17]。

バルプロ酸の薬物相互作用

バルプロ酸には，リチウムやカルバマゼピンほど多くの薬物相互作用は見られないようです。とはいえ，バルプロ酸には眠気を催す作用がありますので，アルコールや主流・非主流の精神安定薬，催眠薬，または睡眠薬など，鎮静効果のある他の薬の影響を強めることも考えられます。したがって，これらの組み合わせは，自動車や危険な機械の運転中は，特に事故を引き起こす恐れがあります。加えて，バルプロ酸は，バルビツールの血中濃度をかなり上昇させ，極度の鎮静状態や急性中毒泥酔を引き起こす可能性もあります。また，バルプロ酸が原因でジアゼパム（セルシン）の血中濃度が上昇し，その結果，中枢神経系の相当深刻な機能低下をもたらすことも考えられるのです。したがって，これらの薬をバルプロ酸と一緒に用いる場合は，厳重な注意を払はなければなりません。

先にも触れましたが，バルプロ酸には出血と凝血を防ぐ効能がありますので，ワーファリンやアスピリンなど，同様に出血や凝血を防ぐ働きをする，他の薬と一緒に用いる場合には，注意が必要です。加えて，バルプロ酸の血中濃度の上昇を招く可能性もあり，これが出血しやすくする原因となることもあるのです。

バルプロ酸を，三環系抗うつ薬（特に，ノルトリプチリンとアミトリプチリン）と一緒に服用すると，これらの抗うつ薬の血中濃度が上昇することがありますので，十分に注意しなければなりません。抗うつ薬の濃度を随時確認し，必要ならば服用量を調整できるよう，主治医の先生から血液検査のご指示があるかもしれません。

バルプロ酸の濃度を上昇させる可能性がある薬が幾つかあります。たとえば、次のようなものです：

- 制酸薬；
- アスピリン，イブプロフェン（ブルフェン）他など，非ステロイド抗炎症薬；
- シメチジン（タガメット）；
- エリスロマイシン（エリスロシン）；
- フェルバメート（Felbatol），抗けいれん薬；
- リチウム。バルプロ酸もリチウム濃度を上昇させる可能性がありますので，その場合，両方の薬の有害な影響が増大することも考えられます；
- 幾つかの抗精神病薬特にクロルプロマジン（コントミン，ウインタミン）などのフェノチアジン系抗精神病薬；
- フルオキセチン(Prozac）やフルボキサミン（ルボックス）などの SSRI 抗うつ薬；

これらの薬のいずれかと，バルプロ酸を一緒に服用している場合は，バルプロ酸の服用量を減らす必要があるかもしれません。

一方，抗麻痺発現剤の中には，たとえば，カルバマゼピン（テグレトール），エトスクシミド（ザロンチン），フェニトイン（アレビアチン），及びフェノバルビタール（フェノバール）などバルプロ酸の血中濃度を低下させる可能性があるものもありますので，その場合は逆に，バルプロ酸の服用量を増加させることが必要となるかもしれません。同時に，バルプロ酸によって，カルバマゼピン，フェニトイン，フェノバルビタールおよびプリミドン(マイソリン）の濃度が上昇する可能性もありますので，これらの薬をバルプロ酸と一緒に用いる際には，逆にこれらの薬の服用量を減らす必要があるかもしれません。重症の双極性病患者さんの治療には，複数の気分安定薬が用いられることが考えられますので，これらの複雑な薬物相互作用には，かなり慎重な注意が必要でしょう。

最後になりましたが，抗生物質のリファンピシン（リマクタン）には，バルプロ酸の血中濃度を下げる可能性があります。この抗生物質は結核症の治療に用いられますが，ある特定タイプの髄膜炎の経歴がある患者さんに対し，2 日から 4 日間の予防治療として用いられることもあります。

●カルバマゼピン

カルバマゼピン（テグレトール）は，脳の側頭葉から起こるある特定タイプのてんかん用の治療として，1960年代に取り入れられるようになりました。1970年代には，リチウムが効かない躁うつ病患者さんには，カルバマゼピンが効果を発することが日本人研究者らによって明らかにされました。

カルバマゼピンは，現在のところまだ，FDAによって公式に躁うつ病の治療用として承認されてはいませんが，リチウムで効果がなかった双極性（躁うつ病）患者さんの50%に，明らかに有効であるようです。カルバマゼピンは，リチウムや，主要な抗精神病薬の効果を高めるために，これらの薬と組み合わせて一緒に服用することができます。

また，病相頻発型躁うつ病の患者さんのなかにも，カルバマゼピンが効果を発揮する方がいます。これらの患者さんは，1年間に4回を超える躁病の発作があり，治療が困難なことがときどきあるのです。カルバマゼピンは，躁うつ病で，「ハイ」の時期に怒りと妄想の症状が見られる患者さんにも効果があり得ることを示す研究もあります。ついには，カルバマゼピンが，境界性人格障害で，深刻な不安，落ち込み，及び怒りと手首を切るなどの衝動的，自己破壊的な態度が同時に存在する患者さんの治療に役立つかもしれないと報告する精神科医もいます。しかしながら，心理療法士はカルバマゼピンの有効性を認めながらも，患者さん自身からはそのような報告はなされなかった，という研究もあります。このような結果をどのように解釈すればいいのか，難しいところです。

カルバマゼピンについてこれまで行なわれてきた研究の中には，

対象となった患者さんが，カルバマゼピン以外の他の薬，たとえば，リチウムや抗精神病薬などを同時に服用しているというものが多数見られます。

つまり，これらの薬も，当然躁病に何らかの影響を与えることが考えられるのです。アラン・シャツバーグ博士と彼の同僚は，このことがカルバマゼピンの真の影響を引き出すのを難しくしていると指摘します[1)]。この薬がなぜ，躁病の主要な治療法として認められないのか，その理由を説明する鍵は，データが限られているということと，特許の問題にあるということ——つまり，躁病の治療におけるこの薬の安全性と有効性は，大規模でよく管理された研究によって，納得のいくほどにはまだ明らかに示されていないからなのです。

カルバマゼピンの服用量

カルバマゼピンの服用を開始するにあたっては，まず200mgを1日2回，2日間服用することから始めます。その後，200mgを1日3回まで増やし，5日間服用することもありますが，その後は5日置きに1日の服用量を200mgずつ段階的に増量し，1日の総量を1200mgから1600mgまで引き上げます。

カルバマゼピンも効果が出るまでに，通常少なくとも1，2週間かかります。役立つようであれば，躁病の再発を防ぐために，もうしばらくの間薬の服用を続けるよう，主治医からおそらく勧められるのではないかと思います。

血液検査

先にご説明した2つの気分安定薬（リチウムとバルプロ酸）の場合とまったく同様で，カルバマゼピンにも血液検査が必要です。最初の2カ月間は，毎週，血液検査を受けるよう要請されるでしょうが，その後は1，2カ月毎に1回受ければいいでしょう。検査結果をもとに，主治医の先生は，全体的な処方量を決定することになります。カルバマゼピンの有効な血中濃度は，通常1mlあたり6mgから12mgの範囲ですが，うつ病または躁病の患者さんのほとんどには，1 mlあたり6mgから8mgの範囲の血中濃度を勧める専門家もいます。どのような薬についてもいえることですが，服用量が少なければ副作用も少なくなりますが，血中濃度があまりにも低くなりすぎると，薬の効果も失われることになるでしょう。

カルバマゼピンを服用すると，他の薬の血中濃度が低下することがあります。これは，カルバマゼピンがある特定の肝臓酵素を刺激するために，肝臓酵素が通常よりも速いスピードで体内からこれらの薬を除去するからです。しかも，カルバマゼピンによって影響を受ける薬のなかには，カルバマゼピン自体も含まれているのです！ つまり，この薬を数週間ほど服用すると，同じ血中濃度を維持するために，より多くの服用量が必要となることがあるということです。これは，肝臓がより迅速にカルバマゼピンを代謝し始めるため，薬が体内からより迅速に排出されるからです。

カルバマゼピンの服用を開始する前，及び服用し始めてからもときどき，主治医から特定の肝臓酵素の血中濃度について確認が求められるかと思います。これはカルバマゼピンによって，血液中の肝臓酵素の濃度が上昇することがあるからです。このような上昇は，肝臓の炎症や損傷の可能性を示しているのです。先ほど，バルプロ酸も肝臓に同様の影響を与える可能性があることをご説明しました。肝臓酵素のある程度の上昇は，カルバマゼピンを服用中の患者さんのほとんどに見られますが，これは通常心配する必要はありません。しかしながら，以前バルプロ酸についての節でご説明しました肝炎の徴候には，やはり警戒が必要だと思います。

カルバマゼピンの服用中は，血球数測定についても主治医から頻繁に指示されると思います。これは，カルバマゼピンが，赤血球，白血球，または血小板の数を減少させることがあるからです。これらの細胞は，すべて骨髄によって生産されますが，カルバマゼピンは，ときどき骨髄の活性を弱める可能性があるのです。血液細胞は，それぞれの種類によって異なる働きをします。白血球は感染症に対抗します。白血球の数が十分でないと，感染しやすくなることが予想されます。先にも触れましたが，正常な白血球の数は，6000から１万の範囲内です。白血球の数が3000を下回るような際，主治医の先生は血液内科医にすぐ相談されるでしょう。カルバマゼピンを服用中の患者さんのほぼ10％程度に，白血球の減少が見られ，数が3500を下回ることもよくあります。しかし，白血球の数の低下が深刻な問題へと進展することは稀であることを承知していることで，安心できるかもしれませんね。カルバマゼピンが，当患者さんに効くようであれば，白血球数が1000を超えて維持されている限り，たいていの医師は処方を継続するでしょう。しかしながら，白血球がこの数量を下回ると非常に危険です。したがって，白血球数が低下し始めたら，血球数をより頻繁に確認する必要があるでしょう。

カルバマゼピンを服用中は，赤血球や血小板の数も減少することがあります。赤血球には酸素を運搬する働きが，血小板には出血を止める働きがあります。赤血球の数が大幅に減少すると，貧血症になることが予想されます。顔色が青白くなり，疲労感を覚えるようになるかもしれません。一方，血小板の数が減少すると，出血しやすくなります。アラン・シャツバーグ博士と彼の同僚[1)]は，血球数のこのような変化が予想されることを指摘し，患者さんに対する十分な教育と定期的な血球数測定こそが，変化を確認する最善の方法であると強調します[1]。カルバマゼピンを服用中の方は，白血球，血小板もしくは赤血球の変化を示唆する次のような症状が現れたら，必ず主治医の先生に直ちに知らせるようにしてください。たとえば，発熱，喉または口の中の痛み（感染の可能性があります），打撲傷または出血（血液中の血小板が減少している可能性があります），もしくは唇や指の爪の血色が悪く，疲労感を覚える（貧血の疑いがあります）などの症状です。

極めて稀なケースですが，カルバマゼピンが，致命的ともなりかねない，危険な骨髄の機能不全を起こすことがあります。このようなケースでは，すべて血液細胞の数が危険なまでに減少することが考えられます。とえはいえ，このように重症で危険な骨髄機能不全が起こる確率は，およそ1万人に1人から，12万5000人に1人であろう，というのが最近の推定ですから，この合併症がいかに稀であるか，おわかりいただけるのではないかと思います。

カルバマゼピンが最初に導入されたとき，この合併症の可能性に多くの内科の医師たちは震え上がり，当然のことではありますが，この薬の使用に乗り気ではありませんでした。実際のところ，カルバマゼピンを処方している医師の中では，神経学者がずば抜けて多いのです。これは，カルバマゼピンが，三叉神経痛はもちろん，てんかんの治療に非常に有効だからです。現在，神経学者はこの薬の経験を深め，十分安心して使用しています。内科の医師たちのなかにも，この薬の安全性を自覚し始めている人が増えつつあります。

カルバマゼピンの副作用

カルバマゼピンの多くの，一般的もしくは重要な副作用については，256-257ページの表20-12に挙げています。最も一般的な副作用は疲労感で，治療の開始時に特によく見られます。患者さんの３人に１人に疲労が見られ，虚弱を訴える方もいます（５％）。これらの副作用は，増量スピードを緩めることで，軽減することが可能です。眠気は，通常，時間と共に徐々に薄らいできます。眠気といっても，通常は貧血が原因によるものではなく，単にこの薬の鎮静作用によるものです。

患者さんのおよそ10％が，特に起立時において，眩暈《めまい》を報告されています。これは立ち上がった際に，両脚に血液が溜まる傾向があることから，一時的に血圧が低下することが原因です。結果的に心臓が脳へ汲み上げる血液が十分でなくなり，眩暈を生じることになるのです。このような症状に対しては，立ち上がる際にはゆっくりとするようにし，立ち上がったら，すぐにその場で両脚を動かすこと（足踏みなど）で，たいてい軽減することができます。このようにして，両脚をぎゅっと「しぼって」，血液を心臓へまわし，今度は心臓がその血液を，ポンプのように脳へ引き上げることができるようにするのです。

表をご覧になると，カルバマゼピンによって，ときどき筋肉運動の整合に問題が生じることがおわかりいただけるかと思います。これは実に25％もの患者さんに報告されています。少々酔っ払ったような症状が見られ，歩くときにふらつく傾向があります。これは，服用量が多すぎることを示している場合があります。超過用量が原因によるものとしては，この他，呼吸が遅くなる，または乱れる，心臓の鼓動が速まる，さらには血圧が変化するなどの症状に伴い，物が二重に見える，不明瞭な話し方，精神的混乱，筋肉のけいれん，震え，落ち着きのなさ，及び吐き気などが表れます。これらの症状が生じたら迅速な手当てが必要です。なぜなら，極端なケースで，超過服用が麻痺，昏睡，さらには死をも招く恐れがあるからです。

最初，多少，吐き気と嘔吐が生じることがあるかもしれません。

これらの副作用は，通常一時的なものですし，増量スピードを緩め，薬を食事と一緒に服用することで，たいていうまく対処できます。バルプロ酸やリチウムと比べれば，これらの副作用はおそらく少ないと思います。数週間ほど，カルバマゼピンの服用を継続された後は，もうほとんどこのような副作用は聞かれなくなります。

三環系抗うつ薬同様，カルバマゼピンによっても，ときどき，口の渇きや目のかすみが生じることがあります。これはカルバマゼピンが，脳内のコリン受容体（ムスカリン受容体とも呼ばれます）を抑制することが原因です。このような抗コリン作用は，緑内障で眼圧が上昇している患者さんにとっては，重大な懸念となります。なぜなら，カルバマゼピンによって，緑内障が悪化する恐れがあるからです。したがって，緑内障の患者の方はカルバマゼピン（または抗コリン作用をもつ薬なら何であろうと）を服用中は，慎重に眼圧をチェックしてください。

腎臓関連の副作用は，抗利尿ホルモン不適合分泌症候群(SIDH)，すなわち水中毒と呼ばれます。精神的混乱と血液中のナトリウム濃度の低下を伴い，非常に喉が渇くようになります。この副作用は，カルバマゼピンを服用されている患者さんの，実に 5%にものぼる方々に報告されています。過剰な喉の渇きが生じた場合，ナトリウムが減少していないかどうか確認するために，電解質検査の指示が出されるかもしれません。また，カルバマゼピンの服用量の減少，別の薬への変更，もしくはデモクロサイクリン（レダマイシン）と呼ばれる薬による治療などの対応が求められることも考えられます。デモクロサイクリン(レダマイシン)によって，血液中のナトリウム濃度の低下を是正し，この問題を解消できることがしばしばあるのです。おそらく，尿素窒素(BUN) とクレアチニンの濃度を確認することで，ときどき，腎臓機能のチェックが行なわれることになるでしょう。

カルバマゼピンは，心臓に副作用を与える可能性が考えられます。年齢が50歳を超えている方は，薬を服用し始める前に心電図（ECG）を受けるべきでしょう。その後，薬を服用して状態が落ち着いたら，再度ECGを受け，重大な性質の変化が何も見られないことを確認することも必要です。というのも，カルバマゼピンが原因で心臓のペースが遅くなることがしばしばあるからです。このような変化は，年配の女性に比較的多く見られるようです。心臓病の病歴がある方は，心臓への影響がより少ないバルプロ酸などの，別の気分安定薬を服用したほうがよいかもしれません。

カルバマゼピンを服用している患者さんの実に5%から10%に，発疹が表れることがあります。表20-12をご覧になると，いずれの気分安定薬でも（多くの抗うつ薬同様），発疹を引き起こす可能性があることがおわかりいただけるかと思いますが，カルバマゼピンでは，やや多いように思われます。直射日光を避ける（直射日光は，発疹の引き金となることがあります），抗ヒスタミンを服用する，または別の種類のカルバマゼピンに変更するなどの対処が役立つこともあります。これは，カルバマゼピン自体に原因があるのではなく，薬の中に含まれる何らかの成分に対し，患者さんがアレルギーをもっていることが原因と思われます。極めて稀なケースですが，致命的ともなりかねない2つの重大な肌の発疹（ライ症候群とスティーブン・ジョンソン症候群と呼ばれます）が，カルバマゼピンを服用中の患者さんに起こることが報告されています。肌に何か重大な変化が表れたら，必ずすぐ主治医の先生に報告するようにしてください。

多くの他の精神病薬同様，カルバマゼピンも先天性の欠陥を引き起こす可能性があります。特に考えられるのは，脊椎分離型ですが，最近では，他にも多数の致命的異常が報告されており，妊娠初期の 3 カ月間に薬を服用した場合に，その可能性があるようです。したがって，妊娠中に敢えてこの薬を服用するのは，あくまで，このような危険をおかしてでも期待される利益のほうが遥かにそれを上回っていることが明白な場合に限るべきでしょう。しかも，カルバマゼピンを，他の抗けいれん薬と一緒に用いると，その危険性は著しく高まるようです。したがって，妊娠中の女性で，どうしてもこの薬が必要な場合は，先天性の欠陥が生じる確率を抑える効果が期待できる葉酸を勧める専門家もいます。

カルバマゼピンは母乳中に分泌されます。母乳中のカルバマゼピンの濃度は，血液中でおよそ 60%ほどになりますから，授乳については，小児科の医師と相談するべきでしょう。

カルバマゼピンの薬物相互作用

285-286 ページの表 20-14 をご覧いただくと，多くの薬がカルバマゼピンの血中濃度に影響すると共に，その逆もあり得ることがおわかりいただけるかと思います。したがって，この点については，主治医共々，よく注意していることが必要でしょう。表の最上段は，カルバマゼピンの濃度と毒性を高める恐れのある薬です。これらの薬のいずれかを服用中の方は，カルバマゼピンの服用量を減らす必要があるかもしれません。たとえば，マクロライド抗生物質（その一般的な例がエリスロマイシンです）によって，カルバマゼピンの血中濃度と毒性が 2 倍になることもあるのです。

表 20-14 からは，利尿薬（水薬）や他の抗けいれん薬など，薬によってはカルバマゼピンの濃度を低める可能性が考えられるものもあることがおわかりになるでしょう。これを補うために，カルバマゼピンの服用を増やさなければならなくなることもあるかもしれません。

ある種の薬によって，カルバマゼピンの血中濃度が上昇，または低下することがあるのとちょうど同じで，カルバマゼピンによっても，患者さんが現在服用中の，他の薬の濃度に変化が生じる可能性があります。表中の，次に挙げられているのは，カルバマゼピンと一緒に用いると血中濃度が下がることが考えられる薬です。これは，カルバマゼピンによってこれらの薬を代謝する肝臓酵素が刺激されることが原因です。結果的に，肝臓は通常よりも速いスピードで，これらの薬を排出することになるのです。これでは，バスタブに水をいっぱいにしようとしている最中に，その一方で栓を引き抜いてしまうようなものです。水は適切な量に到達できなくなってしまうかもしれません。

その1つの重要な例が，避妊薬でしょう。血中濃度が低下した結果，避妊薬は効果を失います。常日頃避妊薬を飲み続けているにもかかわらず，妊娠してしまうかもしれないのです。表中には，この他，カルバマゼピンと一緒に用いた場合，濃度が下がることが考えられる薬として，幾つかの抗うつ薬，抗精神病薬，抗けいれん薬，抗生物質，抗ホルモンなどが挙げられています。

薬物相互作用は，ときどき，双方向で起きることがあります。つまり，ある薬によってカルバマゼピンの血中濃度が下がることがあると共に，逆にカルバマゼピンによって，そのもう一方の薬の血中濃度が下げることもあり得る，ということです。たとえば，ハロペリドール（セレネース）は，躁病に対してしばしば用いられる薬ですが，このような抗精神病薬を服用している場合，ハロペリドールによって，カルバマゼピンの濃度が低下することがあるのです。と同時に，カルバマゼピンによっても，ハロペリドールの血中濃度が大幅に低下することも考えられます。結果的に，どちらの薬も適切に作用しなくなり，躁病を十分にコントロールすることができなることがあるのです。そのため，両方の薬の血中濃度を見定めるために血液検査を行ない，双方の薬の服用量を

表 20-14　カルバマゼピンの薬物相互作用 [a]

特記：このリストは完全なものではありません。薬物相互作用については日々新たな情報が発表されています。リチウムと他の薬剤を併用する場合は，医師または薬剤師に薬物相互作用の有無について確認してください。

カルバマゼピンの血中濃度を低下させるかまたはリチウム毒性を増強する薬剤				
アセタゾラミド(ダイアモックス) 抗生物質(マクロライド) •アジスロマイシン(ジスロマック) •クラリロマイシン(クラリシッド) •エリスロマイシン(エリスロシン) •トロレアンドマイシン(Tao) •その他のマクロライド抗生物質	抗生物質(その他) •ドキシサイクリン(ビブラマイシン) •テトラサイクリン(アクロマイシン) •ケトコナゾール(ニゾラール) •イソニアジド(INH) 抗けいれん薬 •バルプロ酸(デパケン)	抗うつ薬(SSRI) •フルオキセチン(Prozac) •フルボキサミン(ルボックス) •サートラリン(Zoloft) •その他 抗うつ薬(その他) •ネファゾドン(Serzone) シメチジン(タガメット)	Ca拮抗薬 •ジルチアゼム(ヘルベッサー) •ベラパミル(ワソラン) ダナゾル(ボンゾール) デキストロプロフォキシフェン(Darvon) 高脂血症治療薬 •ゲミフィブロジル(Lobid) •イソニコチン酸 •ナイアシンアミド •ニコチンアミド	リチウム メキシレチン(メキシチール) プレドニゾロン(ファルネラート) プロポキシフェン(Darvon) テルフェナジン(Seldane) ヴィロキサジン

カルバマゼピンの血中濃度を低下させる薬剤	
抗けいれん薬 • エトスクシミド（ザロンチン） • フェニトイン（アレビアチン） • プリミドン（マイソリン） バルビツール • フェノバルビタール • その他	利尿薬 フェタニール（Duragesic） 抗精神病薬（神経遮断薬） • ハロペリドール（セレネース） メタドン

低下させる薬剤

カルバマゼピンとの併用で血中濃度が低下する薬剤			
アセトアミノフェン(タイレノール) 抗生物質 •ドキシサイクリン(ビブラマイシン) •サイクロスポリン(サンディミュン, ネオラール) 抗けいれん薬 •フェノバルビタール •プリミドン(マイソリン) •フェニトイン(アレビアチン) •バルプロ酸(デパケン)	抗うつ薬 •ブプロピオン(Wellbutrin) •イミプラミン(トフラニール) その他 抗精神病薬 •ハロペリドール(セレネース) •その他	ベンゾジアゼピン(抗不安薬) •アルプラゾラム(ソラナックス, コンスタン) •クロナゼパム(リボトリール) •その他 コルチコステロイド •デキサメタゾン(Decadron) •メチルプレドニゾロン(Medrol) •プレドニゾロン(ファルネラート)	緊急挿管筋弛緩薬 •パンクロニウム(ミオブロック) •ベクロニウム(マスキュラックス) フェナチル(Duragesic) メベンダゾール(メベンダゾール) メタドン(Dolophine) 経口避妊薬 テオフィリン(テオドール) 甲状腺ホルモン ワーファリン(Coumadin)

その他のカルバマゼピン薬物相互作用

薬　剤	作　用
クロザピン(クロザリル)	骨髄抑制の発現可能性が増大
ジギタリス, ジゴキシン(ラノキシン)	レベルが上昇し, 毒性を引き起こして心臓機能を弱める可能性がある
モノアミン酸化酵素阻害薬(MAO阻害薬)	セロトニン症候群(発熱, 発作, 昏睡)

a　本表作成にあたっては、Psychotropic Drugs Fast Facts の 213-215 ページ [17] の資料を一部参考にしました。この資料は多くの方々に推薦できる良質の参考文献です。

適切に調整する必要があるかもしれません。カルバマゼピンは，おそらく，他の抗うつ薬に対しても同様の作用を及ぼすことが予想されます。

最後に，表の最下段に挙げられているのは，カルバマゼピンと一緒に用いると危険な相互作用を引き起こす薬です。カルバマゼピンとの組み合わせで特に避けなければならないのが，180 ページでもご説明しました，MAO 阻害薬の幾つかの薬です。この組み合わせは，セロトニン症候群という，致命的ともなりかねない危険を伴いますから，絶対に避ける必要があります。

表 20-14 をご覧になると，実に冗長でくどい，とお感じになられるかもしれません。しかし，これでもまだ包括的にすべてを網羅しているとはいえないのです。なぜなら，新しい薬や薬物相互作用についての新しい情報は，日々明らかになりつつあるからです。先にも触れましたが，起こり得る可能性がある薬物相互作用のうち，既に研究が行なわれたのはほんの一握りにすぎません。この問題についての私たちについての知識は，現在急速に拡大しつつあるのです。

カルバマゼピンと重大な相互作用を起こす薬は，他にもまだあるかもしれませんから，現在服用中の薬については，すべて主治医に知らせてください。そして，それらのうちどれか，カルバマゼピンと相互作用を起こすものがないかどうか，はっきり尋ねしてみてはいかがでしょうか。

●その他の気分安定薬

最近まで，双極性病の治療に用いられる薬といえば，リチウム，バルプロ酸及びカルバマゼピンが，その主なものでした。この頃では，新しい薬も合成され，双極性障害の患者さんの治療に利用できる場合もあります。これら新しい薬の多くは，本来，てんかんの治療用に開発された抗けいれん薬でした。しかし，そのうち2つは，既に双極性（躁うつ）病の治療に利用されていますし，他の多くも，今後数年間のうちには，間違いなく利用が可能となるでしょう。

双極性病の治療はもちろん，ひょっとしたら他の精神病障害の治療用としても，強力な新手段を提供してくれそうなものが，少なくとも幾つかありそうです。

これらの新しい薬は(先にご説明した3つの気分安定薬と同様)，抗うつ薬とはかなり異なり，脳内のセロトニン，ドーパミン及びノルエピネフリンの濃度を著しく上昇させることはありません。その代わり，これらの薬には，GABA（ガンマ･アミノブチル酸）を刺激するか，さもなければグルタミン酸として知られる，伝達物質を抑制する作用があります。GABAとグルタミン酸は，脳の神経の大部分によって使用されます。GABAを刺激する抗けいれん薬には，眠気を催す傾向があります。先にご説明したバルプロ酸もそうですし，ガバペンティン（Neurontin），チアガビン（Gabitril），ヴィガバチン（Sabril），及びその他の幾つかの薬もこの部類に入ります。一方，グルタミン酸を抑制する抗けいれん薬には，興奮や不安を引き起こす傾向が見られます。フェルバメート(Felbatol)，ラモトリジン(Lamictal)，トピラメート(Topamax)他，幾つかの薬がこの部類に入ります。

これらの薬が，なぜ，またどのようにしててんかんを防ぎ，躁うつ病を鎮静させるのか，はっきりとはわかっていませんが，脳内のGABAシステムとグルタミン酸システムには，互いに競合し合う傾向があることが知られています。GABAを刺激するか，さもなければグルタミン酸を抑制する薬が，てんかんや双極性病に効果を発揮するのも，そこに理由があるからかもしれません。

たいていの抗けいれん薬は，脳内の神経膜組織を横切ってナトリムが輸送されるのを抑制する働きがあります。ナトリムは，ご存知のように食卓塩中に存在し，液体に溶解したときに小さな陽電荷を帯びることから，イオンとして知られています。神経の電気的刺激は，神経膜組織のイオン経路が開き，ナトリウムやカリウムのような陽電荷を帯びたイオンが突然膜組織を横切り，一気に流れ出した結果生じます。このようなイオンの流れが，神経において電気的刺激を生み出すのです。ところがこれらの薬は，このナトリウム経路を阻害することで，神経の興奮を抑え脳内における神経の伝達を安定させるのかもしれません。ほとんどすべての抗けいれん薬にこの特性が認められることから，これらの薬は，ときどき「ナトリウム阻害薬」と分類されることもあります。これらの新しい薬はなぜ躁うつ病の突然の発作を防止し，病気を安定させる効果があるのかという問いに，このナトリウム阻害作用は，1 つの説明を与えてくれるかもしれません。

もちろん，新しい薬のほぼすべてに予期せぬ利益と害がついて回ることは当然ですし，それについては，新しい抗けいれん薬も，決して例外ではありません。てんかんや双極性病の患者さんに，最も有望な薬は何か特定できるまでには，まだまだかなり多くの試験が必要でしょう。ガバペンティン（Neurontin）と呼ばれる，新しい薬の 1 つをめぐり，現在かなりの興奮が湧き上がっています。というのも，この薬は副作用が極めて少なく，これまでの経歴を見ても，見事なまでの安全性を誇っているのです。しかも，仮にも何か有害な相互作用が認められたとしても，ほんの些細なものにすぎず，ほとんどないといってもいいくらいです。加えて，この薬には，先述の，3 つの気分安定薬のような血液検査は必要ありません。

現在のところ，FDA は，ガバペンティンをてんかんの治療用のみに限って承認しています。精神病障害に対しては，まだ正式に認められていませんが，多くの精神科医が，他の薬では効果がなかった難病の双極性病の患者さんに対し，ガバペンティンを処方し始めています。ガバペンティンの最終的な役割については，臨床経験と，よく管理された結果研究による判断を待つ必要があるでしょう。

気分障害の治療におけるガバペンティンの使用について，1997年に少なくとも8つの研究が発表されました。引き続き，この数年間のうちには，さらにずっと多くの研究が発表されることは間違いないでしょう。既に発表されたこれらの研究では，ガバペンティンが多くの双極性病患者さんに効果的だったと報告されています。また，ガバペンティンには，抗うつ，抗不安特性も認められるようですから，PMS（月経前症候群），パニック障害，及び社会恐怖症はもちろん，慢性的痛み（偏頭痛もそうです）の治療にも有効かもしれません。

ガバペンティンの服用量

てんかんに対して現在用いられているガバペンティンの服用量は，1回300mgから600mgを毎日3回，1日あたりの総服用量は，およそ900mgから2000mgの範囲内です。双極性の患者さんについての研究では，平均して1日薬700mgが服用され，なかには1日3600mgも与えた研究者もいました。

胃腸管からのガバペンティンの吸収は，食物による影響を受けません。しかしながら制酸薬のマーロックスは，ガバペンティンの胃からの吸収を，約20%減らす可能性があります。したがって，マーロックスを服用した後にガバペンティンを服用する場合は，少なくとも2時間は間を置いてからにすべきです。

5時間から7時間以内には，服用したガバペンティンの約半量が身体から消失します。したがって，1 日の総量は，1 度にすべてを服用するのではなく，数回に分けて服用する必要があります。1 回に高用量のガバペンティンを服用しても，実際に胃腸管から血液中に吸収されるのは，それよりも少なくなります。たとえば，1 回に 100mg を服用した場合には，100%吸収されるのに対し，1 回に 400mg を服用すると，その 75%しか吸収されないのです。とはいえ，ガバペンティンを服用する場合には，おそらく 1 日数回に分けて服用することになるでしょうから，実際的な視点からは，これは別に心配するべき問題ではないでしょう。

新陳代謝の相違から，男女で必要な服用量は異なると考える証拠はまったくありませんが，年齢が 70 歳を超える方は，若い方々に用いられる服用量の半分ほどでいいかもしれません。これは加齢に伴い，腎臓機能が変化するからです。ガバペンティンは腎臓によって排出されますから，腎臓機能が低下している方は，より少ない服用量で十分だ，と予想されるのです。

リチウム，カルバマゼピン及びバルプロ酸と異なり，ガバペンティンの場合，血液検査は必要ないようです。これも，この薬のもう 1 つの利点といっていいでしょう。

ガバペンティンの副作用

主な副作用については，295 ページの表 20-15 に挙げています。眩暈，震え，筋肉運動の整合に関する問題，体重の増加，及び幾つかの視覚的な副作用に加え，先にも触れましたが，眠気が生じることがわかるかと思います。これらの副作用はすべて，服用量に比例し，服用量が多ければ多く，少なければ副作用も少ないといえます。全体的に見て，ガバペンティンの副作用像は，決して悲観的になるようなものではありませんし，現在入手可能な他の気分安定薬と比較した場合，特にそういえるでしょう。

表 20-15 で引用した研究では，既に 1 つないしそれ以上の，他の抗けいれん薬を服用されているてんかんの患者さん方に，さらにガバペンティンも服用していただいています。したがって，実際にガバペンティンが原因による副作用は，これよりも低いことになるでしょう。いずれの副作用についても，もっと現実的な評価を手に入れるためには，ガバペンティンを服用したグループから得られた数値から，偽薬を服用したグループにおける数値を差し引くのが最もよい方法です。たとえば，ガバペンティングループの 11.0％に疲労が認められたのに対し，偽薬グループでこの服作用が認められたのは 5.0％でした。これらの数値の差である 6.0％こそが，純粋にガバペンティンが原因による疲労の真の発生率をより適切に評価しているといえます。

ほぼすべての向精神薬についていえることですが，ガバペンティンも，妊娠中の女性に用いる際には厳重な注意を払うべきです。妊娠中の女性の体内で，ガバペンティンが発育中の胎児にどのような副作用を及ぼすかということについて，十分に管理された研究は 1 つもありません。しかし，妊娠したネズミやウサギにガバペンティンを投与したところ，致命的な異常が観察されたのです。動物実験が必ずしも常に，人間の反応を予言するわけではありませんが，妊娠中の女性に対するガバペンティンの使用は，どうしてもこの薬が必要な場合と，期待される利益が発育中の胎児に対して懸念される危険を上回る場合に限るべきでしょう。ガバペンティンが人間の母乳に分泌されるかどうかについては，まだ定かではありません。しかし，多くの薬が人間の母乳に分泌されることから，ガバペンティンも，授乳中の母親への使用は避けるのが，おそらく賢明ではないでしょうか。いずれにせよ，この危険については，主治医とよく話し合う必要があることは確かです。

ガバペンティンの薬物相互作用

ガバペンティンには，1 つ少々珍しく好ましい特性があります。ガバペンティンは，肝臓によって代謝されますが，腎臓によって変化されることなく，直接尿中に排出されるのです。この理由から，他の薬と逆の相互作用を起こすことはないように思われます。以前に，すべての抗うつ薬と気分安定薬が他の多くの薬と相互作用を起こすと申し上げたことを覚えているでしょうか。これは，これらの薬が肝臓のある種の代謝酵素をめぐって互いに競い合うことが原因です。ところがガバペンティンについては，これは問題になりませんから，ガバペンティンを他の薬と一緒に用いるほうが遥かに安全ということになります。実際，多くの専門家は，ガバペンティンの場合，他の薬と代謝をめぐる相互作用を一切起こすことはないと確信しています。ガバペンティンは，他の薬で効果がなかった双極性病やてんかんの難解な症例の患者さん方に対し，他の気分安定薬と組み合わせて用いることができるというのは，1 つの利点といえるでしょう。

ガバペンティンには，確かに非常に魅力的な特性が幾つかあります。では，難点についてはどうでしょうか？ ときどき新しい薬が，かなりの期間に亙って広く使用され，当初の興奮が冷めてきた頃になって問題が浮上してくることがあります。ガバペンティンとて，決してその例外ではないかもしれません。既に 1 つ，神経学者や精神科医のなかから，この薬がてんかんと双極性病のどちらに対しても特に効果的というわけではないという懸念が寄せられています。これは少々がっかりです。なぜなら，この薬は非常に副作用が少ないですし，他の薬ともほとんど相互作用を起こさないからです。私の同僚で，ガバペンティンについて経験豊かなある女性は，この薬が極めて優れた鎮静作用とリラック効果をもつうえに，習慣性がないことから，不眠症の患者さんを助けるために主に使っていると話してくれました。残念ながら，この薬には，双極性患者さんの主要な気分安定薬となり得るほどの威力はないかもしれないが，それでも他の薬と一緒に組み合わせて用いることで価値が出てくるだろうと彼女は感じています。

別の新しい抗けいれん薬，ラモトリジン（Lamictal）も，FDAによって，てんかんの治療用に承認されています。ガバペンティン同様，ラモトリジンも，治療抵抗性双極性障害に用いられてきました。アラン・シャツバーグ博士と同僚[1]は，ラモトリジンについて，精神病の患者さんに行なわれた正式な研究はほとんどないため，その効果についてもいまだ逸話的なものが大半を占めている現状を指摘しています。しかも，ラモトリジンには，幾つかの重大で，厄介な副作用があります。特に，発疹と皮膚反応は，ラモトリジンを服用している成人の，実に5%にものぼる方々に生じるのです。これらの発疹のほとんどは，危険なものではありませんが，1%から2%の確率で，スティーブン・ジョンソン症候群として知られる，生命の危険を伴う重症の皮膚反応が起きる恐れがあります。これらの皮膚反応は，成人の患者さんよりも，小児科の子供たちにより多く見られることから，16歳未満の患者さんへの，ラモトリジンの使用は避けるべきでしょう。ラモトリジンを，高用量もしくはバルプロ酸などの他の薬と一緒に服用すると，先ほどの恐ろしい皮膚反応が起きる確立が，よりいっそう高まる恐れがあります。市場化前の試験では，ラモトリジンを服用中の5人の患者さんが，肝不全もしくは多臓器不全で亡くなっています。

ラモトリジンは，他にも多くの副作用を起こします。頭痛と首の痛み，吐き気と嘔吐，眩暈，筋肉運動の整合性の喪失，眠気，睡眠障害，震え，憂うつな気分，不安，苛々，発作，発話困難，記憶障害，鼻水，発疹，痒み，物が二重に見える，目のかすみ，

表 20-15　ガバペンティンの副作用

特記：この表の作成にあたっては，1998年版のPhysician's Desk Reference（PDR）を参考にしました。これらの臨床試験では，ガバペンティンとプラセボ（偽薬）はすでに少なくとも1種類の抗てんかん薬の服用経験のあるてんかん患者に投与されました。他に薬剤を服用していない患者には副作用の発現が比較的少ないものと思われます。最も一般的な副作用のみ掲示しました。

	ガバペンティン治療群（n=543）	プラセボ治療群（n=378）
消化器系		
体重増加	2.9 %	1.6 %
口渇	1.7 %	0.5 %
胃の不調	2.2 %	0.5 %
エネルギー		
疲労感	11.0 %	5.0 %
眠気	19.3 %	8.7 %
神経系		
めまい	17.1 %	6.9 %
協調運動障害	12.5 %	5.6 %
振戦	6.8 %	3.2 %
構音障害	2.4 %	0.5 %
記憶障害	2.2 %	0.0 %
眼		
眼振	8.3 %	4.0 %
二重結像	5.9 %	1.9 %
かすみ目	4.2 %	1.1 %

膣感染などです。しかも，ラモトリジンは肝臓によって代謝されることから，他の薬とも数多くの相互作用を引き起こします。ラモトリジンは，多くの副作用を起こすうえ，なかには危険なものもあることから，その使用にあたっては，厳重な注意が必要です。先述の，より確立された気分安定薬では効果がなかった患者さんはともかく，それ以外の方々への使用は，この薬についてもっと明らかになるまで，おそらく控えるべきでしょう。

処方された抗うつ薬が効かなかったら どうしたらいいのでしょうか？

先にも強調して申しあげましたが，薬物療法や心理療法を含め，どのような治療であろうと，ご自身に対する治療の効果を確認するために，第2章でご紹介したような，気分テストをお受けになることをお勧めします。週に1回，もしくはそれ以上でもかまいません。ご自身の得点を追ってみてください。治療が効いているのかどうか，効いているとしたらそれはどの程度なのか，得点から知ることができるでしょう。治療の最終的な目標は，これらの得点が大幅に下がることです。最終的には，得点が正常と見なされる範囲内に収まってほしいですし，幸せと見なされる範囲に達することができれば理想的です。

しかし，もし薬が効果なかったら，多少あったとしてもごく僅かにすぎなかったら，どうしたらいいのでしょうか？

1. 薬を正しく服用してきたかどうか，確認してください。次の点を自分でチェックしてみましょう：
   - 服用量は十分だろうか？

- 服用期間は十分ですか？

2. 抗うつ薬の効果を失わせるような薬物相互作用は，一切ないことを確認してください。たとえ正しい量の抗うつ薬を服用していても，他の薬で，抗うつ薬の血中濃度を低下させる可能性が考えられるものがあることを忘れないでください。何であろうと，他に服用している薬がある方は，そのことを主治医に知らせてください。
3. 後ほど詳しくご説明しますが，何らかの強化療法について，主治医の先生共々，検討されてもいいかもしれません。
4. これらの方法もうまくいかなかったら，その薬については継続を断念し，別の抗うつ薬を試してみることができます。
5. 本書でご説明した方針にそって，心理療法を単独，もしくは薬と組み合わせて用いることで，薬だけを用いた治療よりも，遥かに大きな効果を期待できることがしばしばあります。

それでは，これらの原則をそれぞれ検討してみましょう。第 1 に，服用量が十分であることを確かめる必要があります。何らかの理由で，抗うつ薬の血中濃度が低すぎると，薬の望ましい効果をあまり期待できなくなってしまうでしょう。とはいえ，薬というのは，あまりに量が多すぎても，やはり効果的でなくなることがあります。これは，過剰に高用量での副作用が，抗うつ効果を打ち消してしまう場合があるからです。抗うつ薬の量に対する配慮が重要なのは，人によってこれらの薬の代謝能力が非常に大きく異なるからです。つまり，ある薬をある一定量与えたとしても，それぞれの人によって，薬の血中濃度に劇的な違いが出てくる可能性があるということです。実際，三環系抗うつ薬の場合，同じ薬を 2 人が同等量服用したとしても，30 倍もの差が見られることもあります。このようなことは，当の2人の人物が性別，身長，体重，いずれにおいても同じ場合でさえ，起こり得るのです。

血中濃度のこのような違いは，胃腸管からの薬の吸収のされ方や，血液からの薬の排出速度が人によって異なる結果，生じることが考えられます。遺伝学も何らかの役割を担っているでしょう。たとえば，西ヨーロッパ及びアメリカ合衆国の白色人種のおよそ5％から10％は，CYP2D6（P450）と呼ばれる肝臓酵素をもっていませんし，アジア人種の20％は，CYP2C19[23)]と呼ばれる酵素をもっていません。これらの酵素には，多くの抗うつ薬も含め，実にさまざまな薬の代謝を助ける働きがあります。したがって，これらの酵素のいずれかが欠けている人は，標準的な人とほぼ同じ程度の速度で，これらの薬を排出することができないため，ある種の抗うつ薬の濃度が劇的に上昇することがあるのです。

肝臓，腎臓，または心臓の病気など，身体状態も抗うつ薬の血中濃度に影響します。年齢も重要な意味をもち得ます。平均的に，子供と高齢者はたいていの薬で必要な用量が減少します。たとえば，65歳を超える患者さんが，SSRIの幾つかの薬や，シタロプラム（Celexa），フルオキセチン（Prozac），及びパロキセチン（パキシル）を服用すると，その血中濃度は，まったく同じ量を服用しているより若い患者さんと比べ，およそ2倍になる場合もある，と以前申し上げたことを思い出される方もいるかもしれません。ときどき，性別が関係することもあります。先にも触れましたが，男性がフルオキセチン（Prozac）やサートラリン（Zoloft）を服用すると，これらの薬を同量，服用している女性と比較し，血中濃度が30％から50％低くなることがあるのです。

個人的な習慣，現在服用中の他の薬，いずれにしても抗うつ薬や気分安定薬の血中濃度に影響を及ぼすことが時折あります。たとえば，夏の期間中，汗を大量にかいているような場合，リチウムの血中濃度が上昇することがありますから，薬の処方量を減らす必要があるかもしれません。また，喫煙者の場合はニコチンの影響で体内における三環系抗うつ薬の破壊速度が速まることが予想されます。結果的に，これらの抗うつ薬をより多く服用しなければならなくなるかもしれません。表 20-5 には，他にも，三環系抗うつ薬の破壊速度を速める可能性がある多くの薬を掲載しています。対照的に，この表には，肝臓による三環系抗うつ薬の代謝速度を遅くし，抗うつ薬の血中濃度を過剰に上昇させる恐れのある薬も幾つか挙げています。忘れてはならないことは，これらの薬物相互作用は両方向に作用し得るということ，つまり，抗うつ薬ないし気分安定薬が，現在服用している他の薬の濃度や活性に影響を与える可能性があると共に，その逆もまた起こり得るということです。

したがって，ある特定の薬が有効に作用しているかどうか判断する前に，まずは主治医の先生と共に薬の服用量を再度よく検討しなおしてみることが必要です。複数の薬を服用されている方は，薬物相互作用の可能性について，主治医に尋ねてください。血中濃度が適切であるかどうか確かめるために，主治医の先生から，血液検査の指示が出されるかもしれません。気分安定薬，三環系及び四環系抗うつ薬の場合は，表 20-1 に掲載の，他の種類の抗うつ薬と比べ，より頻繁に，血中濃度テストが行なわれることになるでしょう。

血中濃度が適切で，しかも既に十分な期間服用してきたにもかかわらず，抗うつ薬の効果がまだ見られていないという場合，別の種類の抗うつ薬への切り替え，もしくは強化療法を試みることになるかもしれません。強化療法の場合は，抗うつ薬の効果を高めるために，他の薬を少量，加えることになります。303-307 ページの表 20-16 には，最近流行の強化療法を数種類ほど挙げています。これについてすべてご説明することは，本書の域を越えていますので，これがどのような方法であるのか感触だけでも掴んでいただくために，この中の2つについてのみご説明することにしましょう。興味のある方は，シャツバーグと彼の同僚による，素晴らしい参考書をご覧になってはいかがでしょうか[1]。

強化療法によく用いられる薬は，リチウムと，リオチロニンと呼ばれる甲状腺ホルモン（チロナミン，またはサイロニン，T_3としても知られています）の2つです。リチウムについては，本章でも既にご説明しました。抗うつ薬の効果が十分に表れない場合，炭酸リチウムを1日600mgから1200mg，もしくはリオチロニンを1日25mgから50mg，抗うつ薬に加えることがあります。先にも触れましたが，リチウムは通常，双極性（躁うつ）病の治療に用いられ，リオチロニンは，甲状腺の機能が低下した患者さんの治療に用いられます。しかしながら，この場合，これらの薬を用いる目標は，これとは異なります――抗うつ薬をより効果的にすること，それが，リチウムないしリオチロニンを少量加える目的です。なぜリチウムとリオチロニンには，抗うつ薬の効果を高めるという，このような作用を及ぼすことがあるのかは明らかではありません。

リオチロニンの試験的使用は，たいてい，1週間から4週間ほど続けます。

それでよい効果があれば，さらにもう2カ月，リオチロニンを継続するかもしれません。その後はおそらく1，2週間ほどかけて，強化療法を徐々に廃止していくことになるでしょう。

強化療法に用いられるリチウムの量は，血液検査によって様子を見ながら血中濃度が1Lあたりほぼ0.5mEqから，0.8mEqの範囲内に維持されるよう調節していきます。この，1Lあたり0.5mEqから0.8mEqという量は，躁病を現在発病している患者さんの治療に用いられる量よりもやや少なめです。用量が少なければ，副作用も少ないという利益があります。リチウム強化療法は，一般的に2週間です。リチウムを三環系薬，SSRI及びMAO阻害薬と組み合わせて用い，好ましい結果が得られた，という報告が寄せられています。調査研究からは，抗うつ薬が効かない患者さんの実に50%から70%に，リチウムを加えると，好ましい効果が得られることが窺がえます。うつ病の状態にまったく改善が見られない場合は，現在用いている抗うつ薬はもちろん，リチウムについても，おそらく継続をやめ，別の薬を試みることになるでしょう。

困難なうつ病に対して，抗うつ薬同士の組み合わせ療法を用いる医師もいます。たとえば，新しい方法として，三環系薬が効かないときにSSRIを加える，もしくはSSRIが効かないときに三環系薬を加える，という方法があります。この組み合わせにより，三環系薬の血中濃度が大幅に上昇する可能性がありますので，最初，まず三環系薬の量を減らし，その後SSRIの服用を開始したら，血液検査で三環系薬の血中濃度を確認していくことになるかもしれません。また，心臓に逆効果が一切ないことを確認するために，ECGの指示が出されることもあります。

抗うつ薬組み合わせ療法として，三環系抗うつ薬にMAO阻害薬を組み合わせることもあるでしょう。これは専門家向けの高レベルな治療形態ですので，患者さんと医師との間の慎重なチームワークが必要です。先に，MAO阻害薬を他の抗うつ薬，もしくはリチウムと組み合わせた結果，危険な反応を招く可能性がある，と申し上げたことを覚えているでしょうか。Physician's Desk Reference（PDR）は，このような薬の組み合わせを控えるよう忠告していますが，シャツバーグと同僚は，この組み合わせが安全であり，単独の薬で効果がない患者さんのなかには，この方法が有効な方もいると，報告しています[1)]。安全性を最大限確保するために，これらの研究者は，次のように勧めています：(1) MAO阻害薬と三環系薬は同時に始めるべきである。(2) クロミプラミンは避けるべきである。(3) MAO阻害薬との組み合わせで用いるのに最も安全な三環系薬は，アミトリプチリン（トリプタノール）とトリミプラミン（スルモンチール）のようである。(4) 一般的に処方されている2つのMAO阻害薬のうち，三環系薬との組み合わせで用いるには，トラニルシプロミン（Parnate）よりもフェネルジン（Nardil）のほうが，より安全なようである。

表20-16には，極めて多数の付加的な強化療法を挙げています。このような抗うつ薬の組み合わせや，強化療法に関する，私自身の経験は限られていますが，今のところ，その結果に感銘を受けた覚えはありません。数多くの患者さんに，リチウムもしくは甲状腺ホルモン強化療法を試みたことがありますが，その誰1人として改善した様子は見られなかったのです。この方法を継続するよう，勧められるということもありませんでした。しかしながら，うつ病の患者さんで，異なる化学的分類の中から，数種類の抗うつ薬を，一度に1つずつ，試験的に十分な期間服用してみて，それでも効果がなかった場合には，抗うつ薬の組み合わせ，もしくは強化療法を試みる価値はあるかもしれません。

十分な量の抗うつ薬を適切な期間服用して，それでも効果がなかったら，次にどの抗うつ薬を試みたらいいのでしょうか？　好ましい効果が得られる可能性を最大限にするために，まったく異なる種類の抗うつ薬に切り替えられる医師が多いのではないか，と思います。抗うつ薬の種類が異なれば，脳に与える影響も若干，異なりますから，この考えは十分理に適っています。たとえば，フルオキセチン（Prozac）などのSSRIで効果がなかったら，イミプラミン（トフラニール）などの三環系薬を試みてみることも

表 20-16　抗うつ薬の増強戦略一覧表

特記：最左端のコラム及び左から2番目のコラムには，抗うつ薬の作用を増強する目的で少量追加される薬剤の種類が掲載されています。真ん中の3つのコラムは抗うつ薬の主なクラスを指し，チェックマークは少なくともこの増強戦略を支持する研究報告が精神医学専門誌に既に発表されていることを示します。いくつかの組み合わせは危険であり，専門医による研究環境での投薬が望まれます。この表の作成に当たっては the Manual of Clinical Psychopharmacology[1] を参考にしました。

増強薬剤	増強する用量	抗うつ薬の種類			コメント
		TCA	SSRI	MAO阻害薬	
アミノ酸					
イノシトール	6gm毎日2回	コメント参照	コメント参照	コメント参照	イノシトールは脳内ホスファチジルイノシトール（PI）系の前駆物質。現時点ではイノシトールを増強薬剤に使用した報告はない。しかしこの物質は抗うつ特性を有していると思われるため，近々増強薬剤として用いられるものと思われる[25]
L-トリプトファン	2-6gm/日	✓		✓	トリプトファンはセロトニンの脳内前駆物質。L-トリプトファンとMAO阻害薬またはSSRIとの併用は，セロトニン症候群を引き起こす可能性がある
フェニルアラニン	500mg-5gm/日	✓			フェニルアラニンは，ドーパミン及びノルエピネフリンの脳内前駆物質。少なくとも1名の専門家が，この薬剤による抗うつ薬の増強作用は無効との考えをとっている[1]

増強薬剤	増強する用量	抗うつ薬の種類			コメント
		TCA	SSRI	MAO阻害薬	
抗うつ薬					
ブプロピオン (Wellbutrin)	通常は低用量だが，300mg/日まで用いられたことがある[1)]		✓		ブプロピオンはSSRIの性的副作用を抑制するために用いられる。SSRIの作用を増強するという症例報告はあるが，統制された試験での報告はない[1)]。ブプロピオンとフルオキセチン(Prozac)の併用で発作が発現したとの報告文献が少なくとも1編ある
ブスピロン (BuSpar)	15mg-45mg/日		✓		ブスピロン(BuSpar)はフルオキセチン(Prozac)の作用を増強することを示したオープン試験[26)]が1つあるが，これを確認した二重盲検試験[1)]はない。ブスピロンはSSRIの性的副作用の抑制にも使われる
MAO阻害薬	フェネルジン(Nardil)では15mg/日(またはそれ以上)そしてアミトリプチリン(トリプタノール)では150mg(またはそれ以上)	✓			PDRの記述に拠れば，MAO阻害薬とTCAの併用は禁忌であるが，専門家による投薬では比較的安全と考えられる。二重盲検試験でこの組み合わせを有効とした報告はない。両方の薬剤とも同時に投与を開始する必要がある。アミトリプチリン(トリプタノール)とトリミプラミン(スルモンチール)は最も安全にMAO阻害薬と併用できるTCAで，フェネルジン(Nardil)とアイソカルボキサジド(Marplan)は最も安全なMAO阻害薬[1)]と思われる
SSRI	まずTCAの投与量を↓。ノルトリプチリン30mg/	✓			下記TCAのコメント参照

	日またはイミプラミン50-75mgが推奨				
TCA	TCA上乗せの場合，またSSRIで治療している患者に追加投与する場合はノルトリプチリン25mgまたはイミプラミン50mgを開始用量とし3日目以降は25mgずつ増量する[1]		✓	✓	MAO阻害薬とTCAの併用についての上記コメントを参照。デジプラミン(Norpramin)がSSRIの作用を増強するとの報告が何件かある[27,28]。SSRIはデジプラミンのレベル，副作用，毒性を大きく↑する可能性があるため，TCAの血中濃度検査を必ず実施する。TCAとSSRIの併用治療にはECGの注意深いモニターも不可欠である
トラゾドン(デジレル)	25-300mg/日		✓		トラゾドン(100mg　就眠前)は頻繁に睡眠改善の目的でフルオキセチン(Prozac)またはブプロピオン(Wellbutrin)に上乗せ投与される。この2剤が不眠を引き起こす可能性があるためである。しかしトラゾドン(デジレル)もSSRIの作用を増強する可能性がある[1,29]
食欲抑制薬					
フェンフルラミン(Pondimin)	20mg-40mg/日[1]		✓		このアンフェタミン様の薬剤は脳内のセロトニン放出を増強する可能性がある。ひとによっては過度に刺激を受ける場合もある
ホルモン					
エストロゲン					エストロゲンは単独または抗うつ薬との組み合わせで，女性の抑うつ症状治療に用いられてきた。その有効性を示す根拠は確たるものではなく，併用は勧められない[1]

増強薬剤	増強する用量	抗うつ薬の種類			コメント
		TCA	SSRI	MAO阻害薬	
ホルモン					
リオチロニン(チロナミン，サイロニン；T3)	12.5mg-25mg/日。50mg/日まで徐々に↑	✓	✓	✓	TCAが肯定的結果を示した報告はいくつかある[30)]。しかし他の報告書では否定的な結果も示されている[1)]。男性よりも女性により有効と思われる。症例報告からはSSRI及びMAO阻害薬の作用を増強することも示唆されている[1)]。反応は1～4週で現れる。反応が肯定的であればその後2カ月は継続投与可。心臓病や高血圧症の患者には投与にあたり十分な注意が必要
気分安定薬					
リチウム	600mg-1200mg/日の分割投与	✓	✓	✓	複数のオープン試験及び二重盲検試験では，リチウムの低用量投与が抗うつ薬の有効性を約50%増強する結果が示唆されている。試験的投与は2～3週間だが，有効であれば併用は継続してもよい。この併用療法は再燃予防にも有効と考えられている。リチウムは，カルバマゼピン(テグレトール)またはバルプロ酸(デパケン)とも併用して，双極性躁うつ病の難治例－とくに“ラピッドサイクラー”と呼ばれる年に数回エピソードを発症する例－に用いることも可能
精神刺激薬					
アンフェタミン(Dexedrine)	開始用量は5mg/日			✓	1つの試験でアンフェタミンまたはペモリン(下記参照)がMAO阻害薬の上乗せとして，重度の難治性うつ病患者複数への投与例が報告されている[31)]。何人かの患者は反応したが，1/5の患者に躁病症状(異常な多幸感)の発現が見られた。この薬剤組み合わせは，潜在的に危険であり，高血圧発作を発症させる可能性がある。メタアンフェタミンの項も参照のこと

メタアンフェタミン(Desoxyn)	開始用量は5mg/日	✓			いかなる精神刺激薬も依存を形成する可能性がある。この薬剤は非常に依存性が強く，抗うつ薬との併用は潜在的に危険である。他のいかなる精神障害への使用も，単剤または併用を問わず問題である。高用量での長期連用は激しい怒りや妄想型統合失調症に似た精神病を引き起こす可能性がある
メチルフェニデート(リタリン)	開始用量は5mg/日	✓			この薬剤組み合わせはTCAの血中濃度を↑させる可能性があるため，血中濃度検査は不可欠である。メタアンフェタミンのコメントも参照のこと
ペモリン(ベタナミン)	開始用量は37.5mg/日または18.75mg/日			✓	メタアンフェタミンのコメント参照
β 遮断薬					
ピンドロール(カルビスケン)	2.5mg1日2回を1週間。その後5mgを1日2回に↑し，3週間継続する[1)]。		✓		ピンドロールはβ受容体を遮断し，$5HT_{1A}$受容体を刺激する。この薬剤は降圧薬として使われるため，血圧のモニターは不可欠である。めまい，疲労ならびに不安，苛々，不眠をともなう活性化などの副作用がある

あるかもしれません。Prozacは，選択的に脳内のセロトニンシステムを活性化するのに対し，イミプラミンの場合は，多数の異なるシステムに影響を与える作用があるからです。

別の薬に切り替えた場合は，禁断作用を防ぐために，現在の薬は通常，ゆっくりと廃止していく必要があるでしょう。抗うつ薬には習慣性はありませんから，服用をやめても渇望が起きることありません。しかしながら，不快な禁断作用を防ぐために，ゆっくりと服用をやめていく必要があります。たとえば，先にも触れましたが，三環系薬は突然やめると，不眠症や胃の不調を起こす可能性があります。

さらに，以前にも説明しましたように，1つの薬から別の薬に切り替える際には，義務的に待機期間が置かれることがあります。これは，2つの薬が交じり合うと危険なことにもなりかねませんし，服用をやめた後もしばらくの間は，最初の薬の影響が残っていること可能性があるからです。その典型的な例が，フルオキセチン（Prozac）などのSSRIから，トラニルシプロミン（Parnate）などのMAO阻害薬への切り替えでしょう。これら2つの薬の組み合わせは，以前にもご説明しましたが，セロトニン症候群という，場合によっては致命的ともなりかねない症状を引き起こす可能性があります。しかも，これらの薬は，両タイプとも身体からゆっくりと排出されますから，一方からもう一方へ切り替える際には，薬を服用しない期間を事前に置く必要があるのです。SSRIの1つプロザックから，MAO阻害薬の1つParnateへ切り替える際の待機期間は，5週間以上です。一方，ParnateからProzacへの切り替えの場合は，待機期間は，少なくとも2週間でしょう。しかしながら，薬の組み合わせによっては，待機期間が必要ないものもあります。この点については，主治医の先生にご確認ください。

では，これらの対策がすべて，最適な抗うつ効果をもたらすまでには至らなかったと仮定してみましょう。では，次は？ 私の経験では，これは珍しいことではありません。あらゆる種類の薬を用いて，長年治療を受けてきたにもかかわらず，依然として深刻なうつ病に苦しんでいる患者さんを，これまでに多数拝見してきました。この仕事を始めてまもなくの頃，気がついたことは，薬からは答えを得られない方々がたくさんいらっしゃるということでした。私が，自らの職業人生のこれほどまでを，本書でご説明したような新しい心理療法テクニックに注いできたのも，だからこそです。単に薬だけではなく，もっと多くの手法を利用できるようにしたいと思ったのです。

私の経験では，薬だけで問題が解決され，喜びをもたらすことができると考えるのは，あまり成果が期待できないように思えます。対照的に，これらの認知療法手段を，情け深く，粘り強く，しかも創造力豊かなセラピストと共に，快く試していこうとする気持ちが，大きな改善を導くことが多いように思うのです。

その他の，
処方される可能性がある薬

私はこれまでに，さまざまなタイプの抗うつ薬を処方してきましたが，それらはいずれも，うつ病の治療において何らかの明白な指針を与えてくれる，と私なりに考えたからです。なかには，この原則に該当しないものもありますが，おそらく避けたほうがよいと思われる幾つかのタイプの薬について，以下でご説明することにしましょう。

抗不安薬（ベンゾジアゼピン）

神経症と不安の治療に，抗不安薬（ベンゾジアゼピンと呼ばれます），もしくは鎮静薬を使用する医師もいます。アルプラゾラム（コンスタン，ソラナックス），クロルジアゼポキシド（コントール，バランス），クロナゼパム（リボトリール），クロラゼプ（メンドン），ジアゼパム（セルシン），ロラゼパム（ワイパックス），オキサゾラム（セレナール），及びプラゼパム（セダプラン）など，多くの家庭薬がベンゾジアゼピンに含まれます。うつ病の患者さんに対しては，主治医によって処方された薬を幾つか混合したものに，抗不安薬を加えることもあります。うつ病の患者さんのほとんどに不安症状も見られるため，このような診療は，残念ながら極めて一般的です。

抗不安薬には習慣性がありますし，この薬による鎮静作用には，うつ病を悪化させる恐れがあることから，私は通常，これらをお勧めすることはありません。私の経験では，不安に対する治療は，このような薬を用いなくとも，ほとんど必ずと申し上げてもいいほどうまくいきます。クイーンエリザベスⅡ世健康科学センター出身のヘンリー・A・ウェストラ博士と，ダルハウジー大学出身のシェリー・H・スチュワート博士は，高い評価を受けているカナダの同僚です。彼らは最近，認知行動療法と薬物療法を対比させた，不安障害に関する世界の文献を再検証しました。そして，多くの臨床結果研究について慎重に再検討した結果に基づき，薬物療法の代わりに認知行動療法を用いた不安障害の治療を勧めています[1]。薬を用いない認知行動療法は，不安に対する非常に効果的で長期に亘る治療法である，というのが彼らの下した結論でした。対照的に，これらの著者はベンゾジアゼピンがかなり限定的で，短期の安らぎは与えるものの，その効果は時間と共に失われがちで，しかも薬を手放すのが非常に困難であると強調しています。この点に関して深く興味があるという方は，ウェストラ博士，スチュワート博士両氏による学問的記事をお読みになると，参考になるかと思います。

ベンゾジアゼピンは，服用後，ほとんど即効的に素晴らしい鎮静効果を発揮しますが，主な問題はこれらのリラックス効果が長続きしないという点です。数時間ほどして薬が身体から抜けてしまうや否や，たちまち再び不安に陥る可能性が大いに考えられます。しかも，これらの薬を数週間以上に亙って毎日服用し続けると，いざやめようとしても禁断作用が表れることがあるのです。最もよく見られる禁断症状は，不安，神経質，及び睡眠障害です。皮肉にも，これらの症状こそ，この薬を服用し始めた理由そのものなのです。これらの禁断症状は，まだ薬が必要なんだという錯覚を起こさせ，薬の服用再開へと至らせるのです。このようにして，薬物依存パターンは生まれてゆくのです。幸いにも，抗うつ薬は，本書でご説明した認知行動療法同様，不安の治療にも効果的ですし，これらの治療方法には習慣性がありません。うつ病，または不安の患者さんの治療において，私がベンゾジアゼピンの使用を避けるのは，1 つにこのような理由があるからです。

不安の治療に抗不安薬を避ける理由は，他にも幾つかあります。主要な治療原則の 1 つに，不安の患者さんの場合，自らの不安を克服するためには，それらに正面から向き合い，振り払ってしまわなくてはならない，ということがあります。たとえば，高所恐怖症の場合，梯子の最上段まで上り，不安が消え去るまでそこでじっと立っている必要があるかもしれません。このようにして自らの恐怖に真っ向から対峙し，劇的な改善を遂げた，もしくは完全に恐怖を克服した患者さんの例なら，幾らでもご紹介できます。自らの恐怖に向き合った，不安の患者さんは，第 1 に自らの不安が現実的なものではないことに気づいたことで，しばしばとてつもなく大きな安堵を感じます。たとえ，精神安定薬の助けを借りて，自らの恐怖に何とか向き合ったとしても，そのような努力の効果は，薬によって差し引かれてしまいがちです。実際，医師が不安の患者さんに精神安定薬を処方すると，その恐怖は本当に危険で避けなければならないものであり，不快な症状は抑え込んでしまわなくてはならない，という考えをいっそう強めてしまう危険があるのです。このようなメッセージは，不安治療において非常に有望な，新しいイクスポージャー法とはかなり対照的です。

主治医からベンゾジアゼピンを処方されている，もしくはこの種のタイプの薬物療法を勧められているという方は，賛否両論，よく話し合ってみられてはいかがでしょうか。忘れないでください，みなさんは消費者であり，医師はみなさんのために働いているということを。みなさんには，心置きなく，丁寧に，自らの治療についてよく話し合うあらゆる権利があるのです。このようなチームワークと協力の意味は，極めて重要です。

鎮静薬

処方睡眠薬の多くにも，習慣性があり，依存的になりやすいといえます。普通に数日間使用しただけで，もう効かなくなってしまうことが考えられるのです。そのため，眠りに就くためには，もっともっと多くの用量が必要となることがあり，これが薬物に対する耐性と依存のパターンを招く恐れがあるのです。これらの薬は，毎日服用していると，正常な睡眠パターンを崩しかねません。酷い不眠症こそが睡眠薬の禁断症状であるため，薬をやめようとするたびに，もっと薬が必要なのかもしれない，と誤って判断してしまうことが予想されます。こうして睡眠薬は，睡眠障害をさらにいっそう，大幅に悪化させる危険があるのです。

対照的に，服用量を増やす必要がなく，眠りを促す鎮静薬も幾つかあります。私の考えとしては，これらの薬のほうが，うつ病の患者さんの不眠症治療対策として，より優れているように思えます。当目的のためにしばしば処方されるのは，トラゾドン（デジレル）またはドキセピン（Sinequan）25mg から 100mg，もしくは，ジフェンヒドラミン（レスタミン）25mg から 100mg の 3 つです。はじめの 2 つは，処方箋が必要な抗うつ薬です。そしてもう 1 つ，レスタミンは抗アレルギー薬で，現在は，処方箋なしで購入できます。ただし，たとえ処方箋なしで手に入る薬であろうと，現在服用中の他の薬と，危険な薬物相互作用を一切引き起こさないことを確認するために，いずれの薬を服用するに際しても，まずその前に必ず主治医の先生に相談してください。レスタミンのように，現在では処方箋なしで購入できるものでも，その多くはかつては処方箋がなくては入手できなかった薬だったということを忘れないでください。つまり，処方薬と何ら変わりなく，危険となり得るということなのです。ガバペンティンは，新しい抗けいれん薬です。この薬も習慣性がなく，鎮静と抗不安作用をもつことから，当目的のために処方している医師もいます。

睡眠障害がある方には，何か眠りを妨げている個人的な問題があるのかもしれません。学校または仕事上での問題，家族や友人とのトラブルなど――何でも問題になり得ます。なかには，これらの問題への対処を逃れようと，とにかく自分の前から隠してしまおうとする人もいます。しかし，その後，さまざまな症状が代わりに顔を出してくるのです。不安に陥る人もいれば，眠れなくなる人もいます。何ら器官的原因がないのに，身体的疼きや痛みを覚える人もいます。

精神安定薬や睡眠薬を使って問題を隠してしまうのではなく，むしろ問題の正体を明らかにし，その解消に努めるほうがいいというのが，常日頃からの私の実感です。問題を目の前から追い払ってくれる薬を処方することは簡単です。そしてこれこそが，睡眠薬と抗不安薬の絶大な人気に大きく貢献しているのです。

刺激薬

メチルフェニデート（リタリン）などの「刺激薬」や，減量用に非常によく処方されている，アンフェタミンについてはどうでしょうか？ これらの薬が，一時的な刺激をもたらし，意気盛んにしてくれることは確かです（コカインによく似ています）が，これらもまた危険なまでに習慣性があります。一時的なハイ状態が冷めると，一気に落ち込み，よりいっそう深い絶望感に襲われがちです。これらの薬を慢性的に服用していると，統合失調症にも似た，攻撃的で暴力的，しかも妄想的な反応が表れることもときどきあります。

私自身は，これらの薬をめぐる懸念から，うつ病の患者さんに対して（他のいかなる問題に対してもですが），刺激薬を処方したことはいまだかつてありません。しかし，これが議論を呼ぶ問題域であることは確かです。精神科医のなかにも，ある種の環境下では，高齢のうつ病患者さんに刺激薬を処方される方がいらっしゃいますし，過活動の子供や青年期の若者の治療に，刺激薬は絶大な人気を博しています。主治医からこれらの薬の服用を勧められた場合は，必ずその賛否両論について，よく話し合うべきでしょう。治療に関して，どうもしっくりこない感じがするという方は，別の意見も参考になさったほうがいいかもしれません。

どの原則にも例外はつきものですし，それはこの場合も同様です。メチルフェニデート（リタリン）のもつ，刺激的な特性から，これを三環系抗うつ薬に加えて用いる医師もいます。活動性が著しく低下し，意欲に乏しい患者さんの中には，この組み合わせが効を奏す方もいます。しかしながら，メチルフェニデートも，ほとんどの三環系効うつ薬の肝臓による分解を抑制することから，これら，他の効うつ薬の血中濃度が上昇することが予想されます。そうなると，副作用が増大することになりますから，効うつ薬の副作用を減らす必要が出てくるかもしれません。

抗精神病薬

抗精神病薬（または「強力精神安定薬」とも呼ばれます）についてはどうでしょうか？　この部類に属する薬としては，他に，クロルプロマジン（コントミン），クロルプロシゼン(Taractan)，ハロペリドール（セレネース），フルフェナジン（フルメジン），ロクサピン（Loxitane），メソリダジン（Serentil），モリンドン(Moban)，ペルフェナジン（トリラホン），ピモジド（オーラップ），チオシゼン（Navane），チオリダジン（メレリル）及びトリフロペラジンなどがあります。また，より新しい薬としては，クロザピン（Clozaril），オランザピン（ジプレキサ），クエチアピン（セロクエル），リスペリドン（リスパダール），セルチンドール(Serlect)，およびジプラシドン（商品名はまだ入手不可）などがあります。これらは，たいていのうつ病または不安症の患者さんの治療において，主要な役割を担うわけではありません。抗精神病薬に抗うつ薬を組み合わせた薬が市場化され，奨励されたのは，もはや昔のことですが，現在に至るまで，うつ病に治療における，これらの調合剤優れた効能を詳細に報告した臨床研究は，実際のところ，ほとんどありません。

うつ病の患者さんで，抗精神病作用薬から利益を得られるのは，ごく少数派です。妄想的なうつ病の患者さん――つまり，外的現実について誤った，非常に非現実的な結論を引き出す患者さんです。たとえば，自分の身体の中に虫がいる，もしくは自分に陰謀を企んでいる奴がいるという妄想を抱いているようなうつ病の患者さんです。高齢のうつ病患者さんの場合は，被害妄想を抱きがちなようです。また，うつ病の患者さんで，極度の不安に陥り，うろうろと動き回らずにはいられなくなることもあるような方にも，抗精神病は効果があります。しかしながら，主要な精神安定薬は眠気や疲労を引き起こす傾向があるため，うつ病を悪化させる可能性もあるのです。

しかも，たいていの抗うつ薬と異なり，抗精神病薬の多くは，遅発性ジスキネジアと呼ばれる，回復不可能な副作用の危険を伴います。遅発性ジスキネジアというのは，顔，唇，及び舌の異常で，何度も何度も繰り返す舌打ちや，しかめっ面など，反復的で，不随意な動きが表れます。異常な動きは，ときどき両腕，両脚，及び胴体にも及ぶことがあります。主要な精神安定薬は，この他，不安にはなりますが，回復可能な副作用を多数引き起こすこともあります。したがって，これらの薬を使用するのは，期待される利益が危険の可能性を上回り，その必要性が明らかなときにのみに限定すべきでしょう。

多剤併用療法

多剤併用療法とは，特定の患者さんに対して，一度に複数の精神病薬を処方する診療を意味します。1つの薬で効き目があるなら，2つ，3つ，それ以上ならさらによいだろうという考えです。抗うつ薬を，非主流・主流の精神安定薬など，別の種類の薬と組み合わせるだけでなく，抗うつ薬は抗うつ薬でも，種類の異なる抗うつ薬と組み合わせることもあります。その結果，患者さんは多くの薬を混ぜ合わせて服用することになります。

多剤併用療法に対しては，かつては眉をひそめることが多かったのですが，最近では，比較的よく受け入れられるようになり，多くの精神科医が，精神病の患者さんの多くに 2 つないしそれ以上の薬を日常的に処方しています。対照的に，家庭医によるうつ病の治療を受けている場合は，一度に複数の精神病薬が処方される可能性はずっと低くなります。これは，家庭医の関心が，たいてい感情的問題の治療に対してよりも，むしろ身体的問題により多く向けられているからです。

多剤併用療法が，感情障害の治療に効果を発揮するケースもあります。たとえば，抗うつ薬の効果を高めることが考えられる，幾つかの強化療法について，先に説明したことがありました。また，別の薬を時折用いることで，いかに薬の副作用に対抗することができるかということについても説明しました。合理的な多剤併用療法は，まったく別の障害を併せもち，しかもその両方共に治療が必要な患者さんにも役立つことがあります。たとえば，統合失調症の患者さんで，うつ病でもある場合，抗精神病薬を抗うつ薬と併せて組み合わせることで，効果が得られることがあります。双極性（躁うつ病）の患者さんには，うつ病の発作の最中は，リチウムに加え抗うつ薬も処方されることがありますし，躁病の発作の最中には，以前にもお話しましたが，急性の症状に対抗するために，リチウムに加えて抗精神病薬もしくはベンゾジアゼピンが処方されることもあります。

薬の組み合わせを医師が指示する場合としては，このような特定の例がありますが，私自身は，通常副作用や薬物相互作用，及び費用が高くつくという理由から，うつ病や不安の治療に多剤併用療法を用いることには賛成しません。また，多剤併用療法は，患者さんの問題がすべて薬によって対応可能である，というメッセージを伝えがちです。患者さんは，うつ病のために 1 つないし

2 つの抗うつ薬を服用し，その薬の副作用に対応するためにさらに，1 つ，2 つ補足的な薬が加えられることもあるでしょう。その上，不安治療としてまた別の薬が処方されることもあります。さらに，苛立ちを覚えると訴えようものなら，怒りの治療と称して，またさらに別の気分安定薬が与えられる可能性がないともいえません。

結局，患者さんは一種の人間試験管ともいうべき，かなり受身的な立場へと追いやられることになってしまうのです。何を大袈裟な，と思われるかもしれません。しかし，私はまさにこのような立場に置かれている患者さん方を，嫌というほど目にしてきたのです。溢れんばかりの薬に，これでもかこれでもかといわんばかりの副作用をつけて与えられ，そのいずれからもほとんど利益を得られないという状態でした。私は，これらの患者さんの多くに，認知療法のみで薬は一切用いないか，もしくは認知療法に抗うつ薬を 1 種類だけ加えるという方法で治療を行いました。そして，成功してきたのです。

精神科医のなかにも，あまりに薬に頼りすぎている人がいることは確かだと思います。なぜなのでしょうか？ 1 つに，精神病治療訓練プログラムのほとんどが，うつ病の生物学的理論を強調するあまり，うつ病，その他の障害の薬物治療を重視しがちだ，という問題があります。加えて，精神科の開業医を対象とした，継続的訓練プログラムの大多数が製薬会社の後援によるものであることから，これらの会合の焦点がほぼ必ずといっていいほど，薬に置かれているということも問題でしょう。精神医学の機関紙も同様で，うつ病や不安に対する最新薬について，その長所を喧伝する高価な製薬会社の広告は満載している一方で，最新の心理療法テクニックを推奨する広告には，いまだかつてお目にかかったことがありません。これは，そのような広告にかける費用など，どこにもないからです！ しかも，精神医学の機関紙に登場する薬の調査研究は，製薬会社による資金提供を受けているものが相当数にのぼることから，このような資金提供につきものの，潜在的利益抗争を懸念する声もあがっています。

私は何も，煽動家気取りで，一般の人々を煽り立てようなどというつもりは毛頭ありません。これは白と黒に割り切れるような問題ではありませんし，製薬産業によって行なわれる素晴らしい研究が，我々精神病治療に携わる仲間者たちと精神障害に苦しむ患者さん方に，多大な貢献をもたらしてきたことは確かですから。ただ，1 つ気がかりなのは，薬に対する強調が，ときどき行きすぎてしまうことがあるように思われる，ということです。残念ながら，より新しい形態の心理療法の十分な訓練を受けていない精神科医がいることは事実であり，認知療法もその例外ではありません。この治療法が，実際うつ病や不安に苦しむ方々のどれほど大きな助けとなり得るか，にもかかわらずです。ある薬が効かないと，精神科医はたいていその薬の用量を引き上げるか，さもなければ別の薬を新たに加えるといった対応を取ります。なぜならば，これが彼らがそうするよう訓練されてきたことだからです。そして，逆の副作用が見られるようであれば，その対策として，何らかの補足的な薬を別に加える決断がとられることもあります——これもまた，そうするように彼らが訓練されてきたことだからです。こうして結局，患者さんは，雪だるま式にますます多くの薬を，ますます大量に服用することになり——しかも何ら実質的利益を得られない，という結果となるケースもあります。もはや，多剤併用療法の収拾がつかなくなってしまったのです。

私は精神科の研修医時代，よく，ちょうどぴったりの「魔法の弾丸」（つまり最も相応しい薬）を見つけられさえすれば，すべての患者さんを救うことができるのにと思ったものでした。当時の治療は，薬に継ぐ薬一辺倒で，心理療法はほとんど用いられていませんでした。私は自分の臨床経験から，何度も何度も，この方法では効果がない，ということを思い知らされてきました——どれほど多くの薬を，単独でまたは複数組み合わせて用いようとも，実際何の回復も見られない患者さんが，あまりにも多かったのです。

さらに悪いことに，ほとんどの精神科医は患者さんに対して，治療と治療の間に，進歩の跡をたどるために，第2章でご紹介したような気分テストを受けるよう求めていません。その結果，本当はまだ，実質的な回復が見られていないのに，薬が「効いている」と判断してしまうことがあるのです。私の考え方としては，面談毎に評価をせずに患者さんの治療にあたることは，非科学的であるばかりか，適切な治療と当分野の発展に対する妨げを象徴しているように思えます。

精神科医のなかには，ほとんど排他的ともいえるほど，うつ病の生物学理論と治療にばかり，ひたすら目を向けている方がいますし，患者さんのなかにも，そのような方々が多数います。このような方々は，他の治療方法をときには宗教的な熱心さで軽視することもあります。この点については，多くの有名な精神科の先生方が，喧々囂々の議論を展開しています。心理療法対薬物療法に関するこれらの議論の白熱ぶりは，知的な真理の追究というよりも，むしろ縄張りをめぐる権力争いの観を呈すこともあります。幸いにも，現在使われている精神病薬はいずれも，その効果に限界があることを認める，健全な風潮が高まりつつあります。加えて，より新しい形態の心理療法（認知行動療法などがそうです）と薬物療法を組み合わせることで，薬だけを単独で用いた治療を上回る，より満足のいく結果が得られる，という認識も増してきています。

抗うつ薬が有効な患者さんもいることは確かですが，これらの薬が十分に効かない患者さんも多数いることも，また明らかなのです。抗うつ薬が効かない場合，私は別のやり方に切り替えて認知療法を用いるか，さもなければ，認知療法とどれか 1 つの抗うつ薬を組み合わせて同時に用いるといった方法を好んで用います。うつ病の患者さんの多くが，人生に現実的問題を抱えていますし，私たちのほとんど誰しもが，物事について，時には洗いざらい打ち明けることのできる，誰か他の人間との共感的で心癒される関係を必要としています。薬だけでうつ病と不安を治療できるはずだという考えは，確かに魅力的かもしれません。しかし，この方法では往々にしてうまくいかないことが多いのです。

公平を期して申し上げれば，心理療法のみに排他的に集中することも，偏っていることに何ら変わりはありません。実際，私が個人的に試みた多くの心理療法的介入で，効果がなかった患者さんもいました――第 2 章でご紹介した，うつ病テストの週を追う毎の得点が変化しなかったのです。さまざまな心理療法的手法に取り組む一方で，抗うつ薬を処方したこともありました。すると，数週間以内にうつ病と不安が改善し始めることがしばしばありましたし，心理療法の効きめが，突如よくなり始めたこともありました。これらのケースで，私は有効な薬があったことをつくづく嬉しく思ったものです。

最後にもう 1 つ，多剤併用療法に拍車を掛けている問題として，多くの患者さんが控えめすぎるということがあります。ご自身が服用している薬のどれも，しっくりこないと感じているにもかかわらず，「お医者様が，いちばんよくご存知のはずだから」と，考えてしまうことがあるのかもしれません。確かに，医師は非常に豊かな訓練を積んでいますし，その一方で，患者さんの知識はたいていの場合限られています。加えて，患者さんは往々にして医師を敬い，医師が勧めることを尊重するものです。しかし，内科的治療が非常に明晰で画一的であるのに対し，精神医学と心理学における治療方法は，もっとずっと主観的で，多種多様です。治療に対して，患者さん自身がどう感じているかが大切ですし，患者さんには，その感情を主治医の先生に伝え，共感する権利があるのです。

薬の処方をめぐる実際のあり方に，改めて目を向けた今回の改訂版で描かれているのは，明らかに私自身の方法です。みなさんの主治医の先生の考えは，これとは異なるものかもしれません。精神医学は，いまだ芸術と科学が渾然一体化する世界です。おそらくいつの日か，もはや「芸術」がその突出した一端として幅を利かせなくときが訪れることでしょう。ご自身の治療について，何かご不明に感じられる場合は，主治医の先生に尋ねください。みなさんが胸に抱いている懸念をはっきり表明し，きちんと理解可能な平明な言葉で治療を説明いてくれるよう，主治医の先生に強くお求めください。何といっても，結局危険を負うことになるのは，みなさんの脳やみなさんの身体であって，医師の脳や身体ではないのですから。チームワークと強力は，治療の成功に重要な意味をもたらします。みなさん方，医師と患者双方が，合理的で，理解でき，互いに納得のいく治療法に同意している限り，みなさんを救おうと心を尽くす主治医の努力が効を奏す見込みは，大いにあり得るのです。

Notes and References (Chapters 17 to 20)

1. Schatzberg, A. F., Cole, J. O., & DeBattista, C. (1997) *Manual of Clinical Psychopharmacology*. Third Edition. Washington, DC: American Psychiatric Press.

2. Some psychologists are lobbying for the right to prescribe drugs, and some psychologists in the armed services have already been licensed to prescribe drugs. There is intense controversy about the merits of this proposal. Some psychologists argue that the right to prescribe drugs is desirable because it will put them on an even footing to compete with psychiatrists for patients. Other psychologists argue that drug prescribing requires extensive medical training and that the profession will lose an important part of its identity if psychologists win the right to prescribe drugs. They also point out that the role of the psychiatrist, particularly in managed care situations, has become quite unappealing. Many psychiatrists who work for HMOs are now forced to see huge numbers of patients for extremely brief visits consisting only of discussions about medications without any time to do psychotherapy or to learn about the problems in their patients' lives.

3. Baxter, L. R., Schwartz, J. M., & Bergman, K. S., et al. (1992). Caudate glucose metabolic rate changes with both drug and behavioral therapy for obsessive-compulsive disorders. *Archives of General Psychiatry* 49, 681–689.

4. Simons, A. D., Garfield, S. L., & Murphy, G. E. (1984). The process of change in cognitive therapy and pharmacotherapy for depression. *Archives of General Psychiatry* 41, 45–51.

5. Antonuccio, D. O., Danton, W. G., & DeNelsky, G. Y. (1995). Psychotherapy versus medication for depression: Challenging the conventional wisdom with data. *Professional Psychology: Research and Practice* 26 (6) 574–585.

6. Dobson, K. S. (1989). A meta-analysis of the efficacy of cognitive therapy for depression. *Journal of Consulting and Clinical Psychology,* 57(3), 414–419.

7. Hollon, S. D., & Beck, A. T. (1994). Cognitive and cognitive behavioral therapies. Chapter 10 in A. E. Bergin & S. L. Garfield (Eds.), *Handbook of Psychotherapy and Behavioral Change* (pp. 428–466). New York: John Wiley & Sons, Inc.

8. Robinson, L. A., Berman, J. S., & Neimeyer, R. A. (1990). Psychotherapy for the treatment of depression: Comprehensive review of controlled outcome research. *Psychological Bulletin,* 108, 30–49.

9. Scogin, F., Jamison, C., & Gochneaut, K. (1989). The comparative efficacy of cognitive and behavioral bibliotherapy for mildly and moderately depressed older adults. *Journal of Consulting and Clinical Psychology* 57, 403–407.

10. Scogin, F., Hamblin, D., & Beutler, L. (1987). Bibliotherapy for depressed older adults: A self-help alternative. *The Gerontologist* 27, 383–387.

11. Scogin, F., Jamison, C., & Davis, N. (1990). A two-year follow-up of the effects of bibliotherapy for depressed older adults. *Journal of Consulting and Clinical Psychology* 58, 665–667.

12. Jamison, C., & Scogin, F. (1995). Outcome of cognitive bibliotherapy with depressed adults. *Journal of Consulting and Clinical Psychology* 63, 644–650.

13. Smith, N. M., Floyd, M. R., Jamison, C., & Scogin, F. (1997). Three-year follow-up of bibliotherapy for depression. *Journal of Consulting and Clinical Psychology* 65 (2), 324–327.

14. Burns, D. D., and Nolen-Hoeksema, S. (1991). Coping styles, homework compliance and the effectiveness of cognitive-behavioral therapy. *Journal of Consulting and Clinical Psychology* 59 (2), 305–311.

15. Burns, D. D., & Auerbach, A. H. (1992). Do self-help assignments enhance recovery from depression? *Psychiatric Annals* 22 (9), 464–469.

16. Dessain, E. C., Schatzberg, A. F., & Woods, B. T. (1986). Maprotiline treatment in depression: a perspective on seizures. *Archives of General Psychiatry 43,* 86–90.

17. Maxmen, J. S., & Ward, N. G. (1995). *Psychotropic Drugs Fast Facts*, Second Edition. New York: W. W. Norton & Company.

18. You will notice that the percentages of patients reporting stomach upset in Table 20–5 are a little lower than

20 percent to 30 percent on the average. This is because the percentages in the table represent the differences between the rates for the actual drug minus the rates for patients taking placebo medications.

19. You will learn below that the MAOIs can cause dangerous blood pressure elevations, but this is only if you take one of the forbidden foods or medications. Usually, the MAOIs can cause a mild drop in blood pressure.

20. A patient with a "difficult" or "resistant" depression is simply one who does not readily respond to the usual treatments. If your doctor tries many antidepressant drugs and you do not improve, your doctor will naturally conclude that your depression is more difficult than usual to treat. However, you may respond nicely to another type of treatment. I have treated large numbers of patients who had years and years of unsuccessful treatment with a wide variety of drugs prior to seeing me. Many of these "difficult" patients recovered when I used cognitive therapy techniques like those described in this book.

    No single treatment is a panacea for everyone. That's why it is important to have lots of approaches available, including many different kinds of medicines and many different kinds of psychotherapeutic methods as well. The term, "different strokes for different folks" is right on target in the context of depression treatment!

21. Arky, R. (Medical Consultant). (1998). *Physician's Desk Reference*, 52 Edition. Montvale, NJ: Medical Economics Company, Inc.

22. The telephone number of the Madison Institute of Medicine is 608-827-2470; their fax is 608-827-2479; their address is 7617 Mineral Point Road, Suite 300, Mad-

ison, Wisconsin, 53717; and their email is INFOCTRS@Healthtechsys.com. They can do literature searches and supply pamphlets, reprints and other information for a modest fee.

23. Preskorn, S. H. (1997). Clinically relevant pharmacology of selective serotonin reuptake inhibitors. *Clinical Pharmacokinetics* Suppl. 1, 1–21.

24. Westra, H. A., & Stewart, S. H. (1998). Cognitive behavioral therapy and pharmacotherapy: Complementary or contradictory approaches to the treatment of anxiety? *Clinical Psychology Review* 18 (3), 307–340.

25. Levine, J., Brak, Y., Gonzales, M., et al. (1995). Double-blind controlled trial of inositol treatment of major depression. *American Journal of Psychiatry* 152, 792–794.

26. Joffee, R. T., & Shuller, D. R. (1993). An open study of buspirone augmentation of serotonin reuptake inhibitors. *Journal of Clinical Psychiatry* 54, 269–271.

27. Nelson, J. C., & Price, L. H. (1995). Lithium or desipramine augmentation of fluoxetine treatment (letter). *American Journal of Psychiatry* 152, 1538–1539.

28. Weilburg, J. B., Rosenbaum, J. F., Biederman, J., et al. (1989). Fluoxetine added to non-MAOI antidepressants converts nonresponders to responders: a preliminary report. *Journal of Clinical Psychiatry* 50, 447–449.

29. Nirenberg, A. A., Cole, J. O., & Glass, L. (1992). Possible trazodone potentiation of fluoxetine: a case series. *Journal of Clinical Psychiatry* 53, 83–85.

30. Joffee, R. T., Levitt, A. J., Bagby, R. M. et al. (1993). Predictors of response to lithium and triodothyronine:

augmentation of antidepressants in tricycylic non-responders. *British Journal of Psychiatry* 163, 574–578.

31. Fawcett, J., Kravitz, H. M., Zajeda, J. M., et al. (1991). CNS stimulant potentiation of monoamine oxidase inhibitors in treatment of refractory depression. *Journal of Clinical Psychopharmacology* 11, 127–132.

著者紹介と第7部訳者略歴

デビッド・D. バーンズ (David D. Burns)

アミヘルスト大学を次席で卒業し，プロクター・ギャンブル学士号を得た。次いでスタンフォード大学で医師の資格を得，ペンシルバニア大学で精神科のトレーニングを受けた。多くの賞を受賞しているが，その中に35歳以下の研究者に与えられる最高栄誉賞であるA.E.ベネット賞が含まれている。これは脳の感情中枢の化学伝達物資のレベルを反映する指標としての脳脊髄液中の物質変化の意味を調べたものである。この研究は国立精神保健研究所(NIMH)の資金援助を受けている。認知療法によって患者の治療を行うかたわら，ペンシルバニア大学で精神療法と薬物療法を教え，世界各国での学会講演を行っている。

野村　総一郎 (のむら　そういちろう)

1949年　広島生まれ
1974年　慶應義塾大学医学部卒業，医師資格取得
1985-86年　テキサス大学医学部ヒューストン校神経生物学教室留学
1986-87年　メイヨ医科大学精神医学教室留学
1988年　藤田学園保健衛生大学精神医学教室助教授
1993年　国家公務員等共済組合連合会立川病院神経科部長
1997年　防衛医科大学校教授(医学博士)。
著書　こころの医学事典（講談社，共編著)。心の悩み外来（NHK 出版)。うつに陥っているあなたへ（講談社，監修)。ぐるぐる思考よさようなら（文春ネスコ)。精神科でできること―脳の医学と心の治療―（講談社)。標準精神医学（医学書院，共編著)。「心の悩み」の精神医学（PHP 研究所)。内科医のためのうつ病診療（医学書院)。疲労外来（講談社)。もう「うつ」にはなりたくない（星和書店)。

佐藤　美奈子 (さとう　みなこ)

1969年　愛知県生まれ
1992年　名古屋大学文学部文学科卒業
現在　翻訳家。その傍ら，英語の学習参考書，問題集を執筆。
訳書　みんなで学ぶアスペルガー症候群と高機能自閉症，私は病気ではない，わかれからの再出発（以上，星和書店），食べ過ぎることの意味（誠信書房）
著書　IMPROVE 基礎英文法 Grade1.2, Touch the World Reading Series I.II, 会話表現の演習，総合英語の演習 I.II，WORD＆PUZZLEシリーズ500. 700. 1000，英語の研究，Beatシリーズ，センター試験問題集他(以上，中部日本教育文化会)。

林　建郎 (はやし　たけお)

1948年　東京生まれ
1970年　上智大学外国語学部英語学科卒業
1970-99年　一部上場企業の海外駐在員として勤務。
現在　精神医学・科学技術専門翻訳家(英語・仏語)。
訳書　抗精神病薬の精神薬理(星和書店，共訳)，他。

さらに興味のある人のための参考書

・Beck, A. T. *Depression : Causes and Treatment.* Philadelphia : University of Pennsylvania Press, 1972.

うつ病とその治療法を理解するための理論的実際的な基礎を与えてくれる包括的な本。うつ病について真剣に学びたい学生によい。

・Beck, A. T. *Cognitive Therapy and Emotional Disorders.* New York : New American Library, 1979.

神経症について一般的に解説し，認知療法的に治療する方法を専門家向けに述べる。

・Beck, A. T., Rush, A. J., Shaw, B. F., and Emery, G. *Cognitive Therapy of Depression.* New York : Guilford Press, 1979.

カウンセラーや専門的な治療者のために実際の治療法を段階的に示す。

・Beck, A. T., and Young, J. E. "Cognitive Therapy of Depression : Demonstration of an Initial Interview."
B. M. A. Audio Cassettes, Cat. No. T-337, 200 Park Avenue South, New York, N. Y. 10003.

実際の治療場面とその解説（カセットテープ）。

・Burns, D. D., and Beck, A. T, "Cognitive Behavior Modification of Mood Disorders," in Foreyt, J. P., and Rathjen, D. P. (eds.), *Cognitive Behavior Therapy : Research and Application.* New York : Plenum Press, 1978, pp. 109-134.

うつ病と不安の認知治療のための入門書。ストレス，性的問題，怒り，痛みや身体の病気を含む。

バーンズ博士の著書

The Feeling Good Handbook

うつ病，パニック障害，欲求不満，慢性的な悩みや恐怖，などの様々な気分の問題を，認知療法を用いてどう克服するか，を実例を豊富にあげて説明している。家庭や職場での困難など，対人関係の問題も豊富にとりあげられている。(New York：Plume 社発行)

（この翻訳書が，2005年7月頃，星和書店より発行予定）

Ten Days to Self-Esteem

Ten Days to Self-Esteem : The Leader's Manual

自尊心を損なわせる悪い気分から抜け出す10のステップを紹介している。実際的で，わかりやすく，実現可能なプログラムである。Leader's Manual の方は，このプログラムを，病院，クリニック，学校やその他の施設でどのように発展利用するかを解説している。(New York：Quill 社発行)

第１部から第６部までの訳者略歴

野村　総一郎（のむら　そういちろう）

1949年　広島生まれ
1974年　慶応義塾大学医学部卒業，医師資格取得
1977年　藤田学園保健衛生大学助手
1984年　同講師
1985-86年　テキサス大学医学部ヒューストン校神経生物学教室留学
1986-87年　メイヨ医科大学精神医学教室留学
1988年　藤田学園保健衛生大学精神医学教室助教授
1993年　国家公務員等共済組合連合会立川病院神経科部長
1997年　防衛医科大学校教授（医学博士）
著書　こころの医学事典（講談社，共編著）。心の悩み外来（NHK 出版）。うつに陥っているあなたへ（講談社，監修）。ぐるぐる思考よさようなら（文春ネスコ）。精神科でできること―脳の医学と心の治療―（講談社）。標準精神医学（医学書院，共編著）。「心の悩み」の精神医学（PHP 研究所）。内科医のためのうつ病診療（医学書院）。疲労外来（講談社）。もう「うつ」にはなりたくない（星和書店）。

夏苅　郁子（なつかり　いくこ）

1981年　浜松医科大学医学部卒業
　　　　同精神科助手
1982年　共立菊川病院
1984年　神経科浜松病院
1990年　渡米
1996年　焼津病院
1999年　やきつべ心の診療所
2000年　やきつべの径診療所開設（児童・思春期外来）
著書　日本のターミナルケア（誠信書房，共著）。図説臨床癌シリーズ No.28（メヂカルビュー社，共著）。ターミナルケア医学（医学書院，共著）。
訳書　認知療法入門（星和書店，共訳）。

山岡　功一（やまおか　こういち）

1982年　名古屋保健衛生大学医学部卒業
1988年　藤田学園保健衛生大学大学院修了
1989年　藤田学園保健衛生大学講師 医学部精神医学教室
1998年　神経科浜松病院院長
著書　躁うつ病の脳科学（星和書店，共著）。心の病 診療プラクティス（永井書店，共著）。抗うつ薬の科学（星和書店，共著）他。

小池　梨花（こいけ　りか）

1985年　藤田学園保健衛生大学医学部卒業
1987年　浜松赤十字病院内科
1988年　新居浜精神病院精神科
1989年　藤田学園保健衛生大学精神科
1993年　神経科浜松病院
1995年　藤沢病院
1999年　東京都荒川区荒川保健所
2000年　東京都江戸川区清新町保健相談所
2003年　東京都江戸川区健康部医療担当課